Dan Diner (Hg.)

Zivilisationsbruch

Denken nach Auschwitz

Fischer Taschenbuch Band 43

Mit Beiträgen über

Theodor W. Adorno, Günther Anders, Hannah Arendt, Ernst Bloch, Max Horkheimer, Siegfried Kracauer, Leo Löwenthal, Herbert Marcuse, Franz Neumann und Walter Benjamin

Der Nationalsozialismus und sein Kernereignis: die administrativ und industriell durchgeführte Massenvernichtung von Menschen – das Ereignis »Auschwitz« – werfen einen langen Schatten. Mit größer werdender Distanz wird die gesamte historische Bedeutsamkeit dieses Geschehens zunehmend klarer: »Auschwitz« war nicht bloß ein entsetzliches Ereignis, sondern ist so etwas wie eine Epochengrenze unserer gesellschaftlichen Kultur – ein Zivilisationsbruch. Dieses Buch enthält eine Zusammenstellung von Beiträgen über bedeutsame kritische Denker, die sowohl existentiell als auch von ihrem theoretischen Denk-Entwurf her Auschwitz ausgesetzt waren. Welche Folgerungen zogen sie aus jenem Ereignis? Wie schlägt sich »Auschwitz« in ihrem Denken nieder? Wie haben sie es reflektiert – oder negativ: von ihren Entwürfen her umgangen?

Fischer Taschenbuch Verlag

fi 916/1

Inhalt

Teil III
Psychoanalytiker, die nach Amerika emigrierten

Teil IV
Emigranten in Europa

Danksagung

Mein Dank gilt in erster Linie meinen Gesprächspartnern: ihrer Offenheit, ihrer Bereitschaft, die Gesprächstexte zu überprüfen und zu ergänzen.
Besonders danke ich Hans-Hinrich Harbort für die ebenso freundschaftliche wie inspirierende Zusammenarbeit am Text, dem Übersetzen aus dem Englischen, Transkribieren, Abschreiben, Redigieren, Nachfragen, Korrigieren – kurz: bei der Komposition des Buchs. Ohne ihn wäre es nicht gegangen.
Katrin Hansen, die ich in Israel als Mitarbeiterin der ›Aktion Sühnezeichen‹ kennengelernt habe, danke ich ebenfalls für ihre sachkundige Mitarbeit.
Gemeinsam mit Chana Steinwurz besuchte ich Gesprächspartner in Berlin und Hamburg, mit Jörn Böhme von der ›Aktion Sühnezeichen‹ war ich bei Theodor Holdheim in Jerusalem.
David Abraham, Andrei Marcovits, Helmut Gollwitzer, Judith Kestenberg und Klaus Horn vermittelten mir wertvolle Kontakte mit Gesprächspartnern in den Vereinigten Staaten und in Israel.

»Je mehr man sich erinnert, desto mehr faßt man sich irgendwie. Wenn wir – das Individuum und die Juden als Gruppe – vor dieser unheimlichen Vergangenheit stehen, die uns selbst ein Mysterium ist, wenn wir uns die Details vergegenwärtigen, beginnen wir etwas mehr davon zu verstehen, wer wir sind. Das geschieht in einem ganz intuitiven Prozeß, der fast nicht formulierbar ist... Man begibt sich in etwas hinein, ohne eine Antwort zu erhalten oder eine Lösung zu erwarten. Die Türen öffnen sich, aber man erfährt keine Klarheit. Es gibt keine Katharsis.«

Saul Friedländer

Einleitung

Die Gesprächspartner:

1. Dieses Buch enthält eine Auswahl von 20 Gesprächen mit jüdischen Intellektuellen – vor allem Geistes- und Sozialwissenschaftlern aus den Fachgebieten der Psychoanalyse, Religionswissenschaft, Soziologie, Historie und Politik. Sie sind in Mittel- und Ost-Mitteleuropa aufgewachsen und haben, durch das Naziregime bedrängt oder verfolgt, fliehen müssen. Gegenwärtig leben sie in den USA, in Israel, Dänemark, Holland, Frankreich, Österreich und der Bundesrepublik Deutschland. Sie haben sich mit der Zeit des Nationalsozialismus, dem Judentum und dem Antisemitismus auseinandergesetzt – zum größten Teil auch beruflich, sei es als Religionsphilosoph in Jerusalem (wie Ernst Simon), sei es als Leiter der Dokumentationsstelle für die Verbrechen des Naziregimes in Wien (wie Simon Wiesenthal).
Ich verstehe dieses Buch als Versuch, ihre Erfahrungen gegenwärtig zu halten. Die Auswahl folgt dem Motiv, die Verschiedenartigkeit ihrer Herkunft, ihre Erlebnisse unter dem Nationalsozialismus und ihr »zweites« Leben zu dokumentieren. Es sind daher in die Erzählprotokolle, Diskussionssequenzen oder Porträts jeweils auch längere Zitate aus ihren Veröffentlichungen eingestreut.
Bei aller Verschiedenheit ist ihnen gemeinsam, daß sie – durch den Nationalsozialismus gezwungen – sich haben intellektuell in ihren Berufen als Sozial- oder Geisteswissenschaftler »damit« auseinandersetzen müssen. Diese Erinnerungsarbeit mitzuteilen, ist die gemeinsame Absicht der Gesprächspartner und der Herausgeber.
Die Begegnungen verliefen sehr unterschiedlich. Manche unserer Gesprächspartner deuteten nur an, mit welchen Erfahrungen sie umzugehen versuchen. Andere waren längst bereit dazu und froh, gerade mit einem Deutschen zu sprechen, der wenigstens von sich sagt, er wolle wissen. Immer habe ich dabei erfahren, wie künstlich das sozialwissenschaftliche Ideal des neutralen Interviewers ist. Denn ich war zwangsläufig *Teil* einer *Öffentlichkeit*, der gegenüber es meine Gesprächspartner riskierten, ihr Leben offenzulegen. Oft war ich für Augenblicke *Teilnehmer* an ihrer Erinnerungsarbeit – und zugleich *Adressat* ihrer Kritik. In unseren Gesprächen hielten sie eine Balance von Nähe und Distanz, wie sie die Erfahrungen verlangen, die sie

durchgemacht haben und die ihnen bis heute gegenwärtig geblieben sind.
Wir lesen die Geschichte der Judenverfolgung häufig aus der Perspektive derer, die sie organisiert haben. Dieses Buch nimmt *die jüdische Perspektive* ein: Es zeigt ein Stück Geschichte im Spiegel ihres Lebens, ihrer Anpassung und ihres Widerstands, ihrer Ängste, ihrer Fluchtversuche und ihres Nachdenkens über den Nationalsozialismus.

2. Lange Zeit hatte ich Bedenken, die Idee zu den Gesprächen auch zu verwirklichen: Könnte ich nicht Erfahrungen ansprechen, die meine Gesprächspartner aus gutem Grund so weit wie nur möglich aus ihrem Bewußtsein verdrängt haben? Um so überraschter stellte ich fest, daß alle, die ich ansprach, nur zu gern bereit waren, Auskunft zu geben. In den Gesprächen habe ich gelernt: Zum wirklichen Zuhören gehört es, die *Balance zu achten*, die meine Gesprächspartner ihren Erinnerungen gegenüber hielten.
Allzu lange hat unsere Nachkriegskultur auf die jüdische Erinnerung mit Abwehr reagiert. Sie beschwichtigte, wiegelte ab – oder schwieg einfach. Gerne bediente sie sich dazu der christlichen Metaphern der »Vergebung«, die häufig mit Vergessen assoziiert werden. Bestimmte Erinnerungen mögen Schweigen erfordern, um uns nicht aus dem Gleichgewicht zu bringen. Doch das von Hermann Lübbe gefeierte »Beschweigen« in der Nachkriegszeit ist etwas anderes. Das Beschweigen der Tätergeneration verschärft das Schweigen derjenigen Opfer, die nach Anerkennung moralischer Schuld oder politischer Verantwortung verlangen – und daraus auch Sinn schöpfen würden – wie die nervös-hellhörige Reaktion auf die wenigen offenen, selbstkritischen Worte der älteren Generation, etwa von Theodor Heuss oder Carola Stern, deutlich machen. In der Abwehr einer solchen Zuhörerschaft liegt eine doppelte Aggression: sowohl gegen Erfahrungen, die nicht »vergehen« können (Nolte), als auch gegen eine Tradition jüdischer Erinnerungskultur, die seit Auschwitz eine ganz andere Bedeutung hat.
Ich begann die Gespräche in der Absicht, uns jüngeren Deutschen Herkunft und Anfänge der Nazi-Verbrechen im Spiegel der Erfahrungen meiner Gesprächspartner zu vergegenwärtigen. Doch im Verlauf der Gespräche und durch die Gespräche selbst wuchs mein Interesse, auch zu begreifen, wie sie trotz des Bruchs oder gerade durch den Bruch neue Perspektiven und Hoffnungen haben entwickeln können. Immer wieder hörte ich von dem Schrecken, der mich fassungs-

los werden ließ; dabei spürte ich, wie sehr auf meinen Gesprächspartnern die langen Schatten der Vergangenheit liegen, die sie jedenfalls nicht einfach abschütteln können. Ich erfuhr aber auch von lebendiger Religiosität und vom jüdischen Alltagsleben: von Festen und Traditionen, durch die sie sich erneut anzueignen versucht haben, was ihre Kultur kennzeichnet.
Das Buch soll verstehen helfen, wer sie waren, was ihnen entrissen wurde, wie sie ihr Leben zwischen Vergangenheit und Zukunft neu zu balancieren versuchen. Und es soll zeigen, daß ihre Erinnerung an das, was sie haben erfahren müssen, *anders* ist – und daher auch nicht von einer vorschnellen Versöhnungs- und Toleranzrhetorik vereinnahmt werden darf.

3. Es widerstrebt mir, die Erfahrungen zu typologisieren, von denen meine Gesprächspartner mir erzählten – zu individuell sind ihre Lebensläufe, zu verschieden ihre Herkunftsmilieus. Sie kommen aus Kleinstädten wie Liegnitz oder Freienwalde, vor allem aber aus den Zentren des europäischen Judentums: aus Frankfurt, Berlin, Karlsruhe, Breslau, Wien oder Prag. Sie bieten einen Einblick in das damalige soziale, politische und kulturelle Klima.
Zu verschieden sind auch ihre Kindheiten: im Berliner oder provinzstädtischen, groß- oder kleinbürgerlichen Elternhaus, im liberal assimilierten Ernst Simons oder im orthodoxen Margrit Wreschner-Rustows in Frankfurt. Und zu unterschiedlich sind auch die Erfahrungen dessen, was Hitler und die SS besorgt haben: Bruch, Schikanen, Flucht, Verbrechen, Exil.[1]
Die hier erzählten Biographien beginnen in unterschiedlichen Epochen:
(1) Manche unserer Gesprächspartner haben ihre ersten wichtigen Kindheitserfahrungen *vor* dem Ersten Weltkrieg machen können – noch in der relativen Ruhe einer nicht selten selbstbewußten, würdigen, traditionstreuen oder assimilierten Umgebung: Leo Löwenthal, Eva Reichmann, Ernst Simon, Henry Lowenfeld und Erik Erikson gehören dazu. Der Einsturz der alten Ordnung am Ende des Ersten Weltkriegs hat auch ihre Kindheit beendet. Wenn sie sich nicht, wie

[1] Die geschichtlichen Daten, soweit sie in den Gesprächen von Bedeutung sind, wurden von uns auf den neuesten historischen Forschungsstand gebracht. Wo wichtige Differenzen auftraten, haben wir diese als solche festgehalten, um so genauer die persönlichen Aspekte der kollektiven Erfahrung vor, in und nach dem Nationalsozialismus zu betonen, um die es uns vor allem ging. So ist es uns vielleicht gelungen, auch die »subjektiven Daten«, die sogenannte *oral history*, in ihr Recht zu setzen.

etwa Erik Erikson, der Kunst zuwandten, wurden sie begeisterte Sozialisten, Zionisten oder, wie Ernst Simon, gleich beides, waren fasziniert von der Renaissance jüdischen Geisteslebens etwa im Frankfurter Jüdischen Lehrhaus oder bei Leo Baeck, wie etwa Eva Reichmann berichtet hat. Und nicht selten nahmen sie diese verschiedenen Einflüsse alle gleichzeitig in sich auf.

»Du hast uns zu anständigen Menschen erzogen, und so mußte die erste anständige Sache, der wir begegneten, uns packen. Zufällig war es der Zionismus, es hätte auch der Sozialismus sein können« – das erwiderte der junge Ernst Simon seinem Vater, als der ihn fragte, weshalb er sich für den Zionismus entschieden habe. Viele sind durch die gleichsam säkularisierte Form jüdischer Erinnerungsarbeit – die Psychoanalyse – gegangen – durch das »Thora-peutikum«, wie Gershom Scholem die Psychoanalyse Frieda Fromm-Reichmanns karikierte. Dann trennten sich ihre Wege. Die einen machten schon Ende der zwanziger Jahre mit ihrer Entscheidung zum religiös-sozialistischen Zionismus Ernst und wanderten nach Palästina aus (wie Ernst Simon); andere fanden erst viel später dorthin – so etwa Simons sozialistischer Freund Leo Löwenthal, der 1985 von Berlin aus zum erstenmal Israel besuchte.

(2) Die zweite Gruppe ist in die Wirren des Umbruchs hineingeboren worden: vor, während oder nach Ende des Ersten Weltkriegs. Mit Gleichberechtigung und Emanzipation, die so selbstverständlich schienen, war es nun für lange Zeit vorbei. Nachdem die Siegeshoffnungen gescheitert waren, flammte der Antisemitismus auf. In einer ganzen Reihe von Elternhäusern – z. B. bei Kurt H. Wolff oder Hans Keilson – herrschte soziale Not. Die frühe Suche nach neuen Orientierungen hatte eine andere Dringlichkeit gewonnen. Manche zogen sich »nach innen« zurück – auch als Reaktion auf eine feindlicher gewordene Umwelt – und schrieben Gedichte und Romane, wie Hans Keilson oder Kurt H. Wolff. Einige, wie Theodor Holdheim, engagierten sich aktiv für jenen Zionismus, der das Ziel einer solidarisch-sozialistischen Gemeinschaft mit der Emigration in das damalige Palästina verbinden wollte. Andere waren ebenso entschiedene Gegner jeder zionistischen Idee und statt dessen begeisterte Anhänger kommunistischer oder sozialistischer Parteien – wie Ossip K. Flechtheim, Richard Löwenthal oder Lewis A. Coser. Flechtheim und Löwenthal waren im Alter von zwanzig Jahren KPD-Mitglieder geworden – ebenso entschieden, wie sie später mit dreiundzwanzig Jahren die KPD kritisierten. Und Marie Jahoda erinnert sich noch heute begeistert, wie sie im »Roten Wien« eine soziale Bewegung erlebte, die das

alltägliche Leben zu verändern verstand; dabei überhörte sie lange Zeit die Signale des heraufziehenden Faschismus.
(3) Diejenigen, die nach dem Sturz der alten Ordnung geboren und aufgewachsen sind – vor allem die jüngeren unter ihnen –, gerieten häufig schon in ihrer Kindheit, spätestens aber in ihrer Jugend in oft traumatische Bedrängung. Als Kinder oder Jugendliche von den Fangnetzen des NS-Regimes eingeschlossen, waren sie gleich doppelt bedroht – physisch wie psychisch: Brigitte Gollwitzer erfuhr Sicherheit im Elternhaus und hatte fliehen können. Saul Friedländer hatte zwar fliehen können, aber ohne seine Eltern. Zvi Bacharach und Margrit Wreschner-Rustow wurden deportiert.

(4) Als der Erste Weltkrieg zu Ende war, mußte sich die Generation, die vor 1914 ihre Kindheitserfahrungen gemacht hatte, plötzlich damit auseinandersetzen, was es bedeuten kann, Deutscher und Jude in einem zu sein. Die Gewalt antijüdischer Ressentiments rührte an Kernfragen jüdischer Existenz in Deutschland.
Ernst Simon beispielsweise war noch 1916 als Freiwilliger in den Krieg gezogen. An das Pessach-Fest 1917 erinnert er sich so: »Ich saß in der Mitte von Bundesbrüdern aus dem zionistischen Studentenverein: alles Soldaten, mitten im Krieg. Es war alles auf Hebräisch. Und als der letzte Satz herankam – ›le shana habaa b'Jerushalaim‹ (Nächstes Jahr in Jerusalem) –, standen alle Zionisten, eine kleine Minorität, auf. Ich erinnere mich wie heute, daß ich ganz langsam mit aufgestanden bin und genug Zeit hatte, mir ein Versprechen zu geben: nämlich nach Palästina zu gehen.«
1918 wurde die Republik ausgerufen – und damit war endlich die rechtliche Emanzipation erreicht; 1918 war aber auch das Jahr einer beispiellosen Woge von Antisemitismus. Die deutschen Juden waren in der Weimarer Republik – ähnlich wie die österreichischen in der Nachkriegsrepublik – auf dem Gipfel ihrer Erfolge, aber gleichzeitig gefährdeter als je zuvor. Die erste große Niederlage der Deutschen im Ersten Weltkrieg seit über einem Jahrhundert wurde den Juden angelastet. Mit der Einsicht, daß die Niederlage unabwendbar war, nahm zugleich der Antisemitismus sprunghaft zu. Diese antisemitische Welle beruhte auf einer Grundstimmung, die bis in die siebziger Jahre des 19. Jahrhunderts zurückreicht, sich aber vor dem Ersten Weltkrieg wieder gelegt hatte.

Antisemitismus und Emanzipation seit der zweiten Hälfte des 19. Jahrhunderts

In den siebziger und achtziger Jahren des 19. Jahrhunderts – der vielbeschworenen Zeit der rechtlichen Emanzipation – war das antisemitische Stereotyp zum Allgemeingut geworden. Es war die Zeit des »Berliner Antisemitismusstreits« vom November 1878 um Heinrich von Treitschke, der programmatischen Äußerungen des protestantischen Hofpredigers Adolf Stöcker für seine ebenfalls 1878 gegründete »Christlich Soziale Partei«, antisemitischer Tiraden in der katholischen Zeitung *Germania*, der Kampfschrift Wilhelm Marrs gegen die Juden. (Auf Marr geht auch der Begriff »Antisemitismus« zurück.)
Dieser »moderne« Antisemitismus hat dazu geführt, daß sich die um ihre Gleichberechtigung betrogenen Juden in Mitteleuropa neue Organisationen schufen, die ein Vierteljahrhundert später, in der Weimarer Republik, Orientierung und Selbstbewußtsein der Juden wesentlich mitprägen sollten:

- den *Centralverein* deutscher Staatsbürger jüdischen Glaubens, der 1893 gegründet wurde;
- die Organisation der *Zionisten*, die Theodor Herzl 1897 ins Leben rief.

Reinhard Rürup sieht die Ursachen des in den siebziger und achtziger Jahren neu erwachten Antisemitismus vor allem in den ökonomischen Umwälzungen und den Schwierigkeiten, welche die damalige große Depression begleiteten. Sie prägten das ökonomische und soziale Leben des jungen Deutschen Reichs. Der Börsenkrach von 1873 und der anschließende Zusammenbruch etwa der Eisenspekulation beendeten die »Gründerjahre« jäh. Soziale wie ökonomische Gefährdung förderten nationalpatriotische und protektionistische Stimmungen. Man sah sich von außen bedroht.
Über diesen eher ökonomisch-sozialen Faktoren vergißt man allerdings leicht, daß der Kampf um die Emanzipation der Juden und die Träger dieses Kampfes – der politische Liberalismus – schon früher entscheidende Rückschläge erlitten hatten, vor allem seit der gescheiterten Revolution von 1848.
Anders als Rürup zeichnet Felix Gilbert daher diesen Kampf vor allem seit Mitte des Jahrhunderts nach. Er hebt dabei hervor, daß sich die (Kompromiß-)Politik des Liberalismus seit der gescheiterten demokratischen Revolution von 1848 gewandelt hatte: von den beiden Zielen der »nationalen Einigung« *und* »allgemeiner freier Bürgerrechte« war das Ziel, durch Bismarck zur nationalen Einigung zu

kommen, letztlich dem Kampf um freie und Bürgerrechte geopfert worden.
Damit kam einem Nationalgedanken größeres Gewicht zu, der *»nationale Einigung«* als ein Kampfziel sah, welches notfalls auch mit militärischer Gewalt gegen andere Nationen erkämpft werden müsse. »Nationalgefühl« bekam nun einen schärferen, aggressiven und arroganten Ton; damit gewannen frühe, zum Teil romantische Ideen von der Besonderheit, ja Einzigartigkeit der deutschen Nation die Oberhand, wie sie etwa schon Johann Gottlieb Fichte während der Zeit der französischen Besatzung Anfang des 19. Jahrhunderts geäußert hatte[2], sowie von dem »deutschen Sonderweg«. Damit wurde der Nationalgedanke, welcher die französische und andere westlich-demokratische Revolutionen beflügelt hatte, seines demokratischen, bürgerrechtlichen Charakters entledigt. In Deutschland traten *Nation* und *Demokratie* weiter auseinander als in vergleichbaren westlichen Demokratien.
Ein solches Nationalgefühl schloß an Stimmungen an, die vor allem in protestantisch-christlicher Tradition die deutsche Eigenart betonten und Vorstellungen der Romantik gegen die Ideen der Aufklärung gesetzt hatten. In diesem politisch-konservativen Milieu der fünfziger und sechziger Jahre wurde das antijüdische Stereotyp von neuem attraktiv. Wagners antisemitische Äußerungen fielen 1850, Freytags Roman *Soll und Haben* erschien im selben Jahr, und Bluntschlis Veröffentlichungen 1860. Der »Jude« war der Hausierer, der Bankier, der Konvertit aus Opportunismus, der Intellektuelle und der Revolutionär in einem.
Diese Tendenzen beweisen für Felix Gilbert: Schon weit vor 1870 hatten die Ideen der Aufklärung und Emanzipation ihre soziale und politische Attraktivität eingebüßt; ihre politischen Träger, die Liberalen, vernachlässigten sie, stellten sie zurück oder gaben sie gar völlig auf. Die formelle Gleichberechtigung stand schon Ende der sechziger Jahre gegen den »Zeitgeist«.
»Die Emanzipation und Integration der Juden blieb halb gelöst – ein Resultat der Unfähigkeit des liberalen Deutschland, eine demokratische und konstitutionelle Lösung des deutschen Problems zu erreichen...«, faßt Gilbert zusammen. Das große Ziel wurde dem kleinen geopfert, nämlich der nationalen Einigung.
Die weitgehende rechtliche Emanzipation, welche die politisch geschwächten Liberalen dem dominierenden Preußen Bismarcks abran-

[2] Vgl. M. Brumlik, W. Grab.

gen, war von Anfang an labil. Sie brachte den Juden in Deutschland keine Anerkennung ihrer Eigenständigkeit – und das, obwohl sich ein größerer Teil der jüdischen Minderheit sehr rasch in die deutsche Gesellschaft eingliederte.
Daß es mit der Anerkennung der *Eigenständigkeit* nicht so weit her war, verdeutlicht die Einschätzung des Stellenwerts der jüdischen Religion im christlich dominierten Deutschland. Bis in die zwanziger Jahre des 20. Jahrhunderts hinein gab es keinen eigenen Lehrstuhl für jüdische Theologie. Christliche Theologen, etwa der Berliner Universität, hatten ihn mit der ausdrücklichen Begründung abgelehnt, es gelte zu verhindern, daß die jüdische Theologie als gleichwertig anerkannt werde.
Dabei war die jüdische Theologie der protestantischen im 19. Jahrhundert selbst schon einen großen Schritt entgegengekommen, was zu heftigen innerjüdischen Konflikten geführt hatte. Schon 1835 hatte der liberale Rabbiner Abraham Geiger seine *»Wissenschaftliche Zeitschrift für jüdische Theologie«* herausgegeben. Zu seinen Zielsetzungen gehörte es unter anderem, Hebräisch als Gebets- und Lernsprache abzuschaffen, die Beschneidung abzulehnen, das Talmudstudium zu reduzieren und den Sonntagsgottesdienst einzuführen.[3] Gegen diese »liberalen« Anpassungstendenzen an die christliche Umgebung rief daraufhin 1836 Samson Raphael Hirsch in Frankfurt zum *Austritt* aus den reformerischen Gemeinden auf und sprach sich dafür aus, eigene Gemeinden zu bilden.
Trotz dieser Tendenz herrschte die Meinung vor, daß sich das jüdische Volk in der umgebenden Mehrheitsgesellschaft auflösen werde, sobald man ihm die »Emanzipation« gewähre. Bei diesem »Geschenk« ging es der Majorität immer auch darum, die Juden einzugrenzen und ihre Andersartigkeit einzuebnen. Von einer deutsch-jüdischen Symbiose kann daher allenfalls im Wortsinn die Rede sein: Die jüdische Minderheit sah sich von der Mehrheit regelrecht umklammert.

Der Antisemitismus der achtziger und neunziger Jahre

Der Emanzipationskompromiß war jedenfalls brüchig. Eben darauf zielte der Antisemitismus, der im Zuge der großen Depression zwischen den siebziger und neunziger Jahren nach dem Gründerrausch aufflammte. Präzise setzte er an den Bruchlinien an.

[3] Vgl. M. Offenberg, S. 28.

Stöcker verknüpfte mit seinen »Forderungen an das moderne Judentum« nicht nur das Verlangen, eigene Werte und Traditionen aufzugeben. Er machte den Antisemitismus zum Programmpunkt der 1878 neu gegründeten Christlich-Sozialen Partei. Sein Antisemitismus ist »modern«: Er schiebt dem Juden die Schuld an der Wirtschaftskrise zu, und als einer der ersten erweitert er öffentlichkeitswirksam den typischen christlichen Antijudaismus um rassistische Argumente, um so die deutschen Juden trotz der Assimilation als fremd – eben als »artfremd« – auszugrenzen.
Zur gleichen Zeit löste Heinrich von Treitschke mit seiner Kritik an den Juden, sie würden sich nicht der deutschen Kultur und Gesellschaft assimilieren und seien deswegen »unser Unglück«, den Berliner Antisemitismusstreit aus.[4]
So gewinnen im selben Maße, in dem sich Juden bis zur Ununterscheidbarkeit in die deutsche Gesellschaft integrieren, »Argumente« an Gewicht und Resonanz, welche die Juden für unintegrierbar erklären[5] – ein bloß scheinbares Paradox.

Vor dem Ersten Weltkrieg: Kurze Blüte wirklicher Emanzipation?

Für kurze Zeit besserte sich die wirtschaftliche Lage, und der öffentliche, aggressive Antisemitismus legte sich, nicht zuletzt dank des deutschen wie des österreichischen Kaisers. Für eine kleine Schicht großbürgerlicher Großstadtfamilien bedeutete dies vielleicht ihre glücklichste Zeit. Ihre Emanzipation war gesellschaftlich anerkannt. Die rapide anwachsenden Großstädte wie Berlin, Wien, Frankfurt oder Breslau, Zentren der Industrie und des Handels, übten gerade auf Juden eine außerordentliche Anziehungskraft aus: Von Osten nach Westen, vom Land in die Stadt, aber auch von Rußland nach Polen und nach Deutschland, von Galizien nach Wien setzte eine Binnenwanderung großen Ausmaßes ein.

[4] Vgl. Ben-Sason, S. 189.
[5] Ähnliche Entwicklungen zeichneten sich in Wien ab. Anfang der achtziger Jahre erscheint die Kampfschrift gegen die Juden von Wilhelm Marr, auf den das Wort »Antisemitismus« zurückgeht. Die antisemitische Agitation ist so erfolgreich, daß 1895 Antisemiten und Antiliberale zusammen die Mehrheit im Wiener Gemeinderat stellen und den Antisemiten Lueger zum Bürgermeister wählen, der dieses Amt nach Auseinandersetzungen aber erst zwei Jahre später antritt. Zur gleichen Zeit ziehen Vertreter der antisemitischen Volkspartei in den Berliner Reichstag ein.

So lebten 1871 von den 512153 Juden im Deutschen Reich knapp 20 Prozent in Großstädten, von den 615000 deutschen Juden im Jahre 1910 aber schon 58,3 Prozent.[6] Unter den deutschen Juden stieg ihr Anteil im industrialisierten Preußen auf mehr als zwei Drittel.

Einen besonderen Anziehungspunkt bildete naturgemäß die Reichshauptstadt Berlin: Allein in Charlottenburg wohnten 22000 Juden und damit 7,3 Prozent der dortigen Bevölkerung.[7] Mehrere unserer Gesprächspartner lebten in ihrer Kindheit oder Jugend in einem Quartier Charlottenburgs: Henry Lowenfeld am Schillertheater, Grolmannstraße/Ecke Bismarckstraße; Lewis A. Coser in der Knesebeckstraße; Theodor Holdheim in der Kantstraße, ebenso wie Frau Alice Grab, die Ehefrau Walter Grabs.

Die Zahl der insgesamt in Groß-Berlin ansässigen Juden war von 36000 im Jahre 1871 (9,6 Prozent der jüdischen Reichsbevölkerung) auf 142000 (26,9 Prozent) im Jahre 1910 angestiegen. Besonders stark wuchs ihr Anteil im Jahrzehnt vor dem Ersten Weltkrieg.[8]

Die meisten Berliner Juden stammten aus den preußischen Ostprovinzen: 30 Prozent aus Posen, 16 Prozent aus Westpreußen und 16 Prozent aus Schlesien. Hinzu kommen etwa 50 Prozent »ausländischer« Juden: vor allem Juden aus Polen und Rußland sowie aus Galizien/Österreich.

So kamen die Großeltern von Henry Lowenfeld ebenso wie die von Ernst Simon aus Osteuropa.

Ein Großteil von ihnen blieb trotz der veränderten Sozialstruktur in den angestammten Berufszweigen, vor allem im Handel – nicht zuletzt deshalb, weil sich Juden in dieser aufstrebenden Branche

[6] Vgl. M. Richarz, S. 19.

[7] Vgl. ibid., S. 23

[8] Der Sog in die Großstadt setzte sich auch nach dem Ersten Weltkrieg, wenn auch abgeschwächt, fort: 1925 erreichte die Zahl der in Berlin ansässigen Juden 172000; erst im Zuge der Machtergreifung Hitlers nahm sie erstmals seit einem Jahrhundert leicht ab: 1933 lebten 160000 (32,1 Prozent der deutschen Juden) in Berlin. Auch die Hälfte der Ostjuden lebte in Berlin. Bevorzugte Wohngegenden waren das vor allem ostjüdische Scheunenviertel am Alexanderplatz, das Hansaviertel, das Bayerische Viertel, die Bezirke Wilmersdorf (mit 13 Prozent jüdischem Bevölkerungsanteil) und Charlottenburg.
Insgesamt lebten 1933 70 Prozent aller Juden in Städten (vgl. M. Richarz, Bd. 3, S. 17f.).
Die Gesamtzahl der deutschen Juden in der Weimarer Republik war von 564000 (1925) um 11 Prozent auf 495000 (Juni 1933) abgesunken, in Berlin allerdings nur um etwa 8 Prozent. Daß der »Berliner Sog« für viele auch in den zwanziger Jahren noch anhielt, beschreibt die biographische Romangeschichte »Das Leben geht weiter« von Hans Keilson – wie auch das Gespräch mit ihm.
(Das Mietshaus in der Bleibtreustraße, in dem ich lebe, war bis zur Emigration Eigentum einer jüdischen Kaufmannsfamilie – wie große Teile Charlottenburgs um den Savignyplatz.)

schneller zurechtfinden konnten. Sie waren insbesondere im Waren- und Produktenhandel tätig, zu einem geringeren Anteil auch im Geld- und Kredithandel; dagegen war der Anteil der früher vor allem auf dem Lande verbreiteten Hausierer mit dem sozialen Aufstieg und der Urbanisierung rückläufig; diese wurden vom Handlungsreisenden abgelöst.[9] Nach wie vor spielte der Vieh-, Getreide- und Weinhandel eine große Rolle, vor allem auf dem Lande. (So betrieb K. H. Wolffs Vater bis zu seinem Tode 1925 die »Wolff und Söhne Weinhandelsgesellschaft« in Darmstadt.)
Juden hatten vor allem Ladengeschäfte, zumeist kleine Familienbetriebe, insbesondere in dem sich damals ausbreitenden Bekleidungs- und Konfektionshandel, aber auch im Handel mit Agrarprodukten und Lebensmitteln sowie im Tabak-, Zigarren-, Buch- und Kunsthandel. Zu den wichtigsten Neuerungen – und einer auch innerjüdischen Konkurrenz – gehörten die häufig prachtvollen Warenhäuser in den Stadtzentren wie Tietz und Wertheim in Berlin und in Breslau.
Im Großhandel waren jüdische Kaufleute vor allem am Textil-, Metall- und Kohlehandel beteiligt.[10]
Ob und wie sich »die Juden« als reiche bürgerliche Schicht in jener Phase abhoben, ist statistisch nicht belegt – und auch schwer zu rekonstruieren, da hierzu ausreichende Einkommens- und Vermögensstatistiken aus jener Zeit fehlen. Tatsächlich gelangen vielen städtischen Juden seit dem Kaiserreich, vor allem aber seit dem Ende der Depression Ende der achtziger Jahre, teilweise ungewöhnliche soziale Aufstiege. Dabei verkehrte sich die Diskriminierung in einen Vorteil: Traditionell waren Juden auf Handel und Verkehr beschränkt worden,[11] was ihnen in der stürmischen ökonomischen Entwicklung des Kaiserreichs kurzzeitig zugute kam. Einerseits durch häufig bittere Beschränkungen, andererseits in ihren Funktionen als finanzkundigen Hofjuden waren sie auf die rasante Industrialisierung vorbereitet. Eine Minderheit von nicht mehr als einem Prozent der gesamten Bevölkerung zu »Erfindern« des Kapitalismus zu erklären, wie es Werner Sombart tat, geht an den von Marx wie von Max Weber beschrie-

[9] Vgl. M. Richarz, S. 25ff.
[10] So etwa der Vater von Margrit Wreschner-Rustow, der an einem bekannten Metallhandelsgeschäft beteiligt war. Es war eines der ganz wenigen Unternehmen, die den orthodox religiösen Bedürfnissen Rechnung trugen – auch den Familienangehörigen von Margrit Wreschner-Rustow selbst (vgl. dazu auch die dokumentierten Äußerungen bei M. Richarz; Vgl. II, S. 29).
[11] Sozial und wirtschaftlich diskriminiert, arbeiten noch 1895 nicht weniger als 56 Prozent der deutschen Juden in Handel und Verkehr.

benen Strukturkomponenten der Industrialisierung in Deutschland vorbei. Sie hatten weder im Finanzsektor noch in Schlüsselindustrien wie der Grundstoff-, der Schwer-, der Elektro- und der chemischen Industrie einen nennenswerten Einfluß. (Rathenau war die Ausnahme.)
Hinzu kommt: Noch immer war Juden vor dem Ersten Weltkrieg der Zugang zu staatlichen Laufbahnen in Schule und Hochschule sowie in der Justiz, Verwaltung und Armee verwehrt oder erschwert. Weil es viele Söhne vor allem jüdischer Unternehmer zu (geistes)wissenschaftlichen Studien drängte, führte die »Umkehrung der Verfassung durch die Verwaltung«[12] zu einem Run auf die verbleibenden Berufswege: Während die Zahl der jüdischen Ordinarien zu Beginn des Ersten Weltkriegs nur 13 betrug, Juden sich fast nur in den unteren Rängen der Richterfunktion befanden und kaum staatsanwaltliche Funktionen ausübten, war ihr Anteil an Rechtsanwälten, Ärzten und Zahnärzten, Journalisten und Theaterleuten überproportional groß (1907 waren 15 Prozent aller deutschen Rechtsanwälte Juden, ebenso 6 Prozent aller Ärzte und Zahnärzte). Daß in Wirtschaft, Wissenschaft und Verwaltung so viele Juden den Status von Selbständigen erreichen wollten, folgte zu einem großen Teil aus sozialen Beschränkungen; hinzu kam die Chance, sich bei Eintritt in eine der genannten Institutionen und Unternehmensbereiche dem antisemitischen Druck zu entziehen.
Ich fasse zusammen: Im Kaiserreich entstand ein erster, politisch organisierter Antisemitismus; weil es ökonomischen Aufstieg, soziale Statusverbesserungen und eine weitreichende Gleichstellung mit sich brachte, war das Kaiserreich trotzdem für viele *die* Zeit der Emanzipation. Doch die Klagen orthodoxer Juden über die Taufbewegung bestätigen, wie weit die ökonomische und soziale Emanzipation vorankam (wenn auch nicht die politische), während die religiöse Orientierung und Tradition an Bedeutung verlor. Schon lange vor dem Ersten Weltkrieg bildete die *religiöse Orthodoxie* eine Minderheit, insbesondere in den Städten. Für kurze Zeit war man deutsch und sah sich, vor allem in den Hauptstädten Berlin und Wien, akzeptiert. Den einen, wie etwa den Eltern Richard Löwenthals oder Ernst Simons, kam es in erster Linie auf die ökonomische Lage an – das, was Richard Löwenthal ärgerlich das »Neureiche« am Milieu seiner Eltern nannte. Für andere – wie beispielsweise den Vater von Henry Lowenfeld – war die Erfahrung der eigentlichen Emanzipation mit dem Kampf um de-

[12] Richarz III, S. 32.

mokratische Aufklärung und die Abwehr von Vorurteilen verbunden. (Der Vater von Henry Lowenfeld war sowohl Gründer des für untere Volksschichten geöffneten Schillertheaters wie auch des Central-Vereins.)[13]
Vor allem aber bot ihnen nun eine soziale Aufstiegschance, was einst als Diskriminierung von Juden gedacht war: Ihre Beschränkung auf den Handelssektor verkehrte sich eine Zeitlang in ihren Vorteil. Viele der deutschen Juden sahen sich anerkannt, geachtet – und deutsch. Daß der Centralverein deutscher Staatsbürger jüdischen Glaubens 1914 in einem flammenden patriotischen Aufruf dafür plädierte, die deutschen Juden im Krieg einzusetzen, entsprach einer weitverbreiteten Grundstimmung: Für diese wenigen Jahre vor dem Ersten Weltkrieg schienen Assimilation und Emanzipation Hand in Hand zu gehen. Für viele Juden war die Vorkriegszeit bis 1914 eine Phase relativer Stabilität – ja, für eine kleine Schicht wohlhabender städtischer Bürger »die« Zeit der Emanzipation.[14] Antisemitische Aggression war für diese Phase und für diese Schicht kaum noch ein Thema[15] – und zwar bis weit hinein in den Ersten Weltkrieg. Die »gleichberechtigte« Teilnahme am Krieg schien zu belegen, daß die Integration endgültig vollzogen war. Die Worte »Ich kenne keine Parteien mehr, ich kenne nur noch Deutsche...« sahen die deutschen Juden nicht weniger an die Sozialdemokraten als auch an sich gerichtet: als Beleg für ihre Anerkennung.[16]

Der Bruch durch den Ersten Weltkrieg und jüdische Renaissance

Als die Hoffnung auf einen schnellen Sieg der Mittelmächte gescheitert war, lebte der Antisemitismus wieder auf.
Innerhalb von zwei Jahren führte der Nationalismus in Deutschland dazu, daß nahezu alle national ausgerichteten Organisationen die antisemitische Ideologie in ihr Programm und ihre Agitation aufnahmen. Nicht einmal das »Zentrum« nahm sich davon aus. Der Einsturz der

[13] Nicht immer vollzog sich der Bruch mit dem »Ghettojudentum« so heftig wie bei der Mutter von Walter Grab, die aus der in ihren Augen ebenso ökonomischen wie geistigen Beengung des Ghettostädtchens ins »freie« Wien geradezu geflüchtet war.
[14] Vgl. das Gespräch mit Henry Lowenfeld.
[15] Vgl. die Gespräche mit Eva Reichmann, Henry Lowenfeld, Ernst Simon und Marie Jahoda.
[16] Vgl. Eva Reichmann. Selbst der so nachdenkliche und kritische Sigmund Freud empfand sich zu Beginn des Ersten Weltkriegs erstmals als »Österreicher«.

alten Ordnung, ein wider Erwarten besiegtes Heer, die Revolutionsunruhen der Jahre 1918 und 1919, Versailles, ungeheures Elend – all das bewirkte eine tiefe psychische, soziale und politische Krise der Deutschen, zerstörte Normen und Werte – und führte dazu, daß sich die im Untertanengeist enthaltenen Aggressionen politisch entluden.
Die Schuldigen sah man neben den Kriegsgegnern vor allem in den Juden. Daß Juden *auch* an der Revolution teilhatten, *auch* Spitzenpositionen in der Sowjetunion einnahmen, *auch* die Republik verteidigten, wurde gleichzeitig zum Anlaß einer Dolchstoßlegende mit Tiefenwirkung. Dabei spielte es keine Rolle, daß sich Juden wie andere am Krieg beteiligt hatten; mit 12000 Toten macht ihr Blutzoll mehr als zwei Prozent der gesamten jüdischen Bevölkerung aus.
Zu den Sündenböcken wurden auch die Ostjuden, die vor allem wegen der Pogrome in Ostmitteleuropa ins Reich kamen, sowie einflußreiche jüdische Bankiers; an ihnen entzündeten sich Hetzkampagnen: Die Juden seien schuld an der Wirtschaftsmisere, nähmen den Deutschen Arbeitsplätze weg, zerstörten kleine Existenzen. Revolutionäre, Erfüllungspolitiker, Bankiers und »fremdartige« Ostjuden wurden zum Bild des Juden als des Hauptverursachers der schweren Krise verschmolzen. Rote Plutokraten, jüdische Bolschewisten waren schuld. Revolutionäre wie »Erfüllungspolitiker« wurden ermordet: Rosa Luxemburg *und* Walther Rathenau.
Ein übriges tat der Sturz der alten Ordnung, das böse Erwachen aus Großmachtträumen: »... Millionen von Deutschen schien es jetzt: *Unser Heer ist von hinten erdolcht worden*«, schreibt der Historiker Erich Eyck.[17]
Golo Mann meint – in seiner Rede auf dem Jüdischen Weltkongreß am 4. August 1966 – rückschauend, daß es in der Periode unmittelbar nach dem Ersten Weltkrieg zu dem in Deutschland wohl gewaltigsten Ausbruch von Antisemitismus gekommen sei. Selbst Ritualmordbeschuldigungen tauchten erneut auf.
Die sogenannten *Protokolle der Weisen von Zion* – eine in Rußland entstandene Fälschung – wurden zu Hunderttausenden verbreitet. Im Deutschland der Nachkriegszeit entstand ein neuer Judenmythos: Sie seien ein Teil der Weltverschwörung und zersetzten systematisch die arische Rasse, indem sie deren Blut verunreinigten.

[17] Geschichte der Weimarer Republik, Bd. 1, Zürich 1956, S. 189.

Die Gewalt dieser antijüdischen Welle hat Kernfragen jüdischer Existenz in Deutschland aufgerührt. Deutscher Jude zu sein, wurde vor allem für Jüngere zum inneren Konflikt. Zur gleichen Zeit, als die deutschen Juden den bis dahin größten politischen Erfolg erzielten – ihre volle Gleichberechtigung in der ersten republikanischen Verfassung –, brach eine nie dagewesene Woge antisemitischen Hasses über sie herein.

Diese Erfahrung war die Folie, vor der sich die irritierte Suche der Jüngeren nach neuer – jüdischer – Orientierung abhob. Gershom Scholems wütend-enttäuschte Abrechnung mit der »unerwiderten Liebe« der Juden Deutschland gegenüber und seine frühe konsequente Auswanderung nach Palästina 1923 gehört zu den bekannteren Beispielen. Richard Löwenthal berichtet ebenso wie Leo Löwenthal von einem Klima der Assimilation, von dem er sich absetzte, indem er sich der politischen Linken zuwandte.

In dieser Situation gewannen Bewegungen an Bedeutung, die zum Teil längst entstanden waren, nun aber einem existentiell gewordenen Bedürfnis nach Orientierung entsprachen: Arbeiterbewegung und Zionismus, aber auch eine Bewegung jüdischer Renaissance. Innerhalb der deutschen Juden blieben sie in der Minderheit, waren aber einflußreich geworden.

Die sozialistische Arbeiterbewegung, zunächst vor allem ihre radikaleren Flügel, wies Auswege aus der Bürgerlichkeit der Elterngeneration, insbesondere aber aus dem bestehenden Zustand der Gesellschaft. Und die zionistische Bewegung bot eine Alternative zur kritisierten Assimilation. Die Zionisten waren schon damals eine zwar »kleine, aber sehr beredte Minorität« (Scholem). Tatsächlich beteiligte sich ein großer Teil meiner Gesprächspartner in ihrer Jugend wenigstens zeitweise an der einen oder der anderen oder sah sich sogar bei beiden inspiriert, wie beispielsweise Ernst Simon. Im Protest gegenüber der Gesellschaft und zum Teil auch gegenüber dem Milieu, in dem die Eltern verkehrten, sah sich diese Generation vom messianischen Charakter und den utopischen Zielen der »beiden anständigen« neuen Bewegungen herausgefordert (so Ernst Simon zu seinem Vater). Der Zionismus Ernst Simons war sozialistisch, der Kommunismus Leo Löwenthals messianisch inspiriert: »Ich wollte die kommunistische mit der messianisch-zionistischen Utopie verheiraten«, bekennt Leo Löwenthal. Und Henry Lowenfeld verstand sich – wie Judith Kestenberg in Wien – als sozialistischer

Psychoanalytiker. Genauso wie für Judith Kestenberg gehörte es für Marie Jahoda zur »zweiten Natur«, in Wien Sozialistin zu sein.

Renaissance jüdischen Denkens: Das Freie Jüdische Lehrhaus in Frankfurt

Es kommt zu einer *Renaissance jüdischen Denkens*. Dürbecks *Wesen des Judentums* erscheint 1922 in der zweiten Auflage, S. M. Dubnows *Neunte Geschichte des Jüdischen Volks* 1920, Stefan Zweigs *Jeremias* 1918, Hermann Cohens und Martin Bubers öffentliche Arbeiten und Tätigkeiten fallen in die gleiche Zeit. Franz Rosenzweig – jenem »Prototyp eines ›Gewandelten‹ dieser Epoche«[18] – gelingt es 1920, das Freie Jüdische Lehrhaus in Frankfurt/Main zu gründen.[19] Dem Freien Jüdischen Lehrhaus kam in der damaligen Situation eine exemplarische, »die größte« Bedeutung zu (Reichmann). Hier herrschte eine einmalige Atmosphäre – entstanden aus dem Motiv der »Rettung eines sich erneuernden Judentums aus dem Chaos einer untergehenden Welt«.[20] Wie Ernst Simon schildert, brachte vor allem Franz Rosenzweig »etwas Aristokratisches, Keckes, Übermütiges, Spielendes und Sicheres« ins Lehrhaus, »Großstadtluft, Gegenwartsluft... dies: das unfaßbar Atmosphärische, gehört vielleicht zu seinen größten Leistungen, es bezeichnet die innere Emanzipation des Jüdischen im Juden«.[21]
Es hing mit dieser Atmosphäre zusammen, daß Orthodoxe wie Reformer, Zionisten wie Nicht-Zionisten, so unterschiedliche Persönlichkeiten wie Leo Löwenthal, Gershom Scholem, Erich Fromm und Ernst Simon daran aktiv teilnahmen.[22]
Von einer Renaissance jüdischen Geisteslebens in den frühen Weimarer Jahren zu reden, ist daher nicht zu hoch gegriffen. Die deutschen Juden lebten in ihrer großen Mehrheit nicht mehr religiös. Viele hielten noch die großen Feiertage wie Yom Kippur oder Pessach ein, aber mehr noch feierten »Weihnukka« (Arnold Paucker).
Auch unter meinen Gesprächspartnern ist nur noch eine Minderheit religiös aufgewachsen: Eva Reichmann, die früh den liberalen Rabbi-

[18] Reichmann, 1971: S. 602.
[19] Die wenig später gegründete Akademie für die Wissenschaft des Judentums geht auf die inspirierenden Ideen Franz Rosenzweigs zurück (vgl. Reichmann, ebda.).
[20] Ibid.
[21] In: Brücken, S. 401.
[22] Vgl. die Beschreibung des Freien Jüdischen Lehrhauses im Porträt Ernst Simons.

ner Leo Baeck kennenlernte; Joseph Walk, der aus einer Familie mit osteuropäisch-aufgeklärter Tradition kam; und Margrit Wreschner, die mit ihrer Familie der orthodoxen Frankfurter Austrittsgemeinde angehörte.
Diese orthodoxen Gemeinden – wie die Frankfurter Austrittsgemeinde oder die Berliner Gemeinde Adass Yisroel – hatten seit Mitte des 19. Jahrhunderts versucht, an traditionellen Glaubensinhalten und hergebrachten religiösen Ritualen festzuhalten, ohne sich der Aufklärungsphilosophie zu verschließen. Sie hatten damit auf eine liberale Reformbewegung zu antworten versucht, die sich in der ersten Hälfte des 19. Jahrhunderts ausbreitete; der liberale Rabbiner Abraham Geiger hatte ihr durch seine »Wissenschaftliche Zeitschrift für Jüdische Theologie« schon 1835 neues Gewicht verliehen.
Gegen diese liberalen Anpassungstendenzen an die vorherrschende christliche Umgebung hatte 1836 Samson Raphael Hirsch in Frankfurt zum Austritt aus den Reformgemeinden aufgerufen und für die Bildung eigener neuer Gemeinden plädiert. Austrittsgemeinden entstanden in der Folge in Köln, Wiesbaden, Darmstadt, Frankfurt und Berlin.[23] Hirsch schwebte ein Judentum vor, das *beides* war: religiös und gebildet.
Vor allem jüngere deutsche Juden sahen in der Krise von 1918 eine wirkliche Integration in die deutsche Gesellschaft als gescheitert an. Diese Krise forderte die verschiedenen liberalen, konservativen und orthodoxen Traditionen heraus: Im Berliner Seminar mit Leo Baeck, in kulturzionistischen Kreisen um Martin Buber oder Achad Haams und im Freien Jüdischen Lehrhaus Anton Nobels und Franz Rosenzweigs erwachten sie zu neuem Leben.

Der Central-Verein – die »Liberalen«

Diese jüdische Renaissance machte auch vor dem Central-Verein nicht halt, welchen Henry Lowenfelds Vater mitgegründet hatte. Schon die unvollendet gebliebene Emanzipation des deutsch-jüdi-

[23] 1873 hatte die in dieser Tradition stehende Adass Jisroel durch die Einweihung ihrer Synagoge und die Eröffnung des Rabbinerseminars (von Esriel Hildesheimer) auch äußerlich sichtbar an Bedeutung gewonnen. Aber anders als in Osteuropa (vgl. die Berichte von Joseph Walk und Judith Kestenberg) war die orthodox-religiöse Tradition schon im 19. Jahrhundert zu einer kleinen Minderheit innerhalb der deutschen Juden geschrumpft. Weitaus einflußreicher wurden die genannten liberalen und reformerischen Kräfte: neben Abraham Geiger zum Beispiel das 1854 gegründete Breslauer Jüdisch-Theologische Seminar konservativer Prägung mit Zacharias Franke, Heinrich Graetz, Jacob Bernays – und später Leo Baeck, Eva Reichmann und Joseph Walk.

schen Bürgertums in den siebziger Jahren des vorigen Jahrhunderts hatte dazu geführt, daß die bürgerlichen Schichten des deutschen Judentums sich auf die Reste des politischen Liberalismus, auf Fortschritt und Freisinn, und später neben der DDP auch zur SPD hin orientierten, während das deutsche Bürgertum nationalliberal oder konservativ ausgerichtet war. Gleichwohl entsprach es der relativen Zufriedenheit dieser Schichten während des Kaiserreichs, daß sie zwar in den Jahren unmittelbar vor dem Ausbruch des Ersten Weltkriegs gegen die Kriegshetze der Rechten (Alldeutschen) protestierten, 1914 aber dem Appell des Kaisers folgten. Die Treue zu Kaiser und Vaterland ist denn auch einer der Gründe dafür, daß die Kritik des Central-Vereins am längst entflammten Antisemitismus verhalten war, wenn auch »immer wieder die Empörung und Erregung« durchbrach, wie Eva Reichmann schrieb[24]: »Unsere ungezählten Kriegsteilnehmer haben die Empfindung, als wenn ihnen, ungeachtet ihrer Feuertaufe und Bluttaufe, die sie empfangen, der gelbe Schandfleck angeheftet worden wäre«, bemerkt das Organ des Central-Vereins »Im Deutschen Reich« schon im Februar 1917.[25] Die Erfahrung des Antisemitismus führte denn auch vor allem innerhalb des Central-Vereins dazu, sich als Kulturbund zur Entwicklung einer jüdischen Identität, eines »innerjüdischen Positivismus«[26] zu verstehen – gegenüber zionistischen oder weiter rechts stehenden nationaldeutschen Tendenzen.

Die Orthodoxen

Auch für einen Teil der *orthodoxen* gesetzestreuen Juden stellte einerseits der Antisemitismus, andererseits die zionistische Bewegung eine Herausforderung dar. Man hat der zionistischen Bewegung nicht zu Unrecht unterstellt, die religiöse Tradition des Judentums zu säkularisieren. Diese zwiespältige Haltung gegenüber dem Zionismus spiegelt die Enttäuschung angesichts einer Situation wider, »in der das thoratreue Judentum an Umfang und Tiefe einen erschreckenden Verlust zu verzeichnen« hatte, so jedenfalls Eva Reichmann.[27] Das zionistische Nationaljudentum übernahm es in gleichsam säkularisierter Gestalt, die Assimilation einzudämmen, was den Orthodoxen

[24] In: Der Bewußtseinswandel der deutschen Juden, S. 551 ff.
[25] Zit. bei Eva Reichmann, a. a. O., S. 559.
[26] Ibid., S. 567.
[27] Ibid., S. 572.

nicht mehr gelang. Dieser Teil der Zionisten hatte Einfluß insbesondere auf die Ostjuden. Joseph Walk ist in dieser Tradition einer zugleich gesetzestreuen wie zionistischen und sozial progressiven Haltung erzogen worden und aufgewachsen. Er steht zwischen aufgeklärter ostjüdischer und deutschjüdischer Tradition.[28]
Sowohl den Höhepunkt wie den frühen Abbruch dieser jüdischen Renaissance hat keine Institution so intensiv wahrgenommen wie das Freie Jüdische Lehrhaus in Frankfurt.
Von den Persönlichkeiten, welche die einzigartige Atmosphäre des Jüdischen Lehrhauses prägten, ging Gershom Scholem 1923 nach Palästina, Ernst Simon 1928, elf Jahre nach seiner existentiellen Entscheidung während des Pessach-Festes im Jahre 1917. Leo Löwenthal emigrierte 1933 mit der Frankfurter Schule zunächst nach Genf und dann in die Vereinigten Staaten. Eva Reichmann versuchte, die jüdische Renaissance mit dem Abwehrkampf gegen den Antisemitismus im Central-Verein in Berlin zu verknüpfen, bis die Pogromnacht 1938 und die zeitweise Inhaftierung ihres Mannes in einem Konzentrationslager die späte, aber noch rechtzeitige Emigration erzwangen.

Biographische Stationen der Bedrohung

Die biographischen Stationen meiner Gesprächspartner sind vor allem auch Orte der Entwürdigung und der Angst. Aus ihrer Erinnerung tauchen aber auch Bilder einer glücklichen Kindheit im geistigen Aufbruchsklima des polnischen Stetls wie des freien Großstadtlebens im Wien der zwanziger Jahre auf – und unvermutet hereinbrechender früher Bedrohungen.
Die Gespräche folgen wichtigen biographischen Einschnitten:
- den frühen Erfahrungen von Kindheit und Elternhaus zwischen jüdischem Stolz und Assimilation, zwischen Schutz und Gefahren;
- den ursprünglichen Entscheidungen für die Kunst, die Psychoanalyse oder eine der »beiden anständigen« Bewegungen: Zionismus oder Sozialismus;
- den Eingriffen des Nationalsozialismus – zum Beispiel dem Boykott-Tag am 1. April 1939;
- den Verhaftungen durch die Austrofaschisten (Marie Jahoda);
- den sadistischen Säuberungsaktionen, denen die Wiener Juden

[28] Vgl. das Gespräch mit Joseph Walk, insbesondere die Bemerkungen zur religiös-orthodoxen Partei »Mizrahi«.

unterzogen wurden (Walter Grab); der Angst nach der Pogromnacht vom 9. November 1938 (Brigitte Gollwitzer);
- der Folter im Konzentrationslager oder der gerade noch geglückten Flucht;
- dem Exil und »zweiten Leben« – oder Überleben – und ihrer Wahrnehmung Nachkriegsdeutschlands.

Als Berichte ihres Lebens stehen sie für sich – *und* für die Geschichte der Juden Mitteleuropas vor und nach Hitler. Denn jeder, der berichtet, hatte teil an einem Zwangskollektiv. Wo derart *politisch* in Lebensläufe eingegriffen wurde, kommt dieser privaten Lebensgeschichte schon als solcher öffentlich-politische Bedeutung zu.
Setzt man die Erfahrungen der Gesprächspartner zusammen, so fügen sie sich zu einem historischen Mosaik. Es zeigt die Geschichte vom kurzen Augenblick erfahrener Emanzipation bis zur Zerstörung: vom selbstverständlichen Kontakt mit Nicht-Juden 1907 bis zum Nur-noch-mit-Juden-Verkehren-Müssen 1937 (im Gespräch mit Eva Reichmann); von der Anerkennung jüdischer Soldaten im Ersten Weltkrieg bis zur dreifachen Flucht vor den Wehrmachtsarmeen, welche nach 1938 die europäischen Nachbarländer überrennen; vom würdigen, sozial engagierten Leben im emanzipierten Status des großbürgerlichen Juden im Kaiserreich Wilhelms II. vor dem Ersten Weltkrieg bis zum Entschluß zur Auswanderung 1933 (Henry Lowenfeld).
Die Gefahrenzeichen haben auch die allermeisten meiner Gesprächspartner nicht vor 1930 wahrgenommen, als 100 NSDAP-Abgeordnete in den Reichstag einzogen – häufig nicht einmal vor 1933.
In den zwanziger Jahren, als sich die wirtschaftlichen und politischen Verhältnisse stabilisierten, schien auch die antisemitische Haßwoge ausgelaufen zu sein. Die große Mehrheit der deutschen Juden ließ sich erneut beruhigen und hielt an ihrem Deutschsein fest. In der DDP sahen viele den Garanten politischer Liberalität, nach deren Auflösung zunächst in der SPD, einige auch im damals nicht antisemitisch geführten Zentrum oder in einer der linken politischen Parteien.
Es gab ja auch gewichtige Gründe, beruhigt zu sein: Immerhin hatten Juden erstmals Anteil daran, das politische und kulturelle Leben zu gestalten. Hugo Preuß hatte die Verfassung geschrieben; Rathenau war bis zu seiner Ermordung immerhin Minister.
Für einen Teil hatte sich auch die wirtschaftliche Lage gebessert. Einen anderen Teil hingegen, etwa die kleinen Einzelhändler, plagten

während der zwanziger Jahre arge Existenzsorgen. (Immerhin mehr als ein Drittel der beschäftigten Juden war im Einzelhandel tätig.)[29]
So ließen erst die Jahre ab 1930 auf die Gefahr aufmerksam werden – vielfach sogar erst die Machtübernahme durch die Nationalsozialisten und die unmittelbar danach einsetzende Politik des Terrors, vor allem gegen linke Organisationen und Berufsgruppen wie die der Ärzte und Psychoanalytiker.
Aber ein Teil derjenigen, die weniger exponiert waren, wiegte sich auch 1933 in Sicherheit. Nicht wenige glaubten, die nationalsozialistische Machtergreifung sei eine vorübergehende Erscheinung oder sahen sich durch jüdische Selbsthilfe oder im Schutz der Familie nicht *unmittelbar* bedroht (so etwa Brigitte Gollwitzer). Grundlegend verändert haben sich aber schon in diesen Jahren die alltäglichen Beziehungen zur nicht-jüdischen Umwelt. Während einige Deutsche den Kontakt zu Juden in der Schule, im Betrieb oder zu Freunden aufrechterhielten, brachen ihn andere plötzlich von einem Tag auf den anderen ab.[30] Das hatte besonders dann schwerwiegende Folgen für das Selbstwertgefühl gerade von Kindern und Jugendlichen, wenn dem nicht schützend und stützend entgegengewirkt wurde: durch die Familie, durch resistente Organisationen wie aktive Gemeinden der Bekennenden Kirche, durch die Hilfe mutiger Freunde oder auch durch Aktivitäten innerjüdischer Selbsthilfe, kulturelle Initiativen wie etwa der jüdischen Erwachsenenbildung[31], vor allem aber auch durch die »eigene Welt« zionistischer Jugendorganisationen.[32]
Ob die drohende Gefahr richtig eingeschätzt wurde, hing maßgeblich davon ab, ob man unmittelbar mit dem frühen Terror konfrontiert wurde (wie Henry Lowenfeld) oder mit politischen Organisationen in Beziehung stand. Linke wie Ossip K. Flechtheim oder Richard Löwenthal hatten durch das Studium des italienischen Faschismus erfahren, was bevorstand.
Für eine Reihe meiner Gesprächspartner waren schon die Ereignisse nach den Märzwahlen 1933 Bedrohung genug: die erste Welle antisemitischer Gesetze und Terrorakte, deren Höhepunkt der Boykott-Tag am 1. April 1933 bildete.
Theodor Holdheim wurde von seinem Vater am Boykott-Tag bewußt an den zerstörten Geschäften in der Kantstraße in Berlin-Charlottenburg vorbeigeführt – ein einschneidendes Erlebnis. Henry Lowen-

[29] Vgl. die Berichte von Hans Keilson, Kurt H. Wolff und Joseph Walk.
[30] Vgl. die Beobachtungen von Theodor Holdheim.
[31] Vgl. die Gespräche mit Ernst Simon und Joseph Walk.
[32] Vgl. die Erinnerungen von Joseph Walk und Theodor Holdheim.

feld, politisch »links«, floh am 5. April, nach früher Lektüre von »Mein Kampf«, vor allem aber aufgrund einer unmittelbaren Bedrohung im Krankenhaus Lankwitz, zwei Tage vor den ersten Gesetzen gegen jüdische Beamte, Richter, Anwälte und Ärzte (»Gesetz zur Wiederherstellung des Berufsbeamtentums« vom 7. April 1933). Auch andere gingen schon sehr früh: Lewis Coser, Sozialist, nach Paris; Kurt H. Wolff nach Italien; Ossip K. Flechtheim in die Schweiz; Richard Löwenthal 1935 nach Prag.
Für die anderen schien das Leben so weiterzugehen wie bisher. Beinahe jedenfalls – denn auch ihnen drängten sich erste Anzeichen von Gefahr oder Einschüchterung auf.[33] Folgt man den Berichten junger Zionisten, so erschien ihnen ihre Welt sicher: als eine »Welt daneben«, wie Joseph Walk rückblickend formuliert.
Wie wichtig der Schutz der Familie und einer aktiven Gemeinde der Bekennenden Kirche war, zeigt der Bericht von Brigitte Gollwitzer, die sich in Dahlem absolut sicher fühlte – bis zum November 1938.

»Reichskristallnacht« 1938 und Flucht

Die Pogromnacht vom 9. November 1938 zerstörte sämtliche Hoffnungen. Über tausend Synagogen gingen in Flammen auf oder wurden demoliert. 7500 Geschäfte jüdischer Besitzer wurden verwüstet. 91 Juden wurden ermordet, 30000 verhaftet. Etwa 11000 von ihnen wurden in das Konzentrationslager Dachau deportiert, etwa 10000 in das Konzentrationslager Buchenwald, andere in das Lager Sachsenhausen bei Berlin.[34]
Die deutsche nicht-jüdische Bevölkerung blieb weitgehend passiv. In einzelnen Orten sammelten sich große Menschenmengen, die zuschauten.[35]
Wie schon nach dem Boykott-Tag 1933, so folgten auch der Pogromnacht antijüdische Gesetze, die darauf abzielten, die Juden wirtschaftlich zu ruinieren und ihre soziale Isolierung zu verschärfen. Jüdische Kinder wurden von öffentlichen Schulen ausgeschlossen. Den Pässen von Juden wurde ein großes »J« eingestempelt. Sie hatten »Sara« oder »Israel« als Vornamen zu tragen. Die jüdischen Organisationen wurden verboten, die Reichsvertretung durch die »Reichs-

[33] Vgl. die Berichte von Margrit Wreschner und Hans Keilson.
[34] Vgl. M. Richarz III, S. 57.
[35] Vgl. den Bericht über Darmstadt im Rahmen des Gesprächs mit Kurt H. Wolff.

vereinigung der Juden in Deutschland« ersetzt, in der Zwangsmitgliedschaft bestand; sie war unmittelbar dem Reichsinnenministerium untergeordnet, damit der Gestapo und später dem Judenreferat des Reichssicherheitshauptamtes (RSHA) unter Adolf Eichmann.
Eva Reichmann berichtet, daß ihr Mann Hans Reichmann in das Konzentrationslager Sachsenhausen gebracht wurde. Diese Inhaftierung rettete beiden das Leben; denn wie viele andere, die Auswanderungspapiere vorlegen *konnten*, kam er nach wenigen Wochen wieder frei. Obwohl in dieser Phase noch die meisten inhaftierten Juden wieder freigelassen wurden, starben während der Haftzeit 800 von ihnen an den Lagerbedingungen und durch Folter.
Wie für Brigitte Gollwitzer und ihre Familie – »jetzt schnell weg« – ging es danach nur um die Flucht. 80000 der noch immer mehr als 300000 deutschen Juden flohen bis Kriegsbeginn: allein 40000 im Jahre 1938 und 78000 im Jahre 1939.[36] Die Zahl ist vor allem deswegen nicht höher, weil die Immigrationsländer zum Teil einschneidende Quoten festgelegt hatten.
In den Jahren zuvor waren jährlich weit weniger Juden ins Ausland geflüchtet: im Jahre 1933 etwa 37000 – damals noch gingen drei Viertel von ihnen ins europäische Ausland –, in den folgenden Jahren jeweils etwas über 20000, davon im Jahre 1937 nur noch ein Viertel ins europäische Ausland.[37]
Mit Kriegsbeginn wurde die Flucht enorm erschwert, 1940 gelang sie nur noch 15000, 1941 noch 8000, und zwischen 1942 und 1945 konnten nur noch etwa 8500 fliehen.
Zu den wichtigsten Aufnahmeländern für die Flüchtlinge gehörten die Vereinigten Staaten, Palästina und Großbritannien. Insgesamt gelangten etwa 132000 deutsche Juden, häufig über mehrere Zwischenstationen, in die Vereinigten Staaten: darunter Lewis Coser über Paris, Henry und Yela Lowenfeld über Prag, Kurt H. Wolff über Italien, Lily Flechtheim ebenfalls über Prag und Ossip K. Flechtheim über Prag und Genf. Beschränkungen ergaben sich dadurch, daß ein »Affidavit« erforderlich war, eine Bürgschaft zur finanziellen Absicherung des Lebensunterhalts im Aufnahmeland; außerdem bestanden Jahresquoten, die für den Massenansturm 1938 und in den folgenden Jahren nicht ausreichten. Ausnahmeregelungen gab es nur für bestimmte Berufsgruppen wie Hochschullehrer, Rabbiner und Künstler, so daß ihr Anteil an den Emigranten in die Vereinigten Staaten

[36] Vgl. Eva Reichmann, Brigitte Gollwitzer.
[37] M. Richarz III, S. 53.

vergleichsweise hoch war.[38] Dies ist einer der Gründe dafür, daß nahezu alle Psychoanalytiker auswandern konnten, und zwar vor allem in die USA. Nur über diesen Weg gelang es noch 1939, den in Warschau geborenen großen Religionsgelehrten Abraham J. Heschel in die Vereinigten Staaten zu holen.
Nach Palästina emigrierten bis Ende der 30er Jahre etwa 80000 bis 90000 deutsche und österreichische Juden. Bis zum Jahre 1933 – also »freiwillig« – waren es 2000 (!) gewesen, zu denen etwa Ernst Simon, Martin Buber oder Gershom Scholem gehört hatten. Bis zum Jahre 1936 war Palästina das wichtigste Einwanderungsland, dann senkte die englische Mandatsregierung infolge der jüdisch-arabischen Unruhen die Einwandererquote erheblich. Zertifikate erhielten vor allem Arbeiter, die die Hachscharah absolviert hatten, sogenannte »Kapitalisten«, also Personen mit einem Vermögen von wenigstens tausend englischen Pfund, und Studenten mit gesichertem Lebensunterhalt. Insgesamt etwa 5300 Jugendliche kamen durch eine Jugend-Alijah, das heißt ohne Begleitung der Eltern, nach Palästina.[39]
England nahm bis zum September 1938 etwa 11000 jüdische Emigranten aus Deutschland und Österreich auf, liberalisierte aber nach dem Novemberpogrom 1938 als eines der ganz wenigen Länder seine Einwanderungspolitik so, daß insgesamt schätzungsweise 40000 deutsche Juden dorthin gelangten.[40]
In den meisten anderen europäischen Fluchtländern wurden die Emigranten von den deutschen Expansionsarmeen eingeholt. Ausnahmen stellten Schweden und die Schweiz dar, die aber ähnlich wie Kanada eine außerordentlich restriktive Einwanderungspolitik betrieben. Nach Schweden gelangten weniger als 4000 jüdische Flüchtlinge aus Deutschland, insgesamt nicht mehr als 100000 jüdische und nichtjüdische Flüchtlinge während des gesamten Zeitraums bis 1945.[41]
Die Schweiz hat etwa 10000 Flüchtlinge ins Land gelassen, viele aber an der Grenze zurückgewiesen.[42]
Außerhalb Europas nahmen Argentinien und Brasilien bis Kriegsende jeweils über 10000, Südafrika über 5000 deutsche Juden als

[38] Vgl. ibid., S. 54.
[39] Vgl. die Berichte von Theodor Holdheim und Joseph Walk.
[40] Vgl. Richarz III, S. 54. Vgl. auch die Berichte von Eva Reichmann, Richard Löwenthal und Marie Jahoda.
[41] Vgl. die ausführliche Studie von Müssener.
[42] Vgl. das Gespräch mit Saul Friedländer über das Schicksal seiner Eltern.

Einwanderer auf, Australien und Kanada je nur etwa 2000. Kleine Gruppen erreichten Mittel- und Südamerika, und als einer der letzten offenen Fluchtpunkte blieb Shanghai – der Fluchtort des Vaters von Lewis A. Coser.[43]

Insgesamt flohen zwischen 1933 und 1939 etwa 300000 deutsche und etwa 190000 österreichische Juden ins Ausland. 30000 der ins europäische Ausland Geflüchteten kamen, von den Okkupationsarmeen eingeholt, am Ende doch noch in die Vernichtungslager. Die Nazis griffen sie auf

- in Österreich nach dem Einmarsch Hitlers in Wien im März 1938;[44]
- in der Tschechoslowakei 1939;[45]
- in Frankreich 1940;[46]
- in Italien – zu einem Zeitpunkt, als Hitler Mussolini antisemitische Gesetze aufzuzwingen vermochte, so daß die nach Italien Geflohenen weiterfliehen mußten,[47] sowie vor allem nach der Okkupation Italiens durch die Deutsche Wehrmacht;
- in Holland 1940.[48]

Die Juden Polens, des europäischen Teils der Sowjetunion, der Bukowina und Rumäniens waren der Wehrmacht und den in ihrem Schatten und mit ihrer Unterstützung operierenden Einsatzgruppen nahezu wehrlos ausgeliefert. Nur wenige haben fliehen können. In Polen und im europäischen Teil der Sowjetunion sind vier Millionen jüdische Menschen ermordet worden.

Der 1. September 1939 – Beginn des »Vernichtungskrieges gegen die jüdische Rasse« (Hitler)

Am 30. Januar 1939 sagte Hitler in Berlin: »Wenn es dem internationalen Finanzjudentum innerhalb und außerhalb Europas gelingen sollte, die Völker noch einmal in einen Weltkrieg zu stürzen, dann wird das Ergebnis nicht die Bolschewisierung der Erde und damit der Sieg des Judentums sein, sondern die Vernichtung der jüdischen Rasse in Europa.«[49]

[43] Vgl. M. Richarz III, S. 55.
[44] Vgl. Walter Grab über die NS-Aktionen unmittelbar nach dem Einmarsch.
[45] Vgl. den Bericht von Saul Friedländer.
[46] Vgl. Saul Friedländer, Lewis A. Coser.
[47] Vgl. Kurt H. Wolff.
[48] Vgl. die Berichte von Hans Keilson und Margrit Wreschner.
[49] Zit. nach R. Hillberg, S. 278.

Das war nicht die einzige Rede, in welcher Hitler den Zusammenhang zwischen Krieg und Judenvernichtung formulierte. Eberhard Jäckel weist in *Hitlers Herrschaft* auf eine ganze Kette solcher Äußerungen hin, die in die Zeit der letzten (operativen) Planung des Weltkriegs fallen, vor allem also ins Jahr 1939.[50]

Am 1. September 1939 beginnt nicht nur ein Krieg um die »Erweiterung des Lebensraums«, sondern der totale Krieg gegen die Juden.[51] Daß Hitler den Zweiten Weltkrieg sowohl als Eroberungskrieg um »Lebensraum« wie auch als »Rassenkrieg« anzettelte, wird schon in den ersten Kriegstagen sichtbar:

- Am 2. September wird in Stutthof ein Konzentrationslager errichtet, in das mehrere hundert Danziger Juden deportiert werden; die meisten von ihnen werden eine Woche später ermordet;[52]
- von 1800 aus Chelm Vertriebenen werden 1400 auf dem Marsch in Richtung russisches Besatzungsgebiet ermordet. Sowjetische Soldaten versperren Hunderten den Übertritt in sowjetisches Gebiet;[53]
- zwischen dem 14. und dem 28. September werden in Przmysl an der San 500 Juden ermordet;[54]
- in der Sammelstelle Zambrow (östlich des ehemaligen Ostpreußen) wurden weitere 250 Juden ermordet.[55]

Entwürdigende, grausame Behandlung, Vertreibung und (erste) Massenerschießungen – so trieben es trotz der »Behinderung« durch die Wehrmacht die »Einsatzgruppen« der Nazis schon 1939 (und nicht erst 1941). Insgesamt sollen während der Septembermorde 5000 Juden umgebracht worden sein:[56] die ersten Massentötungen lange vor der Einrichtung der Gaskammern. (Nur 250000 der rund drei Millio-

[50] Ibid., S. 94ff.

[51] Schon unmittelbar nach der Pogromnacht, am 12. November 1938, hatte Hitler sinngemäß gesagt (so Göring anläßlich der Bildung der »Reichszentrale für jüdische Auswanderer« unter der Leitung der Sicherheitspolizei mit ihrem Chef Reinhard Heydrich): »Wenn das Deutsche Reich in irgendeiner absehbaren Zeit in außenpolitische Konflikte kommt, so ist es selbstverständlich, daß auch wir in Deutschland in allererster Linie daran denken werden, eine große Abrechnung an den Juden zu vollziehen.« Am 24. November 1938 äußert Hitler gegenüber einem ausländischen Staatsmann, die Judenfrage werde »in der nächsten Zeit gelöst werden«, am 21. Januar 1939 erklärt er dem tschechischen Außenminister, »die Juden (würden) bei uns vernichtet«. Am 2. Oktober 1939 sagt er vor Truppenkommandeuren: »Der nächste Kampf wird ein reiner Weltanschauungskrieg sein, das heißt, bewußt ein Volks- und ein Rassenkrieg sein...«

[52] Vgl. M. Gilbert, S. 34.

[53] Ibid., S. 36.

[54] Ibid., S. 37.

[55] Ibid., S. 38.

[56] Das schätzt M. Gilbert, a. a. O., S. 33.

nen polnischen Juden hatten 1939 noch in die Sowjetunion fliehen können; sie stellen den größten Anteil derjenigen polnischen Juden, die den Zweiten Weltkrieg überlebt haben.)
Wie sich Hitler den »Erfolg« der Einsatzgruppen schon in Polen dachte, sprach er selbst aus: »Hinaus mit ihnen (den Juden) aus allen Berufen und hinein mit ihnen ins Ghetto: sperrt sie irgendwo ein, wo sie zugrunde gehen können, so wie sie es verdienen.«[57]
Die »Generalprobe« hatte am 9./10. November 1938 stattgefunden – der letzte entscheidende Schritt, mit dem Hitler die gerade zwanzig Jahre zuvor endlich verfassungsmäßig gewährte Gleichstellung der Juden wieder kassierte – und damit eine der entscheidenden Errungenschaften der ihm so verhaßten Novemberrevolution.
Die Warnsignale des »nur« latenten Krieges bis 1939 bewogen viele noch zur Flucht, über die Hälfte der deutschen Juden überlebte so. In Polen, der Sowjetunion, der Bukowina, Rumänien und anderen Gebieten Ost- und Mitteleuropas dagegen, welche die Okkupationsarmeen überrannten und dann der Willkür der »politischen« SS-Verwaltung freigaben, wurden über fünf Millionen Juden ermordet; nur rund ein Fünftel der jüdischen Bevölkerung überlebte.
Nur dort, wohin die Okkupationsarmeen nicht kamen, wo sie keine ausreichende Macht besaßen oder »zu spät kamen«, konnten sich größere Teile der dort ansässigen jüdischen Bevölkerung retten: so in Frankreich, Norwegen und Ungarn. Dort, wo der Schutz der Bevölkerung und die politische Infrastruktur der Länder sich mit operativ geschickten Aktionen verbanden – wie vor allem in Dänemark und in Bulgarien –, konnten Juden in großer Zahl gerettet werden.
Während so ein Teil der deutschen und österreichischen Juden überleben konnte, waren die Juden in Polen, Rußland (vor allem in der Ukraine), Rumänien, Ungarn, Griechenland und ganz Südosteuropa der Wehrmacht und der in ihrem Schatten operierenden Einsatzgruppen nahezu wehrlos ausgeliefert. Nur wenige entkamen ihnen. In Polen und im europäischen Teil der Sowjetunion wurden vier Millionen Juden ermordet – mehr als 500000 allein in den ersten Monaten des »Rußlandfeldzugs« durch die mit allen logistischen Techniken der Wehrmacht versorgten Einsatzgruppen in einer Stärke von weniger als 5000 Mann. Nur wenige konnten in Partisaneneinheiten oder nach Sibirien fliehen.

[57] Ibid.

»Wir wollten wissen, warum ...«

Die Idee zu diesem Buch entstand aus der Sorge, daß das, was uns emigrierte Juden von ihren Auseinandersetzungen und Erfahrungen mitteilen können, endgültig mit ihnen ausgewandert und mit dem »Beschweigen« im Nachkriegsdeutschland vergessen gemacht worden sei.

Nicht von ungefähr waren es ja vor allem auch jüdische Intellektuelle, die den Ursachen der Entstehung der faschistischen Massenbewegung nachgingen, der »Flucht in den Haß« (Eva Reichmann), den Ursachen des Antisemitismus (Marie Jahoda, Leo Löwenthal), seinen christlichen Wurzeln (Zvi Bacharach), dem Sadismus der NS-Bürokratie – und danach fragten, warum das Widerstandsverhalten so gering ausgeprägt war. Eva Reichmanns Buch »Flucht in den Haß«, in den fünfziger Jahren erschienen, wurde seither nicht mehr aufgelegt und ist praktisch vergessen. Marie Jahodas psychoanalytischen Überlegungen zum Antisemitismus erging es ebenso. Wer kennt schon die Arbeiten Henry Lowenfelds zur »Psychologie des Faschismus« aus dem Jahre 1933 (!); wer die Arbeiten Zvi Bacharachs zu den christlichen Wurzeln des Antisemitismus? Für einige unter ihnen gab es gar keine andere Wahl, als sich mit den Ursachen der Naziherrschaft zu befassen: »Man hat den Krieg nicht überleben können, ohne sich mit dem Problem des Antisemitismus auseinanderzusetzen.« (Jahoda). »Es ging uns an den Kragen, wir waren ausgetrieben aus unserer Heimat. *Da wollte ich wissen, warum.*« (Reichmann)

Es waren vor allem auch emigrierte Sozialwissenschaftler, die sich an die Aufarbeitung der Geschichte machten; ein beträchtlicher Teil der nicht emigrierten Sozialwissenschaftler, älterer wie jüngerer, schwieg »darüber«, vernachlässigte dieses Thema lange Zeit oder streifte es nur gelegentlich.

In kaum einer anderen Wissenschaftsdisziplin brach der Gegensatz so deutlich auf wie in der Psychoanalyse. Fast alle jüdischen Psychoanalytiker wanderten aus oder flohen nach England, Frankreich und Südamerika. Einige sind untergetaucht, andere nach Palästina gegangen – vor allem aber in die Vereinigten Staaten: darunter Judith Kestenberg, Henry und Yela Lowenfeld, Erik H. Erikson. Kaum einer ist wie Erich Simenauer zurückgekehrt.

Die Entwicklung in diesem Wissenschaftszweig verlief dramatisch: Während etwa der aus Berlin vertriebene Psychoanalytiker Lowenfeld über die Psychologie des Faschismus aus dem Prager Exil schrieb, drängten zur gleichen Zeit die verbliebenen nicht-jüdischen deutschen Psychoanalytiker die noch gebliebenen jüdischen Kollegen aus der Vereinigung heraus und ordneten sich selbst als Deutsche den Zielsetzungen nationalsozialistischer Gesundheitspolitik unter – im Berliner »Göring-Institut«. Sie zerstörten damit gleichzeitig die Voraussetzungen psychoanalytischer Arbeit – Diskretion und Unabhängigkeit –, um nach 1945 an den »Wiederaufbau« zu gehen, als ob nichts geschehen wäre.[58]

Kaum eine Berufsgruppe ist so früh und so massiv bedroht und von Kollegen im Stich gelassen worden wie die jüdischen Wissenschaftler. Wenigstens konnten sie sich aufeinander und auf Hilfe von außen verlassen; nur wenige von ihnen sind vom NS-Regime ermordet worden.[59]

Psychoanalytiker, Sozialwissenschaftler, Historiker oder Religionswissenschaftler haben sich als Intellektuelle (und) auch in ihrem Beruf mit der individuellen wie politischen Geschichte auseinandergesetzt. Ihrem Erkenntnisinteresse aus ihren Biographien heraus nachzuspüren und sie womöglich zu verstehen, vor allem aber ihre Erfahrungen und Erkenntnisse zugänglich zu machen – das ist eine der wichtigsten Absichten dieses Buchs.

Exil und anhaltende Spurensuche

Verstreut um die halbe Welt leben sie nach zwei, drei oder vier Zwischenstationen heute in Israel, den Vereinigten Staaten oder den nord- und westeuropäischen Demokratien. Wenige sind sogar nach Deutschland oder Österreich zurückgekehrt.

Besonders in den mit der Geschichte *Israels* verknüpften Erfahrungen liegen Enttäuschung und Begeisterung dicht nebeneinander: Begeisterung für den Aufbau, gleich daneben aber die Macht der Erinnerung, die meine Gesprächspartner lange Zeit in einem »geschlossenen Gebiet« (Friedländer) halten können, ehe sie unvermutet, geradezu »gebieterisch« aufbrechen.

Amerika war für die meisten meiner dortigen Gesprächspartner trotz großer Anfangsschwierigkeiten *das* Land der Freiheit, mit dem sie

[58] Vgl. die Bemerkungen zur psychoanalytischen Emigration im Amerika-Teil dieses Buches. Die Deutsche Forschungsgemeinschaft fördert gegenwärtig ein zweijähriges Forschungsprojekt, das ich zu den Wirkungen der psychoanalytischen Emigration in den Vereinigten Staaten durchführe: »Zwischen Distanz und Integration.«

[59] Vgl. die Darstellung in dem Teil des vorliegenden Buches, der sich mit Amerika beschäftigt, dem wichtigsten Exilland der Psychoanalytiker, sowie die Porträts von und mit Henry und Yela Lowenfeld, Judith Kestenberg, Erik H. Erikson und Hans Keilson.

sich spätestens nach den Informationen über Auschwitz aussöhnten. Es bot ihnen Chancen, sich mit ihm zu identifizieren und zugleich – anders als Israel – Distanz zu halten.
Diejenigen, welche in Europa blieben oder bleiben mußten, erfuhren die Bedrohung durch den Nationalsozialismus unmittelbarer. Wenn sie nicht nach Schweden, in die Schweiz, nach England oder nach Sibirien entkommen waren, wurden sie von den Europa überrennenden Wehrmachtsarmeen eingeholt, tauchten unter, mußten erneut fliehen – oder gerieten in die Fänge der SS oder der Gestapo, wie etwa diejenigen, die in Holland von der Wehrmacht erreicht wurden. Bei vielen schufen die Erfahrungen praktischer Hilfe in den Emigrationsländern lebenslange Bindungen, gerade an Dänemark oder an England.
»England während des Kriegs war großartig!« schwärmt Marie Jahoda. »Es sind die verdammten Engländer, die wirklich nur gut sind, wenn es ihnen schauerlich schlecht geht. Aber während des Blitzkriegs gab es das Gefühl der Zusammengehörigkeit, des ›to hell with it all‹.« Und Richard Löwenthal, seit mehr als 25 Jahren wieder ganz in Berlin, behält immer noch seinen zweiten englischen Paß – aus Dankbarkeit.
Unter denen, die überlebten, remigrierten nur wenige nach Deutschland. Sie kehrten auch weniger nach Deutschland als in *ihre* geistige »Heimat« zurück: in die politische Arbeiterbewegung wie Richard Löwenthal und Ossip K. Flechtheim – oder in *ihre* protestantische Kirche, wie Brigitte Gollwitzer.
Einer Reihe meiner Gesprächspartner ist es gelungen, eine »zweite«, neue Identität auszubilden, indem sie sich in die Gesellschaft ihres Exillandes integrierten. Die Chance zum Erfolg etwa in Amerika hat dies erleichtert, so für Lewis A. Coser oder Erik H. Erikson. Es waren eher diejenigen, welche relativ früh oder zum Teil noch aus halbwegs freier Entscheidung weggegangen waren. Aber auch unter diesen haben nur ganz wenige nicht die Spuren aus dem Emigrationsland heraus zurückverfolgen wollen.
Die Erfahrung des Exils, der Versuch, eine neue Identität zu finden, führten nicht selten zum Berufswechsel, wie bei dem Volksschullehrer Joseph Walk, der sich historischen Studien widmete, um Ursachen und Verlauf der Judenverfolgung genauer zu erarbeiten. Mancher, der seinen Beruf beibehielt, verspürte wie Saul Friedländer einen Druck, die unvermeidbare, »gebieterische« Konfrontation aufzuarbeiten. Dieser Druck zeigte sich an der Themenwahl *innerhalb* der jeweiligen Profession: Sie befaßten sich mit Neonazismus und Kon-

servatismus wie Ossip K. Flechtheim, mit Faschismus und Totalitarismus wie Richard Löwenthal, mit der Dokumentation der Entrechtung und Ausbürgerung wie Joseph Walk oder mit den Ursachen des Antisemitismus wie Eva Reichmann.
Ähnlich reagierten die Gesprächspartner, die als Kinder oder Jugendliche den Naziterror erlebten: Zvi Bacharach untersuchte christliche Wurzeln des Judenhasses.
Mich überraschte, wie viele sich pädagogisch, sozial oder politisch engagiert haben – etwa gegen Totalitarismus; fast alle, die ich in Israel sprach, setzten sich für eine wirkliche Versöhnungspolitik gegenüber den Arabern ein.
Vor allem aber haben sie schon durch frühe Erfahrungen des Antisemitismus, dann durch Hitler und den Nationalsozialismus, das Verhältnis zum Judentum neu zu klären versucht: »Mein erstes Antisemitismuserlebnis«, so Ernst Simon, »hat mich zum Zionisten gemacht. Ich erinnere mich wie heute (daran).« Und Marie Jahoda erklärt: »Erst durch Hitler habe ich mich mit meinem Judesein identifiziert.«
Daß dies gerade für religiöse Juden nicht leicht war, zeigen die Zweifel am Glauben, die ihnen die Erfahrung von Auschwitz aufbürdete. Manche haben ihn sich durch alle Erfahrungen hindurch gegen alle Zweifel erhalten können.
Andere nicht.

»Die Zeugen müssen reden«

»Wir sind viele, aber jedes Jahr werden wir weniger, die sich an jene spezifische Art, den Tod zu fürchten, erinnern«, schrieb Primo Levi am 22. Januar 1987. »Wenn wir hier schweigend stürben, würde die Welt sich selbst nicht kennen, sie wäre einer Wiederholung der nazistischen oder irgendeiner anderen Barbarei... noch ausgesetzter, als sie es jetzt ist.«
Die meisten meiner Gesprächspartner haben nächste Familienangehörige verloren. Margrit Wreschner war im Konzentrationslager Ravensbrück, Simon Wiesenthal zuletzt in Mauthausen, Zvi Bacharach in Auschwitz.
Die einen haben es vermieden, genauer darüber zu sprechen. Andere taten es, obwohl ihnen klar war, daß es lediglich für einen kurzen Augenblick entlastet; dann dichteten sie »es« gleich wieder ab. Für

diejenigen, die jahrzehntelang nicht darüber gesprochen haben, bleibt die Erfahrung unvergessen »eingesperrt«:
»Manche versuchen, nie darüber zu sprechen. Das geht letztendlich nicht«, meint Saul Friedländer. »Das Leben dieser Menschen ist so, daß sie, auch wenn sie nicht sprechen, unter diesem Schatten leben – und irgendwann in ihrem Leben ein Moment kommt, in dem die Vergangenheit plötzlich an die Oberfläche tritt.«
»Aber auch wenn sie bereit sind zu sprechen«, schränkt Friedländer ein –»sollte man nicht denken, daß das die Katharsis bringt.« Das Erlebte war keine Tragödie, sondern Ergebnis einer geplanten Politik der Zerstörung.
Friedländer wollte nicht näher darauf eingehen; er bemühte sich, balancierte Distanz zu halten, damit das, was nahe ist, nicht noch näher rückt. Andere haben es sich zur Aufgabe gemacht, ihr Leben lang Zeuge zu sein: Primo Levi und Jean Améry gehören dazu ebenso wie Elie Wiesel und Simon Wiesenthal. »Wissen Sie, ich wandere irgendwie noch immer durch die Konzentrationslager...«, sagte Simon Wiesenthal. Sein Büro hat er im ehemaligen Gestapo-Gebäude im Herzen Wiens.

Teil I
Emigranten in Israel

In keinem anderen Land bin ich Gesprächspartnern begegnet, die sich so eingehend mit uns Deutschen auseinandersetzten. Nirgendwo sonst haben sich meine Gesprächspartner aber auch so sehr mit ihrem Land identifiziert. Die israelische Gesellschaft durchzieht bis heute diese *Spannung*: So, und vor allem zu jenem Zeitpunkt, wäre sie nicht gegründet worden, hätte es das nationalsozialistische Deutschland nicht gegeben.

Nahezu alle israelischen Gesprächspartner beteiligten sich aktiv am Aufbau »ihres« Landes, ganz anders als etwa die US-Emigranten. Sie identifizierten sich damit – teilweise euphorisch. (Aber auch keiner der anderen Gesprächspartner ist ohne eine tiefe Beziehung zu diesem Land.) Und das, obwohl sie zu unterschiedlichen Zeitpunkten und aus unterschiedlichen Gründen nach Palästina und später nach Israel eingewandert waren:

- Ernst Simon als religiöser, sozialistisch inspirierter Zionist 1928, ähnlich wie der jüngere Joseph Walk 1937;
- Theodor Holdheim als junger Zionist nach den Erfahrungen des Boykott-Tages 1933;
- Walter Grab nach dem Einmarsch der Deutschen Wehrmacht in Wien dagegen nur aus Zwang: »Ich komme nicht aus Zionismus, sondern aus Österreich« (1938);
- Zvi Bacharach aus Auschwitz;
- Saul Friedländer als junger Zionist 1948;

Die einen kamen in der Zeit vor Hitler, die anderen wegen Hitler. Auf die Zionisten des frühen Aufbruchs in die erträumte neue, gerechte, sozialistische Welt (der Holdheims und Simons) trafen in den späten 40er Jahren die von NS-Deutschland Gefolterten: Auf den Traum folgte der Alptraum. Die gerade 600000 nahmen 300000 Überlebende auf: Jeder Israeli des Jahres 1948 war daher mit der Konzentrationslagererfahrung konfrontiert. Es hat deren Leben zutiefst verändert und – bis heute – die Gesellschaft in Israel.

Jeder der in Israel lebenden Gesprächspartner hat sich – als Zionist, Religiöser, radikaler Linker oder als Zentrist – aktiv an der Entwicklung des Landes beteiligt: in der Kibbuz-Bewegung (wie Theodor Holdheim und Zvi Bacharach), in der Vergegenwärtigung jüdischer

Tradition (wie Ernst Simon und Joseph Walk), im Engagement für ein demokratisches, sozial gerechtes, vorbildliches, ja »auserwähltes« Land.
Aus der Generation mitteleuropäischer Emigranten sah nahezu jeder die »ethnisch-politische Nagelprobe« im Frieden und in der *Verständigung* zwischen Juden und Arabern. Lediglich im Zeitpunkt und dem Grad ihrer Kritik an der dominierenden israelischen Politik, insbesondere innerhalb der letzten zehn Jahre, wichen sie voneinander ab.
Viele sind später zunehmend enttäuscht über das, was geworden ist: nicht zuletzt darüber, daß dem kulturellen Einfluß der aus Mitteleuropa emigrierten Juden kein politischer entspricht. (Diesen Einfluß besitzen eher die aus Osteuropa Eingewanderten, die einem zentralistischen, produktivitätsorientierten Sozialismus anhingen, im Gegensatz zu den bildungsbürgerlichen Juden Mitteleuropas, die nur zum Teil aus freiheitlich-sozialistischen Traditionen kamen.)
Zu dieser Enttäuschung kommt die Ahnung, daß die ihres Erachtens sich verschlechternde politische Entwicklung in Israel auch vom schlimmsten NS-Mechanismus herrühren könnte: Schuldgefühle, die man gegenüber dem Tod naher Angehöriger und großer Teile des eigenen Volkes empfindet, bleiben auch dann psychisch wirksam, wenn sie irrational sind. (Bekämpfte Begin in Arafat denn nicht noch einmal Hitler? Demonstrierten die Juden gegenüber Palästinensern damit nicht jene Stärke, die zu entwickeln das Nazi-Regime ihnen damals nicht ermöglicht hatte?) In Israel wirkt ein Trauma nach.
Und viele sind, offen oder andeutungsweise, verzweifelt über den Konflikt, den Krieg; entsprechend hart fällt ihre Kritik an dem vom damaligen Verteidigungsminister Sharon betriebenen Libanonkrieg aus.[1]
Auch diejenigen, die in Israel geblieben sind, sich eingerichtet und »normalisiert« haben (Bacharach), sprechen verhalten aus, daß sie ihre Heimat, das Land ihrer Kindheit, nicht allein und vor allem durch das erzwungene Exil verloren haben, sondern durch die Zerstörung dessen, was ihnen Deutschland ganz subjektiv bedeutet hatte. Für sie war Deutschland vor allem der Ort der Aufklärung, der Emanzipation, das Land Goethes, Nathans und Rathenaus. Dem Nationalismus stellen sie die demokratisch-aufklärerischen Traditionen etwa im 19. Jahrhundert gegenüber.[2]

[1] Vgl. genauer »Frieden jetzt«, vom Autor in der Reihe der DIAK herausgegeben, s. Lit.-Verzeichnis.
[2] Vgl. Walter Grab, Ernst Simon in diesem Buch.

Diese Erfahrungen und Orientierungen lassen sich nicht verleugnen, obwohl (oder weil?) Israel wie kein anderes Land ihre Fluchtgeschichte, die Erfahrung des Nationalsozialismus repräsentiert und seine Identität immer auch darauf bezieht.[3]
Die Spannung Deutschland gegenüber rührt bei den Älteren auch daher, daß sie aus einem Milieu kommen, das sich gerade zuvor »ganz« auf das Demokratische, Emanzipatorische an Deutschland eingelassen hatte und im gleichen Moment erfahren mußte, daß ihre »Liebe unerwidert« blieb: ein historischer *Double-Bind*, der sie an Deutschland festhält – oder besser: an ihrem Bild von Deutschland.
Bisweilen spitzt sich diese Spannung tragikomisch zu: Mitten im Zweiten Weltkrieg hielten aus Deutschland und Österreich emigrierte Juden im zionistischen Tel Aviv Lesungen in deutscher Sprache; bei ihren Abendveranstaltungen bestanden sie auf Pünktlichkeit. Andere Emigranten sprechen seit Jahrzehnten kein Wort Deutsch.

[3] Dies gilt auch dann, wenn diese Erinnerung politisch in Szene gesetzt wird. Die Wirksamkeit dieser Inszenierung, so problematisch sie ist, verweist auf die Stärke des Resonanzbodens für solche Inszenierungen (vgl. kritisch zu Erinnerungsprozessen in Israel: Saul Friedländer, in *Babylon* 1987).

Ernst Simon:
Gegen den Rausch der Normalität

Ernst Akiba Simon wurde 1899 in Berlin-Charlottenburg geboren. Seine Mutter, Cäcilie Simon geb. Leppmann, wurde 1944, 68jährig, auf der Flucht von den Nazis eingeholt und ermordet. (Zu ihren Vorfahren gehörte Rabbi Akiba Eger (1761–1837), der berühmte Religionsgelehrte.) Sein Vater, der Kaufmann Gotthold Ephraim Simon (geb. 1865), starb ein Jahr vor Ausbruch des Zweiten Weltkriegs.
Als Freiwilliger (1916) des Ersten Weltkriegs erlebte Ernst Simon das Aufflammen des Antisemitismus, als sich das deutsche Kriegsglück wendete; er entschied sich für den Zionismus. Von 1920 bis 1927 war er Schüler und Lehrer im Frankfurter Freien Jüdischen Lehrhaus Nehemia Nobels und Franz Rosenzweigs. 1923 promovierte er bei Karl Jaspers und Hermann Oncken in Heidelberg über Ranke und Hegel. 1924/25 unterzog er sich bei Frieda Reichmann in Heidelberg einer Psychoanalyse. Zusammen mit Leo Löwenthal gründete und redigierte er 1925 das *Jüdische Wochenblatt*. Er heiratete Toni Rappaport aus Moskau; aus der Ehe gingen zwei Kinder hervor: Uriel und Hanna. 1928 emigrierte Simon nach Palästina. Dort trat er in den »Brith Shalom« ein, eine drei Jahre zuvor gegründete antichauvinistische Bewegung. 1934 kehrte er nach Deutschland zurück, wo er mit Martin Buber in der »Mittelstelle für jüdische Erwachsenenbildung« bei der »Reichsvertretung der deutschen Juden« zusammenarbeitete. Ein Jahr darauf emigrierte er erneut nach Palästina, war dort als Lehrer tätig; Buber folgte ihm 1938. Beide arbeiteten für eine Verständigung zwischen Juden und Arabern eng zusammen. 1939 übernahm Simon eine Dozentur für Geschichte und Philosophie der Pädagogik an der Hebräischen Universität, später eine Professur. 1967 wurde er emeritiert, erhielt den Israelischen Staatspreis. 1969 verlieh ihm die Gesellschaft für Christlich-Jüdische Zusammenarbeit die Buber-Rosenzweig-Medaille. 1973 beteiligte sich Simon an der Gründung der religiös-zionistischen »Oz ve Shalom« (»Kraft und Frieden«), einer Gegenorganisation zur rechtsgerichteten Siedlerbewegung »Gush Emunim«.
Neben Martin Buber gilt Ernst Simon seit Jahrzehnten als einer der führenden Interpreten einer jüdischen Tradition, die auf Dialog, Verständigung und soziale Gerechtigkeit zielt.
Zu Simons wichtigsten deutschsprachigen Veröffentlichungen zählen: *Aufbau im Untergang. Jüdische Erwachsenenbildung im nationalsozialistischen Deutschland als geistiger Widerstand.* Tübingen 1959. *Brücken. Gesammelte Aufsätze.* Heidelberg 1965. *»Mein Judentum«*, in: Hans-Jürgen Schultz (Hrsg.), *Entscheidung zum Judentum. Essays und Vorträge.* Frankfurt 1980.
Empfehlenswert sind ferner: G. B. Ginzel (Hrsg.), *Auschwitz als Herausforderung*

für Juden und Christen. Heidelberg 1980; Michael Bühler: *Erziehung zur Tradition – Erziehung zum Widerstand. Ernst Simon und die jüdische Erwachsenenbildung in Deutschland.* Berlin 1986.

Ernst Simon habe ich 1984 während eines Israel-Besuchs noch – er war schon sehr alt – treffen können, ehe er im August 1988 im Alter von neunundachtzig Jahren in Jerusalem starb.
Ernst Simon war ein Mensch, der sich seit seiner frühen Emigration nach Palästina mit seiner ganzen Herzlichkeit und Wärme für die Versöhnung zwischen Palästinensern und Juden eingesetzt hat.
Die beiden Begegnungen mit Ernst Simon fanden im Mai 1984 statt, in der Zeit, in welcher der Unabhängigkeitserklärung Israels 1948 gedacht wird. Ich besuchte ihn in seiner Wohnung in der vornehmen Maimon Street im Zentrum Jerusalems.
»Sie werden bemerkt haben, daß ich zum Unabhängigkeitstag keine Fahne hisse. In der ganzen Gegend hier werden Sie keine sehen.«
Der 85jährige religiöse Zionist und israelische Oppositionelle Ernst Simon sagt das freundlich, aber bestimmt. Er führt mich gleich in seine Bibliothek; hier ist es halb dunkel, das flutende Frühjahrslicht bleibt ausgesperrt, Bücher reichen bis unter die Zimmerdecke.
Mit dem in Israel typischen Nescafé für mich kommt er zurück: »Ich habe schon. – Sie sind pünktlich. Ich hatte schon Angst, ich werde mit dem Ablegen meiner Thora-Gebetskleidung noch nicht fertig.« – Und er schließt gleich an, wie er dazu kam:

»Das erste Antisemitismuserlebnis hat mich zum Zionisten gemacht«

»Wissen Sie, als ich achtzehn war, hatte ich im Feld, im Ersten Weltkrieg das erste Antisemitismuserlebnis. Es hat mich zum Zionisten gemacht. Elf Jahre später habe ich es realisiert. Es war zum Pessachfest. Viele jüdische Soldaten hatten sich zu Pessach Hagada versammelt und auch eine ganz kleine Gruppe von Zionisten. Ich setzte mich zu der Gruppe von Zionisten. Für mich war es eine große Sache. Ich hatte es noch nie mitgemacht. Und ich verstand kein Wort (Hebräisch). Ich saß in der Mitte von Bundesbrüdern aus dem zionistischen Studentenverein: alles Soldaten, mitten im Krieg. Es war alles auf hebräisch. Und als der letzte Satz kam – *le shana ha'baa b'Jerushalaim* (Nächstes Jahr in Jerusalem) –, standen alle Zionisten, eine kleine Minorität, auf. Ich erinnere mich wie heute, daß ich ganz langsam mit

aufgestanden bin und genug Zeit hatte, um mir ein Versprechen zu geben, nämlich nach Israel (Palästina) zu gehen. Das war 1917. Ich habe es genau elf Jahre später einlösen können.«
An diesem *Seder*-Abend, dem ersten Abend des achttägigen Pessachfestes, wurde wie jedes Jahr des Auszugs der Israeliten aus dem ägyptischen Exil gedacht. Der 18jährige Ernst Simon hatte für dieses Pessachfest »Fronturlaub«. Begeistert war er mit sechzehn Jahren gegen den Wunsch seines Vaters Kriegsfreiwilliger geworden. Entgeistert hatte er erfahren müssen, daß seine Kameraden ihn vom gemeinsamen Kriegsweihnachtsfest ausgeschlossen hatten. Und er hatte mitbekommen, daß einer seiner »Kameraden« gesagt hatte: »Auf Wache, an diesen Busch, stellen wir den Mauschel, den Simon. Da ist eine gefährliche Ecke.« Ein übriges taten eigens geänderte Formeln beim Fahneneid und vor allem die Judenzählung 1916, die aus der Unterstellung entstand, Juden würden sich vor dem Militär drücken. (Sie erbrachte so positive Ergebnisse, daß sie erst nach Ende des Ersten Weltkriegs veröffentlicht wurde.) Als die Siegeshoffnung der deutschen »Kameraden« im Ersten Weltkrieg dahin war, nahm der Antisemitismus zu; die früheste und lange wirksame Dolchstoßlegende kam in Umlauf.
»Der Traum von Gemeinsamkeit war dahin. Mit einem furchtbaren Schlage tat sich vor uns mit einem Male die tiefe, nie verschwundene Kluft auf.«[1]

Ernst Simons Vater: »Reich, aber anständig und eine Seele von Mensch«

Elf Jahre zuvor war Ernst Simon als Siebenjähriger zum ersten Mal mit *dem* Problem konfrontiert worden:
»Ich ging ins Grunewald-Realgymnasium, eine ziemlich feudale Anstalt. Ohne besondere Schulschwierigkeiten rückte ich in die zweite Vorschulklasse auf. Auch meine Eltern fanden, ich sei ein begabtes Kind. Aber da passierte es. An einem Dienstag, glaube ich, drückte mir ein Schulkamerad – obwohl er Levin hieß, war er blond – eine Einladung zu seiner Geburtstagsfeier in die Hand, welche am Donnerstag stattfinden sollte. Am Mittwoch lud er mich wieder aus. Es entspann sich folgendes Gespräch. Ich: ›Warum denn? Was ist denn los?‹ Er: ›Meine Eltern erlauben nicht, daß ich Juden einlade.‹ Ich:

[1] So Ernst Simon in »Brücken«, S. 21.

›Aber ich bin ja gar kein Jude. Was bist du denn?‹ Er: ›Ich bin Christ.‹ Ich: ›Das ist ja Unsinn! Jude ist ein Straßenjunge und Christ ist der liebe Gott. Wir sind aber beide Menschen.‹ Er: ›Frag' mal zu Hause.‹«
»Als ich nach Hause kam, weihte ich zunächst meinen jüngeren Bruder Fritz in das Problem ein und dann auch Mutti. Sie sagte recht verlegen: ›Wartet, bis Vater nach Hause kommt!‹... An diesem Nachmittag habe ich mich zum erstenmal mit der Judenfrage beschäftigt.«
»Als wir Vaters Schlüssel sich in der Tür drehen hörten, stürzten wir beide auf ihn zu. ›Vati! Levin sagt, wir sind Juden, stimmt das?‹ Vater blieb in der Tür stehen, zögerte einen Augenblick und sagte dann sehr ernst: ›Ja, ihr seid Juden und sollt stolz darauf sein. Frage übrigens Levin einmal, wie er denn darauf gekommen ist!‹«
»Am nächsten Morgen traf ich, wie immer auf dem Schulweg, am Bismarckplatz mit Levin zusammen. Es war sein Geburtstag, aber ich gratulierte ihm nicht, sondern sagte: ›Du hast recht, ich bin Jude und bin stolz darauf. Mein Vater möchte wissen, wie deine Eltern darauf gekommen sind.‹ Er: ›Meine Eltern sagen, alle Kinder, die gut Gedichte aufsagen, sind Juden.‹«
Stolz lehnte Ernst Simon die Einladung ab – nicht so sehr, weil er Jude war, sondern als Sohn seines Vaters. Ernst Simon war in einer nahezu assimilierten Berliner Familie groß geworden. Nahezu: Zu Weihnachten sang man ›Stille Nacht, Heilige Nacht‹ nicht – man summte es. Ernst Simon wuchs in einem großbürgerlich vornehmen Haus auf, wohlhabend, gebildet und »religionslos jüdisch«. Im »Nichtjüdisch-Sein« war es nicht zu überbieten, auch nicht – Ernst Simon lacht dabei – vom Elternhaus seines Freundes Gershom Sholem.

»In jüdischen Familien wird nie zu Ende gehaßt«: Vater-Sohn-Konflikte

»Wir lebten in einer vornehmen, feinen Gegend in der Nähe des Kurfürstendamms. Mein Vater war eine Seele von Mensch und ein bedeutender Kaufmann. Ich habe ihn sehr geliebt, aber er war alles andere als ein bewußter Jude.«
Die Episoden, von denen Ernst Simon berichtet, zeichnen denn auch das Bild eines liebevollen *und* konfliktbereiten Vater-Sohn-Verhältnisses in einer großbürgerlichen Familie – anders als in der kleinbürgerlichen Familie Gershom Sholems.
»Ich habe meinen Vater außerordentlich geliebt. Nur einmal wurde ich wirklich frech. Es war in der Zeit, als ich angefangen hatte,

*Mizwa** zu halten, aber noch zu Hause wohnte. Fast gleichzeitig kamen meine Eltern und ich am Kol-Nidre-Abend, dem Vorabend des Yom Kippur, zurück, ich aus der Synagoge. Auf meine Frage, wo sie gewesen waren, antwortete mein Vater: ›Wir waren im Kino.‹ Ich: ›Das habt ihr ja sehr gut gemacht.‹ – ›Was meinst du damit?‹ – ›Ich weiß, daß die Sängerin Kola Nidra heute abend für euch gesungen hat!‹ – Das war wie eine Ohrfeige. Das hat er mir sehr übel genommen. Ausgerechnet an Kol-Nidre ins Kino zu gehen, das ging mir über die Hutschnur!«

Auch im folgenden Konflikt mit seinem Vater ging es Ernst Simon um *seine* Reaktion auf die Atmosphäre im elterlichen Haus.

»Ich kam ja als Zionist aus dem Krieg zurück. Kaum war ich zurückgekehrt, hat Vater von sich aus ganz schnell gesagt: ›Wenn du jetzt auch den Fritz‹ – meinen jüngeren Bruder – ›zum Zionisten machen willst, das wird nicht gehen!‹ Daraufhin sagte ich: ›Ich werde morgen ausziehen.‹ Ich zog ins Scheunenviertel, ins ostjüdische Viertel in Berlin, und lebte dort unter schwierigen Bedingungen. Wir lebten ja sehr vornehm, in der Nähe des Kurfürstendamms, sehr fein, gut und geschmackvoll... mit Leistikow-Bildern... Aber das ließ ich mir nicht gefallen, war ja schon neunzehn Jahre und hatte bereits einen Krieg verloren. Nun wird in jüdischen Familien nie bis zu Ende gehaßt. Bei mir hörte es bereits am folgenden Sonntag auf: Ich kam zum Essen.«[2]

* Bar-Mizwa (hebr. = Sohn der Verpflichtung) bezeichnet den jüdischen Jungen, der das 13. Lebensjahr vollendet hat, aber auch den feierlichen *Akt*, in dem er in die jüdische Glaubensgemeinschaft eingeführt wird. Der »Bar-Mizwa« ist nun verpflichtet, die religiösen Gesetze einzuhalten. Er zählt zum *Minjan* (hebr. Zahl). (Minjan ist die Mindestzahl von zehn erwachsenen, männlichen Teilnehmern, die erreicht werden muß, damit ein jüdischer Gottesdienst vollgültig abgehalten werden kann.) Er muß nun den *Tefillin* tragen, einen Gebetsriemen, den der gläubige Jude beim Morgengebet (außer am Sabbat und an Festtagen) an Kopf und Arm anlegt; zum Tefillin gehören zwei Kapseln mit Pergament, auf das bestimmte Bibelstellen geschrieben sind. Außerdem kann der »Bar-Mizwa« aufgerufen werden, die Thora zu lesen. Liberale Gemeinden haben die Bar-Mizwa-Feier der Konfirmation angeglichen.
Obwohl jüdische Frauen am öffentlichen religiösen Leben nicht teilnehmen, findet eine entsprechende Feier auch bei ihnen statt: die »Bat-Mizwä«, durch die zwölfjährige Mädchen zu »Töchtern der Verpflichtung« werden.

[2] Das Scheunenviertel nordwestlich des Alexanderplatzes war Anlaufviertel von Tausenden armer Ostjuden, vor allem nach ihrer Flucht aus russischen Orten, in denen Pogrome stattgefunden hatten. Es war wohl Ernst Simons erste Begegnung mit ostjüdischer Kultur. In dem von Siegfried Lehmann gegründeten »Jüdischen Volksheim«, vor allem ein Ort sozialer Hilfe für Jugendliche und des intellektuellen Disputs am Abend, traf er auf Gershom Scholem. Beide verließen aber das Scheunenviertel relativ bald – Ernst Simon zu Studienzwecken nach Berlin (1919), dann Heidelberg und ab Ende 1920 auch nach Frankfurt. Siegfried Lehmann war ein Neuerer des Kinderdorfs Ben Shemen bei Lod in Palästina, wohin er 1927 emigriert war. Vergleiche zu Ben Shemen auch das Gespräch mit Saul Friedländer.

Simons Entscheidung zum Judentum war zwar vor allem eine Reaktion auf seine Kriegserfahrung, aber auch auf die Haltung seines Vaters, der seinem Sohn jahrelang absichtlich verschwiegen hatte, daß er Jude war.
Eines Tages fragte sein Vater, wer die Söhne Ernst und Fritz[3] zum Zionismus gebracht hatte. Ernst antwortete: »›Du! Du hast uns zu anständigen Menschen erzogen, und so mußte die erste anständige Sache, der wir begegneten, uns packen. Zufällig war es der Zionismus. Es hätte auch der Sozialismus sein können.‹ Vater war gerührt, und diese Unterhaltung beendete einen langen Konflikt.«
Dieser längste und tiefste Konflikt mit seinem Vater entzündete sich nicht zufällig an einem Vorwurf, an dem Ernst Simon noch als Achtzigjähriger festhält: In seiner Jugend sei es ihm verwehrt worden, die jüdische Tradition zu lernen.[4]
Diesen Generationskonflikt luden wenigstens keine gesellschaftlichen Auseinandersetzungen noch zusätzlich auf.[5] Am Versöhnungstag endete er schließlich versöhnlich. Dies dürfte nicht zuletzt mit dem besonderen Charakter des Simonschen Elternhauses zusammenhängen: Ernst Simon beschreibt seine Mutter als lebensfrohe, leichtblütige, »außerordentlich witzige Frau« mit »ungeheuer viel Esprit«; vor allem trug aber sein Vater dazu bei, der unjüdisch lebte und dennoch stolz blieb, liebevoll war und ein »warmes Sozialgefühl« hatte.

Frankfurter jüdische Lehrjahre

Zwischen der Entscheidung Ernst Simons im Frühjahr 1917, Zionist zu werden, und seiner Emigration 1928, liegen die Berliner und vor allem die Frankfurter jüdischen Lehrjahre. In dieser Zeit setzt er sich mit den Fragen auseinander, die ihm das Kriegserlebnis aufnötigten: den Fragen nach seinem Judentum, seinem Antimilitarismus und seiner Zivilcourage.

[3] Fritz ging ebenfalls nach Palästina, wo er 1975 starb.
[4] So in einem Gespräch mit Michael Bühler in: *»Erziehung zur Tradition – Erziehung zum Widerstand«* (Berlin 1986, S. 20) – eine ebenso intensive wie informierte Studie der Theorie und Praxis von Ernst Simon, welcher ich wertvolle Ergänzungen meiner Gespräche mit Ernst Simon verdanke, die ihn besser verstehen helfen.
[5] Daß sich in vielen jüdischen Bürgerfamilien der Kaiserzeit individuelle und soziale Konflikte gegenseitig verschärften, versucht H. D. Hellige nachzuweisen in: »Generationskonflikt, Selbsthaß und die Entstehung antikapitalistischer Positionen im Judentum«, in: Geschichte und Gesellschaft, 5. Jg. 1979, Heft 4, S. 476–518.

Erich Fromm, den Ernst Simon in Heidelberg kennengelernt hatte, »lockte« ihn 1920 nach Frankfurt, zunächst zu dem charismatischen Rabbiner Nehemia Anton Nobel, dessen Lieblingsschüler Ernst Simon nach Aussage Gershom Scholems dann wurde. Während Ernst Simon gewöhnlich mit Martin Buber, schon weniger mit Franz Rosenzweig in Zusammenhang gebracht wird, war es vor allem Nobel, der Ernst Simon die entscheidende jüdische Prägung vermittelte. Rückblickend beschreibt sich Simon als einen Faszinierten, der den »Weg zurück« zu einer Identität als religiöser Zionist findet:
»Welche Atmosphäre von Judentum, Gebet und des *Zurückfindens* herrschte damals in Frankfurt. Wenn Nobel in der Synagoge am Börneplatz predigte, hatte man das Gefühl einer tiefen Wiedervereinigung mit der alten Lehre Israels. Immer wieder fühlten wir, daß jedes seiner Worte uns half, Wurzeln zu schlagen und uns mit der Tradition zu verbinden... Nobel lebte, was er predigte. Er veränderte auch festgeschriebene traditionelle Formen um der Menschen willen. Wo er erleichtern konnte, tat er es.«[6]
Die Frankfurter Jahre waren für Ernst Simons Judentum die entscheidenden. Hier wurde er zum bissigen Kritiker des seines Erachtens unsensiblen Theodor Herzl, zum »Ketzer« innerhalb der zionistischen Bewegung; zum orthodoxen Religiösen, der selbst entschied, welche Gesetze er befolgte; zu dem, der später in Palästina gegen die Staatsgründung war und stets ein Freund der Palästinenser blieb. Es mag mit der Lust an der Unabhängigkeit zu tun haben, daß dieser Weg als Sozialist, Ketzer und Zionist in keine Schablonen paßt.
In *Aufbau und Untergang* schreibt Ernst Simon, welche Lücke das Freie Jüdische Lehrhaus auszufüllen vermocht hatte: Für ihn galt es in jener Zeit, »die bürgerliche Gleichberechtigung zu bewahren, bevor sie, was kaum jemand ahnte, gewaltsam aufgehoben werden sollte, aber ihren *Preis*, nämlich die Assimilation, wenigstens teilweise zurückzuerlangen« (Seite 12).
Das Lehrhaus war aus dem gleichen Erfahrungskontext heraus gegründet worden, welcher auch Ernst Simon zum religiösen Zionismus bewogen hatte: aus der Erfahrung des Antisemitismus seit der Judenzählung vom 1. November 1916, mitten im Ersten Weltkrieg, *und* aus

[6] Mit dem Rabbiner Nehemia Anton Nobel war ein Nicht-Orthodoxer in die Funktion gerückt, die ein halbes Jahrhundert zuvor der bekannte Neo-Orthodoxe Samson Raphael Hirsch in Frankfurt eingenommen hatte. Ernst Simon hat sich diese unorthodoxe Betrachtungsweise stets erhalten. Yehoshua Amir führt die unorthodoxen »Flügelschläge« in Simons eigenen Predigten in der berühmten Jerusalemer Synagoge »Emet We Emuna« auf Nobels Vorbild zurück (vgl. Bühler 1986, S. 28).

der verbreiteten »Unwissenheit in jüdischer Religion und Geschichte«, die »erschreckte«, wie es der Mitbegründer des Freien Jüdischen Lehrhauses, der Rabbiner G. Salzberger, formulierte. Das im Ersten Weltkrieg erfahrene Scheitern von Assimilation und Emanzipation hatte in der Tat ein Vakuum aufgedeckt, in das nun in einer einmaligen historischen Konstellation im Frankfurt der frühen zwanziger Jahre eine außergewöhnliche Institution jüdischer »Renaissance« (Simon) ungehindert eindrang. Das Revolutionäre des Lehrhauses lag in der Gestaltung des Lernens selbst, in der »unverfälschten« und gleichzeitig geistig offenen, »universalistischen« Atmosphäre. Die Lehrenden sollten sich ihre »Schwerhörigkeit« abgewöhnen, die Lernenden sollten den Mut finden zu fragen und nachzudenken. So sollten die Quellen der jüdischen Tradition, ihre Geschichte und Religion gemeinsam er*innert* und, im Sinne praktischer Sozialethik, auch angeeignet werden. »Lasse kein Gesetz unversucht, ob es nicht für Dich zum persönlichen Gebot werden könnte«, lautete die Maxime Nehemia Nobels. Das Jüdische blieb nicht mehr nur »bloßer Stoff« wie in vielen traditionell errichteten Akademien von der Wissenschaft des Judentums, sondern wurde »zur formenden zentralen Kraft«, wie Simon in *Aufbau und Untergang* schreibt.

Franz Rosenzweig: Die andere Erinnerung

Franz Rosenzweig hatte an *dieser* Gestaltung des Lehrhauses maßgeblichen Anteil. Ihm lag – ähnlich wie Nobel, Martin Buber und auch Ernst Simon – an einer »organischen Rückkehr« zu den jüdischen Quellen, von ihrer Peripherie zu ihrem Zentrum, von der Assimilation zur Thora. Franz Rosenzweig ging es um wirkliche Erinnerung an das Jüdische, an sein Inne-Werden. Zur Eröffnung schrieb er 1920:
»Mögen Ihnen die Stunden, die Sie hier verbringen werden, Stunden der Erinnerung werden, nicht in dem faden Sinne einer toten Pietät, in dem dies schöne deutsche Wort bisher so häufig über die Beschäftigung mit jüdischen Dingen als Kennwort gestanden hat, nein, Stunden einer anderen Erinnerung, einer Erinnerung, einer Einkehr aus dem Äußeren ins Innere einer Einkehr, die Ihnen... zur Heimkehr werden wird.«[7]

[7] Franz Rosenzweig, Neues Lernen, Entwurf der Rede zur Eröffnung des Freien Jüdischen Lehrhauses (1920), in: Kleinere Schriften, Berlin 1937.

Der Nicht-Zionist Franz Rosenzweig versuchte, eine Renaissance jüdischer Kultur und Tradition und damit etwas auf kulturellem Gebiet zu realisieren, was Leon Pinsker einige Jahrzehnte gesellschaftlich gefordert hatte: die »Autoemanzipation« der Juden in und gegenüber der Mehrheitsgesellschaft.
»Franz Rosenzweig war noch viel mehr, als Sie sich vorstellen können. Er hat sich, was ja sehr schwer ist, vollkommen in das jüdische Gesetz eingelebt. Wenn sein Vetter Ehrenberg ihn besuchen wollte, schrieb er ihm: ›Kommt, aber nicht am Shabbat!‹ Vor allem aber hat mich Rosenzweigs Art, sein Judentum zu gewinnen, beeindruckt. Er hatte die Habilitation bei einem nicht-jüdischen Historiker (bei Friedrich Meinecke) mit einem großartigen Brief angelehnt: Er habe eine Entdeckung gemacht, nicht wissenschaftlicher Art, sondern eine viel wichtigere, die des langsam für sich eroberten Judentums selbst. Und er brachte etwas Aristokratisches, Übermütiges ins Lehrhaus, Großstadtluft; dieses Atmosphärische gehört zu seinen größten Leistungen. Da geht es um die innere Emanzipation des Jüdischen im Juden.«
Das Thorastudium erlebte »in einer neuen Weise« (Simon) eine Renaissance; eine andere Erinnerung an die jüdische Tradition mischte sich mit dem freien Atem der urbanen, großbürgerlichen Mentalität Rosenzweigs, Nobels und auch Ernst Simons. Beides trug dazu bei, daß es ihnen für einige wenige Jahre gelang, Brücken zu schlagen: Im Jüdischen Lehrhaus führten sie die gewöhnlich einander befehdenden und abweisenden Fraktionen des Judentums (Zionisten und Nicht-Zionisten, Sozialisten und Konservative, Orthodoxe und Liberale) ebenso zusammen wie die unterschiedlichsten Charaktere (von Gershom Scholem bis Erich Fromm). An der »Gabe« zum 50. Geburtstag Nobels im Jahre 1921 wirkten zum Beispiel mit: Martin Buber, Rudolph Hallo, Richard Koch, Siegfried Kracauer, Leo Löwenthal sowie Franz Rosenzweig und Ernst Simon als Herausgeber.

Konflikte: Simon, Scholem, Rosenzweig

Das Freie Jüdische Lehrhaus war nicht frei von Konflikten. Auch die von Ernst Simon eher anekdotisch beschriebenen Konflikte zwischen Rosenzweig und Scholem sind nicht ohne Bedeutung für den Erzähler selbst. Es ist der Konflikt zwischen Dableiben und zionistischer Auswanderung. Gershom Scholem hatte sich wütend entschieden, sich von Deutschland ab- und dem Zionismus zuzuwenden. Die jüdische

Liebe zu Deutschland blieb »unerwidert«, so Scholem. Rosenzweig aber wollte die Emanzipation dennoch verwirklichen: *als kulturelle Autoemanzipation*.
»Die Gespräche zwischen Scholem und Rosenzweig sind ganz entsetzlich gewesen. Scholem war ein sehr aggressiver Mensch. Er hatte nicht gemerkt, daß Rosenzweig – die Gespräche fanden 1922 statt – schon schwer krank war. Es fehlte Scholem – wirklich ein bedeutender und auch ein guter Mensch – an einem elementaren Feingefühl Menschen gegenüber.«
Der glühende Zionist Gershom Scholem hatte Rosenzweig vor allem dessen mangelnde Distanz zu Deutschland, sein Interesse an einer deutsch-jüdischen Versöhnung vorgeworfen. Kurz darauf, Anfang 1923, verließ Scholem Deutschland und ging nach Palästina. Simon dagegen blieb bis 1928, wohl weil er – am Frankfurter Jüdischen Lehrhaus Schüler und Lehrer zugleich – noch genauer wissen wollte, warum er sich für sein Judentum entschieden hatte und warum er dazu nach Palästina wollte. Anders als Gershom Scholem sah sich Ernst Simon als *religiöser* Zionist:
»Scholem hat eine ganz neue Provinz innerhalb des Judentums entdeckt – *und* einen hohen Preis dafür bezahlt. Er hat geglaubt, daß das Mythische, vielleicht nicht Mystische, das *Eigentliche* und alles andere abgeschrieben sei. Aber er war – unter lauter Talenten – ein Genie. Als er 1982 starb, ist er sehr betrauert worden. Er kommt übrigens – wie ich auch – aus einem vollkommen unjüdischen – nein, nicht *so* unjüdischen – Haus wie unserem. Das unsere ist ja nicht zu unterbieten gewesen.«
Simon stand zwischen Rosenzweig und Scholem, und er entschied sich aufgrund seiner Kriegserlebnisse – wie Rosenzweig und anders als Scholem – für das Judentum. Aber anders als bei Rosenzweig war die Entscheidung Ernst Simons zum Judentum mit der Entscheidung zur Auswanderung verknüpft – ähnlich wie bei Scholem. Sie gründete in der Erfahrung der Kluft, die ihm eben diese Kriegserlebnisse vermittelten. Dennoch hielt er mit Rosenzweig stets am jüdisch-deutschen, vor allem am jüdisch-christlichen Dialog mit Personen und Gruppen fest, die an einem ernsthaften und nicht der eigenen Selbstrechtfertigung dienenden Dialog interessiert waren: etwa mit Vertretern der protestantischen Kirche wie Helmut Gollwitzer[8],

[8] Als ich Ernst Simon im zweiten Gespräch daran erinnere, daß mich Helmut Gollwitzer auf ihn aufmerksam gemacht hatte, reagierte er sofort: »Helmut Gollwitzer! Darf ich das sagen: Ist er nicht der größte unter Ihren protestantischen Theologen?«

Dietrich Goldschmidt, Martin Stöhr, aber auch mit Vertretern der katholischen Kirche wie dem Dominikanerpater Willehad Eckarts.

Seismographen eines fernen Erdbebens

Das Konzept des Freien Jüdischen Lehrhauses war bewußt auf die Situation *in* Deutschland ausgerichtet – allerdings nicht ohne böse Ahnungen. In *Der Jude* heißt es 1923 aus der Feder Richard Kochs, eines der Lehrer des Frankfurter Jüdischen Lehrhauses: »So trennen wir uns von niemandem, der guten Willens ist, auch nicht von der nicht-jüdischen Welt, den Völkern, unter denen wir wohnen, sondern zu denen wir so gehören, wie wir sind, mit dem, was wir lieben und wünschen... Möge unser fernerer Weg mit ihnen nicht wieder ein Weg des Leidens werden, wie er es auf so lange Strecken gewesen ist. Wenn unser geschichtliches Leid aber wiederkommt, dann wollen wir wissen, warum wir leiden, wir wollen nicht wie Tiere sterben, sondern wie Menschen, die wissen, was gut und schlecht ist. Aber wir suchen nicht das Leid, sondern den Frieden. Daß wir Juden sind, daß wir Fehler und Tugenden haben, ist uns genug von uns selber und anderen gesagt worden. *Das Lehrhaus soll uns lehren, warum und wozu wir sind.*«
Ähnlich äußerte sich Ernst Simon im Gespräch mit Michael Bühler: »Das war eine ganz ungewöhnliche Sache, dieser Kreis... Wir waren so lernfähig und erlebnisfähig, nicht, weil wir voraussahen – niemand von uns hat Hitler vorausgesagt –, aber wir waren wie Seismographen: Wir spürten, hier wird ein Gewitter sein. Welches, wußten wir nicht.«
Geradezu wie ein Beitrag zur Historikerdebatte liest sich, was Ernst Simon 1933 als »deutsches Rätsel« zur Sippenhaft der neuen deutschen Justiz, den »Repressalien der Geiselfestsetzung« formulierte: »Nun wird der alle zivilisierten Völker tief erschreckende, über alles russische oder italienische Vorbild offenbar weit hinausgehende Barbarismus verständlich, der die deutsche Revolution (die NS-Machtübernahme) begleitet. Es ist *vor-europäisch* und *vor-christlich*. Das Furchtbare ist nur, daß er seinen Antrieben die mit deutscher Gründlichkeit und Systematik gehandhabten Mittel der europäisch-amerikanischen Zivilisationstechnik dienstbar machen kann.«[9]

[9] Ernst Simon: »Das deutsche Rätsel«, in: *Brücken*, Seite 36.

Frühe Warnungen »gegen den Rausch der Normalität«: Von Brith Shalom (1925–1933) bis zu Oz ve Shalom (ab 1973)

»Haben Sie bemerkt, daß wir zum Unabhängigkeitstag keine Fahnen hissen? Niemand tut das hier...« – sagte Ernst Simon gleich zu Beginn unseres Gesprächs. Wie Martin Buber hatte er sich Ende der vierziger Jahre gegen eine zu frühe Unabhängigkeitserklärung Israels ausgesprochen. Beide waren dadurch mit Ben Gurion aneinandergeraten. Aus ihrer religiös begründeten humanistischen Verpflichtung heraus ging es ihnen stets darum, mit den Arabern zur Versöhnung zu kommen.

Schon während der Zeit des Freien Jüdischen Lehrhauses hatte Ernst Simon Theodor Herzl angegriffen, vor allem seinen von Sozialismus, sozialer Gerechtigkeit oder politischem Pazifismus entleerten Begriff der Nation, aber auch das nach Simons Meinung bornierte, vor allem auf die Auswanderung setzende Verhalten vieler Zionisten in Mitteleuropa in den zwanziger Jahren. Der Vorwurf an seine Adresse, er sei ein »Ketzer« der Zionistischen Bewegung, stammt aus dieser Zeit. Simon hatte Herzls Biographie und insbesondere seinen Wunsch kritisiert, dem Antisemitismus, der ihm seelische Atemnot vermittele, durch vollständige Assimilation, die Massentaufe aller österreichischer Juden, den Boden zu entziehen. Erst die Dreyfus-Affäre hatte bei Herzl die Juden-Idee des Judenstaats ausgelöst. Simon kritisierte diese Staatsidee als eine, die eher der Bismarckschen gleicht und gegenüber der sozialen Frage wie auch gegenüber dem Pazifismus »blind« sei. Für Simon war sie »bürgerlich und schlecht europäisch«. Zugleich wendet er sich zusammen mit Martin Buber schon 1923 gegen die Tendenz innerhalb der Zionistischen Bewegung, sich aus dem Elend des deutschen Volks im Jahre 1923 – »blutige Gewalt, Hunger, Arbeitslosigkeit, schlaue Hilflosigkeit der Reichen...« – »mit dem Blick auf das ferne Palästina desinteressiert herauszuhalten... Es geht hier nicht um Politik. In ihrem Bezirk sind wir zur Unfähigkeit verdammt... Sondern es geht um Menschlichkeit.« Die Thora habe an Lot gezeigt, welches Schicksal den ereilt, »der sich aus der allgemeinen Verheerung retten läßt... [Menschen], die im luftleeren Raum zionistischer Ideologie oder der dumpfen Höhenluft der Abstinenz erzogen sind, werden in Erez Israel ebensowenig mit den Arabern leben können, wie sie es hier mit den Deutschen konnten«.[10]

Der wichtigste Partner und Lehrer für die Zionistische Bewegung ist

[10] Zit. nach Bühler, S. 79.

Martin Buber gewesen. Obwohl sich dieser keineswegs in der orthodoxen Tradition jüdischer Glaubenspraxis sah, war Martin Buber für Ernst Simon Vorbild praktizierter, vor allem ungeteilter universaler Humanität. Den 22jährigen Ernst Simon hatte beeindruckt, wie sich Martin Buber verhielt, als er ihn zum 12. Zionistischen Kongreß in Karlsbad begleitete; dort erlebte Simon, wie Martin Buber – und nicht etwa die Orthodoxen (wie die »Mizrahi«)[11] – den nationalistischen, die Rechte der Araber kaum beachtenden Parolen der Revisionisten um Zeev Yabotinsky (einem politischen Ahnen Menachem Begins) widersprach. Ernst Simon »empfand ihn (Buber), den vom jüdischen Gesetz Abgefallenen, damals – wie noch heute – als den legitimsten Sprecher der jüdischen Lehre«. Bubers Interpretation des Judentums kann »den Absturz des Zionismus in einen Normalismus, und damit die schlimmste Kollektiv-Assimilation des Judentums, verhindern. Die Rabbiner aber – schweigen. Von dieser Stunde an wußte ich, daß ich *nie ›orthodox‹* sein werde.«[12] Ernst Simon hat, gesetzestreu und frei, der Gier nach der »Krönung der Assimilierung« (Günther Anders) stets widerstanden. Götzenvorstellung und -anbetung ist dem wirklich Gesetzestreuen verboten. Das ist der Hintergrund, vor dem sich Ernst Simon für Verständigung und Frieden mit den Arabern einsetzte.

Schon unmittelbar nach seiner Einwanderung in Palästina im Jahre 1928 schließt sich Ernst Simon der Bewegung »Brith Shalom« an, die sich gegen »gedankenlosen Chauvinismus«, »Gesten einer Herrennation« und gegen die »stets wiederkehrenden … Roheiten, Taktlosigkeiten« wendet; statt dessen tritt sie für ein Zusammenleben auf der Basis »gegenseitigen Respekts und der verständlichen Achtung aller menschlichen und nationalen Rechte« ein. (So charakterisierte sie Robert Weltsch 1925 in *Worum es geht.*)[13]

Nach den August-Unruhen des Jahres 1929 zwischen Arabern und Juden mit mehreren Hundert Toten verstärkte »Brith Shalom« ihre Aktivitäten. An die Jewish Agency in London richtete man Memoranden, unter Beteiligung Ernst Simons, die auf einen wirklichen Frieden in einem binationalen Staat abzielten. Simon sah die Gefahr,

[11] Vgl. das Gespräch mit Joseph Walk in diesem Band.
[12] So in: Jüdische Rundschau, Jg. 59/27.11.1934.
[13] Zusammen mit Gershom Scholem, seiner Frau und anderen mitteleuropäischen Juden, vor allem aus dem Prager Bar-Kochba-Kreis, und mit Hugo Bergmann, H. Kohn und Robert Weltsch war Ernst Simon in der 1925 gegründeten Organisation Brith Shalom aktiv geworden. Allerdings hatte Brith Shalom nie die Chance, die Politik der Zionisten in Palästina wirklich zu bestimmen. Sie war gleichwohl einflußreich. Vor allem berief man sich auf die Tradition Achad Haams, Gordons und Martin Bubers.

daß der sozialistisch-humanistische Charakter des Yischuv, des zionistischen Kibbuz- und Siedlungsgebiets in Palästina, in einem Bündnis mit den imperialistischen Mächten geopfert werde. Aber weder scheint »Brith Shalom« wirklich Einfluß auf politische Entscheidungen der zionistischen Mehrheit gehabt zu haben, noch hatte sie einen ernsthaften arabischen Einflußträger, mit dem sie hätte kooperieren können. 1933 beendete sie praktisch ihre Tätigkeit.

»Brith Shalom« war gescheitert, aber Simon – wie Martin Buber und andere – hielten an den Zielen dieser Bewegung fest. So wurden zum Unabhängigkeitstag keine Fahnen gehißt – in dem Verständnis, daß die Unabhängigkeitserklärung 1948 *auch* die Folge der bösen Tat des Nationalsozialismus war: »Ohne die nationalsozialistische Verfolgung wäre das zionistische Aufbauwerk zwar langsamer, aber auch organischer gewachsen. Es hätte dann mehr getan werden können, um den Konflikt mit unseren arabischen Nachbarn zu mildern und vielleicht ganz zu vermeiden.«

Jahrzehnte später, vor allem nach dem Sechstagekrieg im Juni 1967, beharrt Ernst Simon immer noch auf seiner Position. Während in Israel nach dem überraschenden Sieg die neugewonnene Macht und Sicherheit noch genossen wird, plädiert Ernst Simon für einen positiven Schock, für einen herausgehobenen humanen Umgang mit den Arabern. Er wird in der linkssozialistischen kleinen Sheli-Partei aktiv und beteiligt sich 1973 an der Gründung der religiös-zionistischen Organisation »Oz ve Shalom« (Kraft und Frieden), die als Gegenreaktion auf die rechtsorientierte, zionistisch-religiöse Siedlerbewegung »Gush Emunim« verstanden wurde. In dem Gründungsdokument heißt es unter anderem: »Stimmungen des ›ich und niemand anders‹ haben in der Geschichte Katastrophen für Freiheit und Unabhängigkeit von Völkern gebracht.«

Ernst Simons Religiosität ist eine relative, ohne »falsche Absoluta«. Das bewußt Religiöse dürfe »kein Monopol darauf haben, die einzige Quelle des Vertrauens zu sein«. Diese Relativierung macht ihn zum erbitterten Gegner jeder Selbstgerechtigkeit. Wie Martin Buber, so fürchtet auch Simon die Folgen eines »Rausches der Normalität« als der säkularisierten Funktion der Religion in Israel: »Religiös gesprochen, führt die absolute kritiklose Selbstbestätigung, wenn sie mit Macht verbunden ist, zur Selbstvergötzung. Der Herrscher und König macht sich zum Gott.« Das ist der Grund, warum Ernst Simon »bis heute eine gewisse Spannung mit der eigentlichen Orthodoxie« hat. »Sicher gibt es ein paar großartige Menschen unter ihnen. Aber ich liebe die Orthodoxie in keiner Form.«

»Wir Gläubigen zweifeln!«

Die tiefe Religiösität, die Ernst Simon ausstrahlt, ist durch *ein* Ereignis irritiert worden, auf das er unvermutet zu sprechen kommt: »Ich habe meine Mutter 1944 nicht retten können. Das hat meinen Glauben für lange Zeit erschüttert.« Seine Mutter, Cäcilia Simon, war auf der Flucht nach Triest von den Nazis eingeholt und 68jährig ermordet worden.

Dies erschütterte den Kern seiner Gottesvorstellung, welche der Tradition jüdischer Religionsphilosophie gemäß Gott in der Geschichte als Gott der Gerechtigkeit *und* Barmherzigkeit, der Strafe *und* der Liebe, nicht der Rache wirken sieht. In *Auschwitz als Herausforderung für Juden und Christen* formuliert er das noch radikaler:[14]

»... keine Addition aller ihrer Sünden kann irgendwie rechtfertigen, weder für die Verfolger noch für die Verfolgten, was durch das Hinschlachten von sechs Millionen Juden geschehen ist... Dadurch ist eine sehr schwere religiöse Krise gerade bei den gläubigen Menschen eingebrochen. Und das gehört übrigens auch in die eigentliche Tradition herein: Der Jude rechtet mit seinem Gott...!« Ernst Simon betont die Ungewißheit, die den Gläubigen immer auch ausmacht: »In der heutigen Weltlage ist der Hauptunterschied zwischen Gläubigen und Ungläubigen nicht so sehr der, was sie glauben, und *vielleicht nicht einmal, daß sie glauben, sondern daß sie zweifeln.* Der ungläubige Mensch von heute zweifelt nicht mehr, er hat seinen Unglauben zu seinem Dogma gemacht. Wir Gläubigen zweifeln, und ohne diesen Zweifel könnten wir nicht glauben.« Sein Zweifel – nach Auschwitz – reicht weit: »... das bezieht sich auch auf das spezifisch historisch-theologische Problem der Gerechtigkeit des Gottes und der Geschichte«.[15]

Dem entspricht, daß Ernst Simons Rückblick auf die jüdische Kulturarbeit in den ersten Jahren des Nationalsozialismus von einer tiefen Ambivalenz durchzogen scheint. Ernst Simon war auf Bitten Martin Bubers 1934 für ein knappes Jahr ins Hitler-Deutschland zurückgekehrt, um an der »Mittelstelle für Erwachsenenbildung« zu lehren. So gilt, was Ernst Simon kurz vor dem Tode von Robert Weltsch 1982 über dessen Aufruf »Tragt ihn mit Stolz, den gelben Fleck« (1933)

[14] G. B. Ginzel (Hrsg.), Heidelberg 1980, S. 418.

[15] Es ist unüberhörbar: Durch die Erfahrung der Ermordung der Juden empfindet der gläubige Rosenzweig-Schüler Ernst Simon einen nicht mehr auflösbaren Zweifel. Die Emphase, mit der gegenwärtig auch christliche Theologen Franz Rosenzweig wiederentdecken, wäre in sich nicht stimmig, würde dieser Bruch durch Auschwitz nicht ausreichend mitbedacht.

geschrieben hat, auch für Ernst Simon selbst: »Was ursprünglich so manche Selbstmorde erspart hatte und vielen nicht durchaus verzweifelten Menschen ihre Würde als Juden wiedergab oder stärkte, durfte er später im ›Rückblick des Historikers‹ zwar mit dem reinsten Gewissen vor Gott und sich selbst rechtfertigen, verabscheuen aber mußte er den sadistischen Gebrauch des gelben Flecks zur Kennzeichnung der wehrlosen Opfer in den Konzentrationslagern.«[16]

Ernst Simon hatte zusammen mit Martin Buber zur geistigen Selbstfindung und zum »geistigen Widerstand« der Juden unter der nationalsozialistischen Diktatur beizutragen versucht. Darüber veröffentlichte Ernst Simon zwanzig Jahre nach dem Ende der jüdischen Erwachsenenbildung im Hitler-Deutschland ein Buch (1959) mit dem paradoxen Titel *Aufbau im Untergang*, das starke Züge der gleichen Ambivalenz trägt. Ernst Simon beklagt die Naivität, mit der etwa die Bildungsveranstaltung in Lehnitz[17] bei Oranienburg 1934 durchgeführt worden war, während doch wenige Kilometer entfernt zur gleichen Zeit Oranienburg zur Stätte des Terrors ausgebaut wurde:

»Bei Oranienburg! Dies war ein Name, der später die schreckliche Assoziation eines der berüchtigtsten Konzentrationslager erweckte. Als wir in Lehnitz in durchaus heiterer Stimmung zusammen waren, ahnten wir noch nichts von dieser Nachbarschaft. Wir fühlten zwar den Druck der Krise, hatten aber noch keine wirkliche Vorstellung, weder von ihrer Dauer noch von ihrer voraussichtlichen Schärfe.«[18]

[16] In: Bulletin des Leo-Baeck-Instituts Nr. 64/1983, S. 15; vgl. dazu auch das Gespräch mit Eva Reichmann in diesem Buch.

[17] Hier lernte Ernst Simon seinen späteren Mitstreiter Joseph Walk kennen. Vgl. das Gespräch mit Joseph Walk in diesem Band.

[18] *Aufbau im Untergang*, S. 66. Die von Martin Buber empfohlene und von Ernst Simon in dem Buch aufgenommene Kategorie des »geistigen Widerstands« wird von der des politischen Widerstands abgegrenzt und vor allem auf die geistig-religiöse Selbstfindung bezogen. Y. Amir greift die Kategorie des »geistigen Widerstands« auf und interpretiert sie – anders als die christliche Konzeption der zwei Reiche und ihres faktischen Nebeneinanders – als Verpflichtung gegenüber der jüdischen Prophetie und ihrer Tradition universell geltender Menschenrechte, die es auch gegenüber weltlichen Herrschern durchzusetzen gelte. Daher – so die Interpretation Amirs – ein vergleichsweise präzise definiertes Befehlsverweigerungsrecht in der israelischen Armee (vgl. Amir in: G. B. Ginzel, »Auschwitz als Herausforderung für Juden und Christen«).

Hoffnung wider besseres Wissen

Was Ernst Simon bleibt, ist eine vom Dennoch-Glauben inspirierte, trotz allem menschenfreundliche Herzlichkeit, die mich tief beeindruckte. Ernst Simon hat an seinen sozialistischen, anti-totalitären Idealen ebenso festgehalten wie an seiner scharfen Kritik staatlicher Selbstvergötzung gegenüber. Über den Menschen der »Zweiten Naivität«, und damit wohl auch über sich selbst, schreibt Ernst Simon: »Trotz aller Enttäuschung weigert sich (der Mensch der Zweiten Naivität), am Menschen zu verzweifeln« – ein Schimmer des hassidisch-utopisch-messianisch inspirierten Erlösungshoffens Buberscher und Scholemscher Prägung. Eine Hoffnung wider besseres Wissen. »Erst nachdem die grausamsten Tatsachen ihn, den Menschen der Zweiten Naivität, in seinem Irrtum ... überführt haben, ist er sehr wider Willen bereit, ihn aufzugeben, ihn zu bekennen, *aber* jeweils nur für den Einzelfall. Niemals wird er seiner kritischen Erlösungshoffnung und seinem skeptischen Optimismus so weit untreu werden, daß er auch der schlimmsten Gegenwart neue Hoffnung abschneide und sich einem umfassenden Zweifel ergebe, der neben sich keinem Glauben Raum ließe. Noch im hohen Alter, und vielleicht gerade dann, hält er in irgendeinem Grade an der Konzeption einer ›Politik der Liebe‹ fest, etwa nach dem gescheiterten Vorbilde Pestalozzis und Tolstois.«[19]

Es mag mit Ernst Simons »kritischer Erlösungshoffnung noch im hohen Alter« zu tun haben, daß er in unserem Gespräch gleich mehrmals darauf aufmerksam macht, daß sein Sohn Uriel Simon sich einer religiös-zionistischen Tradition verpflichtet sieht, deren Ziele »Humanität« und »Frieden« sind. Es war vor allem auch Uriel Simon, der 1973 als Gegenorganisation gegen die verbittert-religiöse, antiarabische Siedlerbewegung »Gush Emunim« »Oz ve Shalom« gegründet hat – zusammen mit Joseph Walk, seinem Mitstreiter, seit sie einander in der Erwachsenenbildungsstätte Lehnitz bei Oranienburg im Jahre 1934 begegneten.

Ernst Simon ist ganz unverhohlen stolz auf seinen Sohn – wie auch darauf, in der Tradition des berühmten Religionsgelehrten Akiba Eger zu stehen, einem Vorfahren mütterlicherseits aus Posen. Er findet diese Tradition nun in seinem Sohn fortgesetzt: »Die Kette, in die ich mich wieder eingefügt habe, ist nicht abgerissen. Dafür bin ich dankbar.«

[19] In: *Brücken*, S. 175.

Uriel hätte bloß, merkt Ernst Simon leicht ironisch an, den Titel von »Oz ve Shalom« – Kraft/Stärke und Frieden – nicht so mehrdeutig, sondern konsequent friedenspolitisch formulieren sollen: »Kraft *für* den Frieden.«

Joseph Walk:
»Das Schlimmste wäre, wenn sie uns so schlecht gemacht hätten, wie sie selber waren«

Joseph Walk wurde 1914 in Breslau geboren. Sein Großvater, ein Holzhändler, kam aus Wilna/Litauen; er stand wie sein Vater in der Tradition osteuropäischer Aufklärung *und* dachte nationaljüdisch-zionistisch. Joseph Walk setzte diese Tradition fort. Er legte 1932 am Evangelischen Gymnasium »Vom Heiligen Geist« in Breslau das Abitur ab und ging 1933 ans jüdische Lehrerseminar in Köln. 1934 traf er in Lehnitz auf Ernst Simon. Joseph Walk emigrierte 1936 mit der zionistischen Jugend-Alijah nach Palästina; dort wurde er Dorfschullehrer, Schulrat und später Professor für Pädagogik und neuere Geschichte. Seit 1973 engagierte er sich in »Oz ve Shalom«. 1979 bis 1984 war er Direktor des Leo-Baeck-Instituts in Jerusalem.
Wichtige Schriften: *Die Erziehung des jüdischen Kindes in Nazi-Deutschland; Sonderrecht für die Juden im NS-Staat.*[1]

Im Leo-Baeck-Institut in Jerusalem

Als ich mich zum ersten Mal mit Joseph Walk verabrede, lädt er mich in »sein« Institut ein. Das Zimmer, in dem wir im Mai 1984 sprechen, ist winzig. Darin stapeln sich Dokumente und Bücher über die mitteleuropäischen Juden bis 1933, an die zu erinnern sich das Leo-Baeck-Institut in Jerusalem – wie auch in London und New York – zur Aufgabe gestellt hat. Joseph Walk, vielbeschäftigt, nimmt sich dennoch freundlich, ja zuvorkommend viel Zeit, um mir von dem zu erzählen, was ihm in seinem Leben wichtig ist – vor allem von seiner Liebe und Achtung der jüdischen Thora- und Lehrtradition, der er seit seiner Breslauer Kindheit treu ist. Die kaum abreißende Kette von Erzählungen, Interpretationen aus Bibel, Talmud und rabbinischen Quellen – schnell, mit wachen, ernsten Augen vorgetragen – scheinen für jemanden, der nicht von Jugend an damit vertraut ist, gänzlich Verschiedenartiges, Widersprüchliches miteinander zu vereinbaren.
Da ist sein verhaltener Stolz auf eine jüdische Tradition, die er genau – anders als Ernst Simon etwa – thoratreu einhält. Joseph Walk hält

[1] Siehe die Würdigung Ernst Simons in: MB/Januar 1984.

die Shabbat-Ruhe strikt ein. Sie ist für ihn ein Tag der Erinnerung *und* der Freude: eine teilweise Vorwegnahme des Paradieses. Was er mir erzählt, ist geprägt von seinen Erfahrungen als bewußter Jude: im erneuten Nachdenken, vor allem Praktizieren und Neuerleben der hebräischen Bibel, des Talmud, der langen Tradition der Kommentare und Neuinterpretationen.
Schon als Kind in Breslau hatte er trotz der fremden Umgebung und der gelegentlich auftretenden Anfeindungen den Shabbat geheiligt. Das hat ihm bis heute Halt gegeben.
Joseph Walk sieht sich dabei in der Tradition der osteuropäischen Aufklärungsbewegung, der Maskilin; gegen die eher mystischen Chassidim hatte die Maskilin die Aufklärungsideen Moses Mendelssohns in Polen und Rußland – und damit auch in einem der Zentren jüdischen Lebens, in Wilna – verbreitet. (Anhänger fanden sie im sogenannten »mesnaggdischen«, das heißt zu den Chassidim gegnerischen Judentum.) Nicht streng orthodox, waren sie gleichwohl fest in der Tradition verwurzelt und hatten bewußt nicht Jiddisch, sondern Neu-Hebräisch gelernt.
Und in Litauen war man einfach national-jüdisch. Für Walks *Vater* hatte sich Thoratreue mit der Aufnahme zionistischer Ideen problemlos verbinden lassen – ganz anders als in Mitteleuropa, unter dem dortigen Einfluß des assimilierten, liberalen Judentums. Sein Vater war schon 1903 Zionist geworden; gleichwohl blieb er wie selbstverständlich religiös. Ebenso selbstverständlich sah er sich als Deutscher.

Joseph Walks Vater: sehr deutsch und zionistisch

»Mein Vater pflegte über meinen Vornamen zu sagen: Joseph Walk, aber bitte mit ›ph‹, wir sind doch keine Österreicher! Wie sehr ›deutsch‹ wir fühlten, sehen Sie an einer meiner frühesten Kindheitserinnerungen, an der Erinnerung an den Januar 1918, an dem an unserem Haus noch die schwarz-weiß-rote Fahne hing: Der Kaiser hatte am 27. Januar Geburtstag – ich war allerdings damals fest davon überzeugt, daß man *mir* zu Ehren geflaggt hätte.
Mein Vater war noch 1915 als Landsturmmann mit drei Brüdern eingezogen worden. Vier Söhne hatte meine Großmutter im Feld. Ein Onkel von mir – als Arzt später der einzige Jude in einem deutschen Dorf – hatte sich sogar freiwillig gemeldet, um Sanitäter zu werden; er war schwer verwundet worden. Er und mein Vater sind die einzigen, die gerettet wurden. Die anderen sind alle im Krieg umgekommen.

Die ganze Familie war nicht nur national orientiert, sondern zugleich auch *zionistisch*. Als zugleich religiöser Jude hatte er Schwierigkeiten, eine Shabbat-freie Stelle zu finden. So hat er in einem jüdischen Geschäft gearbeitet und brauchte nie am Shabbat zu arbeiten. Er hat sich eher als allgemeiner Zionist empfunden, weniger als Vertreter der religiös-orthodoxen Partei ›Mizrahi‹.
Seit meiner Geburt hat mein Vater für mich den Schekel als symbolischen Beitrag der zionistischen Organisation gezahlt. Mein Tagebuch verrät ebenfalls meinen Zionismus. Ich habe es zwar aus einem Gefühl heraus, ich will mit der Diaspora brechen, vernichtet. Aber meiner Erinnerung nach beginnt es im Frühjahr 1932 mit: ›Ich bin jetzt achtzehn, und ich darf zum Zionistenkongreß wählen.‹«

Die Wurzeln liegen in Wilna

»Mein Großvater ist noch in Wilna, Litauen, im damaligen Rußland, geboren.[2] Er hat sich aber, soweit mir bekannt ist, bereits in den siebziger Jahren ›naturalisieren‹ lassen, weil ihm das als Holzhändler bequemer war. Nach seiner Heirat ist er nach dem noch in Rußland liegenden Jurburg (jiddisch: Jurbrick; litauisch: Jurbarkas) in Deutsch-Georgenburg an der deutschen Grenze umgezogen. Mein Vater ist dort 1883 geboren worden. Im Jahre 1900 ist die Familie nach Deutschland gekommen. Ein ziemlich typischer Weg über Tilsit, Thorn nach Breslau. Die Liebesbriefe meines Großvaters, die ich besitze und die ich aus verständlichen Gründen im einzelnen nicht gelesen habe, sind alle in Goethe-/Schillerschem Deutsch geschrieben worden, obwohl mein Großvater längst Russisch konnte und sogar Hebräisch.«
»Mein Großvater war ein traditioneller, nicht unbedingt orthodoxer ›Maskil‹, ein Aufgeklärter. In seinem Bücherschrank standen die neuhebräischen Schriftsteller. Als ich mit vierzehn in der jüdischen Schule einen Aufsatz über Achad Haam, den Kulturzionisten, schreiben sollte, was mich natürlich überfordert hätte, hat mein Großvater

[2] Mit über 50000 jüdischen Einwohnern (insgesamt mehr als 40 Prozent) war Wilna bis zum Einmarsch Hitlers in die Sowjetunion ein Zentrum jüdischen kulturellen und religiösen Lebens in Osteuropa seit dem 15. Jahrhundert: Es galt als »Jerusalem des Ostens«. Wilna war vor allem seit der zweiten Hälfte des 19. Jahrhunderts ein Mittelpunkt des mesnaggdischen (gegnerischen) Judentums, welches sich gegen die eher mystisch orientierten Chassidim an der orthodoxen Tradition orientierten; als Haskala versuchte es die mitteleuropäische Aufklärungsbewegung zu integrieren, um in einer Mischung der vor allem von Mendelssohn übernommenen Ideen der Aufklärung und der jüdischen Orthodoxie einen neuen Aufbruch zu unternehmen.

mir diesen Aufsatz mitgeschrieben. Ich habe zu Hause nie ein Wort Jiddisch gehört.
Mein Vater ist bereits im Jahre 1903, mit zwanzig Jahren also, als kaufmännischer Angestellter Zionist geworden. Mein Großvater war zur Leipziger Messe gefahren und hatte ihm den Fünften Kongreßbericht mitgebracht; mein Vater las ihn und wurde sofort Zionist: Hier wurde ihm aus der Seele gesprochen. Das waren bei meinem Vater nicht antisemitische Erfahrungen – wie etwa bei Herzl –, die ihn auf den Zionismus gebracht hatten. Es war der Ostjude in ihm: Er war einfach nationaljüdisch eingestellt. Es gehörte zum Selbstverständnis wie die Einhaltung jüdischer Tradition. Mein Vater erzählte mir einmal, daß in dem vom mesnaggdischen (aufgeklärten) Judentum geprägten Leben das praktische Nationalgefühl so stark war, daß man selbst bei den (nicht unbedingt religiösen) Sozialisten, den Bundisten, unbedenklich koscher essen konnte. Das rituelle Speisegesetz gehörte einfach zum nationalen Lebensstil. Es war keine Frage orthodoxer oder nicht-orthodoxer Praxis.
Auch sehr viel später noch bin ich (erneut) auf meine familiären ostjüdischen Wurzeln zurückgekommen. So seit etwa zwanzig Jahren habe ich mich sehr mit der sogenannten Mussar-Bewegung beschäftigt, die in Litauen lebendig war und sehr stark auf die Einhaltung der Gebote zwischen Mensch und Mensch, aber auch zwischen Mensch und Gott, achtete. Und dann habe ich herausbekommen, daß einer meiner Vorfahren ein Anhänger des Gründers dieser Mussar-Bewegung war. So besteht auch in dieser Hinsicht noch irgend etwas an Verbindung. Es war mir deswegen zum Beispiel wichtig, kürzlich für die untergegangene jüdische Gemeinde in Jurburg zwei deutsche Texte ins Hebräische zu übertragen...«[3]

Kann ich Sie nach Ihrer ersten Erfahrung fragen, in der Sie mit dem konfrontiert wurden, was dann später ja auch Ihren Lebensweg so verändert hat – Antisemitismus?

»Ich muß diese Fragestellung zurückweisen. Ich behaupte, daß ich auch ohne Hitler und ohne Antisemitismus nach Palästina gegangen wäre. Mein erstes schweres Erlebnis – aber das hat eigentlich nicht

[3] Joseph Walks Vater, 1883 geboren, war um die Jahrhundertwende als junger Erwachsener nach Breslau gekommen und dort ein »mittelmäßig bezahlter Angestellter« geworden. In der »besseren« Zeit (zwischen Mitte und Ende zwanzig) war er sogar Prokurist gewesen, ehe er die Stelle infolge des ökonomischen Niedergangs verlor; danach mußte Joseph Walks Mutter als Beamtin der jüdischen Gemeinde die Familie unterhalten. Joseph Walks Vater fühlte sich so nationaljüdisch wie deutsch: Deutschland und Breslau waren ein ersehntes Gebiet.

direkt mit dem üblichen Antisemitismus zu tun – geht auf mein fünftes Lebensjahr zurück. Es ist einer der Beweise dafür, und darüber habe ich heute mit Religionslehrern gesprochen, daß ohne den kirchlichen Antisemitismus wahrscheinlich der Rassenantisemitismus sich in dieser Weise nicht ausgebreitet hätte.

Ich war fünf Jahre alt, meine Eltern gingen aus, das Dienstmädchen – das in jüdischen Kreisen üblich war, soweit wirtschaftlich möglich – war auch nicht da; man gab mich bei Bekannten im selben Haus ab, die keine Kinder hatten und zu denen wir sonst nur wenig Beziehung hatten. Die suchten verzweifelt nach einem Bilderbuch und fanden nur das Neue Testament. Ich stieß auf das Bild des Gekreuzigten und fragte meine Gastgeber, was dieses Bild bedeute. Darauf gaben sie mir etwas verlegen zur Antwort: ›Das ist der liebe Gott, der ist von bösen Menschen gekreuzigt worden.‹ (Beachten Sie: Sie haben nicht ›Juden‹ gesagt!) Das zerstörte mein ganzes Gottesbild: ein Gott, der sich von Menschen kreuzigen läßt? Ich war so erschüttert, daß ich selbst meine Eltern nicht zu fragen wagte. Als ich später selbst Lehrer wurde und mich im Religionsunterricht in Deutschland mit dem Problem konfrontiert sah, habe ich mich dann gefragt, welchen Eindruck ein nicht-jüdisches Kind bekommen muß, wenn die erste Begegnung mit dem Judentum der Gekreuzigte ist und man ihm sagt, die Juden haben ihn gekreuzigt.

Ich kann mich eigentlich an Antisemitismus nur insoweit erinnern, als immer eine gewisse Fremdheit uns gegenüber bestand als den einzigen jüdischen Bewohnern eines Arbeiterviertels. Mein Vater war ein mittelmäßig bezahlter Angestellter, der dann in der guten Zeit 1925 bis 1928 Prokurist wurde, aber schon 1930 seine Stellung verlor. Wir haben diesen wirtschaftlichen Niedergang miterlebt. Meine Mutter unterhielt dann die Familie, sie war Beamtin in der jüdischen Gemeinde.

Ich erinnere mich wohl – das fällt mir jetzt ein – an eine Begegnung in Ostpreußen, wohin meine Eltern mit mir in die Sommerferien fuhren. Da wurde mir ›Judenbengel‹ nachgeschrien. Aber sonst, da ich in einer jüdischen Schule war und meinen jüdischen Jugendbund hatte, den ich sogar mitgegründet hatte, lebten wir in einem selbstgewählten isolierten jüdischen Milieu.

Mit fünfzehn Jahren mußte ich aber plötzlich – im Jahre 1929 – in eine nicht-jüdische Schule gehen, weil unsere Schule finanziell nicht mehr zu tragen war. Ich kam in eine Klasse mit nur zwei jüdischen Mitschülern. Und jetzt stellen Sie sich bitte einmal die Situation des nicht-jüdischen Lehrers vor – von mir ganz zu schweigen. Ich habe am Shabbat nicht geschrieben, zwar den Unterricht besucht, aber nichts getan, was am Shabbat verboten war. Das war für die Leute dort etwas völlig Neues. Der zweite jüdische Schüler war ein nicht so religiöser Zionist, der natürlich am Shabbat schreiben konnte. Der dritte, der am jüdischsten aussah, war so assimiliert, daß er sogar an den hohen Feiertagen in die Schule ging und wir ihn dann überredet haben, aus Solidarität mit uns wenigstens an den Feiertagen wegzubleiben. Für einen Nichtjuden war das ein merkwürdiger Pluralismus, der nur schwer zu erklären war.

Ein anderes Erlebnis ist sehr viel ernster. Ich habe Deutsch als Wahlfach genommen und mich für Heine entschieden. Später habe ich in den Sommerferien den von mir verehrten religiösen Sozialisten Dr. Seidel – ich Jude, er Katholik – besucht und ihm so nebenbei gesagt: ›Wissen Sie, Dr. Seidel, ich habe bewußt Heine gewählt, ich wollte, daß die deutschen Lehrer einmal hören, was ein Jude in Deutschland manchmal empfindet.‹ Da sah mich der Mann groß an und sagte – bitte vergessen Sie nicht, das war 1932, nicht etwa 1944 –: ›Man soll auch mit seinen Leiden nicht kokettieren.‹ Ein sehr tiefes Wort, das ich später als Pädagoge sehr häufig benutzt habe. Im Jahre 1934 habe ich diesen Lehrer zum letzten Mal besucht. Als ich zu ihm kam, sagte er mir: ›Ich muß Sie bitten, die Besuche einzustellen. Ich werde beobachtet, ich kann meine besten jüdischen Freunde nicht mehr besuchen. Es bleibt mir nichts anderes übrig, als diesen Besuch als den letzten anzusehen.‹ Er hatte keinen leichten Stand. Im Januar 1933 erschien in der nationalsozialistischen *Schlesischen Tageszeitung* ein Artikel: ›Wie lange wird Dr. Seidel noch die Seelen unserer Jugend vergiften?‹ Sein Bruder hatte in seiner Klasse das Hitler-Bild abgenommen. Seidel wurde deswegen für ein halbes Jahr in den ›Ruhestand‹ und dann an das Johannes-Gymnasium, später Hitler-Gymnasium, versetzt, wo es fünfzig Prozent jüdische Schüler gab. Seidel ist ganz am Ende des Krieges im ›Volkssturm‹ eingesetzt worden und umgekommen.

Dr. Seidel hatte mir zweierlei gesagt. Einmal sagte er: ›Was soll ich tun? Ich habe erst jetzt, mit vierzig, heiraten können, da ich Kriegsteilnehmer war. Soll ich mein Vaterland verlassen? Ich werde nie Nazi sein, ich bin in den Nationalsozialistischen Lehrerbund eingetreten, weil mir nichts anderes übrigblieb. Was soll ich denn tun?‹ Da sagte ich – und jetzt kommt etwas sehr Bezeichnendes, dessen ich mich heute vielleicht schämen sollte, aber ich habe es nicht verheimlicht und auch einen Artikel zum Andenken an ihn geschrieben: ›Wissen Sie, Dr. Seidel, ich als Zionist kann die Nationalsozialisten insoweit verstehen: Wir Juden haben uns zu sehr vorgedrängt, im Theater, in der Kunst, vielleicht auch in der Politik. Wir hätten das nicht tun sollen.‹ Da sprang Dr. Seidel auf, wurde knallrot, klopfte auf den Tisch und rief: ›Und das muß ich erleben, daß ein Jude versucht, die Nationalsozialisten zu entschuldigen!‹ Es ist mir erst sehr viel später aufgegangen, (daß mein damaliger Satz) nichts mit der Lüge zu tun hat, wir Zionisten hätten Sympathien für die nationalsozialistische Weltanschauung gehabt – den ›Betar‹, die revisionistische Jugendorganisation, einmal ausgenommen. Wir haben uns immer gegen Nationalismus gewehrt – auch hier in Palästina und später in Israel. Ich versuche, diese Linie in ›Oz ve Shalom‹ fortzusetzen.«

»Wer macht uns das Leben sauer? Adenauer! Adenauer!« – Die Nazis in Köln

1932 schließt Joseph Walk 18jährig das Gymnasium ab und geht an das jüdische Lehrerseminar nach Köln.
»In Köln erinnere ich mich an den Fasching, an die Umzüge mit dem Spruch: ›Wer macht uns das Leben sauer? Adenauer! Adenauer!‹ Das waren Nazis, die das gesungen haben. Ich hatte dort mit Nichtjuden fast gar keinen Kontakt und war statt dessen in der zionistisch-religiösen Jugendbewegung aktiv.«

Gleich zweimal bestraft

»Ich erinnere mich, daß ich meine Großmutter mütterlicherseits 1932 mitgeschleppt habe, damit sie sich in die ›Eiserne Front‹ einschreibt. Sie ... lebte in Losslau in Oberschlesien und war natürlich dafür, daß Oberschlesien in der Abstimmung von 1920 an Deutschland fallen sollte. Aber Losslau ist polnisch geworden. Meine Großmutter mußte in 24 Stunden raus, weil sie für Deutschland optiert hatte. Sie hat glücklicherweise nicht miterlebt, was später war. Sie ist 1934 gestorben. Aber in mein Bewußtsein ist das wohl eingedrungen. Ein Schicksal einer deutsch-jüdischen Familie, die gleich zweimal bestraft wurde. Auch mein im Ersten Weltkrieg schwer verwundeter Onkel, der später Arzt wurde, hat bis 1938 in einem Dorf in Nimkau, 33 Kilometer von Breslau entfernt, ungestört und unangepöbelt als Jude gelebt. Er war ungeheuer beliebt. Am Boykott-Tag ist der Ortsgruppenleiter der Nationalsozialisten zu ihm gekommen und hat gesagt: ›Doktor, wir haben doch nichts gegen Sie. Wir wissen doch, Sie waren Frontkämpfer. Wir kommen morgen zu Ihnen frühstücken, damit das ganze Dorf sieht, daß wir nichts gegen Sie haben. Aber Sie müssen ein Schild raushängen, daß Sie gegen den Weltboykott sind.‹ Er ist 1938 seelisch so isoliert gewesen, daß er erkrankte.«

Sie beschreiben Erfahrungen mit einer freundlichen Umgebung, die zum Vorurteil passen: daß man den, den man konkret sah, doch auch schätzte. Wenn Sie etwa vom Ortsgruppenleiter erzählen, der doch die Ideologie des Antisemitismus repräsentierte...

»Einer, den wir unseren zionistischen Wanderprediger genannt haben, hat mir einmal in Breslau erzählt: ›Wissen Sie, was der Unterschied ist zwischen Berlin und Tel Aviv? Wenn ich in Berlin über die Straße gehe, sehen mir vier Millionen Augenpaare feindlich nach, und um mich zu lieben, müssen sie mich erst kennenlernen. Wenn ich in Tel Aviv über die Straße gehe, sehen mir 40000 Augenpaare freundlich nach, und um mich zu hassen, müssen sie mich erst kennenlernen.‹ Eine hervorragende Formulierung für das, was wir als Zionisten empfunden haben. Ich glaube, daß Sie mit Ihrer Bemerkung recht haben. Historisch gesehen ist es jedenfalls interessant, daß in den Landesteilen Deutschlands, wo die Juden nur schwach vertreten waren wie in Schleswig-Holstein, Ostpreußen, Pommern, der Antisemitismus sehr stark war. Wir Juden in der Großstadt wußten gar nicht, wie gut wir es in dieser Zeit hatten. Ich habe später Erlebnisse gehört von Lehrern und Schülern, die ich interviewt habe – ich habe ja über die jüdische Erziehung in Nazi-Deutschland ein Buch verfaßt. Es ist mir grausig geworden. Wir hatten wirklich in der Großstadt die Möglichkeit, irgendwie unterzutauchen. Man hat nicht dauernd auf uns geachtet. Duvelle, der über die Juden im Rheingebiet geschrieben hat, sagt an einer Stelle: Die Tatsache, daß es einen Kulturbund gab, habe bei den Juden die Illusion aufrechterhalten, es gäbe doch noch die Möglichkeit auszuhalten. Unbewußt hat der Kulturbund und vielleicht auch die jüdische Erziehung dazu beigetragen, daß man geglaubt hat, *irgendwie kann man noch in Deutschland weiterleben.*«

Mich überrascht sehr, wie wenig Angst aus Ihren Erfahrungen in den ersten Jahren nach 1933 spricht. Andere, mit denen ich gesprochen habe, haben etwa den Boykott-Tag 1933 als entscheidenden Tag erlebt und sind dann – glücklicherweise – gegangen.

»Das hängt wohl damit zusammen, daß mein Vater zu dieser Zeit arbeitslos war oder nur Nebenarbeiten hatte. Meine Mutter war Be-

amtin der jüdischen Gemeinde. Wir hatten kein Geschäft. Politisch waren wir nicht sehr exponiert. Juden, die exponiert waren, sind ermordet worden. Das ist vielleicht damals nicht bekannt geworden. Von einem Fall wußte man, von Eckstein in Breslau, einem ganz bekannten SPD-Abgeordneten. Das war anders in unseren Kreisen, die wir wirtschaftlich nicht viel hatten.
Die Situation hat sich für mich erst in der ›Kristallnacht‹ verändert« [Joseph Walk war zu jenem Zeitpunkt schon zwei Jahre in Palästina], »als mein Vater zum Glück nicht eingesperrt wurde, ich aber eine Karte bekam, auf der mein Vater nicht mehr mit seinem Namen unterschrieben hatte. Meine Mutter erzählte mir später, daß ein Polizeibeamter sie zurückgehalten hat.
Auch das ist bezeichnend: ›Frauchen, gehen Sie mal heute lieber nicht weiter.‹ Sie wollte gerade zur Jüdischen Gemeinde gehen.
Und noch etwas: Zwei Gestapo-Leute kamen, um einen Untermieter zu suchen. Der hatte aber Lunte gerochen und sich versteckt. Sie sagten, es tut uns leid, aber wir müssen suchen. Sie sahen meinen Vater in Gebetsriemen und Gebetsmantel und fragten meine Mutte, wer das sei. Worauf meine Mutter sagte: ›Mein Mann.‹ Er stand aber nicht auf der Liste, und sie haben meinen Vater ungeschoren gelassen.«

»Wir haben daneben gelebt« – Im Zionistisch-Jüdischen Jugendbund nach 1933

»In den letzten fünfzehn Jahren war ich vor allem Historiker. Ich frage mich manchmal, warum die Nürnberger Gesetze spurlos an mir vorübergegangen sind. Aber es war mir als Zionisten, als ohnehin religiösem Juden, nichts Neues, daß man keine Mischehe eingehen darf. Die Tatsache, daß man uns zu Staatsbürgern zweiter Klasse degradiert hat und daß dann später alle Verordnungen daran aufgehängt wurden, konnte ich damals nicht ermessen.
Noch ein Beispiel, um zu zeigen, daß die Dinge, die in der Auslandspresse einen riesigen Eindruck machten, an den Betroffenen damals oft ziemlich spurlos vorbeigingen:
Ein Bekannter von mir hat in Amerika einen Artikel über die sogenannten Juli-Pogrome in Berlin 1935 verfaßt, wo Juden auf dem Kurfürstendamm überfallen wurden. Wenn Sie den Artikel lesen, müssen Sie meinen, das wäre ein Pogrom gewesen wie etwa in Rußland. Ich bin einige Wochen danach in Berlin gewesen. Keiner meiner Bekannten hat auch nur irgendein Wort darüber verloren. Es sind damals

Juden geschlagen worden. Die jüdische Presse hat wahrscheinlich darüber wenig berichten dürfen. Wer direkt betroffen war, hat es am eigenen Leibe gespürt. Aber das ist irgendwie nicht als etwas Außergewöhnliches in unser Bewußtsein eingedrungen. *Wir haben daneben gelebt.* Wir Zionisten, die ein solch jüdisches Milieu hatten – Schule, Jugendbewegung. *Es war eine andere Welt.* Es war ein anderer Planet, auf dem wir lebten. Das hängt damit zusammen, daß die Nazis bis etwa 1938 den Juden auf kulturellem Gebiet weitgehende Autonomie gelassen hatten und sich im wesentlichen nicht in unsere Erziehungspläne beziehungsweise in den Unterricht einmischten. Ich kenne eigentlich nur zwei Fälle – die fast wie eine Karikatur klingen und die ich auch nur aus mündlicher Überlieferung weiß –, wo Nazis Zensur auf die Lehrbücher ausgeübt haben.
Im einen Fall sollte ein jüdisches Lehrbuch für das erste Schuljahr erscheinen, und man verlangte, die blonden Haare der Kinder schwarz umzufärben. Und zu einem Bild, auf dem Möbelarbeiter erschienen, die einen Umzug machten, wurde gesagt, Juden sind keine Möbelarbeiter – obwohl niemand behauptet hatte, daß es sich hier um Juden handelte.
Noch eine Bemerkung zur Schwierigkeit, die ich nicht nur mit mir selber habe, sondern vor allem auch mit der Übertragung dessen, was wir unser ›deutsch-jüdisches Erbe‹ nennen, auf unsere Kinder und Enkelkinder. Ich denke an eine kleine Begebenheit mit meiner damals sechs- oder siebenjährigen jüngsten Tochter, heute Mutter von sieben Kindern, die ein Photoalbum mit meinem Vater anschaute und plötzlich meinen Vater in Uniform entdeckte. Sie fragte: ›Großvater, was bedeutet das?‹ Worauf mein Vater sagte: ›Ich war deutscher Soldat.‹ Darauf die Kleine: ›Großvater, du warst Nazi?‹ Kindern das klarzumachen, welch weiter Weg für uns von 1914 nach 1944 geführt hat, ist ungeheuer schwierig.«

Zwei Lehren

»Das ist der Punkt, der das Leo-Baeck-Institut und Yad Vashem verbindet, wenn Sie so wollen.
Ich habe zwei Lehren aus dem Holocaust gezogen. Es gibt eine Lehre, die ist uns allen – Religiösen wie Nichtreligiösen – innerhalb des Judentums gemeinsam: *Auschwitz darf sich nicht wiederholen.* Es ist kein Zufall, daß ein jüdischer israelischer Offizier – für mich gibt es nicht die Unterscheidung zwischen Israelis und Juden – seine Solda-

ten vor dem Sechstagekrieg in ein Museum führte, ihnen die Bilder zeigte und sagte: ›Das darf sich nicht wiederholen!‹ Das ist allen Israelis gemeinsam und insofern bei uns allen ein *Trauma* geblieben.
Die zweite Lehre bezieht sich auf zwei Stellen aus der Bibel. Die eine lautet: ›Wir sollen austilgen das Andenken an Amalek.‹ Amalek ist im historischen Verständnis des Judentums häufig auf Deutschland bezogen worden. Als der Feind, der in der Bibel zum ersten Mal erscheint, uns hinterrücks angreift, ohne eigentlich irgendwie mit uns Händel zu haben. Es steht da bewußt: ›Du sollst das Andenken an Amalek vernichten.‹ Amalek – biologisch – existiert heute nicht mehr. Ich betone ›Andenken an Amalek‹ – das bedeutet, um mit einem Schweizer Schriftsteller zu sprechen: Hitler in uns selbst... Ob nicht das Gift, das Hitler ausgestreut hat, unter Umständen sogar in die Seelen eingedrungen ist? In der Bibel steht im Fünften Buch Moses: ›Und siehe, die Ägypter taten uns Böses an.‹ Hier steht merkwürdigerweise ein Akkusativ statt eines Dativs. Nun kann man natürlich sagen, daß das einfach eine grammatikalische Ungenauigkeit ist, wie sie schließlich in jeder Sprache vorkommt. Eine zweite, tiefergehende Erklärung besagt: Sie sahen uns als böse an. Das würde den Akkusativ erklären – Dolchstoßlegende, Vaterlandsverräter. Schon Pharao sprach davon, wir würden uns den Feinden anschließen. Ein Rabbi ist in die Gaskammer gegangen und hat gesagt: ›Daß sie uns Böses antun, können wir nicht ändern. Daß sie uns als böse ansehen, liegt nicht in unserer Hand. *Das Schlimmste wäre, wenn sie uns so schlecht machten, wie sie selber sind.*‹ – Das ist die zweite Lehre, die ich gezogen habe.
Meine Erfahrungen in Deutschland sind sehr widersprüchlich: Im Zusammenhang meiner historisch-pädagogischen Arbeiten hatte ich Gespräche mit politisch Verantwortlichen – ich erinnere mich zum Beispiel an den damals in Hamburg für die Schulangelegenheiten verantwortlichen Senator, einen Mann namens Witt. Der war damals schon 81. Er kam 'rein und legte mir zunächst einen Persilschein auf den Tisch. Auf dem stand, daß irgendein Professor einer Hamburger Universität ihm bescheinigte, daß er versucht hat, Professoren zu schützen. Der Mann hat sich überhaupt nicht geniert. Er sprach zum Glück sehr laut, weil er nicht mehr gut hörte, und hatte zufällig einen Mithörer im Nebenzimmer. Er sagte mir, er hätte 200 Kindern geholfen, nach England zu kommen. Aus ganz Hamburg sind aber nicht mehr als 50 Kinder 1938/39 nach England gerettet worden. Als er dann mit dem Gespräch fertig war, sagte mir der Wissenschaftler, der nebenan unfreiwillig mitgehört hatte: ›Der hat ja versucht, Sie anzuschwindeln. Das kann man sich gar nicht vorstellen.‹ Mergenthaler,

der Kultusminister in Württemberg war und als erster in Deutschland die zwei (noch bestehenden staatlichen) jüdischen Schulen aufgelöst hat, wagte es, mir auf eine Anfrage hin, nachdem ich ihn aufgespürt hatte, zu schreiben, er hätte versucht zu mildern, wo er konnte!«

Ihre Haltung zum israelischen Staat, zur Frage des jüdisch-arabischen Dialogs ist, wie Sie einmal sagten, aus der Erfahrung des Fremdseins, des Exodus- oder Exilmotivs gespeist worden. Vor knapp einer Woche hatten wir den Unabhängigkeitstag in Israel. Kam Ihnen die Staatsgründung hinsichtlich des jüdisch-arabischen Dialogs zu früh?

»Nein. Auf der einen Seite bin ich, wie Sie ja auch aus meinen schriftlichen Ausführungen erkennen können, sehr kritisch gegenüber dem, was hier vor sich geht. Hätten wir 1937 den Teilungsplan durchführen können, dann wäre die Katastrophe nie so groß geworden. Schon aus diesem Grunde brauchen wir den Staat. Wir brauchen ihn, um Gottes Namen im Leben zu heiligen und als Juden leben zu können, die für alles volle Verantwortung tragen. Ich habe manchmal gesagt, ich verstehe Gottes Wege nicht. Nach dem Holocaust schon gar nicht. Ich weiß nur, was Gott von mir als Mensch verlangt, aber sonst glaube ich, nichts zu wissen. Warum uns Gott diese Prüfung auferlegt hat, wenn er uns schon in dieses Land zurückgeführt hat – ich weiß es nicht. Sollen wir beweisen, daß wir den Fremden gegenüber gerecht sind, und daß wir nicht vergessen, daß wir in Ägypten Fremdlinge waren? Ägypten ist ja auch nur ein anderer Begriff für das Exil. Wir stehen hier vor einem fast unlösbaren Problem, und in einer unerlösten Welt können wir – diese Formulierung stammt von Simon – nur versuchen, das unvermeidliche Unrecht nicht zu tun.«

Ohne den Krieg 1967 wäre »Gush Emunim« (die ultrarechte Siedlerbewegung) nie entstanden. Wie ist es eigentlich dazu gekommen?

»Da wurden pseudomessianische Vorstellungen wach. Da wurde zum Beispiel Hussein mit Pharao verglichen, und man sagte: ›Genau wie Gott Pharaos Herz verhärtet hat und er trotz der Plagen die Israeliten nicht ziehen ließ, so hat Gott an diesem Tag Husseins Herz verhärtet. Wir hatten ihn ja gewarnt, diesen Krieg nicht zu führen. Es war ja gar nicht die Absicht, die West Bank zu erobern, aber Gott hat das so gewollt. Die West Bank ist nun in unseren Händen, und wir haben nicht das Recht, sie zurückzugeben.‹ Mir liegt diese Denkweise völlig fern. Solche Reden verraten pseudomessianische Vorstellungen.
Menschen, die bereit waren, sogar die Omar-Moschee aus der Luft zu bombardieren, und das nur unterlassen haben, weil die Westmauer

dann gefährdet worden wäre – (die hat) messianischer Wahnsinn (gepackt)... Verantwortliche Erzieher – und es gibt natürlich unter ihnen auch verantwortliche Erzieher – fragen sich, ob nicht ihre Erziehung mit daran schuld ist, daß es zu solchen Auswüchsen kommen konnte.
Die talmudische Geschichte ist: Vor den Toren Roms findet einer unserer Schriftgelehrten den Messias, wie er die Wunden immer auf und zu bindet. (Rom ist das Symbol des Abendlandes.) Er fragt ihn: ›Wann kommst du?‹ Darauf die Antwort: ›Heute.‹ Als er ihn erstaunt ansieht, sagt er: ›Ja, mit dem Psalmwort „heute", wenn ihr auf meine Stimme hört!‹
Das zweite ist ein Gespräch zwischen einem israelischen Kind und seinem Vater. Das Kind fragt, wann der Messias kommt. Der Vater antwortet: ›Wenn alle Menschen gut sind.‹ Darauf das Kind: ›Wozu muß er dann noch kommen?‹«

»Von jetzt an kann ich Gott dienen, ohne einen Lohn zu erwarten«

»Das Judentum ist wie jede andere Religion auch in seinen Quellen pluralistisch. Leider ist Ernst Simon heute nicht typisch für das religiöse Judentum. Auch ich gehöre einer Minderheit an und habe gelernt, damit zu leben: ...als Jude in Deutschland,... als religiöser Jude im Judentum,... als Zionist innerhalb der religiösen Juden und als Sozialist innerhalb der zionistisch-religiösen Juden. Ich habe mich damit abgefunden.
Da ich gesetzestreu war – ich liebe das Wort ›orthodox‹ nicht –, war Martin Buber für mich doch etwas fremd. Ich habe ihn 1934 auf einer Lehrerfortbildungstagung gehört. Seitdem besteht auch die Freundschaft mit Ernst Simon, der uns Buber verdeutscht hat, wenn wir ihn nicht verstanden.
Das Gespräch mit Buber sollte ich doch noch einmal erwähnen. Ich war damals zwanzig Jahre alt und fragte ihn: ›Was halten Sie von der zukünftigen Welt?‹ Natürlich waren wir unter uns, nicht vor den anderen. Er sagte mir, man solle so leben, als gäbe es sie nicht! Das habe ich damals nicht verstanden, bis ich eine chassidische Geschichte las, von Buber erzählt: Als sich der Baal Shem Tov, der Gründer des Chassidismus, einmal vergangen hatte, ertönte eine Stimme vom Himmel und sagte: ›Du hast den Anteil an der künftigen Welt verloren.‹ Daraufhin begann er zu tanzen. Als ihn seine Schüler fragten,

was das bedeute, sagte er: ›Von jetzt an kann ich Gott dienen, ohne einen Lohn zu erwarten.‹
Das ist eigentlich für mich die persönlich stärkste Lehre. Im Talmud gibt es den Ausdruck ›einem Lehrer, also einem Schriftgelehrten, dienen‹: Das heißt, sich in seinem Hause aufhalten und sehen, wie er lebt. In einer chassidischen Erzählung kommt ein Mann nach Hause zurück, und man fragt ihn, was er gelernt habe. Er antwortete: ›Wie man sich die Schuhe anzieht.‹
Bei Ernst Simon habe ich gelernt, wie man sich die Schuhe anzieht – mehr als seine pädagogischen Theorien, die ich sehr schätze, und seine Aufsätze. Simon ist ja wirklich so eine hervorragende Mischung von schriftstellerischer Fähigkeit und pädagogischem Wirken. Er hat auf mich sehr großen Einfluß gehabt, vor allem durch seine sehr menschliche und pädagogisch warme Einstellung.«

Zvi Bacharach:
»Wenn man's nicht versteht, wie kann man dann trauern?«

Zvi Bacharach wurde 1928 bei Frankfurt geboren. Mit seinem älteren Bruder wuchs er in einer eher traditionell-religiösen Familie in Hamburg auf. Dort besuchte er die Talmud-Thora-Realschule. Nach der »Reichskristallnacht« floh die Familie nach Hilversum in Holland. Vom 29. Januar 1942 bis zum 27. April 1945 war Zvi Bacharach im Konzentrationslager. Dort verlor er erst seine Mutter und noch im April 1945 seinen Vater.
Zvi Bacharach kehrte nur für kurze Zeit nach Holland zurück. Dann ging er in ein religiöses Kibbuz in der Negev-Wüste. Mehr als zwanzig Jahre unterrichtete er an einer Mittelschule, ehe er sein Studium der Geschichte des Nationalsozialismus und vor allem des religiösen Antisemitismus bei Jacob Talmon an der Jerusalemer Universität aufnahm, um »besser zu verstehen«.

Ich besuchte ihn an einem Freitagnachmittag in seiner Wohnung in Tel Aviv. Bis zum Beginn des Sabbat hatten wir genau zwei Stunden Zeit für unser Gespräch.

War es ein eher traditionelles jüdisches Elternhaus, in dem Sie aufgewachsen sind?

»Ich kam aus einem eher traditionellen, zur Orthodoxie neigenden Elternhaus.«

Gibt es da etwas, was Ihnen noch besonders in Erinnerung ist?

»Es wäre etwas übertrieben, wenn ich jetzt sagen würde, das mochte ich leiden und das nicht – ich war zu klein. Ich bin 1928 geboren, und 1938 war ich zehn Jahre alt. Ich habe Kindeserinnerungen ... man war im Kreis, das Religiöse, die Festtage und so weiter – also wie das im Jüdischen ist, wie das heute auch noch so ist.
Aber insgesamt habe ich das Elternhaus schon in guter Erinnerung. Das bestimmt. Ich erinnere mich auch an den damaligen Oberrabbiner Joseph Carlebach, der war mit meinen Eltern befreundet und kannte mich auch. Die Eltern waren irgendwie etabliert, also kann man sagen, das war ein gediegenes jüdisches, fortgeschrittenes, gebildetes Elternhaus ...

Nur muß ich sagen, man kann es nicht mehr eine Jugend nennen, mit der angenehme Anekdoten verbunden sind, weil ich ja schon in der Nazizeit die unangenehmen Dinge in der Talmud-Thora-Schule erlebt habe. Das weiß ich noch, wir wurden arg verprügelt durch die Hitlerjugend, wenn wir aus der Schule kamen. Das war so 1937/38 – da war es schon richtig brenzlig, die Eltern waren auch in einer schweren Lage. Soweit ich mich erinnern kann, konnten sie kein Quota kriegen, kein Visum und kein Affidavit für Amerika. Daher sind wir eigentlich durch die Kristallnacht in Hamburg noch mal in die ganze Sache mit reingezogen worden. Antisemitismus und Druck kamen nicht nur von oben, sondern auch von der Straße. Die christliche und die jüdische Schule trennte eine Mauer. Aber 1938 war das schon... kraß – und das habe ich in Erinnerung, und das ist gerade keine angenehme Erinnerung.«

War das Elternhaus Ihnen da auch Schutz? Bot Ihnen das Schutz?

»Schutz kann man nicht dazu sagen.«

Emotional?

»Das kann man auch nicht mehr sagen. Das war *eine Atmosphäre der Furcht* ...manchmal sogar des Grauens... Auch die Eltern suchten Schutz. Das, was man als Junge noch so in Erinnerung hat... also das waren schwere Zeiten, sehr schwere Zeiten, und nicht angenehm.«

Und Sie fanden auch den Schutz nicht außerhalb, durch die Schule?

»Nein, gar nicht. Die Schule war jüdisch und eigentlich ja das Ziel des Angriffs. Steineschmeißen. Wir saßen in der Klasse, und auf einmal zerklirrte da alles... Wir wurden durch diese Jugendgruppen dann auch physisch angegriffen... Gott, man hat sich gewehrt, es gab Schlägereien auf der Straße. Das habe ich in starker Erinnerung behalten.
Jedenfalls sind dann meine Eltern und mein Vater sofort nach Holland. (Dort haben wir) von 1938 bis Januar 1942 gelebt. 1938 und 1940, das sind die einzigen beiden Jahre, in denen ich eine normale Jugend gehabt habe. Das heißt, weder Antisemitismus noch Nazismus ging einem über den Kopf. Das war so, bis Hitler einmarschierte. Da bin ich dann auf eine holländische Schule gegangen und hatte auch einen netten Kreis. Mein Vater hat irgendwie im Bankwesen mitgemacht, und diese Zeit ist mir noch als... wenn man so einen Jugendlichen fragt, wo hast du eigentlich deine schöne Jugend verbracht – schöne in Anführung –, dann war das in Holland. In Hilversum.

Dort gab es auch eine holländische jüdische Gemeinde; man wurde irgendwie aufgenommen und hat sich schnell eingelebt. Das ging bis zum Mai 1940. Dann kamen die Deutschen, und wir versuchten, in der Nacht nach England zu flüchten. Wir waren schon auf dem Schiff – ...(doch) die Deutschen hatten da draußen schon die Schleusen gesprengt. Vielleicht war das auch unser Glück: Vor uns fuhren zwei Schiffe, die torpediert wurden.
Dann mußte mein Vater wieder zurück, und wir haben noch zwei Jahre unter dem Nazi-Regime in Holland gelebt. Es wurde immer schwerer, aber man konnte noch irgendwie leben. Bis '42... Aber dann waren wir unter den ersten deutschen Juden, die in Holland verhaftet wurden. Wir wurden am 29. Januar einfach durch die Gestapo überrascht. Vom Januar '42 bis Anfang '44 waren wir Lagerinsassen in Westerbork, dann wurden wir nach Theresienstadt geschickt, Ende '44... nach Auschwitz. Ich habe dann natürlich auch meine Mutter verloren, von der wir getrennt worden waren... Von Auschwitz wurden wir noch mal über Buchenwald in ein Arbeitslager zurückgeschickt nach Deutschland, in eine Panzerfaustfabrik. Bei Leipzig. Das war bis April '45... Dann diese bekannten Transporte, die sie noch probierten... die Marschtransporte... dann brach mein Vater zusammen, auf dem Transport, und wurde umgebracht. Wir sind einfach auch liegengeblieben und wurden nicht umgebracht, wie Sie sehen. Ich wurde dann durch die Amerikaner befreit. Am 27. April '45. Man kann sagen: vom 29. Januar '42 bis 27. April '45 in den KZs rumgelungert. – Das ist der Umriß.
Jetzt zur ersten Frage zurück: Ich nehme schon an, daß sich für mich die Forschung über Nationalsozialismus, Rassentheorie, Judenhaß und alles das aus dem persönlichen Leidensweg ergeben hat, daß (ich) das irgendwie verstehen wollte... Ein Psychoanalytiker würde wahrscheinlich sagen, daß ich hier irgendwie ein Ventil gefunden habe... Das ist hier der wichtige Punkt: Man lebt mit diesen Emotionen und mit diesen furchtbaren Erinnerungen, die man irgendwie sogar disziplinieren kann. Man legt sich Bahnen, wo man nicht... (ent)gleisen möchte... Viele, die das mitgemacht haben, haben ihre Balance, ihr Gleichgewicht nicht mehr zurückgewonnen. (Meine) wissenschaftliche Arbeit (daran) ist eine Art Versicherung.«

Das läßt Sie also nicht mehr los?

»Nein, das läßt mich nicht mehr los... Nur – ich hab's überwunden, glaube ich – ach, überwunden kann man nicht sagen, aber ich kann mich in dem Sinne beherrschen, daß, wenn ich einen Vortrag oder

Seminare halte, keiner merkt, daß ich im Lager war. Das heißt, ich kann mich heute distanzieren, nach außen hin. Und das ist wohl durch das Studium möglich geworden.«

...also im Grunde ja durch eine wahrscheinlich sehr lange und auch immer wieder Ihre eigenen Erinnerungen mobilisierende Phase der Auseinandersetzung, des Suchens bestimmter Elemente des Verständnisses, denn ganz verstehen...

»Nein, ganz verstehen auf keinen Fall. Nur, wissen Sie – um zur Einsicht zu kommen, daß man es nicht ganz verstehen kann, muß man erst den Weg gehen, um es verstehen zu wollen. Nicht nur durch das Gespräch, sondern durch Studium! Bis man an einen Punkt kommt und sagt: Stop, hier... habe ich keine Erklärung... Das... habe ich wohl gemacht. Ich habe an der Jerusalemer Universität angefangen, alte Geschichte und Mittelalter zu studieren, und hatte gar nicht im Sinn – (allenfalls) im Unterbewußtsein –, mich jetzt mit *dieser* Materie zu befassen. Bis ich dann in die Hände des Professor Talmon fiel und seine Vorträge anhörte. Dann, auf einmal, gab es einen Kurzschluß. Ich bin sofort in die neue Geschichte, in die Zeitgeschichte gewechselt. Auf einmal habe ich gesehen, auch durch seine Vorträge, daß all die Fragen, die da aufgeworfen wurden, eigentlich meine persönlichen Fragen sind. Das Studium hat mich wieder zu mir selber zurückgebracht. Die allgemeine Geschichte hat mich zu meiner persönlichen Geschichte gebracht und nicht umgekehrt.
Bevor ich anfing, war ich zwölf Jahre Kibbuz-Mitglied und so weiter... Man lebte in einem furchtbaren Trauma und hat nicht gewußt, wie man damit fertig wird. Dann hat sich langsam das Interesse daran entwickelt, Nazismus und Antisemitismus genauer zu studieren – aus nazistischer Sicht. Also nicht die Frage, warum werde *ich* gehaßt, sondern: Warum hassen die mich? Und das ist natürlich auch wieder eine persönliche Reflexion, aus den eigenen Erfahrungen heraus. Daraus ist mein Forschungsbereich, meine Erforschung des Nazismus, ... des Holocaust entstanden. Wenn man Antisemitismus, Judenhaß, Holocaust von der nicht-jüdischen Welt aus betrachtet, kann man ihn verstehen. Verstehen im historischen Sinne. Man kann erklären, warum die Juden im Mittelalter oder schon vorher gehaßt wurden, warum sie in Frankreich gehaßt wurden, warum in Deutschland. Das ist die eine Seite. Wenn ich zur jüdischen Seite komme – warum sind meine Eltern ermordet worden? Warum hat man mich geschlagen? Warum soll ich anders sein als andere Menschen? –, kommt ein Moment, wo ich sage, ich kann's nicht verstehen. Man kann aus der Sicht des Opfers

nicht verstehen, was da passiert ist. Man kann versuchen, sich zu erklären, warum die Leute das tun konnten – zu einem kognitiven Verständnis kann man kommen. Aber persönlich sitze ich da und habe kein Verständnis.«

Zugleich existiert bei vielen das Motiv, ...nach den Chancen zu suchen, in der eigenen Arbeit Konsequenzen zu ziehen...

»Das möchte ich vermeiden, ich möchte keine Aktualisierung, als Geschichtler oder jemand, der sich mit der Geschichte befaßt.
Man muß die Sache im Kontext der Periode verstehen. Nicht einen Neonazismus von heute – was heute ist, interessiert mich weniger als der Nazismus von damals. Das ist wirklich nicht dasselbe. Ganz anders! Man kann eventuell da Parolen rumschreien, aber... es ist etwas ganz anderes. Wenn man heute Neonazismus und Nazismus irgendwie auf die gleiche Ebene stellt, tut man dam Nazismus von damals einen großen Gefallen. Und diese Aktualisierung versucht man ja hier, von jüdischer Seite auch. Und ich sage: Nein. Es ist einzigartig, ...man kann... es mit *nichts* vergleichen – und darum *soll* man es mit nichts vergleichen. Man soll auch nicht semantisch vorgehen. Man soll die Begriffe von damals nicht nehmen und sie irgendwie an akute Situationen anpassen. Das wird überall getan, auch hier. Wenn man zum Beispiel (von) ›Judenvernichtung‹ (spricht, gebraucht man ein) nazistisches Wort! Ein Mensch wird ja nicht vernichtet. Nur wenn man meint, er sei kein Mensch. Ich spreche von ›Judenmord‹. Verstehen Sie? Sie sprechen wahrscheinlich auch von ›Judenmord‹! Auch hier im Hebräischen wird das Wort ›Vernichtung‹ gebraucht. Man ist sich gar nicht bewußt, daß man in einer Nazi-Terminologie spricht.
Langsam schält sich da heraus, was damals eigentlich geschehen ist – und darin liegt auch eine erzieherische Aufgabe. Ich war 22 Jahre Mittelschullehrer, bevor ich an die Universität kam. Schon als Lehrer habe ich mich damit auseinandergesetzt, (wenn auch) mehr intuitiv – unbewußt. Ich hatte Einsichten, die ich nicht beweisen konnte. Zum Beispiel, daß der Holocaust einmalig ist. Daß... Biafra und Armenien nicht das gleiche ist – obwohl das auch furchtbar war. Aber hier muß was anderes vorliegen, also was ist das andere? Wie ist es anders? Wie erkärt man sich das selber, wie erklärt man das der Jugend? Der Yom-Kippur-Krieg war kein Holocaust – obwohl man es hier so bezeichnet.«

Inwiefern ist das anders?

»Sie meinen, wie dieser Holocaust anders war? Das andere ist, daß es ideologisch motiviert war. Hier liegt der große Unterschied. Ideologisch motiviert und geplant. Oder in einer ganz einfachen Sprache ausgedrückt: Man hat die Juden ermordet, weil sie als Juden geboren wurden. Das trifft weder für Biafra noch für Armenien zu – da gab es keinen ideologischen Plan der Ausrottung...! Hier liegt der Unterschied... Wenn man sich die ganzen Reden durchliest, von all diesen Bonzen, von Anfang bis Ende, sieht man diese Konsequenz: der Jude als Unmensch... Es war ein Plan da, ein ideologisch motivierter Plan, vor dem Morden. Das heißt, daß das Morden sich einfach ergeben *mußte*. Die Fragen, wann, wie, wo und wer, sind mir unwichtig – das ist wichtig für die historische Forschung... Daß sich das ergeben mußte, das ist das Einmalige am Holocaust.
Das Industrielle dieser Planung ist sicher wichtig, aber das ist eine Folge der Ideologie. Man soll die Ideologie des Judenfeindes nicht übersehen! Und darin liegt das Einmalige! Weil ich geboren wurde als Jude, bin ich jetzt nicht mehr des Lebens würdig... Soll mir einer zeigen – historisch –, wo das gesagt wurde! Wenn mir das jemand beweisen kann, dann ist das ein weiterer Holocaust. Bis jetzt wurde es nicht bewiesen... Jeder Mord ist furchtbar! Die Trauer, die ein armenischer Vater fühlt, der um seinen armenischen Sohn trauert (oder umgekehrt), ist die gleiche, nur – es ist kein Völkermord in dem Sinne, daß man sagt, dieses Volk hat kein Existenzrecht, auf diesem Erdball zu sein. Hier liegt ein riesiger Unterschied! Den viele Leute übersehen!«

Hat Ihnen das nicht auch Schwierigkeiten gemacht?

»Ja, das macht mir immer Schwierigkeiten... Schlaflose Nächte, persönliche Schwierigkeiten, Diskussionen – aber... mit dem werde ich wohl aus dem Leben scheiden. Nur... hab' ich eben jetzt die Werkzeuge, um das irgendwie... unter Kontrolle zu bringen.«

Die schlaflosen Nächte hatten Sie also vorher?

»O ja! Das wird immer schlimmer, je älter man wird. Aber das werden Sie von anderen Leuten wahrscheinlich auch gehört haben... Darauf können sich jetzt mit Vergnügen die Psychoanalytiker... stürzen und tun es ja auch. Diese Erlebnisse, die man gehabt hat, sind so furchtbar und so unvorstellbar, daß man's manchmal selber nicht glaubt. Man zweifelt manchmal an seinem eigenen Verstand: Sag mal, ist das wirk-

lich wahr? Hast du das mitgemacht? ... Aber das gehört wieder zu dem Komplex: der Holocaust aus jüdischer Sicht. Da liegen Probleme, für die ich auch keine Lösung sehe ...
Sehen Sie, wenn im Fernsehen, in einem Buch oder im Radio irgendeine Situation aus der Holocaust-Zeit gezeigt wird, weiß ich manchmal genau: *Das da* war ich, das hab' ich mitgemacht! Und dann – dann ist es aus, für Tage. Das sind diese Geschehnisse ... die leben in einem mit, die ganze Zeit, und ich muß auch ehrlich sagen: Man wird nicht damit fertig ... Ich glaube, das trifft jetzt nur auf mich zu, das kann ich nicht verallgemeinern; ich kann auch andere Leute darin nicht einbeziehen, damit kann ich nur selber fertig werden – und (*ich*) werde damit *nicht* fertig. Obwohl ich nach außen völlig normal erscheine – ich hoffe, ich bin es auch! Aber – es ist schlimm. Es ist sehr schlimm. Wenn man seinen eigenen Vater umkommen sieht und ... dann noch selber fast totgeschlagen wird ... und so ein Auschwitz mitgemacht hat, dann geht das auch an die Bewertung des tagtäglichen Lebens. Man muß aufpassen, daß man nicht einem Relativismus verfällt: ›Ist doch alles nicht so wichtig, was ich damals ...‹ Und es ist ja alles *doch* wichtig! Man kann ja in eine Art Fatalismus verfallen und sagen, ich relativiere jetzt: ›Gott, was ist denn das – verglichen mit dem, was ich damals mitgemacht habe?‹ Was natürlich schlimm wäre, denn man würde völlig verrückt und fliegt aus der Lebensbahn raus. Darum sagte ich, das Wissenschaftliche hält einen irgendwie in der Bahn. So würde ich das erklären. Ich kann aber nicht sagen, daß das leicht ist!«

»Man schämt sich, das zu erzählen«

Das ist es wahrscheinlich auch, was viele mit einer abwehrenden Handbewegung reagieren läßt, wenn das Gespräch auf diese Thematik kommt ...

»Ja, ich kann das sehr gut verstehen. Ich werde manchmal gefragt: ›Haben Sie's Ihren eigenen Kindern erzählt?‹ Ich hab' erwachsene Kinder, und ich kann mich nicht entsinnen, daß ich ihnen irgendwas erzählt habe. Nur brockenweise. Wenn Sie heute meinen Sohn fragen würden: ›Sag mal, kannst du mal den Werdegang deines Vaters ...‹, so kann er das bestimmt *nicht*. Und nicht aus *seiner* Schuld.«

Sie wollten es ihm ersparen? Oder konnten Sie es nicht?

»Nein, das kann man nicht. Wissen Sie, man schämt sich, das zu erzählen. Daß sein eigenes Kind den Vater in einer derartigen Situation sieht – jetzt benutze ich mit Absicht die Nazi-Terminologie – in der Situation eines Untermenschen. Das versteht man hier nicht, *kann* man auch nicht verstehen... Ich kann's ja auch nicht verstehen, (obwohl) ich selber dabei war. Und dann will man auch nicht seine eigenen Schwächen zeigen. Ich sage nicht Schwäche in dem Sinne, daß mich das irgendwie überwältigen würde. Aber dann sitzt du vor deinem Sohn, und der muß sich denken: Gott, da muß man ja Mitleid haben. Das Allerletzte, was man von seinen Kindern haben möchte, ist, bemitleidet zu werden. Das sind alles so kleine Punkte, die man auch mit bedenken muß, warum man diese Sachen auch nicht erzählt. So bleibt dann ein Loch in der Erinnerung. Und dann ist die zweite Generation in dieser Sache völlig ignorant.«

Auch hier in Israel?

»Hier in Israel, in Deutschland – überall. Auch auf jüdischer Seite gibt es nur wenige, die die richtigen Antworten geben *können*. In der zweiten und dritten Generation gibt es ein tiefes Unwissen über Holocaust.«

Christentum und Antisemitismus

Sie haben das Einmalige der Judenermordung durch Ideologie und industrielle Planung hervorgehoben. Zur ideologischen Motivation gehört ja auch, wovon wir vorher sprachen – die Gründe des latenten und virulenten Antisemitismus, und vor allem: wie der latente zur Virulenz kam. Was ist da Ihre These?

»Christentum. Christentum! Die Frage nach dem Ursprung des Antisemitismus heißt, einfach gesagt: Warum haßte man den Juden? (Aufgrund meiner) Forschungsarbeiten wage ich zu (behaupten), daß Herr Hitler und Trabanten nicht *ein* Wort Neues über Antisemitismus gesagt haben. Sie haben nur eines getan: Sie haben's mal ausgeführt, sie haben gemordet. ...Alles, was sie über Juden gesagt haben, wurde schon längst vor ihnen gesagt. Also noch nicht mal darin waren die Herren originell. Noch nicht mal darin! Ich sehe den Katholizismus, den christlichen Judenhaß als Ursprung alles Übels, das den Juden angetan wurde. Die Feststellung..., daß Juden Gottes Sohn oder einen Gott ermordet haben, hat den Juden ein unmenschliches Image

gegeben. Und das wurde durch Vorurteile weitergegeben. Die Karikaturen... auch Streicher hat nichts Neues erfunden! Alles (war) schon da... Da kann man jede Karikatur auseinandernehmen. Die finden Sie im Dreyfus-Prozeß, die finden Sie vorher in den Eingravierungen aus christlichen Zeiten, auch im frühen Mittelalter. Man hat sie beteufelt! Aber was macht man jetzt mit so einem? Mit Teufeln kann man doch nicht leben! Mit dem Teufel paktiert man nicht, wie man das mal gesagt hat. Das Christentum hat eine Lösung gefunden, die sehr durchschlagend war: Ihr könnt euch dadurch *entjuden*, daß ihr konvertiert. Hier liegt der große Unterschied. Das hat der größte Teil des Judentums nicht getan. Was bleibt dann? Dann lebt mal weiter als Menschen zweiter, dritter Klasse, als degradierte Menschen! Bis ihr zu Einsicht kommt! Das finden Sie schon beim Kirchenvater Augustinus. Der Jude wurde degradiert in die Geschichte geschickt.
Hinzu kamen noch die Greuelmärchen über das jüdische Wesen, über den jüdischen Charakter, über das Teuflische, über das Wucherische, über das Betrügerische, über das Gebuckelte, über sein Aussehen – das kennt ja jeder aus der Literatur. Das ging 1900 Jahre so. Ja, und da wundert man sich, wenn da jetzt so einer kommt wie Hitler oder so eine Bande... *Der traditionelle Antisemitismus ist Grundlage der nationalsozialistischen Ideologie*. Hier liegt ja auch wieder das... Einzigartige des Nationalsozialismus. Wo finden Sie das bei den Armeniern? Oder in Biafra?
Hitler hat ja auch mit dieser Teufelsvorstellung, mit derselben Terminologie gearbeitet. Der benutzte ein Wort wie ›Satansmensch‹ oder andere Ausdrücke, die im Christentum vorkamen. *Ich beschuldige das Christentum nicht der direkten Verantwortung für Auschwitz, aber der indirekten*. Indirekt! Es war nicht schwer, die Leute zu überzeugen, daß man Juden umbringen kann. Denn, so hieß es in der katholischen Lehre, sie waren die Christus-Mörder.
Ich meine, wenn Sie die Sachen durchlesen von Chrysostomos und von Hieronymus und von Augustinus – das ist einfach pornographische Schundliteratur, wenn's an die Juden geht! Wenn etwa im vierten Jahrhundert ein Chrysostomos sagen kann, eine Synagoge (sei) ein Hurenhaus (und ähnlich) schlimmste und pornographischste Sachen...: kein Wunder, daß die durch einen Streicher und andere Leute nachher vulgarisiert wurden. Der Kern der Sache – die Verantwortung des Christentums – ist, daß es den Juden als das Schlechte verabsolutiert hat. Da liegt der Punkt. Hitler selbst hat das übrigens gesagt, 1933 zum Osnabrücker Bischof Berning: ›Ich erweise dem

Christentum den größten Dienst... Was die 1500 Jahre gepredigt haben – ich mache es.‹ ... Das finden Sie in Hans Müllers kleinem dtv-Buch *Kirche und Nationalsozialismus* auf Seite 129.[1]
Und zu Rauschning hat Hitler gesagt, die katholische Kirche wäre ja enorm, man sollte sich an ihr ein Beispiel nehmen, denn sie hat den Satan im Juden konkretisiert. Das sagte Hitler! Das ist Hitlers Ausspruch! Man hat diese Dinge übersehen!
Ich will nicht sagen, daß man sich im NS-System erst bekreuzigt hat, bevor man die Juden umgebracht hat. Die katholische Kirche hat noch nie gesagt, daß man Juden umbringen muß. Aber diese Denk- und Fühl-Form hat man übernommen. Ja, mehr noch: Man hat das ganze (anti-)jüdische Stereotyp übernommen. Bewußt oder unbewußt...«

»Sprache, Volk, Nation – das gehört für mich alles zur Religion. Darum bin ich auch religiös geworden.«

Wie sind Sie denn überhaupt hierhergekommen?

»Das ist eine interessante Frage. Ich habe das nicht von zu Hause aus mitbekommen. Natürlich haben wir auch zu einer bestimmten Orthodoxie geneigt – der Begriff ›Eretz Yisrael‹, wie man es heute nennt, das Palästina von heute, ... ist in der Religion mit inbegriffen. Aber wir waren keine (wirklichen) Zionisten... Auch keine Anti-Zionisten. Mein Vater fühlte sich als deutscher Jude. Beruflich war mein Vater Bankier, mit meinem Onkel zusammen, und später im Handel tätig. Meine Mutter war nicht berufstätig. Eine hochgebildete Frau. Aber wer mich zum Zionismus gebracht hat – Zionismus hört sich so ein bißchen chauvinistisch an, aber wer mich zum religiösen jüdischen Denken gebracht hat –, das waren Rabbiner im Lager. Ich war noch ein Schüler von Leo Baeck, in Theresienstadt. In Auschwitz war so was nicht mehr möglich. Noch in Theresienstadt war es irgendwie möglich, daß Jugendgruppen zusammengehalten haben oder zusam-

[1] An dieser Stelle zitiert Hans Müller aus dem Protokoll der Konferenz der Diözesanvertreter in Berlin vom 25./26. April 1933. Dort heißt es über das Treffen mit Hitler wörtlich: »Er sprach mit Wärme und Ruhe, hie und da temperamentvoll. Gegen die Kirche kein Wort, nur Anerkennung gegen die Bischöfe. Man hat mich wegen (meiner) Behandlung der Judenfrage angegriffen. Die katholische Kirche hat 1500 Jahre lang die Juden als die Schädlinge angesehen, sie ins Getto gewiesen usw., da hat man erkannt, was die Juden sind. In der Zeit des Liberalismus hat man diese Gefahr nicht mehr gesehen. (...) Vielleicht erweise ich dem Christentum den größten Dienst.«

mengehalten wurden von verschiedenen Jugendleitern, die einem dann langsam Jüdischsein in ganz allgemeinem Sinne vermittelt haben, soweit das ging. So ist mir das dann – ich möchte fast sagen, romantisch – eingeflößt worden.«

Und es hat Ihnen auch Halt bedeutet, gerade dort?

»Ich weiß es nicht. Ich war damals vielleicht vierzehn, fünfzehn Jahre alt. Es hat in dem Sinne Halt gegeben, daß Jugendliche sich gefunden haben, und dann wurden Feiertage wie zum Beispiel Chanukka zu einem Erlebnis. So was bleibt hängen. Als ich zurückkam – ich kam dann nochmals zurück nach Holland, nach der Befreiung, um mich selbst... irgendwie wiederzufinden –, da war das in mir sehr stark, daß ich jetzt in ein jüdisches Land will. Ich hatte hier auch einen Onkel, das darf man nicht vergessen. Obwohl das nicht so eine große Rolle spielte. Tatsache ist, daß ich ja nachher auch gleich in einen Kibbuz ging. Ich nehme an, daß mein Zionismus oder meine jüdische Identität – das ist mir lieber so – mir im Moment nach dem Holocaust bewußt geworden ist, ich kann's nicht begründen... daß ich jetzt in einem jüdischen Staat leben wollte.
Mein Bruder zum Beispiel, der dasselbe mitgemacht hat wie ich, kam zu einer ganz entgegengesetzten Überzeugung: ›Nicht mehr zwischen Juden!‹ Das heißt, er ist Jude geblieben, aber er lebt irgendwo in Amerika.«

Nicht unter Juden?

»Das ist eine interessante Sache. Er lebt zwar irgendwo, wo sehr wenig Juden sind, aber er verkehrt doch mit ihnen und hat eine jüdische Frau geheiratet. Also das ist nun wieder die entgegengesetzte Reaktion.
Wenn man mich heute fragen würde: ›Warum *soll* ein Mensch Zionist sein?‹, würde ich nicht sagen: ›Wegen des Holocaust!‹ – denn dann wäre ja Hitler ein großer Zionist. Das ist eine negative Begründung, die mir damals nicht bewußt war. Heute bin ich als Jude Zionist. Land, Sprache, Volk, Nation – das gehört alles zur Religion. Darum bin ich auch religiös geworden. Aus einer bestimmten Konsequenz – entweder/oder. Ich bin in einen religiösen Kibbuz gegangen – nicht in einen ultra-religiösen, sondern einen orthodox-liberalen.«

Sind das für Sie Leute wie Ernst Akiba Simon?

»Ja, unbedingt. Haben Sie seinen Sohn kennengelernt? Den Uri? Mit Uri bin ich ganz eng befreundet. Und Akiba kenne ich auch sehr gut.

Das ist so diese fortschrittlich-liberale, religiös-jüdische Gesinnungsgemeinschaft, die leider Minorität ist, aber das ist eine Sache für sich.«

Sie sprachen davon, daß es im Kibbuz traumatisch war...

»Für jemanden, der aus dem Lager gekommen ist, meinte ich. Ich war zwölf Jahre im Kibbuz, dann konnte ich nicht mehr. Das Untergehen in der Kollektivität, nach den Lagern, ist nach der Erfahrung im Lager offensichtlich eine Belastung, die ich nicht mehr aushielt. Am Anfang ging es noch. Als ich 1946 da eintrat und 1947/48 den Unabhängigkeitskrieg und die Gründerjahre dieses Staates mitmachte, hat man das einfach alles so ein bißchen eher wegdrücken können. Oder wegdenken können. Man hatte etwas zu tun, man baute einen Staat, man kämpfte. Und die Probleme ergaben sich erst so 1950, 1952, als der Kibbuz seine Rolle als Wächter der Grenzen wahrnahm. Und dann tauchten auf einmal die Probleme der eigenen Existenz auf. Wie lebt man jetzt in dieser Gemeinschaft? Dann fühlte ich mich in meiner Individualität angegriffen. Weil ich darin – das meinte ich mit ›traumatisch‹ – natürlich viel empfindlicher war als die anderen. Ich konnte dieses Kommunale einfach nicht mehr ertragen. Und das dauerte Jahre.«

Ich kann mir vorstellen, daß neben dem Kampf um den Aufbau des Staates zunächst auch so etwas wie ein Aufgehobensein in einer jüdischen Gemeinsamkeit da war...

»Sicher. Ich hatte das Religiöse mitbekommen, zum ersten Mal richtig – also, es war phantastisch. Es war ja der Gegenpol, der Gegensatz zu all dem, was ich gelitten hatte. Obwohl wir eigentlich gelebt haben wie die Buschmenschen...: in so einer Wüste. Ich war unten im Negev. Man hatte ja nichts. Aber man war so reich dabei. Es war wirklich pionierhaft. Es war auch richtig romantisch und... es war schön! Nur, man *vergaß* diese furchtbare Zeit – und wollte das auch eine Zeitlang. Man begann etwas Neues. Und dann darf man auch nicht vergessen, man wird älter. Man heiratete. Man gründete eine Familie. Und dann auf einmal, dann kam – dieses Traumatische, dieses Geschehen, dieses Holocaust-Geschehen, das nagt an einem herum, und dann auf einmal wurde man sich seiner eigenen Empfindlichkeit bewußt – die nicht zum Ausdruck kam, solange wie man eben für diese Sache hier kämpfte. Sie kam einfach nicht zum Ausdruck. – Es war, als ob man von einem Strom von Selbständigkeit mitgerissen würde, die man sich jetzt erwirbt – *im nationalen Sinne*.

Aber dann, so 1952, fing man an nachzudenken – *und dann hielt ich es nicht mehr aus*. Dann kam dieses Bedürfnis zu verstehen, was passiert ist. Je älter ich wurde. Ich wollte studieren. Ich hatte auch, wie man sagt, nicht den Beruf, sondern die Berufung, Lehrer zu werden. Das liegt einem einfach, ... das hat sich bei mir langsam entpuppt. Und dann wurde mir der Kibbuz zu klein...
21, 22 Jahre war ich Gymnasiallehrer. Zur Forschung bin ich erst ziemlich spät gekommen. Ich habe gemerkt, daß ich forschen muß, um dieser ganzen Sache jetzt wirklich tief nachzugehen. Forschen und Unterrichten sind Gegensätze. 1963 bin ich dann an die Universität gegangen. Das ist alles ein bißchen spät, aber ... man schafft es noch!« (Er lacht.)

»Deutschland? Furchtbar ambivalent«

Kommen Sie überhaupt noch nach Deutschland?

»Ja, ziemlich häufig ... Erstens mal, wenn ich der Sache nachgehen will – schließlich sind die Archive in Deutschland, in München, Koblenz, Hamburg. Nur in Deutschland kann ich den Nazismus erforschen, nirgends anders. Wenn ich nach Deutschland komme, dann mit einem unheimlichen Unbehagen. Bei jedem älteren Herrn, jeder älteren Dame, die ich auf der Straße sehe, fühle ich mich irgendwie ... unwohl. Was haben die gemacht, wer waren die? ...
Beim ersten Mal war es für mich einfach grausam. Die Sprache, der Typ – man wird immer wieder zurückgeworfen in seine Vergangenheit. Obwohl das die anständigsten Leute sein können, die da vor einem stehen. Ich habe im Forschungsbereich sehr gute Freunde in Deutschland. In Ihrem Alter. Mit den Älteren habe ich so meine Probleme. Also, ich muß nach Deutschland, will aber nicht. Und ich fühle mich beklemmt, nicht frei, bin unruhig, kann die Sprache nicht vertragen, wenn sie um mich herum gesprochen wird. Ich gehe in ein Hotel und gehe dann irgendwo spazieren ... alleine ... Das ist ein Problem. Aber ich kann es nicht vermeiden, (denn) für dieses Thema brauche ich die deutschen Quellen.«

Hat sich das verändert, von damals zu heute?

»Ja, natürlich. Man gewöhnt sich einfach dadurch, daß man mit Leuten in Ihrem Alter spricht. Natürlich verändert sich das. Die Grundeinstellung aber bleibt sehr negativ. Ich könnte nicht in Deutschland

leben, ich will nicht in Deutschland leben. Ich verachte jüdische Leute, die in Deutschland leben, in *dieser* Generation. Solange es noch Nazis gibt, kann man das nicht. Ich (jedenfalls) könnte es nicht. Deutschland ist für mich ein Problem – ich hab' keinen Ausweg. Es ist alles furchtbar ambivalent.
Deutschland und die Deutschen allgemein – vergeben kann ich ihnen nichts. Und verzeihen tu' ich's ihnen bestimmt nicht. Das sage ich kraß. Denn das wäre Heuchlerei zu sagen, nun ja, wir müssen jetzt einen Dialog... Wir sind noch nicht soweit! Das geht vielleicht weiter, wenn *wir* nicht mehr da sind, die das mitgemacht haben, und dort nicht mehr die SS-Leute sind, die's gemacht haben. Wir brauchen Zeit! Aber... *ich* kann es nicht verzeihen. Ich kann probieren zu verstehen. *Und jetzt sagt man: Verstehen ist Verzeihen. Das stimmt nicht!*
Ich gehe oft zu Gruppen, die aus Deutschland hierherkommen; dann wird es ziemlich traurig, wenn wir an diese Konfusion kommen, und die ist meine persönliche... Ich krieg's nicht fertig und halte mich dann auch ziemlich distanziert. Vor allem, wenn ich dann immer wieder höre: *Wir* nicht, also *wir* waren ja nicht dabei usw. – dann krieg ich die Wut! Weil – das ist gelogen. Da weiß ich mehr als sie. Und ich *kann* denen dann auch beweisen, daß sie lügen.
Ich habe mich sogar mit älteren Leuten befreundet, die durch ihre Forschung bewiesen haben, wer sie wirklich sind, zum Beispiel mit Helmut Krausnick, dem Historiker. Aber im allgemeinen ist alles noch sehr früh. Was sind schon vierzig Jahre?«

»Helmut Kohls Verhalten war mir zuwider«

Willy Brandt war Anfang der siebziger Jahre hier – erinnern Sie sich?

»Ja. Ich kann Willy Brandt auch keinen Nazismus nachsagen. Herr Kohl hat mir weniger gefallen – zumindest, wie er sich verhalten hat. Sein Verhalten war... taktlos! Das kann ich Willy Brandt nicht nachsagen.«

Taktlos?

»Ja, taktlos. Gerade was Holocaust betrifft. In Yad Vashem rumzurennen und, wenn man ihm das erklärt, zu sagen: ›Ich kenne meine deutsche Geschichte‹ – ... dazu muß man sehr wenig taktvoll sein... Oder eine Frage zu stellen wie zum Beispiel: ›Sie waren in Yad Vashem?‹ In diesem Erinnerungszelt, wie wir das nennen, wo alle Namen aufgeschrieben sind... Ja, dann wurde von ihm die Frage gestellt: ›Wie bauen Sie denn das alles auf? Wird das alles mit einem Computer gemacht?‹ Wenn ich einen derartigen Menschen vor mir habe, der so das neue Deutschland repräsentieren soll – die Zeitungen waren voll davon: das war einfach *disgusting*. Ich glaube, im Verhalten Willy Brandts damals war eine bestimmte Ehrlichkeit. Aber Helmut Kohls Verhalten war mir zuwider, als er sagte: ›Ja, ich kenn' meine deutsche Geschichte.‹ Also in dem Sinne: ›Erzählen Sie mir nichts, ich kenn' das alles, also lassen Sie uns weitergehen...‹ Das war taktlos.«

»Wie ich zurückkam nach Hamburg...«

»Wie ich zurückkam nach Hamburg: Man lebt noch mal genau... man sieht das alles, das ist auch was Komisches... Irgendwie erinnert man sich. Hier waren meine Eltern, hier war das – und dann hat man sogar angenehme Erinnerungen. Nicht angenehme Erinnerungen an die Nazizeit, sondern an sein Elternhaus. Erinnerungen, die man nicht haben will. Aber die da sind.«

Trauer über den Mord an Ihren Eltern ist zuviel verlangt. Geht es darum? Bettelheim spricht davon...

»Ja, ja, ich hab's gelesen. *The Informed Heart*. Ich weiß nicht, ob das Trauer ist. Man trauert um etwas, was man gut gekannt hat und was einem furchtbar fehlt. Sicher fehlen einem die Eltern, nur – man hat so wenig von seinen Eltern gehabt. Weil einem die Eltern nichts geben konnten. Es ist mehr eine Wut... und heute, wenn ich meine eigenen Kinder erziehen muß, sehe ich erst, was ich selber vermißt habe. Bestimmt liegt darin auch eine Trauer, ich habe meinen Vater... ich will jetzt nicht darauf eingehen. Es ist ein Schmerz. Ich weiß nicht, ob das Trauer ist. Es tut einem weh. Trauer... Schmerz, doch ja, aber eher auch, daß es unvorstellbar ist. Wenn ich mir dann überlege, was denen zugestoßen und was passiert ist – da liegt der Punkt, wo ich sage, jetzt verstehe ich's nicht mehr. *Wenn man's nicht versteht, wie kann man dann trauern?* Es ist einfach furchtbar, und es wird einem immer mehr bewußt, je älter man wird.«

Israel und die Toleranz

»Für mich ist Israel ungeheuer wichtig... Für mich ist es sehr wichtig, Jude zu sein, nach dem Holocaust. – (Auch wenn das komisch klingt): Hier hat mich der Holocaust bereichert. ...Jude sein, aber tolerant sein.

Mir kam und kommt es immer mehr darauf an zu verstehen, was es im positiven Sinne heißt, Jude zu sein – nicht nur, was einem immer negativ angehängt wird. Es ist paradox, daß der Holocaust mich insofern bereichert hat, aber ich kann es nicht anders sagen: Der Holocaust war ein Abschnitt der Intoleranz, und Menschen können nicht leben, wenn sie nicht tolerant sind. Darum verbinde ich die beiden Sachen.

Darum kann ich nicht ultra-orthodox und fanatisch sein. Ich will jüdisch leben und die Welt tolerieren. Das ist schwer, manchmal, wegen der Umwelt. *Und um das tun zu können, braucht man ein eigenes Heim, braucht man ein eigenes Land.* Nicht im Sinne des Chauvinismus. Um aber Menschen*achtung* – ich rede nicht von Menschenliebe – verwirklichen zu können, muß man sich eine Selbständigkeit schaffen, denn nur durch die eigene Selbständigkeit kann ich achten, was der andere hat. Das ist in der jüdischen Lehre mit enthalten. Wenn Sie die Wohnung Ihres Nachbarn respektieren wollen, müssen Sie doch erst mal Ihre eigene Wohnung respektieren können.

Das gilt auch politisch... Nach dem Holocaust bin ich ein Feind jeglichen Extremismus geworden: sei er jüdisch, katholisch, protestantisch oder islamisch. Extremismus ist Gift! Und endet im Mord!«

»Zum Sadismus kann man erziehen«

Haben Sie sich vorstellen können, wie Menschen dazu gekommen sind, das zu tun, was sie in Auschwitz getan haben?

»O doch, ja, das habe ich. Wenn ich meinen Sohn von der ersten Volksschulklasse an so erzogen hätte, daß Araber Unmenschen sind..., ihn isoliert hätte, ihm das eingetrichtert hätte, was man den Deutschen mehr als tausend Jahre lang über die Juden eingetrichtert hat –, dann hätte der auch Araber umgebracht.«

Aber dieser Sadismus?

»Der Sadismus ist dabei gar nicht einmal entscheidend. Die Motivation ist das Wichtige. Schuld sind die Intellektuellen, die die Kirchen – und natürlich die Mörder, die das wirklich getan haben.
Zum Sadismus kann man erziehen! Leute werden nicht sadistisch geboren, sie werden auch nicht als Nazis geboren – ich wurde ja auch nicht als Zionist geboren. Zum Sadismus kann man erziehen. Und das hat man getan, in einer ganz furchtbaren Art.«

Wie hat man Theresienstadt und Auschwitz überleben können?

»Darauf hab' ich keine Antwort. Theresienstadt... konnte man überleben. Aber wie hat man Auschwitz überlebt? Ich stand schon auf der Seite zur Vergasung. Ein polnischer Kapo kam auf mich zu. (Ich erzähle Ihnen nur das.) Mein Vater und mein Bruder standen auf der anderen Seite und sahen mich – ich war schon selektiert. Der Kapo hat mich nicht bloß halb totgeschlagen, sondern dreiviertel! Ich war sechzehn Jahre, noch klein. Und während (er auf mich einschlug, stieß) er mich wieder zurück zu meinem Vater. Ich stand wieder auf der anderen Seite... Wenn man einen Juden schlug, mischte sich die SS nicht ein – kein Mensch intervenierte. Schlag ihn tot! – das ist in Ordnung... Darum sitze ich hier. Und ich stand da, irgendwo, irgendwie, wie ein Stück Hackfleisch. Zusammengehauen – Sie machen sich gar keine Vorstellung: mit dem Gummiknüppel. Aber lebend! Und nicht mehr auf *der* Seite! Die haben einfach nicht mehr darauf geachtet. Wie soll ich Ihnen das jetzt erklären? Jetzt können die Priester kommen und sagen: Vorsehung. Die Rabbiner kommen und sagen: die persönliche Vorsehung. Die Griechen kommen und sagen: Schicksal. – Ich weiß es nicht. Ich kann Ihnen darauf nicht antworten. Aber so habe ich Auschwitz überlebt. Anderen ist es nicht so gegangen. – Glück? Weiß ich nicht. – Finden Sie mir so etwas in der Geschichte! Darum läßt sich das mit nichts vergleichen. Das war wirklich ein Inferno – auf dieser Erde, auf diesem Planeten...«

Fühlen Sie sich hier... zu Hause?

»Hier im Lande? Ja. Bestimmt. Ja, ich fühle mich hier zu Hause. Ich sehe die Schwierigkeiten, aber... ich habe hier eine normale Familie aufgebaut. Und – das ist die Normalisierung meines Lebens – mit einem Ideal: jüdisch-tolerant zu sein. Damit fühle ich mich wohl!
Ob ich mich in einem anderen Land wohl fühlen würde? Vielleicht. Ich bezweifle es heute, *nach* dem Holocaust. Ich glaube, es würde mir

sehr schwerfallen, heute in einer nicht-jüdischen Umgebung zu leben. Nicht, weil ich sie ablehne, sondern weil mir eben das Jüdische fehlen würde. Vielleicht betone ich das Jüdische so sehr, weil man es mir nie anerkennen wollte!«

Theodor Holdheim:
»Die ganze Lebensweise im Kibbuz hat uns fasziniert«

1923 in Berlin-Charlottenburg geboren, verließ Theodor Holdheim im September 1933 mit seinem zionistischen Vater und seiner Mutter Deutschland. Über Triest gelangten sie nach Haifa. Zunächst in einer sozialdemokratischen Jugendorganisation, faszinierte Holdheim wenig später die links-zionistische Kibbuz-Bewegung »Hashomer Hazair«.
Theodor Holdheim studierte Mathematik, Physik und Musik in Jerusalem und in den Vereinigten Staaten.
Als Kibbuznik des »Hashomer Hazair«-Kibbuz »Beith Alpha« lehrte er an der Hebräischen Universität in Jerusalem bis zu seinem frühen Tod 1985 Mathematik und klassische Musik, vor allem deutsche. Als Mitglied der Sheli-Partei war er politisch aktiv. Erst Jahrzehnte nach dem Ende des Zweiten Weltkriegs kam er auf Einladung des Deutsch-Israelischen Arbeitskreises für Frieden im Nahen Osten (DIAK) zu Besuch nach Deutschland und auch nach West-Berlin. Theodor Holdheim sieht sich in der Tradition links- und kulturzionistischer Ideen.

Theodor Holdheim treffen wir – Jörn Böhme von der ›Aktion Sühnezeichen‹ und ich – in Jerusalem an der Hebräischen Universität, zu der er wöchentlich von seinem Kibbuz »Beith Alpha« aus mit dem Bus kommt, um dort Mathematik, Physik und klassische Musik zu unterrichten. Am Tage unseres Besuches erläutert er seinen Studenten (und uns) die h-Moll-Messe von Johann Sebastian Bach, die Juden und Araber, Sepharden, Ashkenasen und wir Gäste aus Berlin gemeinsam hören. Anschließend treffen wir uns in der Cafeteria:
»Vorige Woche sprachen wir darüber, ob die verschiedenen Tonarten eine Eigenheit haben, ob man wirklich sagen kann, daß Es-Dur feierlich ist. Morgen spielen zwei meiner Studenten eine Sonate von Schubert, mit Cello und Klavier. Und dann wird das analysiert. So gehen wir jede Woche irgendein Stück durch.« [Sie tun das sehr gern, wie wir sahen!] »Professionell mache ich nur Sachen, die ich gern tue. Wenn ich sie nicht gern täte, würde ich sie nicht machen!
Schon meine Mutter hatte Klavier gespielt – bis zum heutigen Tag. Bei ihrer Klavierlehrerin in Berlin, Frau Schurzmann, hatte ich im Alter von sechs Jahren angefangen, Klavier zu lernen.«

»Meine Eltern waren überhaupt nicht religiös, mein Vater war seit seiner Jugend bewußter Zionist. Er war als Student im KJV, im Kartell Jüdischer Vereinigung, und sammelte sozusagen ehrenamtlich für den Keren Hayesod – für den Aufbau des Landes. Das tat er sehr gut und sehr gern, die Leute sagten ihm hinterher noch ›Dankeschön‹ dafür, daß er ihnen erklärt hatte, wieso sie sich aufraffen müssen – er tat das sehr effektiv.
Meine Mutter war überhaupt keine Zionistin. Sie war Journalistin und schrieb damals Bücher, die nie herausgegeben worden sind, was wirklich schade ist. Einige ihrer Romane habe ich gelesen, sie sind wirklich gut geschrieben, aber das kann man jetzt nicht mehr herausgeben. Hier in Israel hat sie dann auch in deutschen Zeitungen geschrieben, eine Frauenseite gestaltet und viele Jahre für ›Ha'aretz‹ gearbeitet, obwohl sie auch für diese Zeitung Deutsch geschrieben hatte und man das dann ins Hebräische übersetzt hat. Das hat sie bis zu ihrem 65. Geburtstag gemacht, dann wurde sie pensioniert, lernte Autofahren, kaufte sich einen Volkswagen, mit dem chauffierte sie bis ungefähr achtzig und hat ihn jetzt ihrem Vetter geschenkt. Wir, meine Frau und ich, brauchten ihn nicht – meine Frau fährt nicht, ich fahre nicht, wir dürften den Wagen sowieso nicht in den Kibbuz mitbringen, der Kibbuz braucht keine kleinen, sondern nur große Wagen.
Von meiner Mutter jedenfalls habe ich keine zionistische Prägung erfahren, sie wollte 1933 keineswegs nach Palästina, aber sie hat immer dem Instinkt meines Vaters vertraut, der irgendwie wußte: ›Nun raus‹, sagte er 1933. Zuerst gingen seine jüngeren Zwillingsschwestern, die auch in der zionistischen Jugendorganisation ›Blau-Weiß‹ waren; eine von den beiden lebt in einem Altersheim in Haifa. Beide waren schon 1925 einmal in Palästina gewesen, als Aktive von ›Blau-Weiß‹, sind aber nachher noch einmal nach Deutschland zurückgekehrt und dann gleich Anfang 1933 wieder – endgültig – hierhergekommen. Wir sind ihnen im September gefolgt.
Ich denke aber, daß es auch bei meinem Vater schon vor dem Ersten Weltkrieg irgendwelche Motive gegeben hat, aber ganz bestimmt während des Ersten Weltkriegs: Als er in den Vogesen gekämpft und sich eingebuddelt hat, kam ein Moment, wo er sich sagte: ›Nun genug.‹ Er hat sich mit hoher Temperatur krank gemeldet und ist nach Berlin zurückgeschickt worden. Innerlich hat er sich gesagt: ›Für den Kaiser will ich nicht fallen, das ist nicht meine Angelegenheit, es

reicht mir mit der Identifizierung mit dem deutschen Vaterland.‹ Und seitdem war er ganz entschlossen, daß er irgendwann einmal nach Palästina gehen würde. Wirklich entschieden hat er sich dann 1933, als Hitler an die Macht kam. Ich kann mich genau daran erinnern.«

Die Kantstraße mit dem Savignyplatz war genauso wie damals

»Als ich vor einigen Jahren in Berlin war, kam mir genau diese Situation vom April 1933 wieder in Erinnerung. Ich habe die beiden Häuser aufgesucht, in denen ich gelebt hatte. Erst wohnten wir in der Kantstraße 134a, dort bin ich auch geboren. Nachher sind meine Eltern mit mir in eine kleinere Wohnung in die Waitzstraße, ich glaube Nr. 6, Ecke Sybelstraße gezogen. Da, wo einst unser Haus gestanden hatte, war nun ein leerer Platz. Aber die Kantstraße mit dem Savignyplatz war genau wie damals. Das war unheimlich. Meine Beine führten mich überall hin, nur daß da, wo die Konditorei war, jetzt ein Elektroladen ist, aber viele Gebäude waren genauso... Im Zoo, wo ich einen ganzen Sommer lang hingefahren war, fand ich die Seerobben genau an dem Ort, wo sie immer waren, und da, wo dieser große Baum war, stand er noch immer. Ich sah die Schilder vor mir – genau *da* waren sie dann auch, und es waren genau dieselben Schilder. Das war ganz unheimlich!
Was die antisemitischen Erfahrungen anlangt, die habe ich auf dem Weg zur Schule gemacht, wenn ich mit der S-Bahn vom Bahnhof Charlottenburg (von der Waitzstraße aus) zwei Stationen bis zur jüdischen Schule, der Theodor-Herzl-Schule in der Fasanenstraße, gefahren bin, vom Bahnhof Charlottenburg zum Bahnhof Savignyplatz.«

1. April 1933

»Ganz genau erinnere ich mich an den 1. April, Schule fand natürlich nicht statt. Ich saß – das habe ich genau in Erinnerung – mit meinem Vater in einem Schaukelstuhl auf dem Balkon, und er hat mir die Geschichte der Juden und des Zionismus erzählt; es muß mindestens zwei Stunden gedauert haben. Dann sind wir zusammen spazierenge-

gangen und haben uns *das alles* angeguckt. Ich kann heute noch all diese Parolen auswendig von dem ›Geld, das Juden stahlen, fremde Hexer sie bezahlen‹ und ›Jede Mark in Judenhand fehlt dem deutschen Vaterland‹ und so weiter. Ich war damals neun Jahre alt, 9¼ – *das* war meine zionistische Erziehung. Was man da gesehen hat, war scheußlich. Mein Vater hat es mir gezeigt, er hat für meine zionistische Bewußtheit gesorgt, er *wollte*, daß ich das sehe, und mit 9¾ war ich schon in Palästina.
Wie gesagt, am 1. April fand natürlich keine Schule statt. Alle blieben zu Hause. Es war überhaupt nicht daran zu denken, daß jemand in eine jüdische Schule gehen würde. Es war ja ein öffentlich ausgerufener Boykott-Tag, an dem die Juden sich überhaupt nicht aus den Häusern getraut haben. Dieser 1. April war sehr merkwürdig und aufregend für mich. Angst hatte ich irgendwie nicht, denn als Kind fühlt man das wahrscheinlich nicht so, aber es war sehr unangenehm, besonders wenn man weiß, daß es sich auf einen bezieht, sozusagen allgemein, und ich bin ja immer bewußt als Jude aufgewachsen.
In der Theodor-Herzl-Schule hatten wir sogar jeden Tag eine Stunde Hebräisch: Es war eben eine jüdisch bewußte, zionistisch orientierte Schule. Und als wir am nächsten Tag in der Schule zusammenkamen, hat uns ein guter Lehrer erzählen lassen, wie das alles war. Jeder hat dann von sich aus erzählt – es hat mich sehr beeindruckt.
Damals haben meine Eltern den Entschluß gefaßt, nach Palästina zu gehen. *Deswegen* sollte ich das miterleben. Denn das war ja kein einfacher Entschluß, immerhin ist es der Wechsel des Ganzen: Klima, Sprache, Milieu. Ich sollte das miterleben. Der Entschluß, daß wir irgendwann bald auswandern würden, war seitdem ganz klar.
Ungefähr zu diesem Zeitpunkt, jedenfalls noch im Frühjahr, gingen schon die beiden Tanten; dann, im späten Sommer, als alles vorbereitet war, habe ich das Los ziehen müssen, auf welchem Weg wir fahren. Damals konnte man noch fahren und Sachen mitnehmen. Meine Eltern hatten nie sehr viel mitzunehmen, aber das Klavier kam mit, verschiedene Bücher kamen mit, der gesamte Goethe, Schiller und Shakespeare – all das steht heute noch da –, verschiedene Kleinigkeiten des Haushalts. Alles andere wurde verkauft...
Für den Weg nach Palästina gab es zwei Möglichkeiten: die eine Route ging über die französische Schweiz nach Frankreich, von dort über Marseille; die andere über die Dolomiten nach Italien, von dort

über Triest. Ich zog das Los über Triest, am 26. August sind wir vom Anhalter Bahnhof abgefahren, über Österreich nach Bolzano; in San Martino di Gastrozzo machten wir für zehn Tage Pause, um uns ein bißchen auszuruhen. In der Zwischenzeit ging das Gepäck nach Triest. Wir fuhren dann – das war sehr schön, das habe ich noch genau in Erinnerung – noch drei Tage nach Venedig. In Triest kamen wir auf die ›Martha Washington‹, ein kleines Schiff, das vollkommen überfüllt war und auf dem furchtbare Bedingungen herrschten. Es war eine grausame Überfahrt. Bei Kreta schaukelte es so sehr, daß wir alle seekrank wurden. Wir kamen bei Sturm in Jaffa an. Dort hätten wir auf diese kleinen Fischerboote umsteigen sollen, aber es war zu stürmisch dazu. Daraufhin fuhr das Schiff weiter nach Haifa; unsere Verwandten, die schon warteten, mußten ebenfalls nach Haifa. In Haifa – es war gerade Chamsin*, das Wetter war umgeschlagen – sind wir dann vom Schiff gekommen und noch am selben Tag von einem guten Bekannten aufgenommen worden, einem ›Bundesbruder‹ des KJV, dem Kinderarzt Ostrowski, der schon seit 1925 in Palästina war. Noch am selben Abend sind wir nach Jerusalem zu unseren Verwandten gefahren – das war die ›Einfahrt‹.«

Du bist noch heute froh, daß du Deutschland so früh verlassen hast?

»Ja, ja, unbedingt...«

Und Trauer um Deutschland?

»Ich... gar nicht! Ich hatte bei dieser Reise Tagebuch geführt, das meine Mutter vor kurzem gefunden hat. Ich empfand das Ganze als sehr angenehm und überraschend, es war ja noch sehr früh. Selbst die, die damals auswanderten, konnten sich gar nicht vorstellen, daß das *so* werden würde. Sie sagten sich alle: ›Nu, das kann noch ein, zwei Jahre dauern, das ist doch unmöglich, das kann doch gar nicht...‹ Aber für meinen Vater war das wegen seiner zionistischen Einstellung genug. Die Konsequenz, woanders zu leben, von neuem anzufangen, war für ihn ganz klar; der Stoß vom 1. April hat gereicht, endgültig von da wegzugehen.«

* Chamsin (arab. wörtl. »Wind von fünfzig Tagen«) ist ein trocken-heißer Wüstenwind aus südlichen Richtungen, der im Herbst und Frühjahr Staub, Sand und hohe Temperaturen bis 40 Grad Celsius bringt.

Für verrückt erklärt

»Viele auch von unseren jüdischen Freunden haben uns damals für verrückt erklärt. Ich hatte einen *sehr* guten Freund, der viel später über die Jugend-Alijah ins Land gekommen ist und jetzt im Kibbuz Gad Shmuel lebt; seine Eltern blieben dort und sind später umgekommen. Die haben das gar nicht verstanden. Ich weiß noch genau, daß wir schon in den letzten Tagen, als wir schon keine Wohnung mehr hatten, dort gewohnt, Mittag gegessen und dann zu einer feierlichen Abschiedsmahlzeit zusammengekommen waren. Seine Eltern haben den Kopf geschüttelt und gar nicht verstanden, warum man so etwas Verrücktes macht, denn ›das *kann* doch gar nicht so bleiben‹. Das war ziemlich typisch. Nur noch eine weitere Familie aus meinem Bekanntenkreis, die Familie Ruhrmann, ist relativ früh hierhergekommen, all die anderen gingen, wenn sie überhaupt gekommen sind, später... Tja.«

Das schlimme erste Jahr in Palästina

»Am schlimmsten war das erste Jahr in Palästina, denn wir hatten gar nichts, wir hatten weder einen Platz noch etwas zu leben. Im ersten Jahr kam ich in ein Internat in Ramat Gan, das war gar nicht angenehm. Bis Ende des Jahres hatten meine Eltern eine Dreizimmerwohnung in Tel Aviv bekommen, im nächsten Sommer kam ich dann nach Tel Aviv zurück und ging dort ins sechste Schuljahr. Die Schule in Tel Aviv war sehr angenehm, das hing auch mit dem Leiter der Schule und seiner Frau zusammen, die unsere Klassenlehrerin war. Die Schule hatte als Symbol einen Spaten, ein Buch und eine Pflanze: die Kombination von *Lernen und Werk*. Jeder mußte ein paar Tage im Jahr im Schulgarten arbeiten, wo damals Rettiche und verschiedene andere Sachen angebaut wurden.
Das war die Zeit – ich war im siebten Schuljahr –, in der ich aus dem sozialdemokratischen ›Machnot Haolim‹ ausgetreten bin. Ich habe erst später genauer beurteilen können, daß die Führerin Themen aufgegriffen hatte, die ganz blödsinnig waren: Zum Beispiel eine ganz und gar nicht gut geschriebene Geschichte von Herzl, in der es um den Selbstmord des Hauptheldes ging, und die wir nun diskutieren mußten, ob man prinzipiell für oder gegen Selbstmord eingestellt sein solle – im Alter von elf Jahren!
Jedenfalls kam ich nicht mehr. Im nächsten Jahr kamen Leute aus der

Bewegung ›Hashomer Hazair‹, die gar nicht erst probiert haben, mich einfach zu ›keilen‹; sie waren interessant, taten Sachen, die in der Schule fehlten. Unter ihnen war einer, der bis heute mein bester Freund ist, ein Schriftsteller wurde und in ›Beith Alpha‹ lebt. Ich bin damals Mitglied geworden und es bis heute geblieben.«

Hast du den Eindruck gehabt, du baust mit an etwas Neuem, auch an einem zukünftigen Staat?

»An Staat dachte damals niemand. Das war ja etwa 1936/37, eine schlimme Zeit, in der die arabisch-jüdischen Unruhen anfingen und wir gerade so existieren konnten, kaum im Lande herumfahren durften, die Chausseen abends geschlossen waren und man nur nachts unter Aufsicht direkt an der Küste wandern konnte, von Tel Aviv nach Hederat zum Beispiel, um den damals jungen Kibbuz ›Dahlet‹ zu besuchen. Das dauerte ungefähr fünf bis sechs Stunden, nur am Strand, weil es sonst zu gefährlich geworden wäre.
Was wir in ›Hashomer Hazair‹ wollten, war: Kibbuzim aufbauen. Jeder wußte, daß, wenn man in ›Hashomer Hazair‹ ist, ›Dahagshama‹ wichtig ist: Realisierung, Praxis. ›Dahagshama‹ meint: Man macht in seinem Leben das, was man für andere proklamiert; ›Sage nichts, was du nicht selbst bereit bist zu tun.‹ ›Hashomer Hazair‹ war keine Jugendbewegung im strengen Sinne, kein Club, um Reden zu halten, sondern etwas, was dein Leben angeht, und wenn du in der Bewegung bleibst, kommst du irgendwann in einen Kibbuz. Damals hat es noch keine Armee gegeben; man blieb in Tel Aviv, Hedera oder Haifa oder in irgendeinem ›Ken‹, in irgendeinem Nest der Bewegung, als Leiter, ehe man in einen Kibbuz ging.«

Was hat dich an den Kibbuzim fasziniert?

»Die ganze Lebensweise hat uns fasziniert. Es ist sehr schwer, das in ein paar Worten auszudrücken. Es war diese ganz unbürgerliche Art und Weise, daß Leute zusammenleben, um etwas in ihrem eigenen Leben zu *tun*.
Ich erinnere mich genau: Der Krieg war schon ausgebrochen, es war vielleicht 1941, ich war gerade neunzehn, als wir eines Tages von der Bewegung aufgerufen wurden, möglichst viele Jugendliche aus den Schulen zu Arbeitslagern in den Kibbuzim zu organisieren; sie sollten bei der landwirtschaftlichen Arbeit helfen. Wir sprachen bewußt Leute an, die noch nicht in der Bewegung waren, sie sollten die Kibbuzim kennenlernen und das gemeinsame Leben Gleichaltriger – sie waren vielleicht vierzehn oder fünfzehn – mitmachen. Das war nun so

erfolgreich, daß viel mehr kamen, als gedacht war. Die Kibbuzim konnten gar nicht alle aufnehmen, sie brauchten nicht so viele Kinder, aber nun waren sie schon einmal da, mit ihren Rucksäcken saßen sie in unserem ›Ken‹ in Tel Aviv. Als die Kibbuzim sich weiter weigerten, so viele Kinder aufzunehmen, haben wir uns entschlossen, mit allen am nächsten Morgen zum Hauptquartier, dem Kibbuz ›Arzi‹ in Mercavia/Haifa zu ziehen. In Mercavia saß M. Jaari, das Oberhaupt der ›Hashomer Hazair‹-Kibbuzbewegung. Wir, die Leiter des Ganzen, Amalia – heute eine Lehrerin und auch in ›Beith Alpha‹ – und ich fuhren am nächsten Morgen um vier, sonntags früh, mit dem Zeitungswagen der Tageszeitung ›Mishmar‹ nach Haifa, von Haifa nach Mercavia; wir waren tatsächlich vor acht Uhr da, vor der Sitzung, und wollten eine Antwort. Heute ist das undenkbar, daß da ein paar Neunzehnjährige ankommen und sagen: ›Wir haben da ein Thema, das unbedingt erörtert werden muß, und zwar sofort.‹ Als uns dann schließlich der Sekretär sagte: ›Gut, eine Viertelstunde, aber nicht länger‹, wurde schon nichts anderes mehr diskutiert; kaum war die Sitzung zu Ende, da telefonierte der Sekretär des Kibbuz ›Arzi‹ und forderte von den Kibbuzim, daß sie *alle* Jugendlichen aufnehmen – und danach wollten sie uns zur Rechenschaft ziehen. Nur: derjenige, der für die gesamte Bewegung verantwortlich war, hat das vertuschelt. Kurzum, wir hatten Erfolg, es war einfach großartig. Es war so viel Chaos, Spontaneität – die Bewegung damals war etwas, was heute gar nicht mehr existiert! Es war einfach ein großer Aufbruch!«

Theodor Holdheim war zur Kibbuzbewegung in der Zeit ihrer großen Verbreitung Ende der dreißiger Jahre gestoßen.
Schon um die Jahrhundertwende waren – in der zweiten Alijah-Einwanderung – vor allem osteuropäische, von sozialistischen und anarchistischen Ideen inspirierte Pioniere (Chaluzim) mit dem Willen nach Palästina gekommen, hier in eigener Regie zu tun, was ihnen traditionell vorenthalten worden war: auf eigenem Boden und mit eigenen Händen produktiv zu sein, zu »tun«, wie Theodor Holdheim sagt.
Diese jüdischen Arbeiter mußten ihr Leben unter zum Teil außerordentlich ärmlichen Bedingungen fristen, nicht selten ohne Ausbildung oder landwirtschaftliche Kenntnisse; zudem waren sie auf die Kolonisten der vorangegangenen Einwanderungswellen (in den letzten Jahrzehnten des 19. Jahrhunderts, das heißt der ersten Alijah) angewiesen. Sie lebten in Wohngemeinschaften, über finanzielle

Hilfsfonds, als Gruppen und Kommunen (Kwuza), in Handwerkerkooperativen, der ersten Vorform der späteren Kibbuzim und der jüdischen Arbeiterbewegung.
1909 entstand, nach Streitigkeiten zwischen Kolonisten und den eingewanderten, kaum beschäftigten jüdischen Arbeitern, die erste Landwirtschaftskommune auf der Farm Kinneret am See Genezareth.
Größeres Gewicht bekam die Siedlerbewegung erst nach dem Ersten Weltkrieg. Die Übernahme Palästinas durch die Engländer nach dem Zerfall des Osmanischen Reiches, vor allem aber die Belfour-Declaration des englischen Außenministers verstärkten die Hoffnung der Zionisten auf die ›Errichtung einer nationalen Heimstätte für das jüdische Volk in Palästina‹, wie es in der Erklärung Lord Belfours heißt.
Zur gleichen Zeit flohen, nach dem Zusammenbruch des Zarenreiches und der Habsburger Monarchie sowie der Pogromwelle in Rußland, in der Ukraine und in Galizien/Polen, viele osteuropäische Juden nach Palästina. Diese Einwanderungswelle führte vor dem Hintergrund wirtschaftlicher Depression zu so extremen ökonomisch-finanziellen Schwierigkeiten, daß viele zu jener Zeit das Ende des Palästina-Experiments gekommen sahen. In dieser Situation unterstützten die zionistischen Organisationen aber auch gezielt die Landarbeiterkollektive. Kibbuzim entstanden, die noch heute zu den bekanntesten zählen, wie zum Beispiel Gvat, Bit Sera und Givath Brenner; 1927 wurde der Verband der »Hashomer Hazair«, Kibbuz Arzi, gegründet.
1914 lebten 85000 Juden in Palästina, 1919 nur noch 55000, da die Türken Staatsangehörige des feindlichen Rußland ausgewiesen hatten; 1922 waren es nach einer ersten Volkszählung durch die Briten etwa 84000 Juden, was einem Anteil von 12,5 Prozent entspricht, etwa 505000 Moslems (etwa 75 Prozent) und etwa 73000 Christen (rund 11 Prozent).[1] Schon 1931 stieg die Zahl der Juden auf knapp 175000, die der Moslems auf 760000 und die der Christen auf 91000. (Die Juden erreichten damit einen Anteil von etwa 17 Prozent.)[2]
»Hashomer Hazair« und ihr Kibbuz-Verband Arzi verstanden sich als linke Zionisten, die für eine Verständigung zwischen Arabern und Juden eintraten; deswegen waren sie für eine binationale Lösung, also ein einheitliches Gemeinwesen, in welchem keine der beiden Volks-

[1] Vgl. Franz Ansprenger, *Juden und Araber in einem Land*, München 1978, S. 36f.
[2] Vgl. Ansprenger, S. 36f., 292.

gruppen die andere übervorteilen oder beherrschen und die Juden das Recht auf unbegrenzte Einwanderung haben sollten.
In den dreißiger Jahren vergrößerte sich die Zahl der Einwanderer noch einmal erheblich; in den Jahren bis 1945, als sich Hitlers Judenverfolgung verschärfte, stieg sie immerhin auf über eine halbe Million Juden – und das, obwohl die englische Mandatsverwaltung harte Einwanderungsrestriktionen erließ.
Zugleich verringerten sich in den dreißiger Jahren die Chancen weiter, daß Juden und Araber friedlich zusammenlebten. Schon die arabisch-jüdischen Unruhen seit 1936 signalisierten diese Tendenz.[3] Folge dieser Konflikte war, daß die Kibbuzim zu Verteidigungsdörfern auf- und umgebaut wurden. Praktisch war jeder Kibbuznik aus der »Hashomer-Hazair«-Bewegung auch Mitglied der »Haganah«, die sich als Einheiten zur bloßen Verteidigung ihrer Anlagen verstanden (anders als die revisionistisch geprägten Gruppen »Irgun« und »Stern«).

»Jeder von uns war damals in der Haganah, der Gruppe zur inneren Verteidigung. Wir hatten alle gelernt, wie man ein Gewehr gebraucht, das mußte alles vor den Engländern verheimlicht werden.
Als wir achtzehn oder neunzehn waren, gingen wir in eine Kommune in Tel Aviv. Das war einer der großen Streitpunkte in unserer Bewegung. Einige von den Älteren, die von Kibbuz Arzi aus die Sache organisierten, waren gegen diese Kommune. Sie sagten, die Hauptenergie würde auf unser inneres Gemeinschaftsleben gerichtet sein, wir würden weniger Arbeit in der Bewegung machen können. Aber wir sagten uns, es ist genau das Gegenteil, und haben das in unserer Kommune auch bewiesen. Unsere Kommune wurde sehr groß, in einer kleinen Dreizimmerwohnung lebten bis zu 22 Menschen! Wir haben auf dem Dach zwei Zelte zusätzlich aufgebaut! Die Wohnung war ganz billig und lag ganz dicht am Hafen, damals hatte Tel Aviv einen Hafen im Norden. Die Leute hatten aber Angst, dort nach dem Bombardement der Italiener am Anfang des Weltkriegs zu wohnen, so daß die Hafengegend als gefährdeter Ort sehr billige Wohnungen bot. Für damalige Preise waren 4¼ Pfund für eine Dreizimmerwohnung sehr billig.
Viele, die damals in unserer Kommune waren, leben heute noch in Beith Alpha! Das ist etwas Einzigartiges, diese Erinnerung!«

[3] Zu den Ursachen dafür, die weder allein bei den Juden oder den Arabern noch in der damaligen Politik der Engländer gesucht werden können, vgl. Ansprenger.

Was habt ihr denn zu 22 in einer Dreizimmerwohnung gemacht? Was war das Unbürgerliche, von dem du erzählst?

»Ja, das ist eine lange Geschichte. Wir waren nicht gleich 22. Zu sechst fingen wir an, dann wuchsen wir immer weiter, es gab große Diskussionen, ob wir – nicht nur Leute aus unserer Kommune – dazu aufrufen sollten: ›Leute, jetzt geht in die Kommune!‹ oder ob wir das als Übergang für den Kibbuz ansehen sollten. Gesiegt haben dann die Gemäßigten, die für den Kibbuz als wirkliche Entscheidung eintraten. Aber es war interessant, in der Kommune zu leben.
Ich gab damals nachmittags Nachhilfestunden, noch als ich – fünfzehnjährig – in der Schule war, gab ich Hebräisch, Mathematik und alle möglichen anderen Sachen. Denn meine Eltern hatten kein Geld, für persönliche Ausgaben wie Bücher, Kinokarten, Eis im Sommer und dergleichen hatte ich nichts. Ich mußte es selbst aufbringen, daher nachmittags die Nachhilfestunden. Vormittags war ich in der Zentrale der Bewegung tätig, saß im Roten Haus, der Histadrut, las Bücher, zum erstenmal Marx und Freud, den es nur in einer sehr guten hebräischen Übersetzung gab, während ich Marx auf deutsch lesen konnte. Dazu zionistische Literatur. Wenn nicht gerade eine Sitzung in der Zentrale war, saß ich da und war morgens einfach nicht zu sprechen. Früh, wenn ich in unserer Kommune dran war, mußte ich für die, welche in der Fabrik arbeiteten, das Frühstück machen. Die waren in der von den Engländern betriebenen Kriegsindustrie beschäftigt. Dazu mußte ich um halb vier aufstehen, um den Riesenkessel auf das kleine Gas zu stellen, damit das Kaffeewasser rechtzeitig fertig wurde. Das mußte einer von uns ›Intellektuellen‹ machen, die nicht um halb sechs aufzustehen hatten. Ein anderer mußte Brot holen; das gab es viel billiger für diejenigen, die in ihrer Familie Angehörige des englischen Militärs hatten, zum Beispiel in der englischen Brigade. So mußte einer von uns, mit einem Sack bewaffnet, zwei Dutzend Brote nach Hause bringen.«

Männer und Frauen: getrennt oder zusammen?

»Ein großer Streitpunkt in Hashomer Hazair war auch, ob die Gruppen innerhalb der Bewegung getrennt oder zusammen leben sollten. In Polen und Galizien hatten sie ja getrennt gelebt, aber unsere Führer aus der ›Erez Israel‹-Bewegung plädierten für Gleichheit; sie verwarfen all die psychologischen Argumente für die Unterschiede zwischen Mann und Frau, die Identifizierung der Jungen mit Männern und der Mädchen mit Frauen, und beschlossen gemischte Gruppen. Mit uns jedenfalls ging das sehr schön, da gab es überhaupt keine Probleme.«

Das ist ja auch die Zeit, in der man erste erotische Erfahrung...

»...erste oder zweite, hier im Land beginnt das sehr früh, wir waren ja schon achtzehn damals.«

Und das ging alles in diesen drei Zimmern?

»...das ging überhaupt in der Bewegung, in den Schulen von Hashomer Hazair gab es gemeinsame Bäder, und man sprang nackt hinein. Erst später wurde dann doch beschlossen, Männer und Frauen zu trennen. Aber die Beziehungen selbst waren sehr frei und sind auch immer so geblieben. Es war eine tolle Zeit, aber es gab auch große Illusionen: zu einer *wirklichen* Gleichheit zwischen Jungen und Mädchen, zwischen Männern und Frauen ist es *nicht* gekommen. Dennoch war es eine Zeit, die ich nicht missen möchte. Selbst heute noch merkt man, daß Frauen aus dieser Zeit irgendwie anders sind...[4]
Mit einem Schlag wollten wir die Menschen verändern. Als eines der ersten Bücher des Hashomer Hazair Verlags wurde das Buch von Max Adler *Neue Menschen* ins Hebräische übersetzt und verlegt. Bei Max Adler ging das im Nu: In dem Moment, wo der Hauch des Sozialismus weht, werden die Leute anders sein – das war natürlich vollkommen naiv, wir bekamen das später sehr schlimm zu spüren, es war eben wirklich eine Naivität: man dachte es sich aber so und meinte es ernst. Aber man wirft nicht tausend Jahre Tradition durch jugendliches Ungestüm einfach um. Das war einer der entscheidenden Punkte für den Untergang der Jugendbewegung. Sie existiert heute nicht mehr, jedenfalls nicht in diesem Land, ich glaube, nirgendwo.«

Das gleicht dem, was Marie Jahoda über das Rote Wien gesagt hatte.[5]

[4] Ganz stark vermittelt diesen Eindruck auch der Film *Anou Banou – Töchter der Utopie* von Edna Politi, ein Film über die Pionierinnen der Kibbuz-Bewegung (ZDF 1983).
[5] Vgl. das Gespräch mit Marie Jahoda in diesem Buch.

»Ja, das gilt vor allem für die erste Generation – wir waren die zweite–, die zur gleichen Zeit des Roten Wien die Kibbuzim in den zwanziger Jahren aufgebaut hat und Anfang der zwanziger Jahre auch Beith Alpha; aus ihr leben noch einige über Achtzigjährige in unserem Kibbuz.«

Auch die Studentenbewegung der sechziger Jahre hat etwas von dem, was du angesprochen hast, probiert: Kommunen haben wir probiert, den ganzen deutschen Staat für unglaubwürdig erklärt, die Revolution machen wollen... Und dennoch ist etwas geblieben. Was ist für dich geblieben?

»Der Kibbuz! Der Kibbuz, so, wie er heute ist, ist etwas, was ich gegen nichts eintauschen würde! Mit all seinen Nachteilen ist der Kibbuz eine *Alternative*, eine ernste Alternative zu diesem ganzen... wie soll ich sagen: zu dieser Misere bürgerlichen Lebens, wo jeder mit jedem konkurriert. Ich sehe es ja an der Universität, ich bin immer ganz froh, daß ich im Kibbuz lebe und nicht auf meine Arbeit in der Universität angewiesen bin. Ich habe mir immer, auch hier an der Universität, erlaubt zu sagen, was ich wirklich will. Mehr als entlassen können sie mich nicht. Wenn sie mich entlassen, gehe ich in den Kibbuz zurück. Ich bin nicht auf sie angewiesen, und so haben sie mich auch immer angesehen, als vollkommene Anormalität an der Universität. Ich selbst habe nicht einmal einen B. A.; meine Schüler haben alle B. A., ein Teil von ihnen den M. A., oder sie sind Doktoranden. Weil ich die Arbeit anständig mache und die Erfahrung habe, sind die Studenten zufrieden. Es ist eine vollkommen irreguläre Einrichtung. Ich habe mich noch nie gescheut zu sagen, was mir nicht gefällt.
Gestern zum Beispiel hat es hier eine Versammlung über die Aufnahme neuer Mathematik-Studenten für das Lehramt gegeben; die neue Leiterin, eine Professorin der Erziehung, wollte die Auswahl nach Zensuren vornehmen lassen: Niedrig Zensierte sollten von vornherein ausgeschlossen werden. Das hat mir nun gar nicht gefallen. Ich habe mir erlaubt, darauf aufmerksam zu machen, daß die *Araber* in der Regel die schlechteren Zensuren bekommen, mitunter auch das Hebräisch nicht richtig verstehen, in schlechteren Schulen waren, aber zugleich die einzigen sind, die *wirklich* Lehrer werden; denn die anderen, welche die guten Zensuren bekommen, werden nachher Professoren der Mathematik oder gehen in die Forschung. Es kam dann zu einem Kompromiß, der ungefähr das vorsieht, was ich vorge-

schlagen habe. Wohl deswegen, weil ich moralisch natürlich vollkommen recht habe und alle das im Grunde auch wissen. Nur ich kann mir erlauben, das auch auszudrücken, und ich tue es ganz bewußt, während die anderen häufig noch Lehrer an Schulen sind und deswegen nicht rausgeschmissen werden wollen.
Sicher gibt es Schwierigkeiten im Kibbuz, vor allem wegen der ungeheuren Altersdifferenzen. Wir haben hier ›Chaverim‹ – Mitglieder im Alter von 84 und von achtzehn; es ist sehr schwer, sich zum Beispiel in Kibbuz-Versammlungen wirklich zu verständigen; Jüngere kommen häufig nicht in eine solche Sichat-Kibbuz (Kibbuz-Versammlung), sie fühlen sich überflüssig, auch wenn sie aufgefordert werden. Aber der Kibbuz ist trotzdem da.
Was das bedeutet, kann ich an meinem eigenen Beispiel erzählen. Als ich meine Operation hatte, mußte man danach auf mich aufpassen, meine Frau konnte nicht 24 Stunden am Tag bei mir sein. Und ohne irgendeine Komplikation war es eine Selbstverständlichkeit, daß verschiedene Mitglieder des Kibbuz sich anboten, für ein paar Tage nach Jerusalem zu kommen und einfach dazusein, weil ein Mitglied des Kibbuz Hilfe brauchte. Und einige von denen, die kamen, waren gar nicht aus meiner Altersgruppe, es ist eben eine *Selbstverständlichkeit* des Kibbuz.
Ich weiß, daß das nicht für alle Kibbuzim gilt. Von einem wirklich sehr unglücklichen Kibbuz weiß ich, in dem sie der Frau eines Kranken Geld gegeben haben, damit sie eine Krankenschwester bezahlen konnte. Fürchterlich. Um diese Zusammengehörigkeit geht es, darum, daß Leute da sind und ein persönliches Verhältnis herrscht, wenn es wirklich darauf ankommt.
So auch, als die Herausgabe von vier Büchern verschiedener Autoren im Kibbuz mit einer großen Party gefeiert wurde. Zu dieser Party wurde eine Ausstellung sämtlicher Bücher gemacht, die seit Beginn des Kibbuz veröffentlich worden sind und die man beinahe vergessen hatte – auch von Leuten, die längst verstorben waren. Da ist etwas von einer Gegenströmung der Solidarität da, des Zusammengehörens – und dann ist man doch stolz, daß man Beith Alpha angehört.
Beith Alpha produziert eben beides: landwirtschaftliche Güter genauso wie intellektuelle Produkte. Wirtschaftlich ist Landwirtschaft immer noch die Grundlage, auch wenn sie vor allem während der Likud-Regierung ein Zuschußunternehmen war, so sehr, daß kaum einer mehr davon existieren kann, der nicht im Kibbuz, sondern im Moshav [eine landwirtschaftliche Siedlung ohne Kibbuz-Charakter] lebt. Die Moshavim sind ruiniert worden, da es dort keine Alterna-

tive zur Landwirtschaft gibt. Bei uns ist das dadurch ausgeglichen worden, daß man schon lange industriell gefertigt hat.
Aber zunehmend wird nun die Industrie zur Hauptsache – es lohnt sich nicht mehr, alle Sachen zu produzieren. Ein Beispiel: Bis vor ungefähr acht Jahren haben wir unsere eigene Milch getrunken und den Überschuß über Tnuva [eine Milchfabrikkette] an die Stadt verkauft. Jetzt verkaufen wir alles und kaufen die Milch von der Tnuva zurück. Es ist viel billiger, die subventionierte Milch zu kaufen. Darum kaufen wir heute pasteurisierte, homogenisierte Milch von Tnuva in feinen Verpackungen – und unsere Milch verkaufen wir. So wird die landwirtschaftliche Basis immer schmaler. Für den Bau neuer Häuser werden schon die Ölbäume im Osten von Beith Alpha gefällt, die Grapefruit-Bäume existieren weiter, auch Weizen wird noch angebaut; wir haben Kühe, Hühner, noch ein wenig Honig, Fische, Karpfen...
Auch mit der Erziehung bin ich sehr zufrieden. Mein jüngerer Sohn, der jetzt siebzehn ist, wäre überhaupt nicht durch die Grundschule gekommen. Er wollte nicht lernen, als er in den ersten beiden Klassen war; es interessierte ihn viel mehr, mit seiner orangenen Schaufel auf dem Sand zu sitzen, aufzuladen und ›Sch-sch-sch‹ in die Machzewa, den Steinbruch, zu fahren. Er lernte einfach nicht. Die Lehrerin dachte schon, daß man ihn eigentlich ein Jahr zurückversetzen sollte; wir waren sehr dagegen, weil wir dachten, er wird's eben später nachlernen. Zu unserem Glück hat sich die, die Aufsicht über das Schulwesen führte und mit der ich zusammen in Amerika gewesen war, für ihn eingesetzt.
Und dann passierte es im folgenden Jahr: Um Kinder in die Kindergemeinschaft einzufügen, gibt es im Kibbuz eine Art Tiergarten. (In der Stadt könnte man das gar nicht machen.) Dort konnte mein Sohn Meerschweinchen hüten, er bekam einen Schlüssel, er mußte auf sie aufpassen – und führte plötzlich Tagebuch. Niemand wußte, daß er überhaupt schreiben konnte. Er schrieb ein Tagebuch! Und es war ganz ausgezeichnet! Er las es mir vor, und ich schrieb es genauso, wie er es mir sagte, in die Schreibmaschine. Es waren Geschichten, die ganz großartig waren; er reagierte auf die Meerschweinchen so, als wäre er ein Betreuer der Kinder: ›Du darfst das aber nicht tun‹, sagte er ihnen. Ganz großartig! Und dann sahen auch die anderen plötzlich die Hefte, die er geschrieben hatte: Das Kind, das nicht schreiben konnte und bereits acht Jahre alt war, hatte auf einmal geschrieben! Was selbst literarisch interessant war! Diese Entwicklung *kann* in einer Schule in der Stadt gar nicht stattfinden, weil du da deine Zensur bekommst, ›mangelhaft‹ oder ›ungenügend‹ – aus ist's.«

»Ich war zwanzig und schon in Beith Alpha, als die Nachrichten über die Judenverfolgung hier ankamen, in der allerletzten Phase des Krieges, irgendwann 1943/44. Da kam es von einigen, die direkt vom Getto noch zum Schluß ins Land gekommen waren und erzählten. Es dauerte eine Weile, bis man das überhaupt faßte. Und dadurch wurde die Frage der Errichtung des Staates noch akuter. Hashomer Hazair brachte das in Verlegenheit, denn wir waren jahrelang für einen binationalen Staat, deswegen gegen die Teilung des Landes und statt dessen dafür, daß wir von Anfang an einen gemeinsamen Staat von Arabern und Juden schaffen sollten. Aber dann mußten wir uns umstimmen lassen, denn dagegen zu sein, hätte Krieg auf ewige Zeiten bedeutet. Es war praktisch unmöglich (geworden), zu einer Einigung zu kommen – weder auf arabischer noch auf jüdischer noch auf englischer noch auf amerikanischer Seite. Es war einfach unmöglich! Man kann immer sagen: ›Was wäre gewesen, wenn...‹ – seitdem ist der Staat als Voraussetzung akzeptiert. 1947 nach dem Beschluß der UN waren wir dafür, das Kapitel war anders beendet als gehofft.
Hashomer Hazair hat immer versucht, zu einer wirklichen Versöhnung und Kooperation mit den Arabern zu kommen, aber er hatte zu wenig Einfluß. In den dreißiger Jahren hatte er zusammen mit Martin Buber und Judah Magnes von der Hebräischen Universität eine Organisation mitgetragen, die ›Brith Shalom‹ (Friedenspakt) hieß. Sie war sehr klein *und* sehr einflußreich.[6]
Noch 1947 hat einer der Veteranen von Hashomer Hazair, Mordechai Ben Tov – einer der ersten Minister im ersten Ministerrat –, in einem Memorandum an das ›English American Committee‹ für die binationale Lösung plädiert. Er argumentierte gegen eine Trennung des Landes in arabische und jüdische Teile mit einem internationalen Jerusalem, einer Enklave im Galil hier und dem Negev da und allen möglichen Korridoren. Ein binationaler Staat sei die einzige Lösung – und das war ja auch etwas, was wir als Führer der Bewegung unseren ›Zöglingen‹ vermittelt hatten, ein sehr ernstes, politisches und noch heute interessantes Projekt. Aber es wurde nach der Gründung des Staates, schon nach dem November 1947, aber sicher seit dem 15. Mai 1948, vollkommen irrelevant. Das war vorbei und konnte nicht mehr rückgängig gemacht werden. Dann kam der Unabhängigkeitskrieg – und die Geschichte lief anders.

[6] Vgl. das Porträt von Ernst Simon.

Man *müßte* auf dieselben Grundsätze zurückkommen, aber sie anders angehen. Denn auch heute wird es immer klarer, daß man ohne eine Verständigung zwischen den israelischen Juden und den arabischen Palästinensern – selbst wenn zwei Staaten geschaffen werden sollten – nicht auskommen kann. Ohne Bedingungen dafür zu schaffen, zusammen zu leben, statt sich gegenseitig zu befehden, kann auf Dauer weder der israelische noch der arabische Staat bestehen. Ohne ein Opfer, ohne eine Konföderation oder vergleichbare Abmachungen, nur durch die Gründung eines Staates, hätte man noch nichts gewonnen. Der arabische Staat müßte doch seine Waren durch einen israelischen Hafen im- und exportieren – ohne Sicherheitsregeln und gegenseitiges Zutrauen ist nichts zu machen. Die hohen Dämme des Mißtrauens kann man nur graduell abbauen. Sie entstehen ja allein schon dadurch, daß wir Israelis gar kein Arabisch sprechen: Man versteht sich gar nicht und beleidigt einander, ohne auch nur irgendeine Absicht dabei zu haben...
Für mich ist es das Wichtigste aus der Erfahrung des Holocaust, daß man das nicht an der arabischen Bevölkerung des Mittleren Ostens wiederholen darf. Auch nicht in einer Form, die allerdings gemessen an dem, was damals war, viel harmloser ist. Ein großer Teil der Leute will *diese* Parallele überhaupt nicht sehen – denn Juden, das ist etwas anderes, sagen sie. Für mich ist die Regelung des Verhältnisses zwischen Juden und Arabern einer der Hauptschlüsse, die ich aus der Erfahrung des Holocaust ziehen kann.
Die hiesigen stark gewordenen Juden erlauben sich Sachen, die verboten gehören, und tun das mit allen möglichen Rationalisierungen! Das ist das Schlimmste, das ist gar nicht auszuhalten, und wenn man ihnen sagt, daß es doch dieselbe Mentalität ist, hört man: ›Das ist doch etwas ganz anderes, was uns passiert ist. Wie kannst du das vergleichen?‹ In gewisser Weise kann man das natürlich überhaupt nicht vergleichen, wie man überhaupt zwei verschiedene Unglücksfälle nicht miteinander vergleichen kann – aber die *Mentalität* ist doch ähnlich.«

Wie erklärst du dir diese Mentalität, die deiner Ansicht nach bei Leuten wie Arik Sharon vorhanden ist?

»Das ist eine der fürchterlichsten Erfahrungen! Ich hätte das nie für möglich gehalten, bis es dann plötzlich möglich wurde und wir das sahen. Wenn zum Beispiel Militärleute arabische Autobusse mit Minen belegen, so ist das nicht nur eine Sache von einigen wenigen Verrückten, sondern Ausdruck einer politischen Haltung.

Auch die scheinbar kleinen Erfahrungen gehören dazu, wie die von gestern abend an der Hebräischen Universität. Ich war so scharf, weil es eine bestimmte Mentalität gibt, die ich verurteile: ›Wenn eben ein paar Araber nicht durchkommen, nu also, was kann das schon der Universität schaden?‹ – Ganz fürchterlich, diese Einstellung, wo man doch genau weiß, in welcher Art von Schulen Araber aufwachsen, und wir das Niveau der Schulbücher und der Ausbildung der Lehrer ja gar nicht verbessern! Ihr Niveau ist ja weit unter unserem. Wenn sie dann an die Universität kommen, dauert es selbstverständlich ein paar Jahre, den Schock eines Mathematik- oder Physikunterrichts erst einmal zu verarbeiten.«

Du sagst, daß die Benachteiligung der Araber gegen die jüdische Tradition ist. Nun gibt es aber Stimmen, die sagen: ›Nie wieder schwach sein, immer stark sein‹ – erklärt das diese von dir kritisierte Mentalität mit?

»Ja, natürlich erklärt es, aber das macht mich nicht irgendwie glücklicher. Selbstverständlich kann man das erklären.«

Wie kann man dem begegnen?

»Nur durch eine Kombination von Erziehung und Politik! Das eine nicht ohne das andere. Ich kämpfe gerade darum, die Grundlagen zu einer gemeinsamen *jüdisch-arabischen Schule* aufzubauen, und zwar dort, wo es eine gemischte Bevölkerung gibt, also entweder in der Haifa/Akko-Gegend oder in Jerusalem. Beide Orte haben Vor- und Nachteile. Ich bin bereit, alle möglichen Sachen zu opfern. Vor allem soll es eine Schule sein, die aus beiden Gruppen stark auswählt. Das geht mir von meinem ganzen Denken her gegen den Strich, aber nur eine solche Schule kann als Beispiel wirken. Gerade vor zwei Wochen hat im Fernsehen ein richtiger Likudnik über eine Schule in Katamon, einem Stadtteil in Jerusalem, gesagt: ›Ich bin seit jeher Likud-Anhänger gewesen, aber für diese von der Mapai geführte Schule bin ich bereit zu kämpfen.‹ Das ist es! Es soll eine Schule sein, wo es eine Ehre für jeden arabischen Vater und jede arabische Mutter ist, dort Kinder aufziehen zu lassen. Das soll nicht wie in Jaffa mit einem gemischten Kindergarten anfangen, sondern muß mit dem zehnten und elften Schuljahr anfangen, in denen die Schüler die Schule schon mitgestalten können; nicht nur die Lehrer, auch die Schüler müssen mitmachen. Und alle jüdischen Lehrer müssen Arabisch lernen. Ich führe das jetzt in einem Memorandum aus, zu dem ich gebeten worden bin. Man muß endlich etwas tun, statt nur über die notwendigen Dinge zu reden.

Da ein solches Projekt nicht von der Regierung geduldet wird, muß es auf privatem Boden sein, unabhängig vom Staat, von mir aus auf dem Boden eines christlichen Klosters – ganz egal, mir soll's recht sein! Latrun, das Kloster bei der jüdisch-arabischen Siedlung Neve Shalom, ist mir recht. Egal, aber es soll so sein, daß niemand etwas dagegen haben kann und es nicht etwa dadurch zerstört werden kann, daß es plötzlich Eigentum des Militärs ist und dort unbedingt geschossen werden muß... Es muß gesichert sein!
Und das reiche ich jetzt ein. Es ist immerhin ein wenig, denn man muß damit anfangen, daß die jungen Leute zusammen leben und zusammen lernen, zweisprachig aufwachsen, mit arabischem und hebräischem Unterricht.«

Walter Grab:
»Nicht aus Zionismus, sondern aus Österreich«

1919 in Wien geboren, kam Walter Grab »nicht aus Zionismus 1938 nach Palästina, sondern aus Österreich« und lebt heute unterwegs, teils in Israel, teils in Europa.
Chana Steinwurz und ich trafen Walter Grab dort, wo er 24 Jahre nach seinem Abitur (1938) sein schon damals gewünschtes Studium endlich hatte realisieren können: an der Hamburger Universität. Er empfing uns nicht ohne Stolz in seinem Domizil als Gastprofessor, einem lieblos eingerichteten Zimmer mit einem allerdings herrlichen Blick über die Stadt – ganz bewußt an dem Ort, an dem der nun Sechsundsechzigjährige jenen deutschen Freiheitskämpfern nachgräbt, die für ihn am ehesten das Deutschland repräsentieren, um das es ihm immer ging: das der revolutionären Demokraten des 18. und 19. Jahrhunderts.
Hamburg ist für ihn *der* Ort, wo er etwas gefunden hat, was er seit seiner Flucht nach Palästina gesucht hatte, vielleicht auch verloren gegeben hatte: ein Stück *wirklicher* Klassik von Demokratie, Freiheit, Brüderlichkeit. In deutschen Archiven suchte und fand er Einzelheiten über vergessene und unterschlagene Vorkämpfer der Menschenrechte, des protestantischen Ketzers Karl Friedrich Bahrdt, des katholischen Franziskanermönchs Eulogius Schneider und viele andere mehr. Sein Buch *Ein Volk muß seine Freiheit selbst erobern* umfaßt vierzehn Biographien der revolutionären Demokraten, welche die Errungenschaften Frankreichs auf Deutschland übertragen wollten.
Walter Grab selbst deutet seinen Namen als kategorischen Imperativ: »Walter, grab!«

Erste Eindrücke eines jüdischen Österreichers

»Mein Vater war ein Westjude aus Prag, wo die Tradition bereits ganz schwach war. Meine Mutter, die im Jahre 1910 nach Wien gekommen war, stammte aus Ostgalizien. Mein Vater war 1908 nach Prag gekommen. Beide waren verwitwet; sie haben während des Weltkrieges geheiratet, und ich bin 1919 zur Welt gekommen. Ich war der einzige Sohn dieser Ehe – mein Vater hatte drei Kinder aus erster Ehe, meine Mutter einen Sohn – alles Halbgeschwister.«

Grabs Mutter: Aus der Enge des ostgalizischen Stetl in die kaiserliche Residenzstadt Wien

»Ob Juden aus einer traditionellen Familie kommen oder nicht, sieht man an den Vornamen: Mein Vater hieß Emil. Seine Brüder hießen Alois, Rudolph, Ernst und Arthur.
Während die Westjuden sich bereits im vorigen Jahrhundert so weit eingedeutscht hatten, daß sie ihren Kindern deutsche Vornamen gaben, war das zum Beispiel bei meiner Mutter noch ganz anders. Sie hieß Feige, das ist ›Vögelein‹ – auf hebräisch also Zipora –, und ihre Brüder hießen David, Israel, Ruben und Nathan. Man sieht an den Vornamen, daß sie noch keine integrierten oder assimilierten Juden waren.
Meine Mutter ist 1910 nach Wien gekommen, mit einem starken Widerwillen gegen Getto, Religion, Rabbiner, Talmud – und den hat sie mir auch eingepflanzt.
Sie hat von allen jüdischen Gebräuchen nichts wissen wollen, da sie diese mit Elend identifizierte. Ihr Vater war ein sogenannter ›Talmid Chacham‹, das heißt ein ›weiser Schüler‹, und das ist ja der höchste Adelstitel, den der Talmud überhaupt vergibt; mehr als ein ›weiser Schüler‹ kann man nie werden. Er hat also den ganzen Tag in der Synagoge gesessen, mit den anderen Juden den Talmud gelesen und ihn auswendig gekannt. Am Abend ist er nach Hause gekommen und hat die fünf Kinder geprügelt; das war seine Erziehung, und die Mutter, also meine Großmutter, mußte die Familie ernähren. Die Wohnung bestand aus einer einzigen Stube, und hinter einem Verschlag war die Ziege untergebracht, deren Milch sie tranken. Diese traurige und erbärmliche Kindheit hat meine Mutter mit Judentum, mit Religion, mit Talmud, mit Synagoge usw. verbunden. Sie war überaus stolz – das war die große Leistung ihres Lebens –, daß sie perfekt und ohne Akzent Deutsch sprach und orthographisch richtig und in einem guten Stil geschrieben hat. Für sie war das Deutschtum etwas, wie ich nichts in der Welt schätzen kann.«

Liebe zu Wien

»Als Kind hat meine Mutter im ostjüdischen Stetl die Verse des Freiheitsdichters Schiller gelesen – und sie kannte ein Gedicht auswendig, das ich noch von niemandem sonst zitiert gehört habe und das auch in keiner Sammlung der Schiller-Gedichte steht.

Es ist der Beginn des dritten Aktes von ›Maria Stuart‹, als Maria Stuart aus dem Kerker kommt und sagt:

›Bin ich dem finst'ren Gefängnis entstiegen,
Hält sie mich nicht mehr, die düstere Gruft,
Nun, so will ich in durstigen Zügen,
Trinken die reine, die himmlische Luft...‹

Ich kann nicht ohne Rührung daran denken, denn mit diesem Befreiungsgedicht der aus dem Kerker Entstiegenen hat sie sich identifiziert!

Ihre Liebe zu Wien, der Kaiserstadt, dem Zentrum der Kultur, hat meine Mutter auch mir vermittelt.

In den Jahren 1934 bis '37, als ich ein Halbwüchsiger war, kam es vor, daß sie abends nach Hause kam und auf meine Frage, wo sie gewesen sei, antwortete, sie sei über die Ringstraße gegangen. Sie hat es einfach genossen, spazierenzugehen und dabei das kulturelle Zentrum der großen, freien Metropole – Oper, Museum, Burgtheater, Rathaus und Universität – einfach zu sehen, in sich aufzunehmen.

Die Tatsache, daß Hitler sie im Jahre 1938 vertrieben hat, bedeutete im Grunde für sie den geistig-seelischen Zusammenbruch. Sie hat dann noch neun Jahre in Israel gelebt – aber das war nichts mehr. Den Zionismus hat sie zwar anerkannt, aber sich nie damit identifizieren können.«

Der Vater: Sozialdemokrat wie seine Arbeiter

»Für meinen Vater war das Österreichertum etwas Selbstverständliches. Er hat, um eine kuriose Anekdote zu erzählen, bis zu seinem 35. Lebensjahr ja in Prag gelebt. Wenn man ihn fragte, ob er den Namen ›Kisch‹ kenne, dann sagte er: ›Ja, das ist doch der Tuchhändler aus der Schwefelgasse!‹ Das war der Vater von Egon Erwin Kisch, der hatte dort ein Tuchgeschäft. Oder wenn man den Namen ›Kafka‹ nannte, meinte er: ›Natürlich, das ist doch das Geschäft am Altstädter Ring!‹ Das war der Vater von Franz Kafka. Natürlich hat er gewußt, daß es einen Schriftsteller Kafka bzw. Kisch gab, aber er identifizierte sich mit dem alten, völlig eingedeutschten oder ›eingeösterreichischten‹ Prager Judentum. Mit diesem Zugehörigkeitsgefühl bin ich auch aufgewachsen. Wenn man mich 1937 gefragt hätte, als ich in Wien Abitur machte, wer ich sei, dann hätte ich gesagt: ›Österreicher!‹ Ich hätte nicht ›Jude‹ gesagt – so wie Sie wahrscheinlich auch nicht ›Protestant‹ sagen würden, wenn man Sie fragt, wer Sie seien.

Judentum hat für mich höchstens die Bedeutung einer Konfession gehabt, aber da ich nicht gläubig war, war es gleichgültig. Mein Vater war ein *überzeugter Sozialdemokrat*, und das gehört zu meinen stärksten Kindheitserinnerungen. Er war Inhaber einer Täschnerwarenfabrik für sogenannte grobe Lederwaren wie Tornister, Rucksäcke und anderes. Er beschäftigte etwa fünfzig Arbeiter. Er selbst gehörte zum Mittelbürgertum, es ging uns ganz gut, wir sind in jedem Jahr auf Urlaub gefahren, ich habe Tennis spielen und Ski laufen gelernt; wir konnten uns allerdings nicht den teuren Luxus leisten, an die Riviera oder zum Lido in Venedig zu reisen. Mein Vater hat dieselbe Partei gewählt wie seine Arbeiter, die alle überzeugte Sozialdemokraten waren. Er hat den Arbeitern fünf Prozent über den Tariflohn bezahlt, weil er der Ansicht war, daß sie ihm dann treu wären und fleißig arbeiten würden. Er war aber etwas mehr als nur ein jüdischer Sozialdemokrat. Die meisten Juden haben sozialdemokratisch gewählt, weil das die einzige nicht-antisemitische Partei war. Mein Vater hatte einen angeheirateten Cousin, der Mitglied im Vorstand des Ortsverbandes Alsengrund war, einem Wiener Bezirk. Der hat ihn bei Wahlen immer animiert, als Beisitzer des Wahlkomitees mitzuwirken.

Seit meinem siebten Lebensjahr bin ich mit dem Vater immer am 1. Mai und am 12. November – dem Tag der Gründung der Republik – morgens um halb acht auf die Ringstraße zum Parlament gegangen, und dann marschierten die Arbeiterkolonnen, die Demonstranten auf; das hat mir ungeheuer gefallen, das gehört zu meinen stärksten Kindheitseindrücken. Es kamen die Eisenbahner und die Straßenbahner, die Arbeiter aus den verschiedenen Fabriken. Es waren wirkliche Demonstrationen, nicht so, wie wir sie heute kennen; sie marschierten in Reih und Glied, mit Transparenten, gut organisiert von der Sozialdemokratie. Die Sprechchöre hatten kämpferische Losungen, richteten sich zum Beispiel gegen die damalige Regierung Seipel. Schon als Junge hatte ich Hochachtung vor den arbeitenden, Werte schaffenden, produzierenden Menschen. Ihre Kundgebungen haben mir riesig gefallen. Wir haben den ganzen Tag dort gestanden, hatten uns ein Wurstbrot mitgenommen, damit wir keine der Arbeiterkolonnen versäumten.

Wahrscheinlich hat mein Vater schon mehr von der Entwicklung begriffen, die Österreich nahm. Wahrscheinlich war es so. Er ist ja immer in den Ortsgruppenverband gegangen, aber da war ich nicht dabei. Ich war auch nicht bei den ›Roten Falken‹ oder bei den Pfadfindern – dieses Bündische hat mir nie gefallen. Ich habe lieber gele-

sen oder bin ins Theater gegangen – zwischen 1934 und 1938 habe ich alle Premieren des Burgtheaters und des Volkstheaters gesehen. Ich war eher künstlerisch und literarisch interessiert.
Am 12. Februar 1934 ist die Sozialdemokratie verboten worden, und an diesen Tag erinnere ich mich genau. Es waren Unruhen und Schießereien in den Außenbezirken, allerdings nicht in der Nähe unserer Wohnung. Mein Vater hatte ein bißchen Angst, daß man auch ihn verhören würde, aber das geschah nicht.«

»Ich habe mich mit Wien vollkommen identifiziert«

»Von der Niederlage und dem Verbot der Arbeiterpartei hat meine Mutter zwar gewußt, aber davon nicht wirklich Kenntnis genommen, auch nicht von der Herrschaft der Klerikalfaschisten. Sie war eigentlich ein unpolitischer Mensch.
Als am 13. März 1938 der Anschluß Österreichs an das Deutsche Reich kam, begriff ich als Neunzehnjähriger, aber doch schon politisch wacher Mensch, daß nichts mehr so sein würde wie bisher. Ich war ratlos und wußte, daß es mit meinem Studium zu Ende war. Sie hat damals gesagt: ›Ach, einmal ist Krieg, und dann ist Revolution und dann Inflation; erst ist das Kaiserreich, dann ist die Republik, einmal sind die Goijim (Nichtjuden) mehr, einmal weniger antisemitisch – die Regierungen kommen und gehen. Es wird schon nicht so hart werden.‹ Sie hatte nichts verstanden, obwohl Hitler in Deutschland schon fünf Jahre an der Macht war. Und es stimmte ja auch. Der neue gewalttätige Schub ist erst 1938 gekommen, bis Ende 1937 haben sich die Juden in Deutschland noch einigermaßen über Wasser halten können. Es hat selbst Juden gegeben, die noch aus Palästina nach Deutschland zurückgegangen sind. Besonders 1938, während und nach der Olympiade, war es noch einmal viel besser geworden, die Nazis wollten doch der Welt ein liberales Antlitz zeigen.
Meine Mutter hatte einen viel stärkeren Einfluß auf mich. Vor allem auf meine kulturellen Interessen. Sie wollte, wie es bei sehr vielen jüdischen Familien üblich war, ein Wunderkind aus mir machen. Ich war an allem Literarischen und Humanistischen sehr interessiert, während ich in Mathematik und Physik miserabel war. Latein aber, Griechisch, Englisch und Deutsch – das habe ich kolossal geliebt.
In diesem Zusammenhang vielleicht eine kleine Anekdote:
Ich machte 1937 Abitur. Man mußte zu schriftlichen Prüfungen in den Fächern Latein, Deutsch, Griechisch und Mathematik antreten, wäh-

rend man sich in der mündlichen Prüfung zu den Pflichtfächern, einer klassischen Sprache und Mathematik, ein weiteres Fach frei wählen konnte. Ich hätte Geschichte wählen können – ich war der beste in Geschichte –, aber ich habe Deutsch gewählt, weil ich das noch lieber hatte. Der Geschichtslehrer kam also in die Klasse und fragte, wer bei ihm antreten würde. Niemand meldete sich. Nach einer nochmaligen Frage, bei der alle die Köpfe senkten, sagte er: ›Da bleibt mir nur der Grab.‹ Ich bin mit ganz rotem Kopf aufgestanden und habe gesagt: ›Bitte, ich habe mich bereits in Deutsch gemeldet.‹
Das war für den Mann eine herbe Enttäuschung. Er hatte niemanden, mit dem er als seinem Starstudenten glänzen konnte.
Ich wurde also in Deutsch geprüft – über Grillparzer, Herder und andere, und ich bestand mit Glanz und Gloria. Als ich den Prüfungsraum verließ, verstellte mir der Geschichtslehrer den Weg und sagte: ›Grab, Sie haben mir zwar eine große Enttäuschung bereitet, aber ich habe Ihnen trotzdem in Geschichte ‚sehr gut' gegeben!‹ Er ist über seinen eigenen Schatten gesprungen und hat mich nicht ›bestraft‹, indem er mir nur ein ›gut‹ gab.
Es vergingen dann viele Jahre. 1960, nach 23 Jahren, kam ich einmal auf zwei Wochen nach Wien – damals hatte ich bereits in Tel Aviv meine Studien wieder aufgenommen – und erzählte meinen Klassenkameraden davon. Ich sagte ihnen, daß ich meinem Lehrer gerne sagen würde, ich hätte nun doch wieder das Geschichtsstudium aufgenommen. Da sagte mir einer meiner Klassenfreunde, daß der Geschichtslehrer ein Jahr zuvor, 1959, gestorben sei.
Ich bin also knapp zu spät gekommen, und das tut mir bis zum heutigen Tage leid!«

»Wien war für mich ungeheuer bedeutsam«

»In der Schule hat es keinen Antisemitismus gegeben. Einzelne Mitschüler haben törichte Bemerkungen gemacht, aber auch nicht rowdyhaft. Man wußte, daß das Leute sind, die mit Juden nichts zu tun haben wollten, und daher hat man mit ihnen nicht gesprochen, wie sie mit uns auch nicht sprachen. In unserer Klasse von 34 Schülern waren wir elf Juden, aber es ist zu keinen wirklichen Rüpeleien gekommen. Bei den Lehrern überhaupt nicht. Der Primus war der Sohn des Rabbiners! Die Lehrer waren entweder Sozialdemokraten, oder sie waren im Geiste des toleranten Vielvölkerstaates und seines Altliberalismus aufgewachsen. Und obwohl wir von einigen gewußt haben, daß sie ein

›Großdeutschland‹ wollten, war das im Zuge der Zeit, und ich habe es nicht übelgenommen.
Die Tatsache, daß das Imperium verloren war, wurde als Unrecht empfunden – ›Mo hot uns dos Imperim weg'numma‹. Wir Österreicher haben ein Imperium gehabt, und ›man‹ hat es uns weggenommen, und was übriggeblieben ist, die kleine Republik – ›des is doch net lebensfähig!‹ Das war sehr charakteristisch, sehr relativierend.
Das ist ja auch der Unterschied zwischen Österreich und Deutschland. In Deutschland heißt es im Grunde aggressiver: ›Uns kann keener!‹, und in Österreich sagt man: ›Mir können's alle.‹
Ein uralter Witz aus dem Ersten Weltkrieg: In Deutschland ist die Lage ernst, aber nicht hoffnungslos, in Österreich ist sie hoffnungslos, aber nicht ernst. Das war wirklich die Atmosphäre.«

Am Abend des 11. März 1938: »Als ob das Leben zu Ende sei«

»Am Abend des 11. März 1938, als der Kanzler Schuschnigg sich verabschiedete, kam es mir vor, als ob das Leben zu Ende sei, es war wie ein Todesurteil. Man wußte natürlich, daß Schuschnigg vier Wochen vorher bei Hitler in Berchtesgaden gewesen war und den Nazi Seyß-Inquart in die österreichische Regierung aufgenommen hatte, aber man glaubte, daß sich das noch irgendwie regeln würde.
Am 12. März, dem nächsten Tag, sind dann die grölenden Nazi-Trupps mit Hakenkreuzbinden durch die Straßen gezogen und haben Lieder gesungen wie ›Wenn Judenblut vom Messer spritzt, dann geht's noch mal so gut‹ und ›Heute gehört uns Deutschland und morgen die ganze Welt‹.
Ich ging über die Ringstraße zu meinem Onkel, dem Bruder meiner Mutter. Er hieß Israel Geller, nannte sich aber Ignaz. Er war aus der jüdischen Gemeinde ausgetreten, weil sie von ihm eine hohe Kultursteuer verlangte. Er war ein Börsianer, der in der Inflation ein ganz großes Vermögen gemacht und seit 1924 nur vom Coupon-Schneiden, das heißt von den Zinsen des Kapitals gelebt hat.
Er wohnte im Stadtpalais des Grafen Esterhazy in der besten Gegend der Innenstadt, am Karlsplatz. Sein Aufstieg war für meine Mutter das Größte, höher konnte man nicht kommen – aus diesem entsetzlichen Getto in Ostgalizien in eine wunderbare Wohnung mit Teppichen, Bildern und Möbeln. Bei diesem Onkel war ich jeden Sonntag zum Mittagessen eingeladen. Meine Mutter meinte, daß meine Zukunft gesichert sei, denn beim Tode des Onkels würde ich alles erben;

er hatte keine Kinder. Sie wollte, daß ich in seine Fußstapfen trete und Jurist werde wie er.
Mein Onkel umgab sich mit einem ganzen Heer von Speichelleckern, Getauften, Halbjuden oder auch Nicht-Juden, hatte verschiedene Geliebte und Mätressen, die sich von ihm aushalten ließen. Eine von ihnen hieß Ilona von Hajmassy, eine Ungarin, angeblich eine Adlige. Sie wohnte auf Kosten des Onkels im noblen ›Hotel Kummer‹ in der Innenstadt und hatte sogar eine Zofe. Diese Mätresse spielte bei den sonntäglichen Gastmählern die Hausfrau.
Dorthin kamen der Kammersänger Sowieso und der Kommerzienrat Soundso, und sie saßen alle an der riesigen Tafel des Onkels, auch ich als sein Neffe. Als hochgebildeter Mann, mit einer wunderbaren Bibliothek, hat er mich immer in Latein geprüft – ›Wer hat gesagt: ‚Roma locuta est'?‹ Und als sein intelligenter Neffe mußte ich ihm antworten.
Am Sonntag, dem 13. März 1938, bin ich also auch über die Ringstraße gegangen, und da war ein gewaltiges Gedränge, 600000 Menschen haben Hitler zugejubelt, ein Drittel der Wiener Bevölkerung – eine unvorstellbare Menge.«

»Die Leute haben ihr Elend hinausgeschrien,
als sie ›Heil Hitler‹ geschrien haben«

Griff der Jubel eigentlich über die ohnehin großdeutsch gesinnten Gruppen hinaus?

»Das kleine Österreich, das sechs Millionen Einwohner zählte, hat 400000 Arbeitslose gehabt! Es ist ihnen damals sehr schlecht gegangen. Ich will niemanden rechtfertigen – Nazi hin, Nazi her, aber die Leute haben ihr Elend hinausgeschrien, als sie ›Heil Hitler‹ geschrien haben. Es wäre schwachsinnig, wenn ich sagen würde, daß das alles Nazis waren – das waren Leute, die geglaubt haben, daß es ihnen jetzt bessergehen würde.
Manche haben auch geglaubt, daß wir jetzt die alten Vorkriegsgrenzen zurückbekommen könnten, aber die meisten haben einfach aus sozialen Gründen geschrien. Damals hätte ich das nicht so formulieren können – ich hatte Angst und sah, wie sich meine Heimatstadt plötzlich verwandelt hatte: Gestern waren es noch harmlose Menschen gewesen, mit denen man reden konnte, und heute waren sie fanatisiert.

Ich habe mich also an den Häusern entlanggedrückt, weil ich befürchtete, man würde mich bei der Krawatte nehmen, ohrfeigen und als ›Saujud‹ beschimpfen. Natürlich ist gar nichts passiert, niemand hat mich beachtet.
Als ich zu meinem Onkel kam, machte er die Tür auf – sonst hatte immer das Stubenmädchen geöffnet. Er hatte noch seinen blauen Schlafrock an und sagte, daß es heute kein Mittagessen gebe. Ich bekam jeden Sonntag von ihm ein Doppelschilling-Stück und erinnere mich, wie er die Münze an diesem Tag durch die Luft wirbelte und wie ich sie auffing.
Trotz meines ungeheuren Respekts sagte ich zu ihm: ›Onkel, Hitler wohnt dir gegenüber im Hotel ›Imperial‹! Warum bist du nicht geflüchtet? Nach Preßburg ist es nur eine Stunde, nur sechzig Kilometer.‹ Ich als ahnungsloser, grüner neunzehnjähriger Junge hatte mehr politischen Verstand als er. Er sagte: ›Ich brauche mir von dir nichts sagen zu lassen; ich weiß, was ich zu tun habe!‹ und schlug die Tür zu.
Am Nachmittag hat man ihn verhaftet.
Er war auf einer Liste von 300 bekannten, reichen Juden, welche die Nazis sofort verhafteten. (Dasselbe Schicksal ereilte in den nächsten Wochen noch einige Tausend.) Sie brachten ihn in ein Gefängnis in Wien, nicht ins KZ Dachau, um ihn zu zwingen, die Akten, die er aus steuerlichen Gründen in der Schweiz hatte, nach Österreich kommen zu lassen.
Seine Köchin, das Stubenmädchen und der Butler – alle waren sie illegale Nazis gewesen, hatten seinen Schreibtisch aufgebrochen und die Aufstellung seiner Wertpapiere herausgenommen. Diesem Narren war sein Vermögen wichtiger als sein Leben, er glaubte sich noch beim Einmarsch der Nazis in Sicherheit. Drei Monate lang weigerte er sich, sein Kapital aus der Schweiz nach Österreich bringen zu lassen.
Man warf ihn in ein scheußliches Verlies, wo er nur Wasser und Brot bekam und auf Stroh liegen mußte. Am 12. Juni hat er dann unterschrieben. Die Nazis ließen ihn frei, und er kam um zwanzig Jahre gealtert, abgemagert und vor Angst schlotternd aus dem Gefängnis. Die Bediensteten, die viele wertvolle Sachen aus der Wohnung gestohlen hatten, waren fort. Einen Monat lang, bis zu meiner Auswanderung am 11. Juli 1938, habe ich mit ihm in der Prachtwohnung gelebt, denn er hatte Angst, allein zu sein.
Es kamen Sachverständige, die seinen gesamten Besitz, die kostbaren Möbel, Teppiche, Kunstgegenstände, Bilder schätzten, denn im Falle

seines Todes sollte alles verkauft werden und dem Staat anheimfallen.
Er hatte sich im Kerker eine Blutvergiftung geholt und starb am 17. November. Einen Tag vor seinem Tode kehrte er zum Judentum zurück, damit er auf dem jüdischen Friedhof begraben werden konnte.
Für meine Mutter war das die *totale* Niederlage, die völlige Katastrophe: Den geliebten Bruder, der es in ihren Augen weiter gebracht hatte als irgendein anderer, mußte sie nun begraben. Als gebrochener Mensch wanderte sie nach Israel ein.«

Rassenantisemitismus, Bar-Mizwa, deutsche Klassik – jüdische Identität in Wien der Vor-Hitler-Zeit

War Ihre Familie so weit integriert oder assimiliert, daß sie es zum Beispiel gern gesehen hätte, wenn ihre Kinder mit Nicht-Juden liiert oder verheiratet gewesen wären?

»Beide Eltern wären nie übergetreten. Die Taufe haben sie abgelehnt, und zwar mit einem ganz kurzen Argument: ›Es nützt eh nix.‹ Das heißt, man wird ja nicht als Glaubensjude verfolgt, sondern von der Rasse her.
Der antisemitische Schlachtruf von Georg von Schönerer aus dem Jahre 1883 – ›Was der Jude glaubt, ist einerlei; in der Rasse liegt die Schweinerei‹ – war in Österreich ungeheuer verbreitet. Diesen Vers lernte ich schon als Kind von zehn Jahren. Der Jude kann zum Katholizismus oder zum Protestantismus übertreten, das ist von seinem Willen abhängig. Aber er kann seine ethnische Herkunft, seine ›Rasse‹ nicht ändern, und die Rassenantisemiten behaupten, daß der Jude von Geburt an verderbt ist! Meine Eltern hätten es sehr ungern gesehen, wenn ich oder eines meiner Geschwister mit Nicht-Juden eine Ehe eingegangen wäre.
Mein Halbbruder zum Beispiel, der Sohn meiner Mutter, hat zwar nie geheiratet, aber er hat immer mit Nicht-Jüdinnen gelebt, er war sowieso das ›schwarze Schaf‹ der Familie. Er war ein sehr labiler Mensch, und natürlich ›gibt sich so einer mit Schicksen ab‹. Eine ›Schickse‹ ist nicht viel besser als eine Hure, obwohl das vielleicht lediglich ein Mädchen war, dem eben ein jüdischer junger Mann gut gefallen hat. Aber solche Worte waren bei uns an der Tagesordnung, denn meine Mutter sprach natürlich sehr gut Jiddisch.«

Sie hat sich also zwar wunderbar mit diesem Wien identifiziert, aber zugleich hat irgend etwas sie an der jüdischen Identität festgehalten?

»Ja, auch mich. Die jüdische Identität in dem Sinne, daß ich wußte, daß ich Jude bin. Auch wenn es für mich irrelevant war – ich bin zum Beispiel nie in den Tempel gegangen. Aber meine Mutter wollte beispielsweise, daß ich die Bar-Mizwa im Tempel beging. Zu diesem Zweck hatte sie einen armen jiddischen Hauslehrer aufgenommen – wenn ich mich an den Menschen erinnere, dann muß ich fast weinen –, der mir die ›Havtara‹ beibringen sollte, ein Kapitel der Bibel, das man bei der Bar-Mizwa aufsagt. (Man wird als Dreizehnjähriger zur Thora aufgerufen und muß einen Abschnitt lesen.) Er brachte mir diesen Wochenabschnitt auf ashkenasischem Hebräisch bei. Dieser alte Jude, Muschel hieß er, war eine Existenz aus dem Zweiten Bezirk, wo viele arme, nicht assimilierte Juden wohnten – und der bereitete mich zur Bar-Mizwa vor und bekam für die Stunde etwa fünfzehn Mark in heutiger Währung.«

»... die Kultur habe ich gewissermaßen gerettet«

»Dann war die Bar-Mizwa im Tempel, und danach kamen etwa fünfzig Verwandte und Bekannte zu uns. Sie schenkten mir viele Bücher, und diese Bibliothek ist für mich bis zum heutigen Tag konstitutiv.
Ich bekam fast die gesamte deutsche Klassik zum Geschenk. Ein Onkel – nicht der reiche, sondern ein anderer Bruder meiner Mutter, der Anwalt war – schenkte mir die Werke Schillers in 26 Bänden in einer ganz seltenen Ausgabe aus dem Jahre 1816. All die Dramen und die Prosa, soweit ich sie verstanden habe, habe ich als Dreizehnjähriger gierig verschlungen und mich an der herrlichen Sprache begeistert. Bis zum heutigen Tag kann ich zum Beispiel alle Schlußverse der Schillerschen Dramen auswendig!
Beim ›Anschluß‹ Österreichs an Nazi-Deutschland besaß ich ungefähr 250 Bände deutsche Literatur, die mir meine Eltern dann nach Jerusalem nachgeschickt haben. Daran habe ich mich dann geklammert – die Kultur habe ich gewissermaßen gerettet.«

Also von der Mutter das Deutsche, die deutsche Sprache, die deutsche Klassik – eigentlich in nicht-jüdischer Tradition, obwohl als jüdisch auch wieder ›typisch‹, nämlich ›Geist‹. Das, was Sie festhalten konnten, wenn auch das Deutsche, haben Sie in ›jüdischer‹ Weise festgehalten?

»Ja, das hat sich auch manifestiert. Meine Frau sagt das übrigens genauso. Wenn sie sagen will: ›Ein kluger Mann, eine gescheite Bemerkung‹, dann sagt sie: ›A jiddischer Kopp.‹ Das heißt, der Stolz auf das Judentum ist Geist, ist Humanismus – das ist dasselbe. Das sehen Sie zum Beispiel auch bei Lion Feuchtwanger, durch sein ganzes Werk geht diese Identifizierung. Das würde ich als meine Erziehung betrachten.«

...die Sie bis in die jüngsten Veröffentlichungen durchgehalten haben.[1]

»Dabei ist ja nichts Linkes – ich bin ja ein Linker. Diese Bemerkung ist ja noch nicht links.«

Aber die Auswahl Ihrer Themen!

»Die Auswahl ja, aber nicht so sehr, weil es sich um Juden handelt. Ich habe ja fast nur über Nicht-Juden geschrieben. Einer der wenigen Juden, über die ich eine Biographie schrieb, ist der Berliner Aufklärer Saul Ascher, und der ist nicht deswegen dabei, weil er Jude war, sondern als Vertreter des Humanismus.«

»Die Nazis hatten den ganzen Turnsaal vollgeschissen...«

Haben Sie den Antisemitismus vor 1938 nie als bedrohlich empfunden?

»Als bedrohlich in dem Sinne, daß es mein Leben zerstören konnte, nicht. Das einzige, was mir passiert ist, geschah am 25. April 1938 – sechs Wochen nach dem ›Anschluß‹. Ich war auf dem Weg nach Hause, als ich eine Menschenkette von SA-Männern erblickte. Einer schnappt mich und fragte: ›Jude?‹ – ›Ja.‹ – ›Österreicher?‹ – ›Ja.‹ – Da gab er mir einen Fußtritt und schleuderte mich in den Eingang eines Hauses, in dem sich vor dem ›Anschluß‹ ein jüdisches Turnheim befunden hatte, das ich kannte. Dort wurde ich in den Keller hinuntergestoßen. Ich purzelte die Treppe hinunter, und unten waren etwa 25 andere Juden, die auch so gefangen worden waren.
Die Nazis hatten den ganzen Turnsaal vollgeschissen – er war so groß, daß man darin laufen konnte, es gab Barren, Recks und andere Ge-

[1] So in Walter Grabs Werken zu den demokratischen Traditionen Deutschlands, vor allem im 19. Jahrhundert, unter anderem: *Ein Volk muß seine Freiheit selbst erobern. Zur Geschichte der deutschen Jakobiner*, Frankfurt 1984.

räte – vollständig mit Kot besudelt bis in eine Höhe von etwa zweieinhalb Metern. Da muß ein ganzes Bataillon seine Notdurft verrichtet haben – es hat bestialisch gestunken.
Als wir alle zusammen waren – nach mir kamen noch einige Juden, aber nur Männer –, trat einer der Nazis vor und sagte: ›So haben die Juden uns ihr Turnheim überlassen – ihr müßt das jetzt auflecken!‹ Und das gab ein Gelächter! Ein teuflisches Gelächter! Das war ein Witz, den sich die Nazis ausgedacht hatten. Wir haben da gestanden, hilflos, mit entsetzlicher Angst, und als sie nach zehn Minuten aufhörten zu lachen, haben einige versucht, den Kot mit den Händen zu entfernen, aber das ging nicht. Dann gaben sie uns Zeitungspapier und eine Schaufel, Lappen, einen Besen und Wasser. Nachdem ich mit den anderen etwa eine halbe Stunde versucht hatte, den Turnsaal zu reinigen, sah ich auf und erblickte unter den SA-Männern einen Schulfreund aus der Volksschule. Ich hatte ihn neun Jahre nicht gesehen, aber ich habe ihn erkannt, ging auf ihn zu und bat ihn, mich herauszulassen – er kenne mich doch!
Da hat er mich angeschaut und erkannte mich. Es war ihm unangenehm. Der anonyme Jude kann als Teufel, als Popanz, als Volksschädling, als Christusmörder gelten, aber mich kannte er von der Schulzeit her – es war ihm peinlich. Er nahm ein Stück Zeitungspapier und schrieb darauf: ›Der Jud kann raus.‹ Ich lief die Treppe hinauf, zeigte den Zettel dem SA-Mann, der Wache hielt, und bin entkommen – sie hätten mich ebensogut nach Dachau schicken können!
Auf ähnliche Weise sind viele Juden in die Konzentrationslager geschickt worden.«

Ihre Mutter hat ihre Herkunft aus Galizien weggeschoben, aber haben Sie davon vielleicht doch etwas Positives mitbekommen? Ich meine nicht nur die verschiedenen Bräuche, sondern auch eine bestimmte Art zu denken, zu fühlen, zu leben? Trotz der Überdeckung durch das befreiende Wien?

»Ich weiß nicht. Es ist ein merkwürdiges Gemenge zwischen West- und Ostjudentum. Der Stolz auf das jüdische Erbe im Sinne des Geistes ist ostjüdisch.«

Auch wenn es die deutsche Klassik als Erbe war?

»Die deutsche Klassik *war* das Erbe dieser Menschen. Lesen Sie *Halbasien* von Karl-Emil Franzos aus dem Jahre 1876 – er beschreibt die Situation der galizischen Juden in den siebziger Jahren, noch

vor dem Beginn des Rassenantisemitismus. Der Bruch kam 1881/82 aus zwei Gründen: einerseits durch die Ermordung des Zaren Alexander II., nach der die großen Pogrome in Rußland einsetzten, und in Galizien selbst durch den Einbruch des Kapitalismus. Die Industrialisierung hat das alte Getto, dessen soziale Einheit und die traditionellen Lebensformen zerstört. Daher konnten die Juden am Ende des 19. Jahrhunderts nicht mehr so wie bisher leben, und das war die Kindheit meiner Mutter.
Daß mein Großvater bis zu seinem Tode im Jahre 1935 – sein Glück, daß er kurz vor dem Nazi-Einmarsch gestorben ist, sonst wäre er ja umgebracht worden, der alte Talmudist – in der Synagoge geblieben ist, bedeutet, daß die Lebensform der vorindustriellen Zeit nur sehr langsam abstarb. Was heißt denn das, wenn man den ganzen Tag talmudische Weisheiten auswendig lernt? Was ist das, vom Gesellschaftlichen her, für eine Existenz? Das ist doch eine mittelalterliche Existenz, und die war durch die Wirklichkeit des Kapitalismus zunehmend gefährdet. Daher mußten seine Kinder bürgerliche Berufe ergreifen.«

Also haben die Juden ihre Hochschätzung der geistigen Tradition erhalten und sie auf die deutsche Klassik übertragen?

»Das ist komplizierter. Was gab es denn für Schulen in diesen kleinen jüdischen Städtchen in Ostgalizien am Ende des 19. Jahrhunderts?
Der österreichische Staat war daran interessiert, gesellschaftliche Stützen zu finden, die Menschen sollten germanisiert werden. In den Schulen hat man auf deutsch unterrichtet.
Meine Mutter lernte schon in diesem kleinen jüdischen Städtchen Deutsch. 1906 ist sie dann nach Lemberg gekommen und hat dort Modisterei gelernt, damit sie einen Beruf hat, wenn sie nach Wien kommt.
Man sieht an ihr sehr gut diesen Prozeß des sozialen und bewußtseinsmäßigen Wandels.
In den beiden Zentren des österreichischen Ostjudentums, in Lemberg und in Czernowitz, hat es deutsche Universitäten gegeben. Heute sieht man erst, was da zugrunde gegangen ist. Das tut mir heute noch weh! Ich bin heute noch wütend über den Verlust der deutschen Kultur – das ist verrückt, aber so bin ich eben erzogen.
Was ich über Ostgalizien erzähle, weiß ich alles nur vom Hörensagen – ich war ja nie dort. Meine Mutter wollte niemals die Orte wiedersehen, wo sie ihre Kindheit und Jugend verlebte – im Gegensatz zu den Eltern meiner Frau, die mit ihrer Tochter sechsmal nach Ostgalizien

gefahren sind. Sie hatten aber, weil sie einer höheren gesellschaftlichen Schicht entsprangen, schönere Erinnerungen – meine Mutter hat sich nur an das Elend erinnert.
Ich habe erst in Palästina entdeckt, daß es auch Juden gibt, die sich mit Wehmut an ihr ›Stetl‹ erinnern. Sie kennen sicher die Bilder von Chagall – das ist ja auch idealistisch, da fliegen die Pferde und die Kühe in der Luft herum.«

Idealisiert wurde wohl auch dieser deutsche Humanismus, der für die Befreiung der Judenemanzipation stand, und der übersehen ließ, was eigentlich passiert ist.

»Das Deutschtum ist schon in den Germanisierungstendenzen eingepflanzt gewesen, die nicht nur die Juden, sondern auch die slawische Bevölkerung betreffen sollten. Das Dekret, daß dort deutsche Schulen errichtet wurden, hatte nichts mit der Aufklärung zu tun, sondern erwuchs aus dem Zwang des Kapitalismus: Jeder muß in der profitorientierten Marktwirtschaft lesen können, um seinen Beruf auszuüben.
Der größte Teil Polens hat aber zum Zarenreich gehört, und das Zarenreich war weder interessiert noch imstande, die Juden gesellschaftlich zu assimilieren. Es bestand ein gewaltiger Unterschied zwischen Radom und Lemberg! Radom gehörte zu Russisch-Polen, und Rußland hat diese Menschen nicht integrieren wollen und können, weil es bis zum Jahre 1905 noch ein absolutistischer Staat mit starken feudalen Resten war, während Österreich im Zuge der Kapitalisierung, Industrialisierung und Modernisierung diese Menschen geistig und beruflich integrierte.
Es gab eine jüdisch-österreichisch-deutsche Kultur. Die literarische Richtung ›Jung-Wien‹ bestand vor allem aus Juden. Das gab es in Rußland gar nicht.«

Nach Palästina

»Meine Mutter war die Enkelin eines reichen Dorfjuden, der elf Kinder hatte; er war dreimal verheiratet. Sie kam aus Tlumacz bei Kolomea, südlich von Lemberg in Ostgalizien.
Meine Großmutter war die zweite Tochter aus erster Ehe, geboren 1860.
Der reiche Moische Geller war Pächter des Grafen Potocky, der zu einer der großen polnischen Adelsfamilien gehörte und in Galizien

Güter besaß. Potocky hat nur Juden als Pächter gehabt, weil diese ihn weniger bestahlen als die anderen.
Moische Geller pflegte seine Töchter mit Talmud-Jüngern zu verheiraten. Meine Großmutter hat aber keine Mitgift erhalten und nichts vom Reichtum ihres Vaters gehabt. Da ihr Ehemann als Talmudist nichts verdiente, mußte sie die ganze Familie ernähren. Die beiden jüngsten Töchter Moische Gellers aber, die aus seiner letzten Ehe stammten, wuchsen in Reichtum auf. Sie haben auch seinen Zusammenbruch 1903 erlebt: Zu den Gütern des Grafen Polocky gehörte auch ein Steinbruch, den sein Pächter Moische Geller verwaltete. Dort kamen wegen ungenügender Sicherheitsvorkehrungen zwei polnische Arbeiter ums Leben. Es kam zu einem Prozeß, bei dem Moische Geller zu einem halben Jahr Gefängnis verurteilt wurde, weil er nichts zum Schutze der Steinbrucharbeiter unternommen hatte. Alles ist zugrunde gegangen, die Pacht wurde ihm entzogen, und er starb im Gefängnis.
Seine beiden jüngsten Töchter, die damals dreizehn und fünfzehn Jahre alt waren, sind Zionistinnen geworden und nach Palästina ausgewandert, die eine 1909, die andere 1911 – beide als junge Mädel. Es waren Tanten meiner Mutter, etwa im gleichen Alter wie sie. So hatten wir zwei Verwandte in Palästina. Ich wußte das als Kind, aber das hat mich sehr wenig interessiert. Einmal im Jahr zum Geburtstag und zum jüdischen Neujahrstag haben wir einander gratuliert. Die eine der beiden hat dort einen wohlhabenden Mann geheiratet und hatte drei Kinder. Die andere war unverheiratet und kam 1934 zu uns zu Besuch. Sie fragte, warum ich nicht Hebräisch lernte. Meine Mutter antwortete, daß ich Latein, Griechisch und Englisch lerne. ›Und was wird er sprechen, wenn er in Erez Israel einwandert?‹ Ich sagte: ›Was heißt hier einwandern?‹ Sie bestand darauf, ich müsse Hebräisch lernen.
Und da meine Mutter ja aus mir ein Wunderkind machen wollte, nahm sie mir einen Hauslehrer – nicht den armen Teufel Muschel, wie seinerzeit für die Bar-Mizwa, sondern einen jungen Zionisten, Juda Meilen. Da habe ich gesehen, was Judennot in Wien bedeutet. Einige Male mußte ich die Unterrichtsstunde in seiner Wohnung nehmen; er lebte mit seiner Frau, seinen beiden Kindern und seiner alten Großmutter in einer Wohnküche, in einem einzigen Raum, in dem die Betten standen, in dem aber auch gebacken und gekocht wurde und in dem auch noch ein Schreibtisch stand. Für diese Menschen war Palästina das Land der Sehnsucht, dorthin wollten sie gehen. Die Einwanderung hatte also soziale Ursachen. Als Fünfzehnjähriger habe ich das noch nicht so verstanden.
Er zeigte mir mit leuchtenden Augen ein Buch – *Wir wandern ein* hieß

es auf deutsch. Ich sah das Kinderdorf Ben Shemen und Kibbuzim, lachende und tanzende Kinder. ›Schau, wie glücklich diese Kinder sind!‹ Es stand dort auf hebräisch ›Anachnu rokdim‹ – ›Wir tanzen‹ – oder ›Anachnu zochakim‹ – ›Wir lachen‹. Die ganze hebräische Grammatik ist mir sehr fremd und fern und widerwärtig gewesen. Warum der Jubel? Dort wächst nichts von selbst, man muß jeden Baum anpflanzen. All das war mir unsympathisch, aber ich habe es nicht richtig artikulieren können, es war eher ein Gefühl.
Ein Jahr später mußte ich mich auf das Abitur vorbereiten. Ich hörte auf, Hebräisch zu lernen, um es gut zu bestehen.
Drei Jahre später haben mich die Zionisten aber doch erwischt. Es stellte sich heraus, daß diese wohlhabende, mir persönlich unbekannte Tante ein anständiger Mensch war. Sie schickte mir innerhalb von drei Monaten ein Einwanderungszertifikat – einerseits, weil sie sah, in welcher katastrophalen Lage wir waren, andererseits aber auch, um meiner Mutter, der Assimilantin, zu zeigen, daß die Zionisten recht hatten.
Das war die Rettung. Wir haben die Vorbereitungen getroffen, und am 11. Juli 1938 habe ich Wien mit einem sehr merkwürdigen Gefühl verlassen. Dieses Gefühl hat mich seither nicht mehr verlassen, ich habe es immer, wenn ich nach Wien komme: einerseits ein Gefühl von Heimat im kindlichen Sinn, dem Ort, wo man geboren ist, und andererseits ein Gefühl von abstoßender Fremde – man hat mich ja hinausgeworfen. Erst hat man mir die beste Erziehung der dreißiger Jahre zukommen lassen, und dann hat man gesagt: ›Wenn du dich nicht fortmachst, dann bringen wir dich um!‹ – sinngemäß.
Ich kam mit einem Schiff über Triest nach Palästina und wurde dort von meinen Verwandten aufgenommen. Mein siebzehnjähriger Cousin stand, mit einem Bild von mir in der Hand, am Hafen von Jaffa, und wir fuhren mit dem Taxi nach Jerusalem. Auf der Fahrt von Tel Aviv nach Jerusalem bekam ich schon den ersten Schock: Ich wußte, daß ich in eine widerwärtige Fremde gehe; ich wußte aber auch, daß ich meinen Widerwillen unterdrücken mußte, denn dieses Land hatte mich gerettet. Wir fuhren durch Ramle, die Kinder warfen mit Steinen, und der Chauffeur ist schnell hindurchgefahren – und dann plötzlich diese Berge: kahl, kein Strauch, kein Gras, keine Wiese. Ich hatte nie in meinem Leben kahle Berge gesehen, ich wußte gar nicht, daß es das gibt! Ein Berg hat bewaldet zu sein, die Alpen waren bewaldet! Schrecklich! Ich kam nicht aus Zionismus, sondern aus Österreich – daran dachte ich. Gleichzeitig habe ich mich geschämt, denn die Zionisten hatten mich ja gerettet.

Die Verwandten waren sehr anständig, haben mir ein eigenes Zimmer gegeben, und die Tante sagte, ich müsse jetzt nur Hebräisch lernen, um mich hier einzugliedern. Am anderen Tag kam ihr erstgeborener Sohn, der im gleichen Alter wie ich war, und begann, mit mir Bialik und Tschernikowski und andere hebräische Dichter zu lesen. Er hatte keine Ahnung von Didaktik, kam gleich mit höherer Literatur, aber er wollte mir zeigen, daß die hebräische Literatur nicht schlechter ist als die deutsche. Deutsch konnte er nicht, und er sagte: ›Wir haben ein wunderbares, großartiges Drama von Bialik, *Wilhelm Tell*.‹ – ›*Wilhelm Tell* von Bialik? Es gibt doch ein Drama von Schiller ...‹ – ›Bialik! Das ist der Verfasser!‹ Ich habe buchstabiert und zu lesen begonnen; er hat es übersetzt, denn es war ja alles höchste Poesie. ›Es lächelt der See, er ladet zum Bade ...‹ Ich sagte: ›Das ist aber Schiller!‹ Und dann sahen wir nach und stellten fest, daß ganz klein vermerkt war: ›Übersetzt von Bialik.‹ ›Mensch‹, sagte ich, ›das ist ein deutsches Drama, und der hat es nur übersetzt!‹ Da sagte er: ›Auf deutsch kann es nicht so schön sein.‹
Ich war verschüchtert und den Verwandten dankbar – sie haben mich ja wirklich gerettet; was ich bis dahin als richtig angesehen hatte, war plötzlich falsch, und was ich als fremd angesehen hatte, war plötzlich meines – das war nicht so leicht, ich habe da viel herunterwürgen müssen, und irgendwo bin ich nie ganz damit fertiggeworden.
Heute bin ich ein älterer Mann und habe die Welt von unten und von oben gesehen, aber die Ambivalenz ist geblieben: einerseits Dankbarkeit dem Land gegenüber, das mich gerettet hat und mir die Möglichkeit der Regeneration im unmittelbaren Sinne gab, aber auf der anderen Seite gefällt mir *nichts*!
Eigentlich hat mir nie etwas gefallen. Tel Aviv hat mir nie gefallen, das Klima hat mir nicht gefallen, die Sprache hat mir nicht gefallen, die Kultur hat mir nicht gefallen, das Judentum hat mir nicht gefallen. Das muß ich hinunterwürgen, das darf ich nicht laut sagen, denn das würde heißen, daß ich ein Verräter oder ein undankbarer Mensch bin. – Heute sage ich das halb im Scherz, aber damals war das existentiell!
In Jerusalem lernte ich einen anderen Verwandten kennen, der 1920 nach den großen Pogromen aus Galizien ausgewandert war, nachdem es ihm lange sehr schlecht ging. Als ich kam, war er ein kleiner Staatsbeamter. Er kam oft zu meiner Tante, er lernte mich mit meinen zweieinhalb hebräischen Worten kennen. Er kannte Jiddisch aus seiner Kindheit, aber er hat es sehr ungern gesprochen, denn Jiddisch galt ihm als Sprache der Diaspora, der Vertreibung. ›Warum hast du nicht Hebräisch gelernt?‹ Ich versuchte zu erklären, daß ich es jetzt lernte, und

meine Tante versuchte ihn zu beschwichtigen, ich sei doch ein netter Junge. Dann sagte er mir dieses Wort, das ich nie vergessen habe: ›Auf Hitler hast du gewartet?‹
Das klingt sehr oberflächlich, hat aber einen tiefen Sinn. Das heißt: ›Du Trottel hast gemeint, man kann unter den Goijim leben? Du hast gemeint, du kannst dort studieren, du kannst dort ein normales Leben führen, du kannst dort eine Familie aufbauen, du kannst wie ein Mensch leben? Es war dir nicht im Mutterbauch klar, daß Hitler kommen *muß*, weil jeder Goi prinzipiell und von Natur aus ein Antisemit und ein Mörder ist? Du blöder Trottel hast auf Hitler gewartet und nicht schon vorher verstanden, daß man auswandern muß?‹ All das steckt in diesen vier Worten.«

Marie Jahoda hat auf eine ähnliche Frage geantwortet, daß sie sich erst durch Hitler mit dem Judentum identifiziert hat.

»Nun gut, das ist eine ganz legitime Möglichkeit, aber bei mir war das nicht der Fall, ich habe mich mit gar nichts identifiziert, oder ich traute mich nicht zu sagen, daß ich mich mit der deutschen Kultur identifizierte – nicht mit der Sprache der Mörder, sondern mit der Menschheitskultur, die verschiedene Sprachen spricht, bei mir eben Deutsch. Denn als Kosmopolit und Linker bin ich überzeugter Internationalist!«

War das der Sprung? Wie kamen Sie zu den Kommunisten? War das die Lösung Ihrer Ambivalenz?

»In gewissem Sinne trifft das zu. Aber anfänglich war die *soziale* Frage das Entscheidende. Zunächst habe ich meine Eltern retten können, und nachdem meine Verwandten uns noch eine Weile Unterkunft gegeben hatten, sind wir nach Tel Aviv gezogen. Dort hatten wir eine ganz kleine, erbärmliche Täschner-Werkstatt. Wir hatten eine Dreizimmerwohnung, eines davon hatten wir untervermietet, im zweiten schliefen meine Eltern, und im dritten Zimmer war das Arbeitszimmer, da hatte ich ein Sofa, und es war da der Arbeitstisch und die zwei Nähmaschinen. Da haben wir versucht, Taschen zu machen, aber mein Vater war ja der Inhaber einer Taschenfabrik gewesen, nicht der Taschenmacher selbst – die Produktion hatten uns die Arbeiter gemacht. Bis Ende 1942 ist es uns sehr schlecht gegangen. Ich bin nicht nur auf geistige, ideologische Weise vertrieben worden, sondern auch in ein tiefes soziales Loch hineingefallen. Ich war, sowohl was das Land als auch was den Beruf betraf, in der Fremde, und das hat mich fast 25 Jahre verfolgt.

Von 1939 bis Anfang 1943 haben wir selbst an der Maschine gesessen, meine Mutter und ich. Mein Vater hat die Taschen ohne wirkliche Kenntnisse zugeschnitten. Die Taschen waren krumm und schief, und niemand wollte sie kaufen – wir mußten sie in Kommission geben. Es ist uns ganz erbärmlich gegangen.
Das, was meine Eltern an Wertgegenständen noch mitbringen konnten – ein paar Medaillons, ein Silberbesteck –, mußten wir versetzen, um Lebensmittel zu kaufen. Aber Mitte November 1942 kam die Wende des Krieges. Rommel wurde bei El Alamein in Ägypten zurückgeschlagen, die Russen schlossen die sechste deutsche Armee bei Stalingrad ein. Die Engländer erkannten, daß sie den Mittleren Osten nicht verlieren würden. Innerhalb von ganz kurzer Zeit ließen sie etwa 100000 Soldaten in Palästina einströmen.
Von einem Tag auf den anderen besserte sich die Wirtschaftslage, man kaufte auch unsere Taschen, bot uns einen Kredit an, und wir nahmen wieder Arbeiter auf. Mein Vater hatte wieder eine Werkstatt. Ende 1943 beschäftigten wir in unserer Wohnung fünfzehn Arbeiter, hatten einen Agenten, der die Ware verkaufte, und hatten sogar Kunden in Bagdad und Damaskus.
1948 mieteten wir einen großen Werkstattraum. Die eigene Produktion lohnte sich seit 1951 nicht mehr, weil viele mittellose Taschenmacher ins Land strömten, die viel bessere Fachleute waren als wir. Ich verkaufte die Maschinen, entließ die Arbeiter und wurde Grossist. 1956 habe ich noch ein Detail-Geschäft dazugenommen und war dann Grossist und Detailleur in Lederwaren, vom Koffer bis zum Portemonnaie, vom Gürtel bis zur eleganten Damentasche – ich kenne die Branche noch heute auswendig und verblüffe die Leute, wenn ich zwischen Ziegen- und Schafsleder unterscheide. Wirtschaftlich ging es uns in den Jahren 1952 bis 1962 gut, aber ich wurde immer unzufriedener, denn ich lebte nicht das Leben, das ich führen wollte.
Aber ich will noch auf Ihre Frage antworten. Im Krieg mußte man ja dazu beitragen, die Nazi-Bestien zu besiegen. Viele meiner Altersgenossen sind zum Militär gegangen, aber ich mußte ja die Eltern ernähren. Außerdem wollte ich vom Militär eigentlich nie etwas wissen.
Im Herbst 1941 kam ein Schulfreund zu mir, der in Haifa am Technikum studierte. Er übernachtete bei uns und fragte mich, ob ich wüßte, warum Rußland das einzige Land sei, das den Nazis widerstehen könne, während die anderen Länder – Frankreich, Dänemark, Jugoslawien, Griechenland, Norwegen und Polen – allesamt vor den Nazis kapitulierten. Er erklärte mir, das Geheimnis des erfolgreichen russischen Widerstandes liege darin, daß das Land kommunistisch sei.

Er war Mitglied der illegalen Partei und gab mir als erste Agitationsschrift *Staat, Privateigentum und Familie* von Engels. Ich las das Buch, und plötzlich schien mir alles blitzklar, wie eine Atomsonne – die ganze Entwicklung habe ich plötzlich verstanden! So kam es mir vor.

Im folgenden halben Jahr las ich verschiedene Schriften von Marx, Engels, Lenin und Stalin, und im Januar 1942 sagte mein Freund, er würde mir jetzt Kontakt zur Partei vermitteln. Eines Abends erschien einer ganz konspirativ, benutzte ein Codewort – das war natürlich Kinderei; er hieß Peter Feder, stammte aus Leipzig und führte mich in ein Proletarierviertel an der Grenze zu Jaffa. Dort nahm ich an einer Zellensitzung teil. Es wurde Jiddisch gesprochen, die jüdische Volkssprache; die benutzten die Kommunisten aus Protest gegen das Hebräisch der zionistischen Mehrheit. Die kommunistische Zeitung erschien sowohl auf hebräisch als auch auf jiddisch. Es gibt eine jiddische kommunistische Zeitung bis zum heutigen Tag. Ich habe natürlich die Hälfte nicht verstanden. Der ›Rattenverband‹ zum Beispiel ist der Räteverband, das heißt die Sowjetunion. Jiddisch ist ja eine ungeheuer saftige, greifbare Sprache – das Deutsche ist im Vergleich dazu richtig ausgedörrt!

Was heißt Stahlhelm auf jiddisch? ›Ein eisernes Hütl.‹ Ein Unterseeboot ist ein ›Unterwasserschiffl‹ – denn See ist Wasser, und ein Boot ist ein kleines Schiff, also ein ›Schiffl‹.

Dann kam die jiddische Zeitung ›Einigkeit‹ aus Moskau, und in gutem Deutsch hätte wohl folgendes dort gestanden: ›Es gelingt dem faschistischen Feind nicht, den Ring um Stalingrad zu durchbrechen.‹ Auf jiddisch hieß das: ›Der ssoinedige [feindliche] Faschist tappt a Wand in Stalingrad.‹ Das ist sehr plastisch.

Ich wurde also als das neue Mitglied vorgestellt und mußte dann zweimal in der Woche früh um sechs Uhr am Busbahnhof den Arbeitern auf ihrem Weg zur Arbeit die Zeitung ›Kol Haam‹ (Volksstimme) anbieten.

Wir forderten die zweite Front schon 1942, demonstrierten und malten in der Nacht Losungen auf die Wände. Ende 1942 bildete sich eine deutsche Zelle, und der ›Kol Haam‹ erschien auch auf deutsch. An diese Zeit habe ich die stärksten Erinnerungen, die ich mein ganzes Leben nicht missen möchte.

Es war eine ganze Gruppe ehemaliger deutscher Kommunisten, Sozialdemokraten, SAP-Leute, ISK, KPO, RGO – das waren alles Leute, die zwischen zehn und dreißig Jahre älter waren als ich. Wir trafen uns ein- bis zweimal die Woche, und ich kam als 23jähriger

junger Spund dazu. Ich saß da und hörte zu – ich war halt erst vierzehn, als Hitler die Macht übernahm, und das waren alles Menschen, die gegen die Nazis gekämpft hatten. Die Debatten werden mir unvergeßlich bleiben, denn sie haben sich immer wieder gegenseitig Vorwürfe gemacht über angebliche oder wirkliche Fehler. ›Roter Volksentscheid‹ – heute weiß kein Mensch, was das ist: Am 9. August 1931 haben die Nazis versucht, die sozialdemokratische Regierung in Preußen durch einen Volksentscheid zu stürzen. An diese Nazi-Petition haben sich die Kommunisten angehängt, der Volksentscheid erhielt aber etwas zu wenig Stimmen, und der Sozialdemokrat Braun ist geblieben.
War es also ein Fehler, daß man mit den Nazis kooperierte? Oder beim Berliner Verkehrsarbeiterstreik am 6. November 1932, wo auch die Kommunisten mit den Nazis zusammenarbeiteten?
Und in den Jahren 1942, 1943, 1944 stritten sich die jüdischen Antifaschisten in Tel Aviv, wütend über die Fehler, die zehn bis fünfzehn Jahre zuvor gemacht worden waren.
Ich habe nie die Geschichte der Weimarer Republik unterrichtet. Aber ich glaube, sie gut zu kennen, weil ich aus den damaligen Gesprächen dieser durch und durch politisch denkenden Menschen viel gelernt habe. Sie waren keine Zionisten und sind fast alle nach dem Krieg wieder ausgewandert, haben Palästina nur als Asyl betrachtet.
Das war meine politische Schulung.
Als man in der Partei sah, daß ich historisch interessiert war, ließ man mich an Schulungsabenden, sogenannten Lehrzellen, teilnehmen. Da lernte ich dann über den dialektischen und historischen Materialismus, und wir haben die Werke der sozialistischen Klassiker durchgenommen.
Wie jeder Mensch im jugendlichen Alter glaubte ich, nie älter zu werden, und die Woche hatte nie genügend Tage für die Kräfte, die ich hatte. Deshalb gab es noch eine andere Aktivität, den ›Kreis für fortschrittliche Kultur‹, den wir damals gegründet hatten. Da ich ja keinen Arbeitsplatz hatte, wo ich für die Kommunisten agitieren konnte, haben wir versucht, in diesem Literaturzirkel Agitation zu treiben – mit gewissem Erfolg. Dort gab es teilweise Ästheten, teilweise einfache Leute, die Partner kennenlernen wollten.«

Wie haben Sie die Staatsgründung erlebt? War sie zu früh? War sie unvermeidlich? War sie falsch?

»Was heißt falsch? Wie würden die Kommunisten sagen? ›Die Frage ist nicht richtig gestellt!‹ Sie meinen, welche Einstellung ich zur Staatsgründung habe?
Es gab eine entsetzliche, unvorstellbare Judennot. In Europa waren etwa 700000 Juden noch übriggeblieben, die nicht auf den Gräbern ihrer Verwandten leben konnten und wollten. Sie wollten Europa verlassen, aber nicht alle wollten nach Palästina, viele sind auch nach Amerika gegangen. Im Mandatsgebiet Palästina herrschten die Engländer, die 1946/47 versuchten, ihre Position noch zu halten – sie waren ja die eigentlichen Verlierer des Krieges – und dabei mit den zionistischen Aspirationen kollidierten. Die Errichtung des Judenstaats geschah also unter Ausnützung einer ganz gewissen historischen Situation.
Tatsächlich gab es in den westlichen Ländern sehr viele Staatsmänner, die ein schlechtes Gewissen hatten – sie hatten Auschwitz nicht verhindert. Sie hatten nichts getan, um die Zufahrtswege zu bombardieren, sie hatten nichts getan, um Menschen zu retten, als noch die Möglichkeit dazu bestand – und hier wollten sie etwas wiedergutmachen.
Der Beschluß der UNO, Israel zu errichten, beruht auf der Vernichtung der Juden im Zweiten Weltkrieg: das ist ein schrecklich grober und harter Satz. Aber mir kommt er ganz wahr vor.
Wären nicht sechs Millionen Juden umgekommen, sondern nur sagen wir 60000, wie es eben im Krieg passiert – Deutsche sind ja auch umgekommen –, dann hätten die anderen Völker nicht die Notwendigkeit verspürt, den Judenstaat zu errichten. Die Basis der Staatsgründung war der UNO-Beschluß von 1947. Ich befürworte das; ich kann nicht sagen, der Judenstaat hätte nicht errichtet werden sollen, und außerdem bin ich ja kein Don Quichotte, der die Realität nicht anerkennt. Wo hätten die Menschen denn leben sollen?
Gleichzeitig muß man sagen: Es stand damals keineswegs fest, daß dieser Judenstaat so wird, wie er heute existiert.
Und jetzt kommt diese furchtbare Dialektik, die Israel überschattet, und, glaube ich, auch weiterhin überschatten wird, solange ich lebe und noch viel länger.
In den neugegründeten Staat Israel wanderten einige Hunderttausend Menschen ein, die von ihren schrecklichen Erlebnissen verfolgt wurden, die sich auf irgendeine Art hatten retten können, die kein normales Leben geführt hatten – es ist nicht ein einziger Jude eingewandert, der im Krieg ein normales Leben geführt hätte, sonst wäre er nicht am Leben geblieben. Die haben alle Komplexe, und mit sol-

chen Menschen ist es schwer, ein Land aufzubauen. Da mußte man ›Ersatzjuden‹ bringen. Das ist das Geheimnis Israels. Diese ›Ersatzjuden‹ sind aus den arabischen Staaten gebracht worden.
Die Errichtung Israels ist eine Folge der Naziverbrechen, der versuchten Vernichtung des jüdischen Volkes. Das bedeutet aber: Als der Staat errichtet wurde, lebten die Menschen nicht mehr, für die er hätte errichtet werden sollen. Der Judenstaat war für die Juden da – aber die potentiellen Einwanderer, an die Herzl, Ben Gurion, Weizmann und die anderen Zionistenführer dachten, sind umgebracht worden.
Die ›Ersatzjuden‹ hatten das Antlitz Israels gewandelt. An die hatte der Zionismus ursprünglich überhaupt nicht gedacht. Wußte Herzl, daß es Juden in Marokko, im Iran, im Jemen oder in Kurdistan gibt? Er hatte keine Ahnung! Er war ein Kolonisator, und das war damals noch nichts Schlechtes – alle haben Kolonien als etwas Natürliches angesehen.
Die ›Ersatzjuden‹ waren Leute aus den Feudalländern – ›feudal‹ jetzt mit negativer Bedeutung. Aber sie können nichts dafür! Wir wissen, daß diese Länder keine bürgerliche Revolution hinter sich haben, sie haben keinen Demokratisierungsprozeß mitgemacht, sind nicht industrialisiert. Ich kann nicht erwarten, daß ein arabischer Jude einen Nobelpreis bekommt, aber es gibt 26 deutsche Juden, die ihn bekommen haben. Weil die arabischen Juden dümmer sind? Keineswegs! Vielmehr, weil sie aus anderen Zivilisationen und Kulturen kommen. Die orientalischen Einwanderer haben in den letzten dreißig Jahren das deutsche oder mitteleuropäische oder ashkenasische Element überwuchert. Das bereitet mir Sorgen. Ich bin besorgt als Patriot, denn ich will ja nicht, daß diese Menschen umkommen – sie sollen leben! Aber leben können sie nur, wenn sie eine Tradition und ein Bewußtsein von Humanismus und Demokratie besitzen. Das ist die immanente Tragik Israels.
Ich bin Demokrat, weil ich für politische und rechtliche Gleichheit bin, und rechtliche Gleichheit kann ich nicht von Menschen erwarten, die aus Bengasi in Libyen kommen.
Die Werte der Demokratie werden in der israelischen Gesellschaft leider stark abgewertet. Menschen wie ich oder Ernst Simon oder Theodor Holdheim werden ›Schöngeister‹ genannt, weil wir diese Werte hochhalten. Das ist als Schimpfwort gemeint – man sagt uns: ›Du glaubst, daß du den Arabern mit Humanismus kommen kannst? Einen Dolch stoßen sie dir in den Rücken! Du glaubst, daß du den Arafat umarmen darfst, du Trottel? – Man muß dem Araber alle paar

Jahre eines über den Kopf hauen, und dann kuscht er, und das muß man von Zeit zu Zeit wiederholen.‹
Ich habe zu meinem Entsetzen erfahren – ich wußte das nicht –, daß man aus Auschwitz nicht nur eine Lehre ziehen kann, nämlich, daß sich das nie wiederholen darf; man kann auch noch eine andere Lehre ziehen: Wir müssen stark, hart und unbarmherzig sein, sonst werden wir wie ein Kalb zur Schlachtbank geführt. Also müssen wir uns bewaffnen, immer stärker sein und auch Präventivschläge führen – die Kriege 1978 und 1982 waren Präventivkriege!«

Der Ausschluß aus der KP

Sie sind nach der Aufdeckung der Stalinismus-Verbrechen aus der KP ausgeschlossen worden. Das war ja eine ansatzweise Lösung Ihrer Ambivalenz, die Sie Palästina und später Israel gegenüber hatten. Wie steht es seither damit?

»Seit 1956 habe ich mich nie mehr einer Partei angeschlossen, und *ich habe in der Wissenschaft die private Lösung meiner Probleme gefunden*. Ich dachte als junger Mann im Jahre 1941/42, daß die Sowjetunion als Retterin der Menschheit – die ja wirklich die Menschheit vor der Nazibarbarei gerettet hat – auch das jüdische Problem lösen würde, indem sie zu einer neuen Gesellschaftsform führt. Das ist nicht geschehen, was ich 1942 nicht erkannt habe; damals war der Kampf gegen die Nazis im Vordergrund.
Es stimmt zwar, daß die Sowjetunion ihre Versprechen, eine klassenlose und harmonische Ordnung zu schaffen, nicht gehalten hat und auch nicht hat halten können; es stimmt zwar, daß das dortige System nicht das sozialistische System ist, unter dem ich leben möchte; es stimmt zwar, daß die gewaltigen Menschheitshoffnungen, dort seien Politik und Moral vereint, nicht verwirklicht worden sind. Aber ich bin nach wie vor der Meinung, daß ohne die zwanzig Millionen Toten, welche die Sowjetunion geopfert hat, der Friede in Europa, der immerhin schon über vierzig Jahre andauert, nicht errungen worden wäre – und auch, daß Israel nicht errichtet worden wäre.
Ich sage aber noch mehr. 1941 hat Stalin die Welt vor dem Hitler-Faschismus gerettet. 1948 hat die Sowjetunion nicht nur als erste den jüdischen Staat anerkannt, sondern auch die Waffen geschickt, die unbedingt notwendig waren, damit wir unser Leben retten. Die Amerikaner hatten damals ein Waffenembargo verhängt.«

Die Ambivalenz gegenüber Israel ist geblieben, und Sie sagten, Ihre private, nicht die politische Lösung war die historische Wissenschaft.

»Im zweiten Teil des *Faust* von Goethe heißt es: ›Wie sich Verdienst und Glück verketten, das fällt dem Toren niemals ein‹. Natürlich, es ist kein Zufall, daß ich diesen Weg einschlug. Ich habe mir in den vielen Jahren, als ich Kaufmann war, eine Liebe zur deutschen Geschichte, zur deutschen Literatur und Kultur bewahrt. Ich habe darauf nicht verzichten wollen. Ich habe auch ein gutes Gedächtnis – besonders für Zahlen: Jahreszahlen konnte ich mir immer gut merken. Ich las jahrelang viele historische und literarische Werke, um mich weiterzubilden. Im Laufe der Zeit erkannte ich mit Trauer und Kummer, daß ich in der KP nicht mehr mitmachen konnte. Wenn man mich nicht hinausgeschmissen hätte, wäre ich selbst gegangen, weil ich nicht mehr alles unbedingt bejahen konnte, was in der Sowjetunion geschah. 1956 behauptete die KP Israels, daß die Geheimrede Chruschtschows nie stattgefunden hätte. Als ich das bestritt, verdächtigte man mich, ein amerikanischer Spion zu sein. Da konnten wir nicht mehr Mitglieder bleiben. Zusammen mit meiner Frau und mir wurden noch vier weitere Mitglieder aus der Zelle ausgeschlossen – darunter ein Genosse, der sagte, daß er nicht begreifen könne, daß die Sowjetunion den Ägyptern Waffen gegen Israel sende, obwohl Nasser die Kommunistische Partei verboten habe und sie in Israel legal sei. Der fünfte war ein Jiddischist und ein Verehrer der jüdischen Schriftsteller, die Stalin ohne Prozeß erschießen ließ.
In einer Parteiversammlung, bei der wir unsere Argumente vortragen konnten, war der Vorsitzende das Mitglied des Politbüros der Partei, Adolf Bermann. Er war Abgeordneter im Parlament und gehörte zu den achtzig Kämpfern, die nach dem Warschauer Getto-Aufstand vom Mai 1943 am Leben blieben, indem sie sich bis zum Einmarsch der Russen im Januar 1945 in der Kanalisation versteckt hielten.
Bermann galt als Held und als unumschränkte Autorität. Er forderte uns auf, alles zu sagen, was wir auf dem Herzen hätten, und die Partei würde entscheiden. Nach dem Ende der Debatten stand Bermann auf und sagte: ›Für kleinbürgerliche, chauvinistische, zionistische Elemente ist in der Partei kein Platz!‹ Das war der Hinauswurf – er ging überhaupt nicht auf die Argumente ein. Ich war tief deprimiert. Diese seelische Depression hat vom November 1956 bis zum Sommer 1958 gedauert, bis ich begann, die Studien aufzunehmen.«

Was empfanden Sie, als Sie zum ersten Mal nach Wien zurückkehrten?

»Das ist eine lange Geschichte. Im Oktober 1955 war ich während des jährlichen Reservedienstes bei einem Feuerüberfall der Ägypter dabei. Das war an der damaligen ägyptisch-israelischen Grenze, die auch heute wieder (nach der Rückgabe des Sinai) existiert, in Nizana, einem entsetzlichen Dreckloch in der Wüste. Bei diesem ägyptischen Angriff gab es in unserer Kompanie zwei Tote und neun Verwundete. Ich habe einen ganzen Tag lang unter Feuer gelegen, glaubte meine letzten Stunden gekommen und hatte entsetzliche Angst. Ich war damals 36 Jahre alt und wußte, daß ich im falschen Land bin und den falschen Beruf habe. Ich leistete ein Gelübde: daß ich, wenn ich lebend da rauskäme, mein Leben ändern würde. Da ich nicht wußte, wo ich ansetzen sollte, beschloß ich, nach Wien zurückzuwandern – ich kannte ja keine anderen Länder als Österreich und Israel.
Ich sagte also meiner Frau, daß ich für einige Monate nach Wien gehen würde, um mich dort umzusehen. Meine Frau war entsetzt, merkte aber, daß ich zu allem entschlossen war.
Ein halbes Jahr später war ich dann zum ersten Mal in Wien, mit einem Schulfreund; wir waren knapp drei Monate dort. Ich merkte erst dort, daß die Rückkehr nach Wien keine Lösung sei und daß ich zunächst meinen Beruf ändern mußte – ich wußte nur nicht, wie. Damals existierte die Universität Tel Aviv noch nicht. Ich kehrte also mit sehr schlappen Flügeln im Juni 1956 nach Israel zurück.«

Was haben Sie in Wien erfahren?

»Wir hatten einen Hausmeister, einen Tschechen. Als ich das Wiener Wohnhaus besuchte, wo ich aufgewachsen war, glaubte ich zu wissen, wer in jedem Stockwerk gewohnt hatte. Es gab bis 1938 insgesamt sechs Mietparteien, von denen fünf jüdisch waren. Der sechste, der Nicht-Jude, wohnte im Jahre 1956 noch immer dort. Die Juden waren natürlich alle weg. Auf dem Mieterverzeichnis im Flureingang sah ich zu meinem größten Staunen, daß der ursprüngliche Hausmeister im dritten Stock wohnte. Ich konnte mir das nicht erklären, denn der Hausmeister wohnt immer unten. Mir fiel nicht ein, wer in der Wohnung im dritten Stock gewohnt hatte. Ich beschloß hinaufzugehen – immerhin kannte ich ihn. Der Tscheche war eigentlich kein Nazi gewesen, sondern war ein freundlicher Mann, der nie eine antisemitische Bemerkung gemacht hatte.

Ich stieg also die Treppen des Hauses hinauf, in dem ich die ersten neunzehn Jahre meines Lebens verbracht hatte, und läutete bei dem Tschechen. Ich war damals 37 Jahre alt und achtzehn Jahre lang nicht in Wien gewesen. Die Frau machte mir auf und rief in derselben Sekunde voller Schreck: ›Jessas, der Herr Grab ist z'ruckkomma!‹ Ich erschrak, als ich ihr Entsetzen sah, und stand etwa zehn Sekunden – was in einer solchen Situation viel ist – auf der Schwelle. Dann bat sie mich herein. Ich nahm im Wohnzimmer Platz, und während ich mich umschaute, kam es mir vor, als hätte ich die Möbel in der Wohnung schon einmal gesehen. Ich fragte die Frau, was sie und ihr Mann machten.
›Ja, es geht uns schlecht, Sie wissen gar nicht, was wir mitgemacht haben – die Russen und der Krieg und der Mangel und das Elend ...‹ So begann sie, mich anzujammern. Ich fragte sie, wer früher in dieser Wohnung gewohnt hatte. Sie erinnerte mich daran, daß dies die Baukanzlei von Baumeister Gießkann gewesen war. Uns gegenüber im ersten Stock hatte ein jüdischer Bauarchitekt namens Gießkann gewohnt, der noch vor 1938 gestorben war. Sein Sohn übernahm dann die Baukanzlei im dritten Stock. Ich wußte nicht, was mit den Gießkanns geschehen war, denn als ich noch in Wien war, waren sie noch da, und sehr eng war unser Kontakt nicht gewesen. In dem Moment, als diese Frau den Namen Gießkann aussprach, wurde mir schlagartig klar, daß sie jetzt die Möbel von Gießkanns benutzten. Das muß sie gemerkt haben, denn sie begann, von dem Verbleib der Gießkanns zu berichten. Die seien ›irgendwie weggekommen‹ – das heißt, man hat sie deportiert und umgebracht –, und die Nazis hätten ihnen, den Hauswartsleuten, dann die schöne Wohnung zugewiesen, samt der Möbel. Und ich sei sicher gekommen, weil ich meine Skier zurückhaben wollte. Die hätten meine Eltern dem Hausmeister geschenkt, als sie auswanderten.
Das war so ziemlich meine allerletzte Sorge, denn was brauchte ich Skier in Israel? Als ich sagte, daß sie die Skier behalten könnte, fragte sie, warum ich dann gekommen sei, sie hätten doch nichts verbrochen.
Da drehte sich der Schlüssel in der Wohnungstür, und ihr Mann, der ehemalige Hauswart, kam herein. Auch er erkannte mich im selben Moment, als er mich sah. Er rief ihr zu: ›Red' kein Wort!‹
Da bin ich aufgestanden und gegangen.
Ich hatte allerdings auch andere Erlebnisse. Einer meiner liebsten Freunde ist ein ehemaliger Schulkollege, und von ihm wußte ich, daß er niemals ein Nazi gewesen sein konnte – obwohl wir seit 1938 nichts

voneinander gehört hatten. Er war der Sohn standhafter Sozialdemokraten und hatte als Sechzehnjähriger bei den Februarkämpfen 1934 mitgemacht. Der Vater war der illegale Drucker der ›Roten Fahne‹, der Zeitung der ›Revolutionären Sozialisten‹ zwischen 1935 und 1938. Seinen Eltern ging es sehr schlecht, sie konnten nur mit Mühe das Schulgeld für ihn aufbringen. Ich habe ihn also angerufen, und mehr hat sich noch nie jemand gefreut als er. Ich wohne jetzt jedesmal bei ihm, wenn ich nach Wien komme, und wir sind sehr eng befreundet. Er meinte einmal, ihm schiene es, als hätte man ihm eine Hand abgehackt, weil die Juden nicht mehr in Wien sind.«

Sie sind tatsächlich völlig verschwunden. Ich war in Wien und habe in Geschäften nach Orten jüdischen Lebens gefragt – man wußte kaum etwas, und auch in der öffentlichen Stadtgeschichte und im Selbstverständnis der Stadt ist das vollkommen weg.

»Das stimmt. Das hat etwas mit der jüdischen Atmosphäre zu tun, die es in gewissen Kaffeehäusern gab, in manchen Theatern und Straßen, besonders im Zweiten Bezirk, wo mehr als die Hälfte der Bewohner Juden waren. Mein Schulfreund zeigte mir in seinem Wohnhaus Namensschilder an den Wohnungstüren und sagte: ›Siehst du, das sind alles Arisierer‹ – also Leute, die sich in die Wohnungen von Juden eingenistet haben und ihre Möbel benutzen. Dann führte er mich in die Förstergasse 13. An diesem Haus wurde von der Jüdischen Gemeinde Wien Anfang der fünfziger Jahre eine Gedenktafel angebracht; sie berichtet von neun jüdischen Frauen und Männern und Kindern, die sich vom Jahre 1943 bis zum 13. April 1945 im Keller dieses Hauses versteckt hatten. An dem Tag, als die Rote Armee Wien eroberte, wurden sie von der Gestapo aufgespürt und umgebracht. Mein Schulfreund gehört zu der winzigen Minderheit der österreichischen Bevölkerung, der die Vertreibung und Ermordung der Juden unendlichen Schmerz bereitet. Einen besseren Freund kann man sich nicht vorstellen.«

»Das ist gegen das Heimweh: Antisemitismus«

Bedeutet Wien heute etwas anderes für Sie als Hamburg zum Beispiel?

»Ich bin sehr ungern in Wien, weil ich zu viele Erinnerungen habe, und das ist sehr peinlich, weil diese ehemalige Liebe, oder besser gesagt das Heimatgefühl, einem Gefühl der Entfremdung gewichen ist.

Als meine Frau und ich 1981 in Wien waren, hatten wir einen antisemitischen Zusammenstoß, merkwürdigerweise mit einem italienischen Professor, der dort im Fachbereich Komparatistik unterrichtet. Der lud mich ein, einen Vortrag in seinem Seminar zu halten; wir einigten uns auf einen Vortrag über die deutschen Jakobiner. Wir legten den Termin auf den 14. Oktober 1981 fest, und er schickte mir vorher die Kopie seines Antrags an den Dekan, in dem er seinen Wunsch, mich zu einem Vortrag kommen zu lassen, mit meiner ›Abstammung‹ begründete. Was hat meine Abstammung mit den Jakobinern zu tun? Hätte ich einen Vortrag über Juden halten sollen, hätte es noch einen Sinn gehabt.
Ich kam also nach Wien, sein Assistent brachte mich ins Seminar. Es waren dreißig Studenten dort, ich hielt meinen Vortrag. Als ich geendet hatte, fragte Martino, wie ich dazu käme, so positiv über die Jakobiner zu reden – ohne die Jakobiner gäbe es keinen stalinistischen Terror, der ja viel ärger sei als der von Hitler, und man müsse doch verstehen, daß ohne die Jakobiner das Unglück des Kommunismus, der heute die Welt bedrohe, nicht vorhanden wäre. Ich wies ihn darauf hin, daß ich über die Französische und nicht über die russische Revolution gesprochen hatte. Das waren noch keine antisemitischen, sondern nur scharfe und törichte antisowjetische Bemerkungen.
Martino hatte meine Frau und mich anschließend zu sich zum Abendessen eingeladen, und eigentlich hätte ich nach diesen Bemerkungen nicht hingehen sollen. Als wir bei ihm eintraten, sagte er, daß ich die revolutionären Bewegungen so positiv einschätze, weil ich Jude sei – die Juden seien immer für die Revolution gewesen.
Inzwischen setzten wir uns zu Tisch, und seine Frau servierte ein vorzügliches Essen. Sie versuchte, die Rede auf das Essen zu lenken, aber er ließ sich nicht beirren und redete sich nahezu in eine Ekstase. Er brüllte immer lauter, man müsse den Hitler doch verstehen, die Juden hätten sich einfach zu weit vorgewagt, vierzig Prozent aller Leute, die im kulturellen Bereich etwas zu sagen gehabt hätten, seien Juden gewesen – und diese Überfremdung sei nicht auszuhalten gewesen. Ich versuchte zu argumentieren, obwohl ich weiß, daß es völlig sinnlos ist, sich mit einem Antisemiten in eine Debatte einzulassen. Nach dem letzten Bissen stand ich auf, bedankte mich bei der Frau für das Essen, und wir verabschiedeten uns mit der Begründung, wir hätten uns nichts mehr zu sagen. Er lief uns nach und schrie: ›Weil Sie nichts zu sagen haben, weil Sie nichts zu antworten haben!‹
Als wir die Treppe hinuntergingen, sagte meine Frau: ›Das ist gegen das Heimweh.‹

Kennen Sie den Witz mit dem Heimweh?
Der Cohn trifft den Levi in New York. Sagt der Levi: ›Komm, besuch' mich doch mal!‹ Als Cohn kommt, sieht er bei Levi ein riesiges Bild von Hitler. Sagt er: ›Levi, bist du verrückt? Du hängst dir ein Bild von Hitler hin?‹ Sagt Levi: ›Das ist gegen das Heimweh.‹«

Der Antisemitismus des Nationalitätenstaates

Glauben Sie, daß der Antisemitismus in Österreich seine eigene Prägung hat?

»Zunächst folgender Witz, der viel Wahrheit enthält: In Wien sitzt auf der Straße ein blinder Bettler. Auf der Brust hat er ein großes Schild: ›Von Juden werden keine Almosen angenommen‹. Kommt ein Jude des Wegs, liest sich das Schild durch, schaut den Bettler an, sieht, daß der blind ist, zuckt die Achseln, nimmt zehn Schilling heraus, legt sie dem Bettler in den Hut, klopft ihm auf die Schulter und sagt: ›Hören Sie, Sie sind blind, Sie können keine Zeitung lesen, Sie wissen nicht, was auf der Welt los ist. Dieses Schild ist noch aus der Nazi-Zeit. Sie haben das damals aufgeschrieben, und Sie haben es so stehengelassen. Sie glauben, die Nazis sind noch da. Österreich ist inzwischen eine Republik, ist wieder selbständig, Juden sind wieder zurückgekommen, ich bin selbst Jude und habe Ihnen zehn Schilling gegeben – nehmen Sie das blöde Schild weg!‹ Sagt der Bettler zu dem Juden: ›Sie werden mich lehren, wie man in Wien betteln muß?‹
Diese Anekdote ist in Deutschland unsinnig. Wenn ich statt Wien Berlin oder Hamburg setze, hat sie keine Pointe, weil sie nicht stimmt. In Deutschland gibt es nicht diese Atmosphäre. Ich will nicht anbezweifeln, daß es auch hier Antisemitismus gibt, aber es ist eine andere Art. Mir kommt es so vor, als könne der Unterschied zwischen dem Antisemitismus in Österreich und in Deutschland historisch erklärt werden. Im alten Habsburgerreich haben die Deutschen nur 25 Prozent ausgemacht. In Deutschland waren über 90 Prozent der Bevölkerung deutsch. Deutschland war ein Nationalstaat, und Österreich war ein Nationalitätenstaat: Es gab dort elf verschiedene Nationen, die Juden nicht mitgezählt. Hier fühlten sich die Deutschen vom kulturellen, politischen, geistigen und wirtschaftlichen Standpunkt aus den anderen Völkern – wie Ungarn, Tschechen, Slowenen und Slowaken, Kroaten, Serben, Rumänen – überlegen, denn diese Völker waren weniger entwickelt. Noch Engels spricht von ›historischen‹

und ›unhistorischen‹ Völkern und sagt, daß die Tschechen und die Kroaten ›geschichtslose‹ Völker sind, weil sie es nie verstanden haben, einen eigenen Staatsverband zu errichten.
Im Bewußtsein der deutschen Österreicher galten die anderen Völker der Monarchie als minderwertig; die Deutsch-Österreicher, die nur 25 Prozent der Gesamtbevölkerung ausmachten, maßten sich das Recht der Herrschaft an. Dieses ›Recht‹ konnte aber nur rassistisch, nicht religiös begründet werden; denn die Tschechen, Kroaten, Polen und andere unterworfene Völker waren ebenso Katholiken und Christen wie die Deutsch-Österreicher. Daher war die Rassenlehre, die dem Deutschtum eine prinzipielle Überwertigkeit zusprach, in Österreich tief verwurzelt.
Nach dem Ende des Imperiums gab es in Österreich außer den Deutschen nur die Juden. Und viele von ihnen waren ganz arme Juden, die im Kriege als Flüchtlinge nach Wien gekommen sind: Menschen, die anders, fremdartig wirkten. In der kleinen Republik Österreich war Wien ein Wasserkopf: eine Stadt von 1700000 Einwohnern, darunter 180000 Juden, von denen mindestens 50000 Ostjuden waren, die meist im Elend lebten und sich als Fremde fühlten. Das war der Nährboden der zionistischen Bewegung und gleichzeitig auch der antisemitischen Bewegung; denn am Beispiel der fremdartigen Ostjuden konnten die Rassenantisemiten ihre Propaganda zügellos entfalten.«

Scheitern der Judenemanzipation – ohne Demokratie

Wenn ich sehe, wie schamlos heute die FPÖ mit ihrer Vergangenheit kokettiert und selbst Kreisky nicht umhin kam, die Vergangenheit beiseite zu schieben, dann überlege ich, ob das nicht noch zusätzliche Wurzeln hat, die in der ungenügend langen demokratischen Tradition liegen, in der spezifischen klerikal-faschistisch-ständischen Gesinnung.

»Es gibt überhaupt keine monokausale Erklärung. In meinem Aufsatz *Der deutsche Weg der Judenemanzipation*[2] argumentiere ich, daß in Deutschland der Weg der Judenemanzipation scheiterte, weil sowohl in Österreich als auch in Preußen die Emanzipation von oben gewährt wurde – ohne Beteiligung der Bevölkerung, weil es nicht zu einer bürgerlichen Revolution kam.

[2] Siehe S. 470

Der Mangel an einer bürgerlichen Revolution, der Mangel an Demokratie, hat auch die ungenügende Integration und Eingliederung der jüdischen Minorität herbeigeführt. Das kann anhand der geglückten bürgerlichen Revolutionen in Holland, England, Frankreich und Amerika bewiesen werden.
Holland hat sich 1581 befreit und zwölf Jahre später als erstes christliches Land den Juden Toleranz gewährt – die Selbstbefreiung des holländischen Volkes von den Spaniern hat bewirkt, daß sie anderen Verfolgten Toleranz gewähren konnten. Sie haben dadurch die Philosophie eines Spinoza ermöglicht und auch ihrer Wirtschaftskraft großen Nutzen gebracht.
In England waren die Juden im Jahre 1291 vertrieben worden, und 350 Jahre danach hat der Revolutionär Oliver Cromwell ihnen 1656 wieder das Niederlassungsrecht gewährt.
In Amerika hat es nie Feudalismus gegeben, es war ein Hafen für Verfolgte aus vielen Ländern. Einer der Kreditgeber der amerikanischen Revolution war Chaim Salomon, ein Jude, der sein ganzes Vermögen für die Unabhängigkeit der USA geopfert hat. Im Jahre 1976, zur 200-Jahr-Feier der Revolution, ist er durch eine Briefmarke geehrt worden.
Auch die Französische Revolution hat die Juden von unten befreit und sie am gewaltigen nationalen und sozialen Aufschwung teilhaben lassen.
In den vier Ländern, in denen bürgerliche Revolutionen gesiegt haben, hat es zwar Faschismus gegeben, er hat aber nicht gesiegt. In jenen Ländern jedoch, in denen die bürgerlichen Revolutionäre verloren haben, hat in unserem Jahrhundert der Faschismus gesiegt: in Deutschland, Italien und Spanien.«

Dänemark ist noch ein Sonderfall. Es hat dort nicht in dem Sinne eine klassische demokratische Revolution gegeben, sondern eher eine weiche Form, aber auch mit ähnlichen Ergebnissen – relative Trennung von Staat und Kirche und auch weniger Antisemitismus.

»In den skandinavischen Ländern ist der Übergang zur bürgerlichen Herrschaft relativ unblutig verlaufen, und die Juden konnten sich integrieren.
In Dänemark gab es Johann Friedrich Struensee, einer der aufgeklärtesten Männer des 18. Jahrhunderts überhaupt. Er war Leibarzt des geisteskranken Königs Christian VII. und war anderthalb Jahre lang Diktator von Dänemark. Als solcher hat er in den Jahren 1770/71 zahlreiche Reformen der Französischen Revolution vorweggenom-

men, zum Beispiel die Pressefreiheit. Ohne Struensee würde ich heute nicht hier sitzen. Im dänischen Altona existierten am Ende des 18. Jahrhunderts Presse-, Glaubens- und Gewerbefreiheit – dort konnten die Juden ihrem Glauben ungestört nachgehen. Altona war ein Platz, wo sich die Jakobiner zusammenfanden, denn dort konnte man ohne Angst vor der Zensur seine politische Auffassung äußern. Angesichts der Tatsache, daß in Deutschland immer die konservativen, reaktionären, absolutistischen und volksfeindlichen Kräfte stärker waren als die progressiven, freiheitlichen und demokratischen Kräfte, ist es ein unerhörter Trost, daß es in jeder Generation Menschen gegeben hat, die sich nicht geduckt haben! Natürlich waren das einzelne, und diese einzelnen hat die Literaturgeschichtsschreibung bewußt unterschlagen. Sie sind von den Historikern mit dem schrecklichsten Fluch belegt worden, den es gibt: nämlich dem des Vergessens, des Auslöschens. Das ist ein biblischer Fluch: ›Ausgelöscht werden soll der Name!‹
In meinen historischen Arbeiten versuche ich, diesen Fluch aufzuheben, indem ich zeige, daß es in Deutschland Menschen gegeben hat, die sich nicht duckten, die gegen das Unrecht der Menschen protestierten und ihr Leben, ihre Freiheit, ihre Gesundheit einsetzten und opferten. Ich habe fünfzehn Biographien dieser Freiheitskämpfer geschrieben, um sie wieder ins allgemeine Bewußtsein zu rücken.
Mich selbst sehe ich als einen Verlierer an, der in seinem Leben sowohl von rechts, von Hitler, als auch von links, von Stalin, gewaltige Ohrfeigen einstecken mußte. Aber die Erforschung der revolutionären und demokratischen Bewegungen in Deutschland, also die Geschichte der Verlierer, gewährt Trost. Denn sie zeigt, daß die Sehnsucht, der Drang zur Freiheit und zu Menschenrechten unüberwindlich, unbesiegbar ist.«

Saul Friedländer:
»Es gibt keine Katharsis«

Saul Friedländer, 1932 in Prag geboren, floh 1939 mit seinen Eltern nach Frankreich. 1942 wurde er in einem katholischen Internat versteckt, während seine Eltern bei dem Versuch, die Schweizer Grenze zu passieren, gefaßt und deportiert wurden. 1946 erhielt er einen jüdischen Vormund in Paris. Er emigrierte 1948 mit einem Einwanderungsschiff (als Zionist) nach Palästina.
Zwischen 1958 und 1960 war er Sekretär des Präsidenten der World Zionist Organisation (WZO); 1960/61 Assistent im Verteidigungsministerium, 1963–1965 Assistenzprofessor an der Universität Genf; seit 1965 zunächst Professor für neuere Geschichte an der Hebräischen Universität von Tel Aviv.
Wichtige Veröffentlichungen: *Auftakt zum Untergang. Hitler und die Vereinigten Staaten von Amerika 1939–41,* Stuttgart 1965; *Pius XII. und das Dritte Reich. Eine Dokumentation,* Hamburg 1965; *Kurt Gerstein oder die Zwiespältigkeit des Guten,* Gütersloh 1965; *Some Aspects of the Historical Significance of the Holocaust,* Jerusalem 1977; *Wenn die Erinnerung kommt,* 1979 (in Deutschland 1981 erschienen); *Kitsch und Tod. Der Widerschein des Nazismus,* München 1984.

Ich traf Saul Friedländer zum Interview Mitte November in Jerusalem. Das Interview bezieht sich auf Friedländers wissenschaftliche Arbeiten zum Thema des Nationalsozialismus und seiner Aufarbeitung. Es ist daher *auch* ein Gespräch über den unterschiedlichen Umgang von Deutschen und Juden mit einer Geschichte, deren Spuren nicht verschwinden wollen – über »andere Erinnerungen«. Gegenwärtig sind dabei immer auch die Biographie Saul Friedländers und die Entwicklung der Deutschen in ihrem Umgang mit der Geschichte.
Ich hatte Saul Friedländer im Februar 1986 kennengelernt, anläßlich eines Kolloquiums zu den öffentlichen Erinnerungsprozessen in Deutschland am Wissenschaftskolleg in Berlin. Als ich ihn eine Woche später erneut traf, berichtete er über eine private Begegnung, die er einige Abende zuvor gehabt hatte; darin war »den Juden« eine »Mitschuld« an ihrer eigenen Ermordung attestiert worden, und zwar aufgrund des Verhaltens von Chaim Weizmann im Jahre 1939. (Weiz-

mann, der 1948 den Staat Israel mitbegründete und dessen erster Staatspräsident war, hatte sich dafür ausgesprochen, im Falle eines Krieges an der Seite der Briten zu stehen.)
Saul Friedländer ging noch während des Essens. Ein Ausländer begleitete ihn.
Die Verabredung zu einem Gespräch ließ sich in Berlin nicht mehr verwirklichen. Die letzten Tage vor seiner Abreise waren von der Konfrontation mit Ernst Nolte überschattet. Diese Begegnung zeigte Wirkung: Saul Friedländer sagte einen zweiten Besuch in Berlin ab.
Ein Blick in die biographischen Daten läßt ermessen, was da angesprochen wurde.

»Es gibt Erinnerungen, die man mit niemandem teilen kann...«

»Ich wurde zum denkbar schlechtesten Zeitpunkt – vier Monate vor Hitlers Machtergreifung – in Prag geboren.«
1939 versucht die Familie dann noch, über die ungarische Grenze zu flüchten. Als sie einige Tage zu spät dort zurückgewiesen wird, fliehen sie nach Paris. Von dort geht es 1940 nach Neris-les-Bains in der Nähe von Orléans. Die Kollaboration Vichys mit Hitler führt sogleich zur Deportation ausländischer Juden. Als sich für die Familie Friedländer »das Netz zusammenzieht«, wird Paul Friedländer, wie er damals heißt, zunächst in einem jüdischen Kinderheim versteckt; nur mit Glück entkommt er einer Razzia. Um Saul zu retten, beschließen die Eltern in dieser Situation, sich von ihm zu trennen und ihn in einem katholischen Kloster verstecken zu lassen; aus Paul wird der katholisch konvertierte Paul-Henri. Mit neuer katholischer Identität wird Friedländer drei Jahre lang in einem katholischen Internat in Saint-Béranger (Südfrankreich) versteckt gehalten.
In *When Memory Comes* beschreibt er seine verzweifelten Versuche, die erzwungene Trennung aufzuhalten – und seine tiefe Depression.
Zum letzten Mal begegnet Saul seinen Eltern als Zehnjähriger. (Er war bereits in das katholische Internat von Saint-Béranger bei Mont Luçon eingetreten.) Er versucht, die Trennung von seinen Eltern noch einmal zu korrigieren, flüchtet aus dem Internat und besucht seine Eltern im Krankenhaus von Mont Luçon, wo sein Vater wegen eines Magengeschwürs in stationärer Behandlung ist.

»Mein Vater und meine Mutter sprachen beide abwechselnd. Immer wieder versicherten sie mir, daß unsere Trennung nur kurz sein werde. In der Zwischenzeit war es absolut erforderlich, daß ich nach Saint-Béranger zurückkehrte. Nein, ich durfte sie nicht begleiten: warum, konnten sie mir nicht erklären, doch war es besser so. Bald würden wir wieder zusammen sein. Außerdem werde der Krieg bald zu Ende sein, und wir würden nach Prag zurückkehren; dann könnten uns alle... Und meine Mutter gebrauchte einen ziemlich vulgären tschechischen Ausdruck, wohl um uns alle ein wenig aufzuheitern und um mir zu zeigen, daß überhaupt kein Grund war, traurig zu sein.
Ich spürte sehr wohl, daß sich hinter diesen Worten Angst verbarg: Meine Eltern sprachen mit der ganzen Überzeugungskraft derer auf mich ein, die wissen, daß man ihnen nicht glaubt. In diesem Moment klopfte es.
Man hatte in Saint-Béranger angerufen: Kurz darauf, glaube ich, kamen Madame Chapuis und Madame Robert. Ich mußte gehen. Meine Mutter schloß mich in die Arme, doch mein Vater war es, der mir – ohne es zu wollen – zu verstehen gab, was diese Trennung in Wirklichkeit bedeutete: Er preßte mich an sich und küßte mich. Es war das erste Mal, daß mich dieser so schüchterne Vater küßte. Bisher war noch nichts endgültig; andere Eltern hatten das Risiko auf sich genommen, ihre Kinder mitzunehmen. Meine Eltern hatten mich in Sicherheit gebracht, doch ich war geflohen, ich war zu ihnen geeilt, da ich die Trennung nicht ertrug. Konnte man mich ihnen ein zweites Mal entreißen? Ich klammerte mich an die Gitterstäbe des Bettes. Wie brachten es meine Eltern fertig, meine Hände zu lösen, ohne vor mir in Tränen auszubrechen?
Die Katastrophe und die Zeit haben alles hinweggespült. Was mein Vater und meine Mutter in jenem Moment empfanden, ist mit ihnen verschwunden; was ich fühlte, geriet in Vergessenheit, und von diesem ungeheuren Schmerz ist nur ein Bild in meiner Erinnerung geblieben: Im sanften Herbstlicht geht ein Kind zwischen zwei schwarzgekleideten Nonnen die Rue de la Garde hinunter, die es kurz zuvor in entgegengesetzter Richtung entlanggeeilt ist.«

Bei dem Versuch der Eltern, die Grenze zur Schweiz zu überschreiten, werden sie gefaßt, den französischen Behörden übergeben und nach Auschwitz deportiert.
Saul Friedländer beschreibt, wie er in diesen Jahren bis zum Ende des Krieges durch Phasen tiefer Verzweiflung geht. Er sucht Halt in der katholischen Kirche. Mit dem Wunsch, Jesuit zu werden, trifft er 1946

– im Alter von 13½ Jahren – auf den Jesuitenpater L.; dieser gibt ihm sehr einfühlsam zu verstehen, was er eigentlich längst weiß: Seine Eltern werden nicht mehr zurückkehren.
»Ihn so bewegt und achtungsvoll vom Schicksal der Juden sprechen zu hören, mußte für mich eine große Ermutigung sein.«[1] – »Ich war noch katholisch..., doch etwas hatte sich geändert; eine Verbindung war wiederhergestellt (eine zwar noch unklare, vielleicht widersprüchliche Identität tauchte auf...). Auf die eine oder andere Weise war ich Jude – was dies auch immer in meiner Vorstellung bedeutete.«
Er geht nach Paris, wird dort Zionist, emigriert. Sechzehnjährig kommt er, als damals noch begeisterter Zionist, auf einem illegalen Einwanderungsschiff 1948 ins gerade unabhängig gewordene Israel und wenig später in das berühmte Kinder-/Jugenddorf Ben Shemen.

Man will verstehen

»Damals konstruierte sich mir eine neue, synthetische Identität, die eine Reaktion auf die Vergangenheit war, ohne die Vergangenheit zu durchschauen oder zu verstehen. Die war wirklich für eine lange Zeit eingesperrt. Deswegen war es unmöglich, so frisch und froh ein neues Leben anzufangen – Adoleszenz hat selbstverständlich viel damit zu tun. Deshalb dauerte es so lange, bis ich verstand, daß hinter dieser *Fassade*, die zu bröckeln begann, doch etwas steckte, was völlig unberührt war und doch alles determinierte. Dann – wie bei jedem – kamen diese Krisen am Anfang, und aus einem Grund, der ganz zufällig war, habe ich angefangen, zurückzugehen.
Die Schule war wunderschön, der Geist war eine ganz merkwürdige Mischung aus deutscher Kultur und neuem israelischen Menschen. Ich erinnere mich wie heute, daß es ein Orchester gab, das Richard Strauss gespielt hat, was für mich selbstverständlich ganz in Ordnung war, damals aber in der israelischen Atmosphäre von 1948/49 ganz unwahrscheinlich war. Man las Thomas Mann in hebräischer Übersetzung bei Tisch... Ben Shemen ist schon eine Geschichte für sich.
Aber all das erlaubte doch, zumindest theoretisch, eine neue Identität. *Die Vergangenheit war da, aber als etwas ganz Äußerliches – etwas, das eben passiert ist.* Und viel später kommt es als etwas nicht Äußerliches ans Licht. Plötzlich entdeckt man, daß es innerlich ist, daß sie in einem steckt.«

[1] Friedländer, *When Memory Comes*, S. 145

Pius XII. und das Dritte Reich

Sie haben in Ihrer ersten Veröffentlichung Pius XII. und das Dritte Reich (Hamburg 1965) *schon vor mehr als zwanzig Jahren Stationen beschrieben, die Ihrer eigenen Biographie sehr nahe kamen.*

»Das ist ganz richtig, es war vielleicht die erste Station. Sehen Sie, es kommt zufällig und doch nicht zufällig.
Ich arbeitete damals an meiner Doktorarbeit über Hitler und die Vereinigten Staaten, die diplomatische Geschichte; auf deutsch ist sie als *»Auftakt zum Untergang«* herausgekommen (Stuttgart 1965). Dabei fand ich zufällig eine Akte über die Verhältnisse des Vatikans zum Dritten Reich. Es war mehr ein Dokument, das fälschlicherweise in die Amerika-Akten geraten war. Darin ist die für mich erregende Szene geschildert, wie Papst Pius XII. im Dezember 1941 die Berliner Oper zu einer privaten Aufführung von *Parsifal* einlud.
Ich dachte: Wie kann man das tun? Auch wenn man Wagner gern hört und gerne Opern sieht. 1941! Von Polen wußte er schon, es war tief im Kriege, und durch Nuntii mußte er auch wissen, was in Osteuropa passierte. Ich fragte mich, wie man das zusammenbringen kann...«

...zusammenbringen mit der Autorität, die Sie ihm zugesprochen haben?

»Ja, klar. Das war also der Zufall. Als ich meine eigene Erfahrung – und einige Jahre im Kloster, die mir das Leben gerettet haben – damit verknüpfte, wollte ich sehen, wie diese Vatikan-Politik damit zusammenhing.
Ein anderer Forscher, der für diese Doppelproblematik des Verhaltens der Kirchen nicht so sensibilisiert gewesen wäre, hätte das vielleicht nicht so gespürt.
Ich meine, daß die Kirche sehr *ambivalent* war. Vor allem geht hierbei die Debatte, wie Sie wissen, um den Papst selbst, weil er die Kirche und ihre Macht symbolisiert und sein Wort – wie auch sein Schweigen – eine besondere Bedeutung hat, so wie es Hochhuth scharf, wenn auch vielleicht zu stilisiert, in seinem *Stellvertreter* formuliert hat.
Jedenfalls (ist es) ein Problem, das bis heute herausfordert. Aber ich habe das Problem hinter mir gelassen – nach diesem Buch bin ich nie wieder zur Problematik der katholischen Kirche zurückgekehrt.

Ich habe mich jedoch mit den moralischen Problemen am Beispiel der Person des Protestanten von Gerstein[2] beschäftigt.«

Zwischen Schweigen und Schreiben

»Aber hier hat mich mehr die Persönlichkeit beschäftigt. Ich habe mir viele Fragen gestellt über diese merkwürdige Mischung von Mitmachen und dem gleichzeitigen Versuch, etwas gegen diese Maschine zu tun – und weil man *einsam* ist, wird man dann als verrückt betrachtet, ist es vielleicht auch, und begeht schließlich Selbstmord. Das war die Situation dieses Menschen.
Um zur Hauptfrage zurückzukommen: Es gibt diese Stationen im Leben der Überlebenden. Sie müssen sich krisenweise oder buchweise, was in diesem Falle ja dasselbe ist, damit auseinandersetzen und abfinden. So ist mein Buch über Pius XII. entstanden – später kam das Autobiographische.
Es gibt Überlebende, die nie darüber sprechen – und aus denen das, was sie erfahren haben, doch plötzlich herauskommt. Andere beschäftigen sich immer damit, aber auch bei ihnen kommt es zu Krisen, in denen ihre wissenschaftliche oder literarische Arbeit mit dem Emotionalen zusammenfällt. Und dann gibt es eine dritte Gruppe, die sich wirklich ständig auch wissenschaftlich damit auseinandersetzt. Ich würde mich als eine Mischung aus der zweiten und dritten Kategorie ansehen.
Die Schwierigkeit besteht für mich wirklich in dieser Asymmetrie: *Die Nähe zu halten und sich zugleich doch der ›normalen‹ Mittel der Wissenschaft zu bedienen.* Es ist mein Anspruch, aber es gibt immer wieder Konflikte – schon die Sprache ist eine Falle, wie ich das ja in *Kitsch und Tod* zu analysieren versucht habe.«

Wenn ich etwa Ihr Buch über Pius XII. mit Kitsch und Tod *vergleiche, dann fällt mir auf, daß Sie sich in einer Weise, die Alfred Grosser in seinem Vorwort zu* Pius XII. *fast schon wieder kritisiert, Zurückhaltung auferlegen und Distanz wahren – weil es Ihnen offenbar sehr nahe gegangen ist.*
In Kitsch und Tod *argumentieren Sie mit sehr viel offenerem Visier – und das verrät eine andere Distanz.*

[2] Vgl. Saul Friedländer: *Kurt Gerstein oder die Zwiespältigkeit des Guten*, Gütersloh 1965.

»Das stimmt. Aber bei der Abfassung von *Pius XII.* befand ich mich in einer ganz anderen Situation als bei *Kitsch und Tod*. Mir war klar, daß ich mich mit der Zentralfigur einer Institution beschäftigte – also auf einer Ebene, auf der mein Leben nicht gerettet wurde.
Aber zugleich wollte ich soweit wie irgend möglich fair sein. Ich wollte mich so wenig wie möglich im Sinne meiner eigenen Betrachtungen engagieren, sondern nur Dokumente und kurze Kommentare bringen. Ich war in einem *Dilemma*. Ich habe es ganz absichtlich einem katholischen Verlag zum Abdruck angeboten. Ich habe damals, Anfang der sechziger Jahre, eine linkskatholische Edition gewählt, weil ich dachte, daß es schon Leute sein müßten, die das mit ihrer linkskatholischen Haltung wahrnehmen können – es war meine eindeutige Absicht, mich gegen mich selbst zu wehren.«

Gegen was in Ihnen selbst?

»Daß ich nicht irgendeinem Vorurteil folge.«

War es vielleicht auch die Aufbewahrung dessen, was Sie dort als gut erfahren haben?

»Selbstverständlich. Ich wollte die Sache so nuanciert wie möglich im Sinne der Kommentare lassen, weil das ja der Rahmen war, innerhalb dessen ich überlebt habe.«

Die Stationen tauchen in den von Ihnen herausgegebenen Dokumenten auf: sowohl Drancy als auch die engagierten positiven Äußerungen katholischer Geistlicher in Südfrankreich...

»Ganz absichtlich. Ich wollte zeigen, daß sich auch Bischöfe ganz aktiv dagegen gewehrt haben.«

Sie haben gesagt, daß Sie damit abgeschlossen haben und nie wieder an das Thema herangegangen sind – bis auf kleine Nebenbemerkungen. Ganz ist es Ihnen also nicht gelungen, das abzudichten...

»Kleine Nebenbemerkungen, ja. Wo haben Sie die gefunden? Selbstverständlich in der Autobiographie, aber das war ja privat – privat in dem Sinne, daß hier die Ebene nicht die der geschichtlichen Ereignisse war, sondern die, wie ich es als Kind erlebt habe.«

Etwa in Ihrer Bemerkung über Bertram.

»Sie sehen, man wird es nie los – auch die Anfangsstationen nicht, aber es war nie wieder ein zentrales Thema, obwohl ich weiß... Ich habe die Vatikanakten durchgelesen, die veröffentlicht wurden – das sind sieben oder acht Bände, teilweise italienisch, aber irgendwie habe ich sie durchgekriegt, und normalerweise lese ich auch die Bücher, die darüber geschrieben sind. Auch die Weizsäcker-Papiere blättere ich durch. Also das Thema beschäftigt mich immer noch, aber ich schreibe nicht mehr darüber.«

Warum hat der Papst geschwiegen?

Aber sind Ihre Fragen beantwortet, die Sie am Schluß Ihres Buches so drängend stellen?

»Ich würde heute nichts lieber tun als zu sagen, daß ich mich in den Fragen und Hypothesen geirrt habe. Ich glaube jedoch nicht, daß die neueren Dokumente die von mir angenommene Grundmotivation für das Schweigen des Papstes widerlegen: seinen Anti-Bolschewismus, seine politische Haltung und auch seine Zuneigung zum Deutschland vor Hitler.[3]

Wenn ich mich richtig erinnere – ich hab' das Buch schon vor Jahren geschrieben und nie wieder hineingeschaut –, dann hat der Papst selbst ein paar Erklärungen über sein Schweigen gegeben, über sein Verhalten im großen und ganzen. In einer Rede vor Kardinälen sagte er, daß er nichts tun konnte. Und daß, wenn er etwas getan hätte, es noch schlimmer für die Opfer gewesen wäre. Die Frage ist selbstverständlich, was noch schlimmer hätte sein können.

Außerdem erlaubte er in dieser Lage eigentlich jedem Bischof, so zu handeln, wie er es für das beste hielt.

Meine Hypothesen waren, daß das alles subjektiv wahrscheinlich eine Rolle gespielt hat – das ist eine Frage, die man nicht überprüfen kann –, aber daß es auch andere Gründe gab. Meines Erachtens waren diese Gründe im wesentlichen ideologisch-politischer, auch kirchenpolitischer Natur.

Erstens hatte der Papst als Verantwortlicher für die ganze Kirche Angst, daß eine Stellungnahme zu einer *Spaltung der Kirche* führen könnte; am sichersten war es für ihn, sich neutral zu verhalten.

Zweitens nahm der Papst von Anfang an ganz klar eine *anti-bolschewistische Haltung* ein; daher wollte er das Bollwerk gegen den Bolschewismus nicht schwächen.

[3] Der Breslauer Kardinal Bertram, der sich einer Kritik an der Judenermordung enthalten hatte, hatte 1944 an die NS-Führung appelliert, die Katholiken nicht wie die Juden zu behandeln.

Drittens – wenn auch für mich nicht so wesentlich – ist da irgendeine *Sympathie* zu dieser Nation, diesem Kulturbereich, als den man Deutschland betrachten konnte. Nicht etwa zum Nazismus, das habe ich nie gesagt und werde es auch nie sagen.
All dies zusammen erklärt schon das Schweigen. Hinzu kommt vielleicht noch das geringere Gewicht, das die Juden in der Welt und in der Kirche hatten. Man darf ferner nicht vergessen, daß auch die Alliierten das als ein geringeres Problem betrachteten, noch zu einem Zeitpunkt, als man schon etwas hätte tun können.
Als ich das Buch verfaßte, schrieb A. J. P. Taylor, ein berühmter, etwas revisionistischer, sehr sarkastischer englischer Historiker, der wegen seiner Exzentrik sehr bekannt ist, für den ›Observer‹ eine Review und fragte, was denn der Herr Friedländer dächte – warum sollte sich der Chef einer politischen Institution moralisch benehmen? Was erwartete man schon? Er sah das so sarkastisch, die Problematik des Moralischen.«

Saul Friedländer hat »nie mehr darüber geschrieben«. Für ihn ist es abgeschlossen. Und dennoch ist nur sein wissenschaftliches Leben eine beständige Auseinandersetzung »damit« geblieben: »Man will es auch verstehen.« Die größte Herausforderung besteht für Friedländer darin, die distanzierenden Methoden der Wissenschaft für einen »Gegenstand« zu nutzen, der eigentlich keine Distanz verträgt, erst recht nicht die Normalität des wissenschaftlichen Alltagsbetriebs.

». . . nie vergessen, worüber man spricht«

»Die wissenschaftliche Arbeit ist doppelter Natur. Man will es verstehen, dazu braucht man die Wissenschaft, ihre Methodik und Theorie. Aber zugleich werden starke Emotionen wachgerufen, die auch nicht abgetrennt werden sollten. Man muß den richtigen Weg *zwischen Sensibilisierung und Methodik* finden. Die wirklich schwierige Balance meiner Arbeit als Historiker des Nationalsozialismus besteht darin, *die Geschichte kritisch-analytisch zu betrachten, zugleich aber nie zu vergessen, worüber ich spreche*, und eine entsprechende Nähe zu bewahren.
Ich denke zum Beispiel ungern an den bei Rohwer (???) erschienenen Beitrag über den Streit unter den Historikern zwischen den Intentio-

nalisten und den Funktionalisten, den ich vom rein historischen Standpunkt aus analysiert habe.[4]
Es tut mir leid, daß ich ihn geschrieben habe. Ich habe immer versucht, in meiner wissenschaftlichen Arbeit diese Balance zwischen kritischer Analyse und einer Sensibilität dem Thema gegenüber einzuhalten. Aber manchmal kippt man in die eine, manchmal in die andere Richtung um, und in diesem Fall bin ich in die Distanz umgekippt. Ich fühle mich mit dieser Arbeit nicht wohl. Aber das geschieht, wenn man sich mit diesem Thema beschäftigt. Man wehrt sich gegen das, was es an Gefühlen auslöst, und versucht, die Balance zu halten, ohne sich den Emotionen auszusetzen. Und genau dann merkt man plötzlich, daß man sich schon so weit distanziert hat und als Wissenschaftler sich selbst eine Barriere errichtet hat.
Übrigens glaube ich, daß die deutschen Kollegen meiner Generation..., die sich ständig mit diesen Problemen beschäftigen und ihr Hauptwerk als Historiker darauf konzentriert haben, ...dasselbe Problem haben wie wir jüdischen oder israelischen Historiker: Sie können, ob sie wollen oder nicht, auch nicht neutral auf diese Problematik eingehen. Wenn sie zu weit das ausschließlich Wissenschaftliche betonen, könnte es ein Abwehrmechanismus gegen subjektive Elemente sein, die sie von der historischen Objektivität – die ja sowieso eine Fata Morgana ist – entfernen.«

»Widerschein des Nazismus«

Sie kritisieren in Ihrer jüngsten Veröffentlichung Kitsch und Tod *Formen einer ›Einfühlung‹ in den Nationalsozialismus, die – so Ihre These – sich dem Faszinosum Faschismus in seiner ästhetischen Bearbeitung angleicht – den Nazismus in den Filmen Syberbergs oder Fassbinders widerscheinen läßt.*

»Mich beschäftigt mehr und mehr, wie die NS-Zeit in der ›collective imagination‹, der kollektiven Vorstellung, umgearbeitet wird. Ich habe Schilderungen gelesen und Filme gesehen, so zu Anfang meiner Auseinandersetzung mit diesem Thema den Film von Hans-Jürgen

[4] Vgl. Jaeckel, Eberhard, und Rohwer, Jürgen, 1987. Als »Intentionalisten« gelten diejenigen, die den Völkermord der Nazis an den Juden als früh intendiert nachweisen, während die »Funktionalisten« ihn als »Resultat« der politischen Dynamik der NS-Herrschaft, vor allem der ersten Kriegsjahre, interpretieren.
Die frühere Fassung lautet: *Some Aspects of the Historical Significance of the Holocaust,* Jerusalem 1977.

Syberberg, *Hitler – ein Film aus Deutschland*. Ich spürte, daß sich nach einer Distanz von mehr als dreißig Jahren seit dem Ende des Krieges ein verändertes Bild der Vergangenheit herauskristallisiert; daß in dieser Imagination etwas enthalten war, das einer genaueren Erforschung bedurfte. Ich bin dem nachgegangen, dieser Dualität von Apokalypse und Sentimentalität, die ich Kitsch nenne: eine Gemeinschaftssentimentalität, die bis ins Äußerste reicht und ästhetisiert ist: Wärme, Einfachheit der romantischen Harmonie *und* Tod und Zerstörung.
Das ist ja das Merkwürdige: Es war nie nur das eine – Harmonie *oder* Zerstörung –, sondern es war diese Mischung, die eine so zentrale Kraft im Nationalsozialismus besaß, nicht nur in der Ästhetik, sondern auch im Alltagsleben. Das Kitschige, Neoromantische war stets mit der Vorstellung der absoluten Destruktion verschmolzen. Diese Faszination war damals eine Realität – eine sehr wirksame.
Ich fand nun, daß dieselben Methoden ästhetisch wiederholt wurden, ohne daß man sich darüber klar war: eine instinktive Wiederholung, um die Dämme zu durchbrechen, um sich in die Sache einzufühlen. Statt es a priori mit einem moralischen Urteil zu belegen, suchte ich nach der versteckten Struktur dieses Diskurses über die NS-Zeit.«

Strategien der Abwehr?
Unterschiedlicher Umgang mit der Vergangenheit

»Ich suche jetzt in der *Debatte der Historiker* ebenso nach dem, was diese Debatte eigentlich ausdrückt.«

Ich fürchte, daß in dieser Debatte weniger erinnert als Erinnerung abgewehrt wird: Die einen wiederholen das Faszinosum und die anderen lediglich die Distanz (in der historischen Wissenschaft), so daß beides Formen einer Distanzierung sind.

»Ich glaube, daß man von dieser Hypothese ausgehen, sie aber nun schrittweise prüfen muß.
Diese Periode ist ja im Westen, aber ganz besonders in der Bundesrepublik noch immer stark im Bewußtsein. (Über die DDR bin ich viel weniger im Bilde.)
Auf der ideologisch ganz anderen Seite benutzt ja Nolte zusammen mit anderen die Formel ›Eine Vergangenheit, die nicht verwehen

will‹.[5] Die Mehrheit scheint sich aber mehr und mehr gegen diese Vergangenheit zu wehren und drängt auf Normalisierung, weil sie sich schon in den siebziger Jahren abzuzeichnen begann: zum einen durch die erwähnte *Ästhetisierung und Hervorhebung des Faszinierenden und die gleichzeitige Überspielung des Unerträglichen*; zum anderen durch eine Art *wissenschaftlicher Distanzierung*, durch eine sogenannte Historisierung des Nationalsozialismus, die zwar an sich notwendig ist, aber doch die Frage aufwirft, wie man historisiert – und zu welchem Zweck.

Bei diesen Trends handelt es sich zwar um verschiedene Gruppen und verschiedene Fachdisziplinen. Betrachtet man das Ganze aber als Kollektiv-Phänomen, so fällt auf, daß es sich weitgehend um Strategien einer Abwehr handelt oder um eine Umarbeitung, die den Sinn hat, Abwehr zu erleichtern. Diese Strategien dienen ebenfalls nicht dazu, ein *besseres Verständnis* zu erzeugen.

Aber ich will etwas zur Relativierung sagen. Man muß gestehen, daß es sich so entwickelt, wie wir es gerade gesagt haben, aber das zeigt im großen und ganzen auch ein Ringen mit dieser Vergangenheit. Ich sehe diese Phänomene nicht positiv, aber es würde ja nichts passieren, wenn nichts da wäre: Es gibt seit 1945 ein ständiges Ringen mit dieser Vergangenheit in Deutschland, und auch im Westen; so etwa in Frankreich immer dann, wenn aus irgendeinem Grund die Kollaboration und die Resistance hochkommen – dann ist die Hölle los, weil es *immer da* ist.

Das ist ja ganz ähnlich bei den Juden und in Israel. In der israelischen Gesellschaft und beim jüdischen Volk auf der ›anderen Seite der Barrikade‹ ist bei diesen Ereignissen die Vergangenheit noch immer da – man fühlt dasselbe ›Ringen‹ mit der Vergangenheit. Und im individuellen Leben der Leute, die davon betroffen waren, ist es ja das dominante Thema, auch wenn es diese Generation nicht geradeheraus sagt. Es ist doch klar, daß ihr ganzes Leben davon gestaltet ist.«

Es scheint, als ob es da eine Asymmetrie zwischen denen gibt, die zu den Opfern im weitesten Sinne gehören, und denen, die irgendwie in die NS-Maschinerie involviert waren oder in ihrer Tradition stehen.

»Ja, es gibt eine Asymmetrie... Die Gruppe, zu der ich gehöre, *kann sich mit dieser Vergangenheit gar nicht abfinden;* es ist unmöglich. Es gibt für uns nur unterschiedliche Möglichkeiten, sich dieser Vergan-

[5] Vgl. *Frankfurter Allgemeine Zeitung* vom 6.6.1986.

genheit gegenüber auf einer bestimmten Linie zu halten. Eine ist, darüber nie zu sprechen, aber das geht letztendlich nicht. *Das Leben dieser Menschen ist so, daß sie, auch wenn sie nicht sprechen, unter diesem Schatten leben* – und irgendwann in ihrem Leben kommt ein Moment, in dem die Vergangenheit plötzlich an die Oberfläche tritt. Diese Krise ist hier im Land gut bekannt...«

Sie attestieren Historikern wie Hillgruber in Ihrem ›Ha'aretz‹-Artikel[6] *Empathie. Sind die Äußerungen dieser Leute nicht gerade ein Zeichen mangelnder Empathie? Wenn Sie so wollen, einer Empathie für die Soldaten der Wehrmacht, die die Ostfront verteidigt haben?*[7]

»Ich kenne ja Herrn Hillgruber und seine bisherige Arbeit. Er hat sich auch viel mit der ›Endlösung‹ beschäftigt. Ich finde, daß Habermas in vielem recht hat. Hillgruber hat eine Sichtweise vorgelegt, die besorgt macht. Habermas' ethische Haltung zu dieser Thematik kommt meiner Auffassung sehr nahe.«

Habermas hat sich auch, anders als viele andere, die geschwiegen haben, mit seiner Hitlerjugend-Erfahrung auseinandergesetzt.

»Genau. Er hat eine ethische Haltung, die er sehr deutlich gemacht hat. Er hat das Buch von Herrn Hillgruber stark angegriffen – Sie kennen die Argumente: das Hochspielen des Patriotismus, des Antikommunismus und die zitierte Empathie für die Wehrmachtssoldaten an der Ostfront. Und er fragt, warum dies alles nicht aus der Distanz von vierzig Jahren betrachtet werden könne, warum man sich so identifizieren müsse. Man muß sich wahrlich nicht mit der Ostfront identifizieren! Erst hatten wir den Historismus, dann den Antihistorismus der Emigranten – die Betrachtung der NS-Zeit aus der Distanz – und jetzt offenbar eine Art neuen Historismus. Man will sich wieder in etwas einfühlen, in das man sich einfühlen kann. Hillgruber teilt selbstverständlich nicht die Haltung Hitlers, aber auch nicht die des Widerstandes – weil das eine kleine idealistische Gruppe gewesen sei – und selbstverständlich auch nicht die der Roten Armee, weil diese nur für die Häftlinge interessant war. Deswegen bleiben nur die Soldaten, die die Bevölkerung geschützt haben... Dadurch gerät er in ein schwieriges Dilemma. Ich frage mich, warum man da unbedingt Empathie entwickeln muß. Wenn schon Empathie, warum dann nicht

[6] ›Ha'aretz‹-Artikel vom November 1986

[7] Hillgruber hatte sich in *Zweierlei Untergang* (Berlin 1986) im Rahmen seiner Darstellung der Situation des Krieges Ende 1944 mit den Soldaten der Ostfront explizit identifiziert. Vgl. *Historikerstreit*, München 1987

mit den Opfern? Und mit der ganzen europäischen Bevölkerung, die jeden Tag darauf wartet, daß die Fronten einstürzen?
Ich hatte große Probleme mit seiner Identifizierung, denn sie bedeutet doch: Wir können uns nicht mit den Opfern identifizieren, für uns Deutsche ist die nationale Frage *die* Frage – und nicht die, daß hinter den Linien immer noch vernichtet wurde. Das zeigt eine *Wende* in der historiographischen Betrachtung. Wenn sie verallgemeinert wird, dann kommen wir zu einer nationalen Geschichte, die von einem nationalen Standpunkt ihre Kohärenz haben mag, die aber das Schreckliche des NS-Regimes ausklammert.«

Das Wort »Wende« wird in der westdeutschen Diskussion, wie Sie wissen, im Sinne jener Wende zum Neokonservatismus verwandt. Die Überschrift des – von Habermas wohl zu Unrecht als besonnen charakterisierten – Aufsatzes von Ernst Nolte in der »Zeit« (Oktober 1986) trug die programmatische Überschrift: »Gegen den negativen Nationalismus«.

»Ich glaube, daß es eine Verknüpfung gibt, aber das ist eine Frage, die die Leute, die die heutige deutsche Szene viel besser kennen als ich, viel besser betrachten können. Man hat aber den Eindruck, daß sich da eine komplexe Verknüpfung von Ideologie, Politik, Erinnerung und Historie zu einem kohärenten Bild anbahnt: Man muß wieder eine nationale Identität finden und sich deshalb *eine Geschichte aneignen, die man ertragen kann.*«

Es scheint dann doch eine Erinnerung zu sein, die eigentlich Erinnerungsabwehr ist.

»Durch verschiedene Strategien – und man kann eine ganze Liste davon aufstellen – muß man irgendwie um dieses Phänomen herumkommen. Wie Sie selbst wissen, gibt es schon eine ganze Reihe deutscher Wissenschaftler und Historiker, die die Konfrontation mit der Vergangenheit nicht scheuen. Dennoch ist es unvermeidlich, daß, je größer die Distanz wird, eine Mehrheit versuchen wird, die Sache irgendwie umzuarbeiten und Abwehrstrategien zu finden.«

In dem Aufsatz von Nolte in der »Zeit« ist von seiner früheren Position – Mitte des Jahres – nichts wirklich zurückgenommen. Sie haben schon in einem früheren Aufsatz darauf hingewiesen, daß Noltes Analogisierung von Faschismus und Marxismus natürlich der Rolle der Judenvernichtung einen untergeordneten Stellenwert in der Kritik des Faschismus zuweist.

»Ja, aber das war damals von mir als allgemeine Kritik des Faschismus-Konzepts gemeint. In dem Zusammenhang habe ich *auch* seine These kritisch erwähnt – wie auch seine Totalitarismus-Konzeption.
Ich meine, daß diese Verallgemeinerungen Methoden sind, um das Problem herumzukommen. Das war schon damals klar, und heute gibt es Leute, die das gut einsehen. Und es sollte zumindest erwähnt werden, daß die Antwort, die die Söhne-Generation Ende der sechziger Jahre auf dieses Problem gab, dieser Zusammenstoß von Vätern und Söhnen, die Diskussion eröffnet hat. Aber später, glaube ich, war die Übertreibung, alles – die Bundesrepublik bis zu den USA – zum Faschismus zu erklären, selbst eine Art Abwehrtechnik, um die Spezifität des Nationalsozialismus abzuschwächen. Deswegen – wegen der unspezifischen Verallgemeinerungstendenz – habe ich damals auch Nolte erwähnt. Er hat seine Position in dem ›Zeit‹-Artikel vom Oktober 1986 in der Tat nicht geändert, sondern nur ein bißchen anders formuliert.«

Symptom einer tiefen Polarisierung

»Ich glaube, daß die Historiker-Kontroverse nur Symptom einer viel tieferen Polarisierung ist. Der Artikel in ›Ha'aretz‹ (November 1986) hatte im wesentlichen über die Debatte informieren sollen, aber im letzten Teil habe ich die Hypothese formuliert, daß sich da eine Schere auftut zwischen ... ich will nicht sagen jüdischem und deutschem Gedächtnis, aber doch zwischen der Kristallisation des einen Gedächtnisses auf der einen Seite und des anderen auf der anderen Seite. Die ›Gedächtnisse‹ waren in der Elite bis zum Ende der sechziger Jahre in etwa ähnlich, dann haben sie sich langsam auseinanderentwickelt. Heute sieht man, warum: weil einerseits auf der jüdischen Seite anstelle einer zionistischen oder religiösen Identifizierung eine größere Auseinandersetzung mit dem Holocaust (das Wort habe ich eigentlich nicht so gerne) stattfindet, andererseits in Deutschland im großen und ganzen ein Drang nach Normalisierung vorherrscht. Diese Entwicklungen gehen scherenartig auseinander – deswegen die Kontroversen um Bitburg, die Fassbinder-Aufführung und in Österreich um Waldheim. Mein Freund und Kollege Dan Diner hat von einer ›negativen Symbiose‹ gesprochen. Es ist etwas daran, daß diese beiden Gruppen nun wirklich *negativ symbiotisch* geworden sind, daß die eine ohne die andere ihre jeweilige Selbstdefinition nicht treffen kann.

Es scheint, daß in Deutschland das Grundproblem des Gedächtnisses jetzt mit dem Streben nach einer neuen Identität verknüpft werden soll. Das hat seine Logik. Wenn man eine neue Identität bauen will, muß man sich mit der Vergangenheit irgendwie abfinden, so oder so. Habermas hat seine Antwort des Verfassungspatriotismus gegeben. Nach und wegen Auschwitz kann man nicht anders.
Ich glaube, daß diese Diskussionskonjunktur ganz tief von Abwehrmechanismen und von der politischen Gestaltung der Erinnerung (oder Nicht-Erinnerung) geprägt ist.
Das Hauptproblem sehe ich gegenwärtig im Verhalten der Elite. Daß die Bürger sich anpassen und von all dem wegwollen, ist schade, aber so ist es, und so wäre es auch zum Beispiel in Amerika. Daß jetzt aber in einer wesentlich intellektuelleren, teilweise sehr bedeutenden ideologisch-politischen Ebene diese Tendenz herrscht, ist schon wesentlich problematischer. Dieser Kampf um eine neue Gestaltung der Vergangenheit ist viel schwieriger, weil er von einer viel bewußteren Ebene aus geführt wird. Aber Sie meinen auch, daß diese Debatte erst anfängt? Ich meine nicht allein die historiographische?«

Es gibt ja eine ganze Reihe öffentlicher Ereignisse: Nehmen wir nur die Weigerung von Bürgern des Ortes Bergen, eine ihrer Straßen nach der dort umgekommenen Anne Frank zu nennen. Das sind Ereignisse, die sich seit der »Wende« und vor allem nach »Bitburg« häufen…

»Und dieser merkwürdige Plan für das Denkmal in Bonn – eine Dornenkrone… die Frage ist, ob es eine Gruppe gibt, der wirklich genügend bewußt ist, worum es geht, und die durchhält – oder ob sich die Leute am Ende von all den Debatten müde fühlen.«

Konträre Erinnerungen

Mein Eindruck ist, wenn Stürmer von Erinnerung redet – oder auch Speer –, dann meint er eigentlich eine ganz andere Erinnerung als die, wenn Sie von Erinnerung reden, sagen wir, in Ihrer Autobiographie…
Rosenzweig hat zur Eröffnung des Freien Jüdischen Lehrhauses in Frankfurt 1920 von der Chance zu einer »anderen Er-Innerung« gesprochen – »nicht in dem faden Sinn einer toten Pietät, in dem dies schöne deutsche Wort bisher so häufig über der Beschäftigung mit jüdischen Dingen als Kennwort gestanden hat«. Dieses »Inne-Werden«

(Martin Buber) hieße ja nicht aussparen, sondern wäre sogar im Konflikt mit einer aussparenden Erinnerung, wie sie Stürmer wählt, wenn er kritisch von »kollektiver Schuldbesessenheit« spricht.

»Ich würde da zwei ganz verschiedene Ebenen unterscheiden: Das Private – obwohl es ins Kollektive geht, und im jüdischen Sinne der Erinnerung ist es auch sehr schwer zu entscheiden – und das mehr technische, öffentliche Wort. ›Der, der die Konzepte prägt, der die Erinnerung führt, der wird die Zukunft gewinnen‹ – ich zitiere Michael Stürmer. *Das* ist nun wirklich fast ein Schlachtfeld, man kämpft hier darum, wer eigentlich die politische Macht haben wird – nämlich derjenige, der die Erinnerung prägt oder geradezu konstruiert.
Als ich das Buch *Wenn die Erinnerung kommt...* schrieb, war das selbstverständlich persönlich, aber es war auch kollektiv. Für mich waren es nicht Schritte einer bloßen Pietät – im Sinne einer Kommemoration –, sondern Etappen einer Vertiefung in eine Vergangenheit, die wie ein geschlossenes Gebiet vor mir lag, zu einem immer tieferen Verständnis darüber, was wir sind, wer wir sind, warum diese Sachen passiert sind. Je mehr man sich erinnert, desto mehr faßt man sich, irgendwie. Wenn wir – das Individuum und die Juden als Gruppe – vor dieser unheimlichen Vergangenheit stehen, die uns selbst ein Mysterium ist, wenn wir uns die Details vergegenwärtigen, beginnen wir etwas mehr davon zu verstehen, wer wir sind. Das geschieht in einem ganz intuitiven Prozeß, der fast nicht formulierbar ist. Was ich nach dieser Reise in die Vergangenheit besser verstehe, ist nicht etwas, das ich Ihnen in Konzepten klar darlegen könnte. Man begibt sich in etwas hinein, ohne eine Antwort zu erhalten oder eine Lösung zu erwarten. Die Türen öffnen sich, aber man erfährt keine Klarheit. *Es gibt keine Katharsis.*«

Kann man, muß man nicht Maßstäbe auch an die öffentliche Redeweise anlegen? Immerhin gibt (und gab) es persönliche Beispiele dafür – wie etwa Frau Hamm-Brücher und in bestimmten Situationen auch Heuss, Heinemann, Brandt... Es gibt Formen eines öffentlichen Umgangs mit unserer deutschen Geschichte, die mit der Erinnerungsweise eines Individuums, welche weiter greifen kann, mindestens korrespondiert.

»Was Sie sagen, leuchtet mir ein. Nur ist es so, daß die Konfrontation mit der Vergangenheit in der großen Öffentlichkeit kaum erreichbar ist, auch wenn es wünschenswert wäre. Es hat sich nach dem Krieg etwas versteinert, die Plombe, wie Sie sagen, kann nicht gelöst werden. So wäre es wohl von jeder Öffentlichkeit zu erwarten, die sich in

dieser Lage befände. Leider ist das genau das Problem und erklärt die Abwehrprozesse, die mich interessierten.
Ich glaube, es handelt sich um zwei ganz verschiedene Prozesse, die man auseinanderhalten muß. Wenn man sie zusammenbringen könnte, hätten wir selbstverständlich eine ganz andere Gesellschaft – nicht nur in Deutschland, sondern überall.«

Teil II
Emigranten in den Vereinigten Staaten

Anders als in Israel und auch anders als in Skandinavien hat sich den in die Vereinigten Staaten Ausgewanderten nicht selten etwas von dem mitgeteilt, was Erikson die »amerikanische Identität« nennt: vom Konfliktbewußtsein und der Konfliktfähigkeit, vom amerikanischen Pragmatismus, von den Traditionen der Freiheit wie der praktischen Demokratie der Nachbarschaft.

Nicht alle sind so integriert wie der Grandseigneur der amerikanischen Soziologie, Lewis A. Coser. Vor allem zu Anfang hatten sie enorme Schwierigkeiten – und viele ihr Leben lang.

Ossip K. Flechtheim zum Beispiel ist, anders als Coser, eben auch deswegen zurückgekehrt, weil es ihn in das einsame, nicht urbane Waterville/Maine verschlagen hatte. Aber auch, weil es für ihn so etwas wie eine »politische Heimat« gab: die Sozialdemokratie und die Arbeiterbewegung, zu der er zurückkehren konnte – ähnlich wie Richard Löwenhal. Und anders als Leo Löwenthal haben Adorno und auch Horkheimer ihren Platz, gar ihre Identität nie in Amerika gefunden.

Aber fast allen – auch in Amerika – ist die große Aufmerksamkeit bei der Frage anzumerken, ob sich in Deutschland etwas geändert hat, ob sie sich »gefühlsmäßig vergegenwärtigen, was geschehen ist«. In diese Aufmerksamkeit spielt eine Spannung hinein, die aus den Kindheits- und Jugenderfahrungen kommt. Es sind Erfahrungen und Vorstellungen von Toleranz und Demokratie und der kulturellen Weltläufigkeit der Vorkriegszeit im Berlin und Wien der 20er Jahre, im liberalen Frankfurt.

Leo Löwenthal:

»Ich will den Traum von der Utopie nicht aufgeben«

Leo Löwenthal, geboren im Jahre 1900 in Frankfurt am Main, europäisch-amerikanischer jüdischer Intellektueller, studierte zwischen 1918 und 1926 in Gießen, Heidelberg und Frankfurt. Während des Studiums in Heidelberg lernte er Eva Reichmann kennen, in Frankfurt unter anderem Erich Fromm und Ernst Simon, einen Mitarbeiter Martin Bubers. Zusammen mit Adorno, Horkheimer, Marcuse und Erich Fromm war er Mitglied des Frankfurter Instituts für Sozialforschung, zunächst in Frankfurt, nach der Emigration in Amerika. Zwischen 1949 und 1955 leitete er die Forschungsabteilung der ›Voice of America‹. Seit 1956 ist er Professor für Soziologie an der University of California in Berkeley. 1985 war er Fellow am Wissenschaftskolleg Berlin.

Zu seinen wichtigsten Veröffentlichungen gehören Arbeiten zur Propaganda- und Vorurteilsforschung, *Agitation und Ohnmacht* mit N. Guterman, 1949; *Falsche Propheten. Studie zum Autoritarismus,* Frankfurt/M. 1981; Arbeiten zur Literatursoziologie; *Mitmachen wollte ich nie,* autobiographisches Gespräch mit H. Dubiel, Frankfurt/M. 1980.

Unser Gespräch fand im Juli 1985 in der Pacelliallee in Dahlem statt. Leo Löwenthal hatte sich – als Gast in Deutschland – Zurückhaltung auferlegt und sie auch durchgehalten, obwohl diplomatische Zurückhaltung sonst nicht seine Sache ist, wenn es gilt, gesellschaftliche Tatbestände zu beurteilen. Sosehr er nie mit den herrschenden gesellschaftlichen Kräften hat »mitmachen wollen«, so wenig ließ er sich daran hindern, sich einzumischen.

Auf das Klima des Frankfurter assimilierten Judentums seiner väterlichen Familie reagierte er, wie viele seiner Altersgenossen gegen Ende des Ersten Weltkriegs, mit einem doppelten Protest: »Ich wollte einfach meine kommunistisch-revolutionäre Gesinnung verheiraten mit einer messianischen und in dem Sinne wohl zionistischen Gesinnung.«

Sechzig Jahre später hat er seine zionistische Gesinnung längst hinter sich gelassen, als ich ihn wenige Tage nach seinem ersten Israel-Besuch zum Gespräch traf.

Es kann Leo Löwenthal nicht leichtgefallen sein, den Ort der praktischen Umsetzung der zionistischen Idee – Israel – zu besuchen, gerade weil er als junger Mann in den zwanziger Jahren einen sozialistischen Zionismus enthusiastisch vertreten hat. Vielleicht hatte er gefürchtet, was sein Freund Ernst Simon den »Rausch der Normalität« genannt hat. Erst vierzig Jahre nach der Gründung besuchte Leo Löwenthal Israel zum ersten Mal.

»Nachdem ich also ingesamt neun volle Tage in Israel zugebracht habe, bin ich natürlich ein ›Experte‹. Ich bitte um Entschuldigung, wenn ich Ihnen unverantwortliche Impressionen übermittle. Es ist ein merkwürdiges Erlebnis gewesen, voller Widersprüche. Da ich in meinem Gedächtnis das Bild einer Sand- und Steinwüste hatte, aus der dieses Gebiet herausgehämmert worden ist, war ich erstaunt, was da als Produkt industrieller Leistungsfähigkeit in zwanzig Jahren oder weniger geschaffen worden ist. Das sind ja super-amerikanische Methoden! Und offenbar sind sie erfüllt von dem Enthusiasmus und der Anstrengung der Menschen, die zielbewußt auf diese Entwicklung hingearbeitet haben.
Die Eindrücke, soweit sie sich auf die sozialen und politischen Verhältnisse erstrecken, sind natürlich mehrdimensional. Soweit wir Kontakte mit Intellektuellen der Universität, mit Künstlern und freien Schriftstellern hatten, war das Bild eindeutig: Mit kaum einer Ausnahme steht die Intelligenz im Lager der Opposition, sowohl gegen die frühere Likud-Regierung als auch gegen die gegenwärtige Koalitionspolitik.
Die Menschen, mit denen ich mich unterhalten habe, haben alle die richtigen Lösungen – Lösungen, die sich zum Teil völlig widersprechen in bezug auf Autonomie, Nicht-Annexion, Abtretung, was weiß ich alles. Nur daß sie offenbar völlig ohnmächtig sind! Und das ist einer der bedrückenden Eindrücke, die ich aus Israel mitgenommen habe.
Diese Gesellschaft, die sich ja auch durch das Medium der politischen Institutionen ausdrückt, wird von einer kleinen Minderheit in ihren demokratischen Freiheitstendenzen eingeschränkt: von orthodox-religiösen Rabbinern, die so etwas wie einen pseudo-theokratischen Überbau bilden, welcher in der Regierungsbildung, im Verordnungswesen, im Familienrecht übermäßig einflußreich ist. Das steht in einem grotesken Mißverhältnis zu dem, was sich offensichtlich im Lande selbst abspielt. Man sagte mir, daß 75 oder 85 Prozent der Bevölkerung säkularisiert seien. Zwar machen die Israelis gewisse Verbeugungen gegenüber den religiösen Institutionen und Feiertagen, stellen aber im wesentlichen eine säkularisierte Bevölkerung dar.
Das andere ist der für mich überraschend hohe Einfluß jüdischer Gruppen aus den Randgebieten Asiens und Afrikas. Wie ich höre, stammen 60 bis 65 Prozent der Bevölkerung aus diesen sephardischen, nicht-europäischen Ländern – was im Gegensatz zu meinen

altmodischen Vorstellungen von einem von meist West-Juden beherrschten Israel steht.
Ich habe den Eindruck, daß es eine Bevölkerung ist, die einfach traumatisiert ist und beherrscht wird von den wirklichen oder vermeintlichen Erfahrungen, die sie in der arabischen Umwelt gemacht und erlitten haben, bevor sie in Israel eingewandert sind. Das erschwert natürlich die Verständigung mit der arabischen Bevölkerung innerhalb Israels, innerhalb der besetzten Gebiete und auch mit den arabischen Staaten.
Es gibt dann noch zwei weitere Eindrücke, von denen ich kurz erzählen möchte. Zum einen bin ich tief beeindruckt von der Gleichzeitigkeit des Ungleichzeitigen: Wenn Sie das Weichbild Jerusalems verlassen, sehen Sie schon nach wenigen Minuten an der Straßenseite Beduinenzelte, in denen die Beduinen mit ihren Tieren leben, während wir da mit unseren Wagen vorbeifahren – Tausende von Jahren getrennt. Je näher Sie dann an den großen Städten sind und dort auf Beduinenzelte treffen, desto mehr sehen Sie dort plötzlich auch Fernsehantennen aus den Zelten herausragen und zerbeulte Automobile, die offenbar noch irgendwie fahren können...
Der zweite Eindruck einer starken Ungleichzeitigkeit ist gegenteiliger Natur: In den europäischen, etwa den alten französischen, spanischen, italienischen Städten, die wir lieben, treffen wir auf alte Bauten aus der Renaissance und aus der Antike, die nicht selten einen musealen Charakter vermitteln. In Israel habe ich den Eindruck – besonders in Jerusalem, aber nicht nur dort –, daß das Alte eine fast nahtlose Integrierung des historisch Gewesenen in die Gegenwart bildet. Klöster und andere Baulichkeiten, die Mauern und Straßenzüge passen sich als lebendige Einheit in das gegenwärtige Israel ein, ohne daß man je den Eindruck des Musealen hätte. Selbst wenn Sie in die architektonischen Denkmäler gehen, soweit es nicht bloß Ruinen sind, stoßen sie eben auf Menschen, die auch dort *leben*, beten, sich erholen – was weiß ich. Es ist eine ganz merkwürdige Intensität und Integration.
Man hat das Gefühl, daß man an der niemals völlig zum Stillstand gekommenen Wiege einer großen Kultur lebt. Allerdings mit dem Zusatz, daß sie mir in einer gewissen Weise fremd bleibt. Ich hatte das Gefühl, daß ich mich in einem Lande befinde, das nicht so sehr Teil Europas als Kleinasiens ist, daß es jedenfalls einer anderen kulturellen Kette angehört.«

Keine Atempausen...

Als ich das letzte Mal in Israel war, hatte ich den Eindruck einer hektischen Betriebsamkeit und Vitalität. Die Gespräche, die ich dort führte, waren nicht selten unterlegt von dem, was die Israelis selbst als Trauma bezeichnen, nämlich daß die Staatsgründung – vor allem ihr Zeitpunkt – unmittelbar mit der Judenermordung in Europa durch das Nazi-Regime zu tun hat. Feste und Erinnerungstage werden in einer Weise begangen, daß man diese Geschichte als unaufgearbeitet, als nicht aufzuarbeiten spürt.

»Schön, daß Sie das gesagt haben. Da sind zwei Dinge drin, die ich beinahe vergessen hätte. Das eine ist die Hektik. Das ist mir bereits in den kurzen Gesprächen aufgefallen, die ich mit Israelis hier im Wissenschaftskolleg Berlin hatte, dann auch in Telefongesprächen zwischen Jerusalem und Berlin und natürlich auch im Lande selbst: Es gibt keine Atempausen. Wenn Sie fragen, ist der Soundso da, dann kommt entweder ein Ja oder Nein, nichts weiter – es sei denn, daß ich nachfrage. Chitchat, kleine lockere Unterhaltungen, sind völlig unbekannt, man kommt sofort zur Sache selbst... Ich habe dort zwei Diskussionsnachmittage gehabt, einen über Antisemitismus und einen über die Postmoderne – ...das war sehr interessant. Man hat das Gefühl, es gibt keine Freizeit. Es gibt ja auch keine freie Zeit. Und vielleicht ist diese Dichte der Konversation und auch die Dichte der Handlungs- und Verhaltensweisen auf der Straße ein unterschwelliges Symptom dafür, daß man weiß: Man hat keine Zeit. Das Land ist unter ungeheurem Druck entstanden, jeder Fehler hätte eine Katastrophe bedeutet. Es existiert auch heute unter dem Druck, daß jeder Fehler eine Katastrophe sein könnte, und wenn man auch nicht fortgesetzt daran denkt, daß Bomben fallen könnten oder Attentate verübt werden oder ein neuer Krieg ausbricht – so könnte man schließlich nicht leben –, so hat sich doch ein positives Lebensgefühl manifestiert, wenn wir vielleicht auch nicht viel Zeit haben.

Der andere Punkt: Ich spreche zwar kritisch über Israel – wie ich über alles in meinem Leben kritisch spreche –, aber nicht für einen Moment stelle ich das Existenzrecht Israels auch nur im entferntesten in Frage. Selbstverständlich stehe ich stark unter dem Eindruck des Unsagbaren, das in Europa in den dreißiger und vierziger Jahren geschehen ist. Die Verarbeitung dessen, was geschehen ist – soweit ich das im Yad Vashem ablesen kann und im Israel-Museum –, betont nicht so sehr, was wehrlos geopfert und hingeschlachtet worden ist, sondern den Widerstand. Es besteht, wenn man historisch denkt, eine groteske Disproportion, so als ob wirklich das Charakteristischste an der Nazi-Periode der jüdische Widerstand, im besonderen der Widerstand der Partisanen gewesen sei. Aber ich verstehe das: Es ist für die Generation der Jungen und der Mittelalten, den Leuten Ihres Alters etwa, einfach nicht zumutbar, zu akzeptieren, daß sich da Millionen und Abermillionen von Menschen einfach ohne Widerstand haben hinschlachten lassen. Denn man *kann* einfach nicht nacherleben, was sich unter dem Regime eines absoluten Terrors abspielen kann. Und das ist natürlich, wenn Sie so wollen, lebendige Geschichte. Ich kann die Betonung des Widerstandes nur bewundern.«

Das Bild vom tönernen Koloß

Diese Disproportion zur wirklichen Historie schafft auch das Problem, daß damit die Bereitschaft provoziert wird, nun unter allen Umständen nicht mehr – nie mehr – schwach zu sein. Das war ja die Botschaft, die der Eichmann-Prozeß Anfang der sechziger Jahre vermittelte und die politische Kultur gerade in Israel in den sechziger und siebziger Jahren geprägt hat – auch mit den Folgen eines aggressiven Verhältnisses zu den Nachbarn, das viele Linke in Israel kritisieren.

»Es ist verständlich, daß die Israelis weder faktisch noch erlebnismäßig eine Wiederholung von dem dulden können, was sich damals abgespielt hat. Als 1948/49, also in der Zeit der Emanzipationskämpfe gegen die englische Mandatsregierung, von jüdischer Seite aus Terroranschläge unternommen und Terrororganisationen gebildet wurden und das Problem aufkam, ob diese Organisationen mit Waffen beliefert werden sollen, war ich selber in New York in zornige Gespräche mit gewissen Kreisen um das ›American Jewish Committee‹ verwickelt, die auf keinen Fall das Verschicken von Waffen oder die Bereitstellung von Mitteln zum Waffenankauf befürworteten. Ich war anderer Meinung – und ich glaube, daß ich da mit meinen Kollegen vom Institut für Sozialforschung einig war. Ich war der Meinung, daß *eines der wesentlichen Bestandteile des modernen Antisemitismus die Imago der Juden als der eines tönernen Kolosses* war, der bei dem leisesten Fußtritt zerschlagen werden kann; und daß das Bild dessen, was der Jude ist, sich radikal ändern könnte, wenn sich herausstellt: Die können auch Gewalt ausüben, die können sogar Verbrecher sein, die können Morde verüben, die können sprengen, die können eine Armee aufstellen – die sind also genauso wie andere Völker. Das hat etwas Tragisches an sich. Aber in der Situation, in der man sich damals befand und in der man sich befindet, glaube ich, daß das ein außerordentlich wichtiges Element gewesen ist, das Image von Juden als eines schwachen, nur mit Worten hantierenden, sozusagen manipulierenden Stammes zu verändern. Sie sehen das auch jetzt wieder in den neuen antisemitischen Strömungen, die sich auch in der Bundesrepublik ausbreiten, wie man auf dieses Phänomen des im Grunde schwachen, aber ›trickreichen‹ Juden wieder zurückkommt, auf den manipulationsmächtigen Juden, aber letzten Endes eben ohnmächtigen und darum zerschlagbaren Juden.«

Einer Ihrer Freunde aus der Frankfurter Zeit, Ernst Simon, hat 1948 dafür plädiert, den Staat Israel nicht so schnell zu gründen. Er hegte die Befürchtung, daß dadurch das Verhältnis zu den Arabern weiter belastet werden würde. Worin lag der Unterschied zwischen der Position Ernst Simons als Israeli und dem, was Sie in New York damals empfanden?

»Darüber kann ich kein Urteil abgeben. Da müßte ich viel mehr in die Sache selbst verstrickt gewesen sein. Ich verstehe, worum es sich handelt. Auch ich würde sicherlich – wäre ich damals wie Simon und auch Buber dort gewesen – auf der Seite von Simon, wohl auch von Buber, zur größten Vorsicht geraten haben. Das waren ja, wie Sie wissen, schon von jeher meine Bedenken und das, was mich schließlich von den Zionisten drüben entfremdet hat: die schiefe Politik den Arabern, besonders den arabischen Massen gegenüber. Ernst Simon hat ja auch schon sehr früh ein schönes kritisches Wort geprägt: Er hat noch in unserer Frankfurter Zeit in den zwanziger Jahren die Tendenzen zu einem Staatswesen als den *Rausch der Normalität* bezeichnet: ein Volk, eine Nation zu sein wie alle anderen, was zu den messianischen Vorstellungen eines zionistischen Ideals, wie es uns in unserer Jugend vorgeschwebt hat, ziemlich im Widerspruch stand. Ich glaube nur, daß – um auch einmal als praktischer Politiker zu reden – man damals unter Zugzwang war und daß es überhaupt keine andere Möglichkeit gab, als mit dem Teufel einen Pakt zu schließen – mit der Normalität. Nach dem Grauenvollen, was geschehen ist, muß man einfach dazu stehen. Ich sehe da keine andere Möglichkeit. Ich bin europäisch-amerikanischer Intellektueller, kein ›Kandidat Israels‹ (Scholem).«

Sie sind ja doch relativ spät – 37 Jahre nach der Staatsgründung – das erste Mal nach Israel gefahren. Hängt das mit Ihrer heutigen Distanz zum zionistischen Konzept Ihrer Jugend zusammen?

»Wahrscheinlich. Hätte man mich vorher eingeladen – ich hätte es nicht aus meinen eigenen Mitteln bestreiten können –, von Amerika aus Israel zu besuchen, wäre ich dennoch wahrscheinlich dieser Einladung gerne gefolgt. Wie Sie vielleicht in dem, was ich Ihnen vorher gesagt habe, bemerkt haben, bin ich eben als amerikanischer Jude deutscher Abstammung mit einer starken jüdischen Vergangenheit diesem ganzen Unternehmen gegenüber ambivalent. Das ist doch weit entfernt von jedem Traum einer sozialistischen Politik und Gesellschaft. Es impliziert die Ausbeutung einer Unterschicht durch eine dominante Bevölkerungsgruppe. Also, so völlig unambivalent bin ich da nicht.
Wahrscheinlich würde ich diese Dinge etwas differenzierter betrachten, wäre ich selber am Tageskampf Israels beteiligt und lebte dort – aber ich lebe nicht dort. Meine Affekte sind stärker auf amerikanische Verhältnisse bezogen, wo ich ja schon über fünfzig Jahre lebe. Ich bin schließlich seit einem halben Jahrhundert Amerikaner – ich will das gar nicht leugnen – und um noch spezifischer zu sein: europäisch-amerikanischer jüdischer Intellektueller.«

Das war zu der Zeit, als Sie mit Ernst Simon in Frankfurt zusammen waren, ja noch anders, während Sie heute Ihre Distanz zum utopisch-messianischen Element stärker zu betonen scheinen. Sehen Sie heute die Probleme, die mit dem Utopischen, dem ›Prinzip Hoffnung‹, dem Eschatologischen verbunden sind, vielleicht mit Habermas schärfer als in den zwanziger Jahren, als Sie etwa bei Heinrich Heine[1] *oder Salomon Maimon die utopisch-messianischen Elemente doch sehr positiv skizziert haben?*

[1] Löwenthals litrarische Zeugnisse aus der Frankfurter Zeit sind nicht ohne Begeisterung für Messianismus und Utopie – etwa in seiner Hommage an Heinrich Heine, der das Judentum – so Löwenthal – als »Symbol der Befreiung« wahrnahm, auch wenn er sich taufen ließ:
»Er liebte dieses Symbol und litt an ihm. Das Judentum war ihm eine Krankheit, aber er bejahte diese Krankheit.«
»Er hat das Judentum geliebt, überall, in jeder Form, in jeder großen Gestalt, in jeder Sitte, ja, in jeder Farce, die jüdisch war. Dies war keine sentimentale Liebe, dies war die echte Liebe offener Augen.«
Die Taufe Heinrich Heines war ein »vorweggenommener messianischer Trieb: Es ist der Wunsch, alle historische, konventionelle, nationale, kulturelle Bindung zu zerreißen«. Für Heinrich Heine hat sich der Begriff der jüdischen, der nationalen Befreiung zur menschheitlichen Befreiung ausgeweitet: zur Emanzipation. (Vgl. Löwenthal *Schriften IV, Judaica,* Frankfurt 1984, S. 29.)

»Ja und nein. Natürlich, ich kann mich – ich bin ja heute weit über achtzig Jahre alt – nicht mehr so hochspielen, wie man das in seiner Jugend tun konnte, und mich gleichsam zum Mitvertreter einer messianisch-utopischen Hoffnung aufschwingen, die man zu realisieren wünscht. Andererseits muß ich sagen, daß ich mit der sehr viel realistischeren, sich konkret mit der Zeitlage auseinandersetzenden Haltung meines Freundes Jürgen Habermas nicht immer ganz einig bin. In den meisten Dingen sehen wir sicher völlig identisch, aber ich kann nicht den Gedanken aufgeben, daß das, was der Lukács in seinem schönsten Buch, das er je geschrieben hat, der *Theorie des Romans*, die ›Infamie des Bestehenden‹ nennt – daß das zu beseitigen ist. Dieser Traum von der Utopie, die die unmenschliche in eine menschliche Gesellschaft umwandelt, wozu auch die Befreiung mit der Natur zu gehören hätte, ist ein Gedanke, den ich nicht aufgeben kann, solange ich lebe. Ich bin durch so viel Konkretes hindurchgegangen, mein Leben besteht, wenn man so will, aus der bestimmten Negation: So muß ich mich viel konkreter zu allem verhalten, kann nicht mehr so in allgemeinen Reden sprechen, wie ich das als 25jähriger getan habe, wo ich alles verurteilt habe und nichts mitmachen wollte. Aber trotzdem bleibt die Hintergrundmusik meines Lebensgefühls in einer gewissen Weise utopisch.«

»Die Juden sollten es besser wissen«

Welche Rolle spielt dabei das spezifisch jüdische Erbe?

»Das kann ich nicht sagen. Es ist ein Element. Ich bin ein Jude, ich bin ein Deutscher, ich bin ein Amerikaner, ich bin ein Kosmopolit, ich bin Kritischer Theoretiker – das kommt da alles hinein. Ich glaube wirklich an die Autonomie der Kunst, an das utopische Element in der Kunst, an den Widerstand. Wie weit das Jüdische da eine wichtige Rolle spielt, weiß ich nicht. Ich würde allerdings eines sagen – diese Formulierung stammt ursprünglich eigentlich von Max Horkheimer, und ich habe sie gerne übernommen: *Die Juden sollten es besser wissen.* Das heißt, vieles von dem, was die Juden in der ›Diaspora‹ wie auch in Israel tun, sehe ich im Widerspruch zu der prophetisch-messianischen Erbschaft, von der sie so viel hermachen. Es wäre wohl angebrachter, wenn der Rausch der Normalität sich etwas weniger in dem Normalverhalten der Juden und Israelis ausdrückte, die genauso doppelmoralisch sind wie andere Menschen auf der Welt auch. In dem

Sinne ist das Messianische noch ein berechtigter erhobener Zeigefiner, den sich die Juden in bezug auf ihre Verhaltensweisen immer vor Augen halten sollten.«

Sie haben selbst schon die antisemitischen Tendenzen angesprochen, die Sie auch in der Bundesrepublik sehen. Ich möchte Sie fragen, warum Sie diese Tendenzen doch offenkundig vor 1933 weniger gesehen haben als andere, etwa als Eva Reichmann, die ja im Central-Verein spätestens seit Ende der zwanziger Jahre sehr aktiv gegen den Antisemitismus gekämpft hat. Woran lag das? War es die »splendid isolation« in Frankfurt?

»Nein, nein. Was meine Freundin Eva Reichmann betrifft, die ich ja seit 1920, seit unserer Studentenzeit in Heidelberg gut kenne, außerordentlich hoch schätze und liebe, so verhält es sich genau umgekehrt, glaube ich. Ich habe mich im Verlauf unserer Studienzeit der zionistischen Bewegung zugewandt, sie sich der Assimilationsbewegung, dem Central-Verein. Und der ›Central-Verein Deutscher Staatsbürger Jüdischen Glaubens‹ ist ja – wie schon der Titel sagt – eine Organisation von Juden gewesen, die geglaubt haben, daß die Assimilation gelungen ist und es nur kleine Schönheitsfehler gibt, die zu korrigieren sind. Sie haben gar nicht auf den Antisemitismus als einen wesentlichen Bestandteil der deutschen Geschichte geblickt, sondern ihn als etwas betrachtet, was eben zu bekämpfen ist, wo es ein häßliches Aug' erreicht. Aber im Grunde genommen ist der Central-Verein von derselben Ideologie getragen gewesen wie das ›American Jewish Committee‹ in New York, die Gesellschaft westlicher Juden, meistens wohlhabender Leute, die geglaubt haben, das geht schon alles sehr gut, man müsse sich nur völlig integrieren – am besten unterstützt man Toleranz, und dann wird das schon vorbeigehen.«

Hat Ihr zionistisches Engagement also auch damit zu tun, daß Sie sich der Assimilation nicht so sicher waren? Ihr Vater hatte ja eben eine solche Assimilation für Sie repräsentiert.

»Ich glaube, daß dieses Engagement für den Zionismus – aber eben für eine sozialistische Version des Zionismus – damit zusammenhängt, daß ich ein Radikaler war, und daß ich meine kommunistisch-revolutionäre Gesinnung verheiraten wollte mit einer messianischen und in dem Sinne wohl zionistischen Gesinnung, und die Assimilation für den stärksten Ausdruck gehalten habe.
Antisemitismus ist ein viel zu grobes Wort, um die Situation vor Hitler

in der Weimarer Zeit oder auch in der Wilhelminischen Zeit zu beschreiben. Der Umstand, daß Juden nicht Offiziere oder hohe Beamte werden konnten, daß sie – fast ohne Ausnahme – keine Professoren an den Universitäten werden konnten, daß es Diskriminierungen im Geschäftsleben gab, war ja gar nicht so überwältigend; das konnte durch Taufe korrigiert werden. Das wissen Sie doch. In all den von mir angeführten Tätigkeitszweigen gab es Menschen jüdischer Abstammung in höheren Positionen, die akzeptabel waren. Nicht viele, aber einige.

Das interessante Problem ist, warum sich die Juden nicht in großen Massen haben taufen lassen, was ihnen im Laufe der europäischen Geschichte fast immer möglich war. Das ist wirklich ein jüdisches Rätsel. Es gab Phänomene der Absonderung, die mir nachträglich klar wurden. Meine Eltern beispielsweise waren eine assimilierte Familie; trotzdem bestand ihr Freundeskreis fast ausschließlich aus Juden. Die meisten meiner Freunde in der Schule waren Juden, wenn auch nicht alle. Antisemitische Äußerungen selbst erschienen als leicht lächerlich; es gab ein lächerlich unwichtiges Hotel in Frankfurt, an dem geschrieben stand: ›Juden sind hier unerwünscht.‹ Da sind wir reingegangen, haben das mit Staunen angesehen. Es gab eine kleine Insel bei Norderney, Borkum. Die gibt's heute noch. Da waren Juden nicht erwünscht. Wenn ich von der Frankfurter Elternwohnung durch die Kiesstraße um die Ecke ging, riefen mir die Gassenbuben manchmal ›Juddebubb‹ nach. Aber ich kann nicht sagen, daß ich in einem antisemitischen Klima gelebt hätte. Als ich nach Amerika kam, habe ich ein viel stärkeres Diskriminierungsklima erlebt. Da wurden Sommerfrischen gesperrt, Country Clubs isoliert – es war klar, daß es für Juden praktisch unmöglich war, in hohe Positionen im Bank- und Versicherungswesen und in die große Industrie einzudringen. Der Grund, warum meine Freunde und ich Deutschland verlassen haben, war ja nicht der Antisemitismus allein, sondern der Umstand, daß man voraussehen konnte, daß man als radikaler Jude und Intellektueller nicht in Deutschland überleben konnte. Natürlich kam das Jüdische hinzu, aber es war vor allen Dingen der radikale Intellektuelle, der so nicht überleben konnte.«

»...das antisemitische Potential im deutschen Gebiet unterschätzt«

Sie haben damals die Studie über die ›Arbeiter und Angestellten im Rheinland‹[2] *mitgemacht und darin »Gefahren« gesehen. Haben Sie eigentlich* daraus *die Konsequenz gezogen, daß »hier des Bleibens nicht länger« sei, wie Sie einmal sagten?*

»...zusammen mit dem Umstand, daß im August 1930 zum ersten Mal hundert Naziabgeordnete gewählt wurden, ja.«

Ich denke, Sie haben in dieser Studie die Bedeutung der familialen Prägung, der autoritären Persönlichkeit überschätzt, *die politische soziale* Konstellation, *in der Radikalismus und Antisemitismus entfacht und in politisches Handeln umgesetzt werden können, dagegen* unter*schätzt.*

»Ich glaube, daß beides zusammenhängt. Wie Fromm gesagt hat: ›Die Familie ist die Agentur der Gesellschaft‹, und was sich in der familialen Zelle manifestiert, setzt sich im großen und gesellschaftlichen Rahmen durch. Und es war ja nicht so sehr die Spekulation auf die Familie als auf das in der Intimstruktur sich ausdrückende autoritäre Persönlichkeitsbild, von dem wir uns sagten, daß es in dem Moment, in dem es sich um eine organisierte Widerspruchshandlung gegen ein Regime, gegen einen Staat, gegen die Obrigkeit handelt, versagen und sich einfach einordnen würde. Und so war es dann auch. Wahrscheinlich haben wir die unterschwellige Bedeutung des vielleicht noch aus der Feudalstruktur überlieferten antisemitischen Potentials im deutschen Gebiet unterschätzt.
Und jetzt sehe ich in den Ereignissen um den *8. Mai 1985* herum – um

[2] Die von Erich Fromm geleitete Studie war im Auftrag des von Max Horkheimer geleiteten Instituts für Sozialforschung in Frankfurt unternommen worden (Erich Fromm, Arbeiter und Angestellte am Vorabend des Dritten Reiches. Eine sozialpsychologische Untersuchung, Stuttgart 1980). Zwischen 1929 und 1931 wurden über 3000 Fragebogen verteilt, von denen ein Drittel zurückkamen.
Auch wenn keine Gruppe der deutschen Gesellschaft den Nationalsozialismus so sehr ablehnte wie die Arbeiter, enttäuschten die Ergebnisse die Mitglieder des Instituts. Sie dachten weniger radikal, als die Intellektuellen der Sozialforschung erwartet hatten. Von den Anhängern der Linksparteien galten in den Augen von Fromm und anderen 25 Prozent als »eher autoritär« und nur 15 Prozent als »konsequent radikal«, das heißt so radikal, »daß sie den Mut, die Opferbereitschaft und die Spontaneität aufbringen würden, die zur Führung der weniger aktiven Elemente und zur Besiegung des Gegners notwendig sind«.
Zu Recht fragt H. A. Winkler in seiner Rezension vom 14.11.80 in ›Die Zeit‹ allerdings, ob die Weimarer Republik durch eine »radikalere« Arbeiterbewegung zu retten gewesen wäre; und ob nicht die Isolierung und politische Spaltung des Proletariats viel durchschlagendere Gründe für das Scheitern der ersten deutschen Demokratie abgaben.

Bitburg –, daß antisemitische oder versteckt antisemitische Äußerungen und Verhaltensweisen wieder respektabel zu werden scheinen, und meiner Meinung nach nicht, weil sie so sehr verdrängt waren, sondern weil man jetzt irgendwie Morgenluft wittert. Wenn eine Zeitung von Weltruf wie die ›Frankfurter Allgemeine Zeitung‹ die Unverschämtheit besitzt, Anspielungen darüber zu machen, daß es sich bei Juden um eine Bevölkerungsgruppe handelt, die ›bis ins siebte Geschlecht nicht vergibt‹ und deswegen Reagans Besuch auf dem Soldatenfriedhof in Bitburg zu sabotieren versuchte, so ist das eine so ungeheuerliche Angelegenheit, daß das gar kein Zufall sein kann.
Was die deutsche Politik betrifft, so gibt es offenbar eine starke Tendenz, sowohl offiziell als auch in der breiten Bevölkerung, zu sagen: ›Das muß jetzt endlich aufhören, daß immer gejammert wird über das, was wir angerichtet haben; schließlich gibt es eine Kontinuität der deutschen Geschichte mindestens seit dem 19. Jahrhundert bis heute, die nicht nur aus Übeltaten besteht; besinnen wir uns wieder auf unsere deutsche Erbschaft!‹ Dazu würde ich mich doch skeptisch äußern, denn ich sehe darin ein Problem, inwieweit der Begriff der deutschen Nation über das hinaus, was sie kulturell zusammenhält, wirklich anwendbar ist.«

Bitburg

Und Bitburg? Diese »Versöhnungsgeste« auf dem Soldatenfriedhof?

»Grauenvoll! Das war das militärische Zeremoniell mit Generälen, die sich die Hand schütteln – eine völlig leere Geste und peinlich dazu. Und wie ich später hörte, sind die bundesdeutschen Medien einfach Sklaven der offiziellen Politik gewesen, die alle Proteststimmen, Protestäußerungen und Protestgesten einfach unterdrückt haben. Die hat man nur in Amerika und in der BBC gesehen. Auch diese Gleichschaltung des Bergen-Belsen-Besuchs und des Bitburg-Besuchs waren mir einfach zuwider. Ich meine, der einzige Lichtblick in der ganzen Sache mit dem 8. Mai war die Rede des Herrn von Weizsäcker, die eine moralische Großtat war, auch wenn sie wohl das Klima oder die politische Atmosphäre nicht radikal verändert hat – sie ist immerhin Ausdruck dafür, daß auch Besseres in der Bundesrepublik möglich ist.
Auch Alltagserlebnisse haben mir gezeigt, daß das Jüdische, das Judesein, wieder mehr ins Bewußtsein der deutschen Bevölkerung einzudringen scheint. Ich sage nicht, daß solche Episoden antisemitisch

auf einer manifesten Grundlage sind, aber es ist doch bedeutungsvoll, daß die Juden nicht als Individuen wahrgenommen werden, sondern als eine Gruppe, bei der es einem irgendwie unheimlich zu sein hat, weil sie unheimlich ist.

Um das an einigen Begebenheiten zu illustrieren: Als ich im letzten September [1984] einige Zeit in Frankfurt war und einen Chauffeur zu meiner Verfügung hatte, der in städtischen Diensten war, fragte der mich eines Tages: ›Kennen Sie Professor Soundso?‹ Ich sagte, ja, den kenne ich sehr gut, schon seit meiner Studienzeit. ›Ja, der ist auch mit 'ner jüdischen Frau verheiratet.‹ Oder er sagte: ›Vor ein paar Wochen habe ich den Bürgermeister von Tel Aviv gefahren, den kennen Sie doch sicher?‹ – Also, hier haben Sie Beispiele für die Vorstellung von den Juden, die eine zusammenhängende Gruppe bilden...

Eine geradezu phantastische Vorstellung: Ich kenne nicht einmal die jüdische Familie, die meine Nachbarn sind in Berkeley.

Oder eine andere Sache: Als ich dem besagten Fahrer – übrigens ein sehr netter Mensch – eine Adresse angab, zu der ich gefahren werden wollte, sagte er: ›Ach, Sie wollen wohl in die Synagoge gehen.‹ In dieser Straße befindet sich nämlich auch eine Synagoge. Ich wollte ganz was anderes, ich wollte Freunde besuchen.

Oder der Manager eines guten Hotels in Bad Godesberg, ein Mann in den Sechzigern, fragt mich, wo ich denn herkäme. Ich sage, ich komme jetzt gerade aus Berlin. Darauf er: ›Aber Sie sind doch kein Berliner!‹ Er war nämlich Berliner. Ich sage, nein, ich bin Frankfurter. ›Ich dachte, Sie kämen aus Tel Aviv!‹ – Das ist doch sehr merkwürdig. Was darin steckt, ist: Die Juden gehören eigentlich nach Israel. Warum soll ich denn aus Tel Aviv kommen? Ich hab' doch keinen Akzent, der in irgendeiner Weise andeuten könnte, daß ich irgendwas anderes bin als ein Deutscher oder jedenfalls jemand, der mit der deutschen Sprache aufgewachsen ist.

Die Bereitschaft, einen Gast, der ihm Geld bezahlt, in dieser Art und Weise zu konfrontieren, ohne sich darüber klar zu sein, was das für mögliche Beleidigungselemente enthält, ist für mich ein Indikator dafür, daß historisch-antisemitische Klischees gänzlich unreflektiert weiterexistieren. Und der hierzulande heute gern zitierte Wunsch nach Überwindung der ›Berührungsangst‹ macht es sich allzu einfach: Man will Kontakt aufnehmen durch solche Klischees, die vor nicht langer Zeit noch zum Vokabular der Vernichtung gehörten.

Ich halte diese Dinge für außerordentlich bedenklich. Was sich da auf banale Weise abspielt, spielt sich in einem größeren Rahmen in dem gegenwärtigen Kampf gegen alles ab, was Aufklärung heißt.«

Postmoderne Vakuen

Einer derjenigen, die sich im intellektuell-kulturellen Milieu gegen die Aufklärungstradition wenden, heißt Bergfleth; dieser Mann wendet sich ausdrücklich gegen die Kritische Theorie und plädiert für einen »gesunden Patriotismus«: zum Beispiel dafür, daß der »Universalismus der Juden... die Auslöschung des je Individuellen« impliziere.

»Da spielen Sie auf Interessen an, die mich gegenwärtig sehr bewegen. In dem Sinne bin ich wirklich in der Tradition der Kritischen Theorie: Ich möchte Probleme behandeln, von denen ich glaube, daß sie eine aktuelle zeitgeschichtliche und gesellschaftlich-politische Bedeutung haben. Ich bin eben sehr besorgt über das, was hier in der Bundesrepublik unter dem Namen ›postmoderne Strömung‹ läuft. Es ist wohl nicht zufällig, daß Gerd Bergfleth, der das Buch *Zur Kritik der palavernden Aufklärung* herausgegeben hat – was ja schon im Titel eine Tendenz bezeichnet –, einen ersten Aufsatz in einer Zeitschrift geschrieben hat, die ›Konkursbuch‹ heißt – und gleichzeitig seinen wüsten Beschimpfungen der Kritischen Theorie und der Charakterisierung der politischen Linken in Deutschland, die er ohne Qualifizierung mit der Aufklärung identifiziert, antisemitische Züge aufweist. Er besitzt die Unverschämtheit, an einer Stelle davon zu sprechen, daß man der Kritischen Schule natürlich nicht die Terrorakte in der Bundesrepublik in die Schuhe schieben könne, aber immerhin sei zu bedenken, daß die Rhetorik der Terroristen marxistisch gewesen sei. Sie haben da ein schlimmes Syndrom. Nun gibt es viele Schriftsteller in diesen ›postmodernen‹ Strömungen, die sich in Zeitschriften wie ›Konkursbuch‹ oder ›Tumult‹ gruppieren, die nicht antisemitisch sind. Aber sie sind eben irrationalistisch; sie sind antihistorisch, gegen den Begriff des Individuums; sie lassen den Begriff des autonomen Kunstwerks nicht zu; sie berufen sich auf einen Nietzsche, den es nie gegeben hat, als einen amoralischen Irrationalisten; sie liebäugeln mit neuen Mythologien – kurzum: da bildet sich eine Strömung aus, die fatal den irrationalen und mythologischen Strömungen ähnlich ist, die auch in der nationalsozialistischen Ideologie zu Hause gewesen sind. Zumindest Strömungen, die eine Art Boheme darstellen, die nach 50 oder 80 Jahren nun wiederzukommen scheint – und die schon einmal eine Vorgeschichte antidemokratischer Institutionen, Ideologien und moralischer Handlungsweisen gebildet hat.
Ich will nicht sagen, daß es dazu führen muß. Das wäre töricht. Aber genauso, wie wir in früheren Perioden gewisse Phänomene konsta-

tiert haben, die sich schließlich als gefährlich entpuppt haben, versuche ich, Strömungen zu identifizieren, die hoffentlich in gar keiner Weise gefährlich werden, die aber mit zu einem intellektuellen, moralischen und politischen Klima beitragen, das einen Ausverkauf derjenigen Tendenzen bedeutet, die zu einer rational begründeten, gerechteren demokratischen Gesellschaft hinführen können.
Bei solchen Bewegungen sind antihumanistische Tendenzen – Humanismus ist ja ein Schimpfwort für die Leute – nie allzu fern.«

Ihres Erachtens lebt eine Tradition wieder auf, die schon einmal antidemokratisch konstituiert war. Ist es auch *ein spezifisch deutsches Phänomen?*

»Ja, wahrscheinlich. Es hat wohl auch etwas zu tun mit Ernüchterung über politische Hoffnungen, die dann einem Vakuum weichen. Wie die Träume des liberalistisch-sozialistischen Optimismus vor 1914 ausgeträumt waren und neoromantischen Strömungen Platz machten; wie Vorstellungen meiner Jugend über eine revolutionäre Veränderung der Welt durch die Enttäuschung über die Sowjetunion zusammenbrachen und anderen politischen Strömungen Platz gemacht haben – genauso ist auch jetzt wieder vielleicht im Vollzug der Enttäuschung über die Studentenbewegung der sechziger und siebziger Jahre in Deutschland, in Frankreich, ein Vakuum entstanden; es scheinen sich keine Identifizierungsmöglichkeiten zu bieten; Menschen rennen in eine Pseudo-Sinngebung hinein, auch wenn es die Pseudo-Sinngebung des Sinnlosen ist. Man will sofort eine Antwort auf etwas haben, auf das es keine unmittelbare Antwort gibt. Wenn Sie sich die Themen ansehen, über die diese Postmodernen schreiben – der Schrecken, die Passion, die Liebe, die Intimität, das Lächerliche, die Engel –, dann deutet sich ein Ausverkauf der gesamten Errungenschaften der bürgerlichen Zivilisation seit der Renaissance an – wie kritisch wir dazu auch stehen mögen. Und eben das erregt meinen Zorn. Vielleicht mache ich auch aus kleinen Mücken Elefanten, das weiß ich nicht. Aber lieber ist mir, ich mache aus Mücken Elefanten und verscheuche sie, als daß ich warte, bis sie zu Elefanten geworden sind.
Das alles kann sich mit einer Tradition der Romantik, mit Nietzsche und wahrscheinlich auch Wagner verbinden. Man kann das nicht oft genug betonen: Der Umstand, daß eine wirkliche bürgerliche Revolution in Deutschland niemals stattgefunden hat, öffnet diesen Bewegungen die Türe etwas leichter, als das in anderen Ländern der Fall ist. Frankreich ist in dieser Sache gewiß nicht ›hasenrein‹ – es ist ja

auch kein Zufall, daß sich die Vertreter der Postmoderne sehr oft auf die Franzosen berufen, aber zur Blüte kommt das eben mehr hier als dort. Ich sehe die gleichen Tendenzen auch in der postmodernen Architektur, besonders in den Ideologien der postmodernen Architektur, wenn ich solche Sätze lese, wie ich sie gerade im Katalog der Architekturausstellung in Paris von einem deutschen Architekten gelesen habe: daß wir einer neuen Mythologie des Wohnens bedürfen. Ich dachte, wir brauchen Komfort und Bequemlichkeit des Wohnens und ein angenehmes Leben statt Mythologie. Mythologie ist das letzte, was wir brauchen!
Aber neben diesen kulturellen Tendenzen gibt es ja auch noch ein anderes Vakuum. So gibt es in der offiziellen Politik den Versuch einer ›politisch-moralischen Erneuerung‹, die nach meinem Eindruck nicht sehr viel mehr heißt, als nun endlich mit den Problemen, die der Nationalsozialismus gebracht hat, tabula rasa zu machen.«

Studentenbewegung

Ich glaube, daß die Studentenbewegung der sechziger Jahre durch die ungenügende Aufarbeitung des Nationalsozialismus geprägt war. Wir haben zu 5000 gegen den Freispruch des zuvor als einzigem verurteilten ehemaligen Volksgerichtshofs-Richter Rehse demonstriert und – *schrecklich vereinfachend – bei den Vietnam-Demonstrationen »USA–SA–SS« gerufen. Was war Ihr Eindruck von der anderen Seite des Atlantiks?*

»Ich war selber zu sehr in die Studentenbewegung an der Universität in Berkeley involviert, als daß ich den damaligen Ereignissen in Deutschland große Beachtung geschenkt hätte. Für mich als Professor, der sich zusammen mit einer Gruppe anderer Professoren völlig mit den Studenten solidarisiert hatte, bedeutete diese Bewegung eben die Hoffnung, daß sich eine neue politische Willensbildung in den Vereinigten Staaten formieren könnte, eine Dritte Partei – etwas vollkommen Neues. Schließlich war der Hintergrund der Studentenbewegung in Amerika die ›Civil-Rights‹-Bewegung; man versuchte, das Unrecht gutzumachen, das an den Schwarzen in den Südstaaten verübt wurde. Leider Gottes hat sich das dann als eine Illusion erwiesen – obwohl nicht ganz: Einige Dinge leben besonders an der Universität noch weiter, aber politische Konsequenzen hat es kaum gehabt. Schließlich ist die Bewegung in einer gewissen Weise genauso verlaufen wie in Deutschland oder Frankreich, mit dem Traum von der Vereinigung von Proletariat – was es ja gar nicht mehr gibt – und Studenten.

In Deutschland habe ich die Sache eigentlich erst gesehen, als ich 1966 hierherkam und man von mir erwartete, daß ich nun die frohe Botschaft von Berkeley übermitteln würde, und ich statt dessen sagen mußte, die Sache sei im Grunde genommen gelaufen, da komme nichts mehr; zum Teil ist eine ganz psychopathische und schließlich apathische Stimmung aufgekommen.

Was Sie über die deutsche Studentenbewegung sagen, nun – es mag der Fall sein, daß das auch ein Aufschrei gegen die nicht verarbeitete Nazi-Vergangenheit war. Aber es hat sich nicht so sehr vor dem Hintergrund wirklich wichtiger politischer Zustände abgespielt, wie das in den Vereinigten Staaten der Fall war.

Es war meines Erachtens in Deutschland ungeheuer überideologisiert. Ich habe da meine Erfahrungen gemacht, habe mich in Berlin mit der SDS-Gruppe unterhalten und später in Köln; ich war einfach traurig und bestürzt über diese Überideologisierung, die völlig politikfremde Einstellung dieser jungen Leute – so sehr ich sie mochte. Und viel herausgekommen ist ja wohl auch nicht dabei. Ich notiere heute in der BRD eine ähnliche apathische, politisch neutralisierte Stimmung in der Studentenschaft wie in den Vereinigten Staaten auch.

Ich spüre insbesondere unter den jungen Menschen eine Haltung, die gegen den autoritären Stachel löckt, auch in Amerika – und Amerika ist ja kein Obrigkeitsstaat wie die Bundesrepublik. Natürlich gibt es auch – etwa an meiner eigenen Universität – eine gewisse Auflockerung und Innovation in den pädagogischen Formen und Experimenten, die wohl letzten Endes auf die Studentenbewegung zurückzuführen sind. Das hat keine allzu große Tragweite, aber es sind immerhin erfreuliche Phänomene.«

»... aber zu Hause bin ich in Berkeley«

Sie sind nicht wie Franz Neumann, Adorno und andere nach Deutschland zurückgekehrt. Warum?

»Franz Neumann war Professor für Politische Wissenschaften an der Columbia University und hatte eine Gastprofessur hier in Berlin, aber wenn er noch länger gelebt hätte, weiß ich nicht, ob er hiergeblieben

wäre. Max Horkheimer ist zurückgegangen, weil er eben die Verpflichtung gefühlt hat, der Aufforderung der Frankfurter Universität nachzukommen, das Institut wieder aufzubauen. Und Adorno ist eigentlich niemals nach Amerika eingewandert; er hat nur auf den Moment gewartet, nach Deutschland zurückzukehren, und hat sich in den USA nie in dem Sinne zu assimilieren vermocht. Es ist ja geradezu ein erheiterndes Paradox, daß Adornos Name für Jahrzehnte als der amerikanischste galt, weil er als Mitverfasser der berühmten Studie *The Authoritarian Personality* aufgrund der alphabetischen Reihenfolge als erster genannt wurde.
Ich hätte nach Deutschland zurückkehren können, aber in der Situation, in der ich mich befand, wollte ich nicht. Ich war mit einer Amerikanerin verheiratet und arbeitete für die amerikanische Regierung. Und ich dachte, Horkheimer und Adorno sind schon genug, wie hätte ich mich da als Dritter beim Wiederaufbau des Frankfurter Instituts einordnen können? Das waren Probleme, auf die ich mich nicht einlassen wollte.
Außerdem muß ich rückblickend sagen, Herr Funke, daß es sehr gut war, daß Marcuse und ich in Amerika geblieben sind, denn auf diese Weise haben wir unsere Tradition fortsetzen können, in der akademischen Diskussion und unter den Studenten – ich sogar bis zum heutigen Tage. Und so ein Außenposten ist doch auch ganz schön, nicht? Ich *lebe* dort, unter angenehmen Lebensumständen, in einem politischen Klima, in einem schönen Haus, in einer akademischen Umgebung, obwohl ich mich dort auch oft isoliert fühle, weil eben das Altwerden in Amerika schwieriger ist als hier vielleicht. Ich habe auch nicht so viele Gesprächspartner, wie ich sie hier finde. Ich war nie längere Zeit in der Bundesrepublik, bisher immer nur für einige Wochen – so lange wie jetzt in Berlin war ich noch nie. Und ich habe mich in gewisser Weise hier recht wohl gefühlt. Aber zu Hause – ich meine, zu Hause bin ich in Berkeley.«

Lewis A. Coser:

»Ich freue mich immer, wenn ich aus Europa zurück bin«

Lewis A. Coser, Grandseigneur der amerikanischen Soziologie, wurde 1913 in Berlin geboren und wuchs am Kurfürstendamm/Ecke Knesebeckstraße auf. Er holte mich in Stoney Brook am Bahnhof mit seinem nicht mehr ganz neuen VW ab und zeigte mir erst einmal seine Bibliothek – mit den Büchern seines Vaters und – wie üblich – den Goethe- und Lessing-Ausgaben. Coser, Sohn eines patriotischen deutsch-jüdischen Bankiers und einer nichtjüdischen Mutter, hielt sich aus Protest gegen das väterliche Milieu in linken trotzkistischen Kreisen auf und hatte mit Trotzki und den Aufsätzen in der ›Weltbühne‹ schnell kapiert, daß es mit Hitler etwas länger dauern würde. Er ging gleich 1933 in das Paris der Café-Häuser und Intellektuellen, schlug sich durch und war im französischen Milieu schnell »drin«. Es folgten Pariser Jahre der Anregung, die entscheidenden Lehrjahre – marxistische wie intellektuell-kulturelle –, 1941 dann ein ebenso glückliches Entkommen aus Südfrankreich durch ein Affidavit für Antifaschisten.

In New York arbeitete Coser in verschiedenen Organisationen, bei kurzlebigen Zeitschriften, die eingingen, im Verteidigungsministerium. Dann bekam er unerwartet eine Soziologenstelle bei David Riesman in Chicago, mit dem er sich allerdings verkrachte. Schließlich half der Zufall, daß er das Department für Soziologie (später zusammen mit Kurt H. Wolff) an der jüdischen Brandeis University in Boston aufbauen konnte.

Wieder war Coser, wie er sagt, relativ »schnell drin« – *und* übte Kritik: Sein Buch über *Die soziale Funktion des Konflikts* war eine Kampfansage an Parsons und den allgemeinen gesellschaftlichen Trend des McCarthyismus, die amerikanische »Zelebration«. Ein Buch, das vielleicht doch etwas liberal, jedenfalls aber nicht radikal war, wie Coser rückschauend mit milder Selbstironie bemerkt.

Wie auch immer – die amerikanischen Erfahrungen erleichterten es ihm, die »eingekapselte Welt« der dogmatischen trotzkistischen Kategorien zu sprengen.

Seine weiteren Bücher waren immer auch Schritte seiner Biographie: vor allem das Buch über Intellektuelle, mit einem ganzen Kapitel über seine Caféhaus-Erfahrungen in Paris.

Erst 1960 kommt er das erste Mal nach Berlin »zurück«.

Cosers Vater: »Sehr assimiliert und patriotisch«

Die Erinnerung an seinen Vater liegt für Lewis A. Coser weit zurück – und seine Ironie verrät Distanz:
»Mein Vater war jüdischer Bankier in Berlin; geboren in Westpreußen, ziemlich nahe an der polnischen Grenze. Er war ein sehr großer Mann, etwas größer noch als ich und breitschultrig, so daß er in irgendeinem Gardegrenadier-Regiment seinen Heeresdienst gemacht hat.
Seine Haltung im Ersten Weltkrieg war patriotisch. Er war damals schon nicht mehr im Militärdienstalter. Aber das war eine patriotische Sache, da macht man natürlich mit. Ich war ja damals noch ein kleines Kind. Ich bin 1913 geboren. Ich kann mich wirklich nicht an diese Jahre erinnern, aber er war genauso patriotisch wie die anderen.
Meine Mutter war nicht-jüdisch. Die Ironie ist, mein Vater sah aus wie ein Wikinger, meine Mutter wie eine sephardische Jüdin, war aber absolut arisch. Sie hatte auch keine besondere Beziehung zur protestantischen Religion. Sie sagte mir immer: ›Ach weißt du, ich kann ja zu meinem lieben Gott auch in der Küche beten.‹ Sie hatte ein breiteres kulturelles Interesse als mein Vater.
Aber als ich so ungefähr fünfzehn Jahre alt war, begann ich mich zu interessieren, vor allem für Romane. Ich habe die ganzen großen Romane gelesen. So die üblichen Romane der Zeit, Wassermann[1] und so etwas. Das war natürlich nicht nur aus Opposition gegen meinen Vater. Ich war ein fürchterlich schlechter Schüler. Ich wurde ein- oder zweimal aus der Schule rausgeschmissen. Das war zum großen Teil antiautoritär – ich konnte diese Kerle nicht leiden.
An antisemitische Äußerungen damals kann ich mich nicht erinnern. Wir wohnten am Kurfürstendamm, etwa auf der Höhe der Knesebeckstraße, in der Mitte des Blocks. Gegenüber der Stadtbahn war meine Schule, das Kaiser-Friedrich-Gymnasium; die gibt es nicht mehr, davon ist nichts mehr da.
Auch persönlich habe ich kaum etwas von Antisemitismus gespürt. Irgendwann hat mal einer gesagt: ›Du bist ein Jude‹ – aber das hat mich nicht sehr beeindruckt. Es liegt mir nichts im Gedächtnis.«

[1] Der Schriftsteller Jakob Wassermann (1873–1934) gehörte in den zwanziger und dreißiger Jahren zu den meistgelesenen Autoren Deutschlands. Seinen Einsatz für Gerechtigkeit, gegen Gleichgültigkeit und die »Trägheit des Herzens« prangerten die Nazis als »jüdisch« an. Zu seinen Hauptwerken zählen »Die Juden von Zirndorf« (1897), »Der Moloch« (1903), »Caspar Hauser oder Die Trägheit des Herzens« (1909), »Christian Wahnschaffe« (2 Bde., 1919), »Etzel Andergast« (1931), »Olivia« (1937). Anm. d. Red.

Die Reaktion bei den deutschen Juden: »Das wird ja nicht lange dauern«

»Als Hitler die Macht eroberte, war ich nicht mehr da. Ich ging 1932 nach England. Mein Vater hatte die Idee, daß ich in sein Geschäft eintreten sollte. Dazu sollte ich in London Englisch lernen. Ich fuhr dann für kurze Zeit wieder zurück nach Deutschland, haute dann aber endgültig wieder ab, etwa ein oder zwei Monate nach der Machtergreifung.
Die weitverbreitete Reaktion der deutschen Juden war: Das kann ja nicht lange dauern. Dann aber – ich las die ›*Weltbühne*‹ – kam mir doch die Idee: Die ganze Sache wird viel länger dauern. Seit der Machtergreifung fingen ja die Konzentrationslager an – Leute verschwanden plötzlich. Ich war damals aktiv, nicht Mitglied, aber am Rande einer sozialdemokratischen Jugendorganisation. Was mich aber am meisten beeindruckt hat, waren die Analysen von Trotzki über die aufkommenden Nazis, die meistens in der ›*Weltbühne*‹ erschienen. Es schien mir vernünftig, für eine Einheitsfront zwischen Sozialdemokraten und Kommunisten zu kämpfen – ›Wenn ihr keine Einheitsfront macht, dann seid ihr kaputt, und das für lange Zeit.‹ Im Gegensatz zu den offiziellen Kommunisten, die damals immer sagten: ›Nach Hitler wir – das wird ja nicht lange dauern.‹«

Andere, wie zum Beispiel Richard Löwenthal, haben Silone[2] *ernstgenommen.*

»Auch mich hat Silone sehr beeindruckt. Außerdem kamen langsam alle möglichen Emigrantenzeitschriften (in Paris) heraus. Die ›*Weltbühne*‹ kam in der Schweiz wieder heraus; sie wurde sehr kommunistisch aufgemacht. Ich habe sie dann nicht mehr gelesen.«

Vom Boykott-Tag am 1. April 1933 hatten Sie selbst nichts mitbekommen, was Ihnen in Erinnerung ist?

»Nein, ich muß sagen, ich als Einzelperson habe unter der ganzen Geschichte nicht sehr gelitten.«

[2] In vielen sozialkritischen Romanen kämpfte der italienische Schriftsteller Ignazio Silone (geb. 1900) gegen Unrecht, für Freiheit und Menschlichkeit. Anschaulich schilderte er das Elend des verarmten und geknechteten Proletariats, der verschuldeten Kleinbauern und Landarbeiter in den Abruzzen. Sein berühmtes Erstlingswerk »Fontamara« (1930) wurde 1933 ins Deutsche übersetzt. Anm. d. Red.

Paris – »eine ganz andere Welt«

»Bis zum Kriegsausbruch etwa lebte ich in Paris. Ganz am Anfang konnten meine Eltern noch ein bißchen Geld schicken, dann ging das nicht mehr. Ich habe also die üblichen Emigrantengeschäfte gemacht, um ein paar Francs zu kriegen. Ich verkaufte Parfums von Tür zu Tür. Dann kam die Volksfront, ich bekam Arbeitspapiere und kriegte dann durch Vermittlung meines Vaters einen sehr guten Job bei einem amerikanischen Börsenunternehmen, einer großen Company, wo ich ganz anständig verdiente. Das war von 1937 an, vielleicht auch spät im Jahre 1936. Die Papiere, die sie uns gegeben hatten, besagten, daß ich deutscher Abkunft war und unter der Protektion der Regierung stehe. Als dann der Krieg ausbrach, meinte der Premierminister: Was sollen wir uns mit dieser komplizierten Sache abgeben – alle Deutschen ins Lager! Im Lager saßen elsässische Bauern, die vergessen hatten, damals für Frankreich zu optieren, Geschäftsleute und verschiedene Arten von Juden – wir waren alle zusammen dort. So war ich also für fast ein Jahr im Lager.
Dann kam ich endlich raus; das verlief, wie in vielen anderen Situationen, auch hier so, daß die Frau Roosevelt zu ihrem Mann ging und sagte: ›Du, wir müssen was machen, um die antifaschistischen Leute der verschiedenen Nationalitäten herauszuholen.‹ Darauf machte er also ein ›executive order‹ für ungefähr 3000 Leute, nach der sie aus politischen Gründen, weil sie Antifaschisten seien, hierher (in die USA) kommen würden. Denn die genehmigten Einwanderungsquoten waren ja bis ins Jahr 2000 überbelegt – normalerweise gab es da gar keine Chance. Ich kriegte eines dieser Dinge, und so kam ich her.
Frankreich war natürlich eine ganz andere Welt als Deutschland 1932/33. Das Erstaunlichste in den Milieus, in denen ich anfing, mich zu bewegen, war die Vielfalt der menschlichen Typen, die man dort traf. In Deutschland war ich im Grunde, trotz meiner sozialdemokratischen Anschauungen, doch ein anständig erzogener jüngerer jüdischer Mann und später Geschäftsmann. In Paris war das nicht so. Ich lebte sehr einfach, und man traf jeden Tag neue Leute. Da waren italienische Antifaschisten dabei, dies und das. Paris war für mich eigentlich das Entscheidende. *Es waren die Pariser Jahre, die mich wirklich geformt haben – politisch und intellektuell.* So entschloß ich mich eines Tages, an die Universität zu gehen, ging zuerst zur vergleichenden Literatur und machte es ganz gut. Einer meiner Professoren rief mich mal rein und sagte: ›Wissen Sie, es ist ja zu früh, wirklich an eine Doktorarbeit

zu denken, aber haben Sie schon einmal eine Idee gehabt?‹ Ja, sagte ich, ich möchte ganz gern die englischen Romane der viktorianischen Zeit mit dem deutschen und französischen Roman ungefähr derselben Zeit vergleichen, um zu zeigen, welche verschiedenen sozialen Strukturen auf die Entwicklung des Romans Einfluß haben. Daraufhin sagte der: Strukturen? Soziale Strukturen? Das ist Soziologie, nicht vergleichende Literaturwissenschaft. Da habe ich gesagt, wenn Sie das glauben, werde ich gleich rübergehen und mir ansehen, was in der Soziologie vorgeht. So wurde ich *Soziologe*.«

Was hat Sie daran interessiert, zu vergleichen? Was war Ihr Antrieb? Waren Ihre Pariser Jahre auch so etwas wie ein Komplement zu dem, was Sie in Deutschland damals selbst erfahren und gehört haben? War es der Vergleich, auch die Kontrasterfahrung, die Sie eben beschrieben haben? Also mehr ›variety‹ und nicht der bürgerliche Aufstieg? Hat Sie auch das andere soziale, kulturelle und demokratische Milieu fasziniert?

»Ja, natürlich, das Caféhaus, das es bei uns so nicht gab – wo man sitzen konnte und im Laufe eines Abends zehn oder zwanzig verschiedene Leute traf, die einen kannten. Ich kann mich erinnern, ich saß in der Rotonde, und plötzlich kam ein riesengroßer Mann mit einer Klappe vor dem Auge, das war James Joyce. Ich glaube eigentlich, daß das, was ich später gemacht und geschrieben habe, mehr von den Pariser Jahren beeinflußt worden ist als von meinen Jugendjahren.«

In der eingekapselten Welt der trotzkistischen Seele

»Entscheidend war, daß ich nach ein paar Monaten in Paris eine kleine Gruppe von Leuten fand, die nun ganz orthodox trotzkistische Marxisten waren. Das war diese Funke-Gruppe. Auf der anderen Seite kannte ich viele Franzosen, vor allem Studenten. Eine Weile war ich in der Sozialistischen Partei, dann gab es einen Bruch. Der linke Flügel ging weg und machte seine eigene Partei auf. Da war ich dabei. Aber in Frankreich als Außenseiter wirklich in die Strukturen hineinzukommen, ist sehr, sehr schwer. Ich kann mich daran erinnern, daß mich einmal jemand zum Dinner in sein Haus eingeladen hat. Sonst traf man sich im Café oder im Restaurant. Die Franzosen machen erst einmal die Tür zu. Wenn sie in der Familie sind, kommt da keiner mehr rein. Trotzdem, ich lebte mit einer jungen Französin,

die auch polnischer Abstammung war. Durch sie lernte ich mehr Leute kennen, so daß ich mehr als fast alle anderen Emigranten in dem französichen Betrieb drin war. Nicht ganz, aber immerhin. Das ist später auch hier so gewesen. Ich war immer einer von denen, die sich in einem neuen kulturellen Leben sehr schnell adaptierten.
Ich muß Ihnen diese Welt der linkspolitischen, trotzkistischen Bewegung skizzieren. Wir haben ja Kategorien angewendet, um die Wirklichkeit zu verstehen, die sonst kein Mensch hatte, so daß zur Zeit der Münchner Krise (1938) gesagt wurde, der Krieg wird wahrscheinlich kommen, aber wir haben eine marxistische Erklärung, wo der Hitler einbrechen wird: nicht, wie das vorige Mal, durch Belgien – die Geschichte wiederholt sich nicht –, sondern durch die Schweiz und Frankreich. Das wurde diskutiert und sehr ernstgenommen. Unsere kleine Gruppe, die aus zehn oder zwölf Leuten bestand, versuchte also, nach Belgien zu kommen. Ich habe das blöderweise auch gemacht. Der Krieg brach dann nicht aus, und ich konnte nach ein paar Tagen wieder zurück. *Man lebte in einer abgekapselten Welt. Amerika erschien einem als ein völlig uninteressantes Land.* Die Klassenkämpfe dort hatten noch nicht die Reife, die man in Europa erwartet hatte. Ich hatte also zur Zeit der Münchener Krise zwar ein Visum – durch meinen Bankier, der mir das verschafft hatte –, aber das kam gar nicht in Frage. Hier – in Europa – wird es zu den großen Kämpfen, den Klassenkämpfen kommen. Wie man die Welt anschaute, ging total durch das Prisma der marxistisch-politischen Bewegung.«

Es bot aber auch Halt, oder nicht?

»Ja, sicher, wie alle solchen sektiererischen Dinge, die eine gewisse Sicherheit geben. Wir hatten eine kleine Zeitschrift, in der ich auch eine Menge geschrieben habe; ich habe sie nie wieder angesehen, ich glaube, ich will auch gar nicht.
Als zum Beispiel der Röhm umgebracht wurde, erschien es einem als die Endkrise des Regimes. Das war es natürlich nicht, und man hat wieder auf die nächste Endkrise gewartet.«

Ich habe das so verstanden, als sei auch das, was an Empfindungen eine Rolle gespielt hat, zurückgedrängt und ›kategorisiert‹ worden.

»Richtig. Daß der Hitler nach Polen kommt, das konnte man erwarten. Wir haben es als imperialistische Maßnahme klassifiziert, da er sich ausbreiten wollte. Es war weniger eine moralische Indignation, daß der Hitler in Polen einmarschiert ist, sondern nur die Bestätigung, daß die ganze Welt eben doch sehr schlecht ist...

Ich habe nie verleugnet, daß ich ein Jude bin. Aber das Entscheidende war: Arbeiter und Ausbeuter – und nicht Juden und Christen.«

»...auch eine Antwort auf meinen Vater, den Bankier«

War das auch eine Antwort auf Ihre großbürgerliche Kindheit – und Ihren Vater?

»Ich glaube, ja. Viele, viele Jahre später – mein Vater kam noch im letzten Moment heraus, kurz vor dem Krieg über Polen mit dem Transsibirienzug nach Shanghai, wo schon eine meiner Schwestern lebte. Als die Japaner nach Shanghai kamen, kümmerten sie sich gar nicht um die etwa 20000 bis 30000 deutschen Juden. Sie wußten nicht genau, was sie mit ihnen machen sollten, und haben sie in Ruhe gelassen. Nach dem Krieg konnte ich wieder Verbindung aufnehmen und ziemlich schnell ein Visum für meinen Vater schicken. Wir wohnten damals in Chicago. Als er dann mit dem Zug ankam, war das erste, was er sagte: ›Weißt du, von mir aus kannst du ruhig Sozialist sein, ich habe mein ganzes Geld sowieso verloren...‹
Unsere Verwandten, mit denen ich allerdings sowieso nicht sehr viel zu tun haben wollte – das waren ja alles böse Bourgeois –, sind alle rausgekommen. Es ist keiner meiner Verwandten nach Auschwitz gekommen. Und mütterlicherseits waren es ja weniger gefährdete Protestanten.
Ich glaube, daß erst durch Amerika diese trotzkistische, sektiererische Seite endlich in mir langsam kaputtgemacht wurde. Nun war es schon so, daß ich auch in Frankreich mit meinem alten Freund J. gesprochen habe. Wir saßen in Vichy-Frankreich in einer kleinen Stadt mit einer sehr schönen Bibliothek, lasen sehr viel französische Geschichte und fingen an, die ganzen marxistischen Kategorien in Frage zu stellen: Es muß ja noch was anderes geben als nur Klassen... Wir sprachen also über Staaten und über die Bürokratisierung des Staates.
Aber den orthodoxen Marxismus habe ich erst hier, schon nach sehr kurzer Zeit, aufgegeben. Ich bin noch immer Sozialist, aber mehr ein liberaler Sozialist als ein wirklich marxistischer.«

»Meine Frau heißt Rose – natürlich nach Rosa Luxemburg«

Sie haben Ihre Frau schon in Berlin kennengelernt?

»Nein, das ist eine seltsame Geschichte. Sie kam ein Jahr früher nach Amerika als ich. Ich bin 1941 gekommen, sie 1940 oder 1939. Aber nicht aus Paris – sie ist nie in Paris gewesen –, sondern aus Antwerpen. Ihr Vater war ein Verleger in Deutschland. Manchmal, wenn ich so alte Sachen ansehe – ›Rosa Luxemburg, E. Laub'sche Verlagsbuchhandlung‹...

Laub ist ihr Vater gewesen. In der Anti-Kriegsbewegung im Ersten Weltkrieg war er sehr aktiv, druckte die Sachen, die die Rosa Luxemburg im Krieg geschrieben hatte, manches im Gefängnis. Das wurde dann in einer kleinen Puppe rausgeschmuggelt, die die Rosa gestrickt hatte. Sozusagen für meine Frau, aber de facto, um irgendwelche Manuskripte rauszuschmuggeln. Meine Frau heißt auch Rose, natürlich nach ›Rosa‹ Luxemburg. Ihr Vater war eine Zeitlang im Gefängnis und trat während der Revolution für kurze Zeit der Kommunistischen Partei bei. Nach wiederum sehr kurzer Zeit hat er die Nase voll gehabt und ist abgehauen. Da gab es den ersten Bruch... Er lebte dann noch ein paar Jahre in Deutschland, und eines Tages, es war gerade nach dem Münchner Putsch, sagte er zu seiner Frau – so erzählt es mir meine Frau –: ›Das ist kein Land, in dem ich meine Tochter aufziehen will. Ich verkaufe meinen Laden und gehe nach Antwerpen.‹

Für ihn war das einfach kein Land für die Erziehung seiner Kinder, seit die Nazis aufkamen, und für ihn kamen sie schon mit dem Münchner Putsch auf. Irgendwer hatte einmal ein Hakenkreuz an seine Tür gemalt. Darauf hat er gesagt: Nee, nee, das ist nichts.

Er lebte in Berlin, packte, ging und fuhr nach Antwerpen. Er war kein Zionist, sondern sehr aktiv im ›Bund‹. Als ganz junger Mann – zuerst war er Tabakarbeiter und kannte dieses Umfeld – kam er aus Polen, sprach aber kein Jiddisch. Er lernte erst in Antwerpen Jiddisch zu sprechen, damit er sich mit den ›Bund‹-Leuten verständigen konnte. Er druckte eine Zeitschrift. Und die ganze Familie kam 1939 oder 1940 nach Amerika. Die Eltern gingen nach Los Angeles, aber Rose blieb in New York, wo sie für ein Komitee arbeitete, das die Leute rüberbrachte. Eines Tages erschien ich dort, eines führte zum anderen – und wir heirateten. Meine Frau hatte schon vorher viele Verbindungen zur SAP (*S*ozialistische *A*rbeiter*p*artei Deutschlands); und zu jungen Freunden von ihrem Vater, die in Antwerpen in ihrem Hause

gewohnt hatten, zum Beispiel Paul Fröhlich und seine Frau, die übrigens immer noch lebt. Sie ist jetzt 98, glaube ich. Wir haben sie vor ein paar Monaten aufgesucht.
In Paris kannte ich die verschiedenen mehr oder weniger sektiererischen Kreise, die SAP, und war selbst in einer kleinen Gruppe, die sich ›Der Funke‹ nannte – eine Splittergruppe der Trotzkisten.
Rose kannte Willy Brandt sehr gut. Der wurde, als er illegal aus Deutschland zurückkam, in ihrem Haus in Antwerpen untergebracht. Das Haus ihrer Eltern war der Treffpunkt für alle möglichen Leute, die da durchkamen. Für sie war er ein sehr schöner junger Mann, der sie sehr beeindruckt hat. Er hat sich aber nicht für sie interessiert...«

»Man bekam nicht genug, um davon zu leben«

»In meinem ersten Job habe ich bei einem Cousin von mir gearbeitet, um Pakete auszupacken – ›shipping clerk‹ nennt sich das hier; dann bei einer Eisenbahnlinie, um Sachen zu verschicken. Dann trug sich eine amüsante Geschichte zu: Ein junger österreichischer Sozialist, ein Ökonom, trat an die Frau Roosevelt heran und sagte: Es ist doch so schade, es gibt sehr viele österreichische und deutsche Emigranten, die sehr viel verstehen, von der Regierung aber nicht engagiert werden können, weil man dazu naturalisiert sein muß. Könnten Sie nicht arrangieren, daß die Regierung Geld gibt, um so ein Büro aufzumachen, offiziell als Privatbüro, das also Recherchen darüber macht, was in Deutschland passiert ist? Das hat die Frau Roosevelt dann auch ihrem Mann verkauft, und wir saßen also dort in der 42. Straße in einem Riesenbüro, eine Mischung von lyrischen Dichtern und römischen Jurisprudenten und was weiß der Teufel alles. Sie analysierten deutsche Zeitschriften und Zeitungen. Dann ging die Sache nach einer Weile schief. Dieser Mann sollte zur Armee eingezogen werden; er war kein Jude. Er dachte sich: ›Um Gottes willen, wenn ich jetzt in der Armee bin, dann kann es doch sein, daß ich an eine Front komme, wo auf der anderen Seite meine Schulkameraden sind! Das kann ich nicht tun.‹ Er haute ab und fuhr nach Mexiko. Daraufhin wurde das Büro sehr schnell aufgelöst. Die ganze Sache war denen in Washington sehr unangenehm. Sie gaben uns dann einige Empfehlungen an andere Büros. Ich habe dann in den Kriegsjahren für verschiedene Regierungsstellen gearbeitet.
Als der Krieg zu Ende ging, arbeitete ich im Verteidigungsministerium. Dann war ich eine Weile Journalist. Man bekam aber nicht ge-

nug, um davon zu leben. Dann hatte ich kurze Zeit einen Posten bei einer Zeitschrift, die sehr bald kaputtging. Also dachte ich, ich würde wahrscheinlich doch in die Soziologie zurückgehen. Eines Tages haben wir so gesessen und gesagt: Ein Freund von uns, der hat jetzt eine Position als Deutschlehrer an irgendeinem kleinen College in Pennsylvania bekommen; vielleicht können wir das doch auch schaffen. Also die Idee, daß wir beide ziemlich prominente amerikanische Soziologen werden könnten, ist uns nie gekommen. Ich hatte mich gerade in Columbia als Collegelehrer inskribiert, als mich ein Freund anrief und sagte: ›Kennst du den David Riesman?‹ Der Riesman sei ein Jurisprudent, der sei jetzt nach Chicago an die Universität Chicago gegangen, um dort beim Aufbau eines sozialwissenschaftlichen Departments zu helfen. Der sei also interessiert, Leute zu engagieren. Ich traf den Riesman, wir unterhielten uns für ein paar Stunden, und ich gefiel ihm anscheinend. Er sagte: ›Würden Sie gerne nach Chicago kommen?‹ Ich sagte ja – was soll ich denn lehren? Da sagte er: amerikanische Geschichte. Sage ich, wie bitte? Sie importieren jemanden aus Berlin via Paris und London, um amerikanische Geschichte im Mittelwesten ... – nein, dankeschön.
Zwei Wochen später kriegte ich einen Anruf vom Dekan und ging an die Universität Chicago. Da war ich ungefähr zwei Jahre, hatte ziemlich viele Konflikte mit Riesman. Im Grunde hatten wir beide ganz unterschiedliche Anschauungen über die Soziologie. Er war sehr auf der anthropologischen oder psychoanalytischen Linie, wußte nicht viel von Gschichte und wollte auch nichts davon wissen. Für den Curriculumsteil ›Beginn des Industriekapitalismus‹ las man Adam Smith, Marx und Ricardo. Und er versuchte immer, uns Margaret Mead, Ruth Benedict oder irgendwelche psychoanalytischen Texte zu empfehlen. Ich machte das nicht mit. Es gab einen ziemlichen Krach. Ich bin dann abgehauen und zurück nach New York an die Columbia University – für ein Jahr.
Und dann kam ich über Robert Lynd an den M. – der lehrte damals in Brandeis. Durch ihn kam ich dann auch nach Brandeis. Brandeis war damals noch absolut neu, man konnte noch etwas machen, es gab noch keine Tradition. Aber nach zehn, zwölf Jahren wurde es auch routinisiert.
Brandeis ist eine jüdische Gründung. Im Krieg kamen einige große Macher in der jüdischen Welt zusammen und sagten, das ist ja fürchterlich, Harvard und Columbia und so weiter, die haben alle noch Quoten für Juden, und das ist ein Skandal. Könnten wir nicht unsere Universität selber machen? Der Grundgedanke bei der ganzen Ge-

schichte war: Da es so viele Diskriminierungen in der Universitätswelt gibt, machen wir unseren eigenen Laden auf. Nun stellte es sich zum Mißvergnügen einiger dieser Leute heraus, daß die meisten dieser Diskriminierungen nach dem Kriege aufgehört hatten, so daß die meisten jüdischen Kinder genausogut nach Harvard gehen konnten oder wohin immer. Inzwischen waren sie aber engagiert und gründeten diese Universität. Dann ging es um die Frage: Wer wird erster Präsident? Es gab zwei Kandidaten: Der eine war Harold Lasky, der Politologe aus England; der andere Sakker, der dann auch wirklich Präsident geworden ist. Wenn ich dagewesen wäre, wäre ich natürlich für den Lasky gewesen, und das wäre ganz falsch gewesen, denn der Lasky wäre nicht gut gewesen, um Gelder aufzutreiben. Der andere war darin sehr gut. Dann stand die Frage an: Welche jüdischen Kreise? Nicht die alten Deutschen, die Warburgs und andere – die haben schon Enkelkinder, die längst in Harvard oder sonstwo gewesen sind. Die andere Gruppe sind die Ostjuden, die ihr Geld im Krieg oder kurz vorher gemacht haben, zur Zeit der Prohibition, die also Whisky aus Kanada eingeschmuggelt haben. Alles Leute, die weiter keine große Erziehung hatten. Und zu denen sagte Sakker: Euch konnten wir nicht ausbilden, aber eure Kinder sollen wenigstens die Möglichkeit haben. So hat er das Geld zusammenbekommen.
Mein erster Schwerpunkt entsprach meiner Doktorarbeit – ›*The Function of Social Conflicts*‹ – mit der Idee, daß soziale Konflikte nicht unbedingt eine schlechte Sache sein müssen, sondern auch sehr gut sein können.«

War das für die amerikanische Soziologie damals eine neue Idee?

»Es war eine sehr neue Sache, weil ja das dominierende Ideensystem in der Soziologie in dieser Zeit von den Harmonievorstellungen Talcott Parsons' beeinflußt wurde. Mein Lehrer hat sich da ein bißchen rausgehalten, aber im allgemeinen war es auf Harmonie angelegt. Das waren die Jahre, in denen der Kalte Krieg vorherrschte. Man nannte dies die amerikanische ›*Zelebration*‹ – das war also schon eine völlig neue Sache damals. Ich fand die Idee auch bei Georg Simmel, in seiner Soziologie, in der es ein Kapitel gibt, das ›Der Streit‹ heißt. Das nahm ich als Ausgangspunkt und entwickelte es weiter.
Das Buch erschien 1956, verkaufte sich aber nicht gut. Dann, Anfang der sechziger Jahre, gab es diese Riesenkonflikte, zuerst an der Universität, und plötzlich fragten die Leute: Wo sind da Soziologen, von denen wir was lernen können? Und das war sicher nicht Parsons. So

wurde ich also ›wiederentdeckt‹. Und seitdem ist es ein klassisches Buch, das jeder gelesen haben muß.
So ungefähr zur selben Zeit kam ich mit dem Literaturkritiker Irving Howe zusammen; wir gründeten die Zeitschrift ›*Dissent*‹, die es auch heute noch gibt. Damals hatten wir gedacht, das würde ein Jahr dauern – inzwischen sind es fast dreißig Jahre, und es gibt sie noch. Darin ging es auch wieder gegen die McCarthy-Atmosphäre, gegen die ›Zelebration‹ und so weiter. Unter unseren Mitarbeitern war auch der Charles Wright Mills, dessen beste Sachen damals bei uns erschienen sind. Ich habe immer versucht, mein rein soziologisches Schreiben und Denken auf die eine Seite zu stellen und mein politisches auf die andere. In meinem Büro drüben sind zwei riesige Bilder, eines von Max Weber und das andere von Rosa Luxemburg; zwischen denen ist ein gewisses Intervall – und dort stehe ich.«

Können Sie das etwas erläutern?

»Ich bin immer noch ein sehr überzeugter Sozialist, aber ich bin stets sehr beeindruckt gewesen von Webers Aussage: ›Wenn ich am Podium stehe, kann ich euch nicht indoktrinieren.‹ Daran halte ich mich auch heute noch: Im Prinzip gebe ich keine politischen Stellungnahmen in der Klasse ab.
Wenn da aber ein sozialistischer Club ist, der mich ab und zu einmal einlädt, dann bin ich immer gerne bereit zu kommen. Die Studenten, die sich überhaupt noch dafür interessieren, wissen natürlich Bescheid, aber ich halte keine sozialistischen Vorträge.«

Aber Ihr Erkenntnisinteresse hat sich mit der Adaption der amerikanischen Kultur doch nicht völlig umgewandelt?

»Nein. Aus der Sicht der Europäer bin ich wirklicher Amerikaner, aber meine Kollegen würden sagen: ›Er ist der einzige, der sich in der Soziologie vollkommen durchgesetzt hat‹ – ich war einmal Präsident der Soziologischen Gesellschaft –, ›aber ganz koscher ist er auch nicht.‹ Kurt Wolff ist viel weniger in dem Betrieb drin gewesen. Ob er das so wollte oder nicht, kann ich nicht sagen. Ich bin ziemlich viel in dem ganzen Betrieb gewesen, war, wie gesagt, auch einmal Präsident, meine Frau ist jetzt Vizepräsidentin. In dem Sinne waren wir, glaube ich, mehr drinnen als das für deutsche Emigranten üblich war. Aber auf der anderen Seite ist man doch nicht ganz drin. Ich verstehe nichts von Statistik und Mathematik – da habe ich keine Ahnung.«

Ist es auch ein wenig die Rettung Ihres Pariser politischen Erbes, in Ihrem Erkenntnisinteresse gegen den ›mainstream‹ der amerikanischen Gesellschaft auf der Bedeutung des Konflikts zu insistieren?

»Was ich damals nicht gesehen habe, ist, daß es im Grunde doch eine liberale, keine radikale Erklärung war. Es wurde ja immer gesagt, Dualismus sei eine gute Sache, wenn verschiedene Arten von Konflikten sich überschneiden, dann gäbe es keine Ja/Nein-Beziehung, sondern eine Überschneidung. Und die vielen überschneidenden Konflikte brächten die Gesellschaft zusammen.
Es ist mir im Gegensatz zu damals jetzt klar, daß man das Buch als eine Verteidigung der amerikanischen oder der ideal-amerikanischen Realität lesen kann. Trotzdem: Wenn ich meine Bücher ansehe, dann sind sie fast alle irgendwie durch biographische Erfahrungen angeregt worden.
Das ist das mit dem Konflikt: Wie konnte ich, der durch den ganzen Kladderadatsch gegangen ist – Nazis und Krieg und so –, glauben, wie es Parsons tat, daß der Konflikt gar nicht wichtig ist, weil man doch im Grunde das Harmonische hat?
Dann habe ich unter anderem ein Buch über Intellektuelle geschrieben mit dem Titel *Man of Ideas – was ist ein Intellektueller?* Was ist das für ein komisches Viech, unter welchen Umständen können sich Intellektuelle entwickeln und welche Art von Gesellschaftsformen fördern die Möglichkeit, daß sie sich entwickeln können? Da ging es um mich als Intellektuellen: Was bin ich, wie funktioniere ich gegenüber der Gesellschaft? Es hat keine These im besonderen Sinne, sondern versucht einfach zu zeigen, daß sich Intellektuelle – und ich berücksichtige dabei fast nur europäische Daten, vor allem französische und englische – erst zu einer Zeit entwickeln können, in der man *Bücher* liest, so daß man möglicherweise vom Einkommen durch Bücher leben kann. Bis dahin ist es die *Patronage*, eine Abhängigkeit, in welcher der Günstling des Herrn von Sowieso bei ihm wohnen konnte, sich aber doch sehr vorsehen mußte, nichts zu sagen, was den stören könnte. Im Grunde gibt es erst seit dem 18. Jahrhundert freie Schriftsteller, Intellektuelle. Es gibt denen eine gewisse Sicherheit, daß sie doch vom Verkauf von Büchern etwas leben können. Dann, daß sie in Caféhäusern zusammenkommen – und so gibt es ein Kapitel über Caféhäuser.«

Kurt H. Wolff hat sehr betont, daß er in Brandeis unkonventionelle soziologische Methoden probieren konnte.

»Das Department in Brandeis war sehr gut, weil es *keine* Linie hatte. Das war sicher nicht die offizielle Linie der Universitätsverwaltung, so daß wir mit Sakker immer wieder Schwierigkeiten hatten. Aber der war auf Geldsuche fixiert. Diese paar Jahre lang bekam ich keine Promotion, weil er mich herausgraulen wollte, aber das hat sich dann gelegt.
Später, in meinem Buch *Masters of Sociological Thought*, versuche ich, nicht nur einfach zu resümieren, was der jeweilige soziologische Autor – sei es Dürkheim oder Weber – geschrieben hat, sondern das auf die gesellschaftlichen Bedingungen der Zeit zu beziehen, in der er geschrieben hat: Was waren die intellektuellen Einflüsse auf ihn? Wiederum ein Versuch, Dürkheim, Weber und wen immer im Mittelpunkt von Beziehungen in der Gesellschaft, der Kultur zu erfassen, welche ihm die Möglichkeit gab, gerade eine solche Soziologie zu machen.
Dann kam ein kleines Buch über den absorbierenden Charakter von Organisationen und Institutionen – meine Abrechnung mit meinem trotzkistischen Gepäck.«

»Nicht im Käse in der Mitte sitzen«

Sie haben schließlich 1984 ein Buch über emigrierte Wissenschaftler aus Europa veröffentlicht: Refugee Scholars in America. *Was ist Ihnen in der Rekonstruktion Ihrer Erfahrungen oder der Erfahrungen der anderen Emigranten eigentlich widerfahren? Immerhin schreiben Sie im Grund auch über Ihre amerikanisch-deutsche Doppelgeschichte. Sie haben die Funktion dieser Wissenschaftler als Mediatoren zwischen zwei Kulturen, als Brückenbauer vor allem nach Amerika hin beschrieben. Bleibt gleichwohl die Wahrnehmung von ›Fremdsein‹, wie Simmel schreibt, den Sie ja in Ihrer Einleitung zitieren.*

»Die hiesige Fremdheit besteht darin, daß man als Einwanderer nicht ganz in der Mitte ist, sondern nur an der Peripherie. Die Fremdheit in Europa, die ich empfinde: Ich bin noch nicht einmal an der Peripherie, ich bin im weiten Raum. Nehmen wir den Kurt Wolff, der ist viel weiter an der äußersten Peripherie gewesen als ich. Ich bin dem Zentrum schon ziemlich nah, aber durchaus noch nicht *im* Zentrum. Das halte ich für fast unmöglich.«

Aber erstrebenswert?

»Ja und nein – ich bin nicht sicher. Mir gefällt es ganz gut, ein bißchen am Rande zu sein und nicht im Käse in der Mitte zu sitzen. Was ich in dem Buch versuche ... es ist vielleicht interessant, daß ich mit wenigen Ausnahmen nur von den Leuten spreche, die hier erfolgreich waren. Nun habe ich einen guten Grund dafür, wenn ich sage: Man kann ja nicht Kultur transmittieren, wenn man nicht selber irgend etwas ist. Aber dahinter steht, daß die Leute, die ich beschreibe, doch ein bißchen Ähnlichkeit haben mit dem, was ich bin.«

Also eine Art Identifikation mit der Erfolgsstory?

»Ja. Zwar würde ich von mir keine Erfolgsstory schreiben. Aber (Identifikation) doch in dem Sinne, daß ich in einer Position war und noch bin, in der ich wirklich als Brücke dienen kann. Und ich glaube, der Kurt Wolff zum Beispiel dient viel weniger als Brücke, weil er eben zu weit draußen ist.«

Sie möchten Brücke sein – für was?

»Für das Hin und Her von Europa nach hier.«

Und was wollen Sie hin und her transportieren?

»Na, zum Beispiel, wenn ich hier bin und daran denke, was ich meinen Studenten beizubringen versuche, ist es unter anderem die geschichtliche Dimension, die ja hier nicht existiert. Ich habe ein Seminar mit fünfzehn Studenten und spreche über Dürkheim. Ich sage irgendwas über den Dreyfus-Fall[3] – und die gucken mich nur so an. Ich frage, wer was über Dreyfus weiß – es sind nur zwei von fünfzehn. Es geht mir also darum, innerhalb der Soziologie eine historische Art von Anschauung durchzusetzen: eine innere Annäherung an die großen europäischen Figuren – Dürkheim, Weber, Simmel und andere – und eine gewisse Skepsis gegenüber diesen statistischen Erwägungen.

[3] Die »Dreyfus-Affäre« um den französischen Offizier Alfred Dreyfus (1859–1935) gilt als Auslöser der schwersten innenpolitischen Krise der Dritten französischen Republik; ältere Konflikte zwischen Konservativen und radikalen Republikanern entzündeten sich daran erneut. Wegen angeblichen Verrats militärischer Geheimnisse an Deutschland wurde der aus dem jüdischen Bürgertum stammende Hauptmann im Generalstab 1894 verhaftet. Von der antisemitischen Presse verfemt, verurteilte ihn ein Kriegsgericht zur Degradierung und lebenslänglichen Verbannung. Jahrelang verhinderten Generalstab und Kriegsministerium, Adel, Großbürgertum und Klerus eine Wiederaufnahme des Verfahrens, selbst dann noch, als die französische Abwehr in dem Generalstabsoffizier Esterhazy den wahren Schuldigen fand. Zur innenpolitischen Machtprobe wurde die »Dreyfus-Affäre« spätestens, nachdem der Schriftsteller Emile Zola für einen offenen Brief in einer Zeitung (»J'acusse«) verurteilt wurde. Als es 1899 endlich zum Revisionsprozeß kam, wurde Dreyfus in offenem Rechtsbruch zu zehn Jahren Festungshaft verurteilt. Erst 1906 wurde er voll rehabilitiert. Anm. d. Red.

Ich meine, ich polemisiere nicht gegen die Statistik, aber die Dominanz...!
Darauf bin ich stolz. Ich habe ein bißchen dazu beigetragen, die Soziologie zu historisieren oder das Konzept des Konflikts wieder in den Mittelpunkt zu bringen.«

Welche Bedeutung hat eigentlich die »New School« für die Sozialwissenschaften hier?

»Ich habe ein Kapitel über die New School in meinem Buch. Ich nenne es ein *vergoldetes Ghetto*. Es war natürlich wundervoll, daß der Johnson alte Leute dorthin gebracht hat und ihnen eine Möglichkeit gegeben hat, zu funktionieren. Johnson selber wollte, daß sie nach ein paar Jahren woanders hingehen. Er sah das als eine Art Moratorium. Es stellte sich aber heraus, daß ein Großteil der Leute ihr Leben lang dort blieb, und die Sache bekam so ein wenig eine ›bei uns‹-Tendenz: ›Bei uns war alles viel schöner.‹ Das war nur möglich, weil sie sich wirklich abschließen konnten, dort in der New School. Ich habe es nicht systematisch gemacht, aber wenn man sich ansieht, wo sie gewohnt haben, alle in derselben Stadtgegend... Aber der Johnson wollte das nicht. Der Johnson war zufrieden, wenn er sah, der Soundso hat einen Ruf bekommen an eine Universität. Aber andere von denen hatten das Gefühl – wie das bei Sekten so üblich ist –, er habe die Sekte verlassen...
Bei den Politologen ist der einzige, der wirklich so ganz amerikanisiert ist, K. W. Deutsch. Der war ganz mittendrin. Und der ist jetzt in Berlin.
Neumann habe ich nicht gekannt. Wir kannten die Institutsleute um Adorno recht gut, weil Rose eine Zeitlang für sie gearbeitet hat, als Sekretärin.
Hannah Arendt haben wir von Zeit zu Zeit gesehen, aber auch nicht sehr intim gekannt. Sie dürfen nicht vergessen, daß ich von 1948 an viele, viele Jahre nicht mehr in New York war. Aber Hannah Arendt verkehrte in Kreisen, die ich auch kannte. Weil sie auch sehr gut war, sah man sie öfter. Aber wie gesagt, seit '48... ich habe sie ein- oder zweimal in Boston sprechen gehört, aber sonst keine intime Verbindung. Während Leo Löwenthal ein alter Freund ist. Jedesmal, wenn wir an der Westküste sind, sehen wir ihn. Mit den meisten anderen Frankfurtern hatten wir auch gute Beziehungen. Vor allem mit Pollock. Und dann war da einer, der keine große Rolle gespielt hat, ein sehr genialer Mann – Gurland. Der ging dann nach Deutschland zurück.

Was die Psychoanalyse betrifft: Ich bin nicht so sehr von den späteren Sachen von Fromm eingenommen, wo er so ein Prediger wurde, aber einige Sachen haben mich damals sehr beeindruckt, und auch Bettelheims Sachen über die Konzentrationslager und anderes. Die orthodoxen Psychoanalytiker haben sich ja kaum in diesem Sinne mit politischen Phänomenen beschäftigt. Meine Frau hatte sehr gute Beziehungen zu Fenichel, der einer der Brillantesten der Gruppe war, und sie hat für ihn ein paar Jahre gearbeitet. Sie kannte also die Insider viel mehr, als ich sie kannte.
Die Aufnahme amerikanischer Traditionen ist Erikson am besten gelungen, glaube ich. Bettelheim – ich hatte mein Kapitel über ihn schon geschrieben, als sein letztes Buch herauskam. Und das hat mich wieder zweifeln lassen: als er plötzlich anfängt zu sagen, die Amerikaner haben die Psychoanalyse nie verstanden, haben sogar die Sprache nicht verstanden. Das hat mich doch erstaunt.
Fromm war auch unerhört erfolgreich, aber nur, nachdem er zum Prediger geworden war. Das ist ein Stil, den ich nicht ausstehen kann. Aber seine ersten, früheren Sachen, die er noch in Deutschland geschrieben hat, für die Zeitschrift, und dann das Buch über das Christentum vor allem. Er war so ein bißchen megalomanisch, der gute Fromm. Ich kann mich an eine kleine Gruppe von Leuten erinnern, die in der Sozialistischen Partei unter Norman Thomas waren. Die meinten, man müsse vielleicht doch mal programmatisch was Neues sagen und versuchen, ein paar Leute einzuladen, die nicht Mitglieder sind, aber uns nahestehen. Da war der Fromm, der Irving Howe und ich und ein paar andere. Und der Fromm kam mit einem neuen kommunistischen Manifest, das er gerade geschrieben hatte. Als dann die meisten Leute sagten, das ist nicht das, was wir im Moment haben wollen, da war er sehr beleidigt. Er war ein sehr egozentrischer Mensch.«

Das kriegt man nicht so mit, wenn man nur liest... Sie schreiben in Refugee Scholars in America, *daß im Grunde zwei Welten aufeinandergestoßen sind: die der europäischen Ausbildungstradition und Soziologie, die mit der Erfahrung der Krise zu tun hat,* und *eine amerikanische Soziologie, der Sie eine weitgehend ahistorische, atheoretische Orientierung zuschreiben.*

»Wenigstens zu der Zeit, als ich hineinkam.«

Wie sind Sie mit dieser Erfahrung umgegangen? War es eine Erfahrung von Fremdheit? Und wie kam es, daß Sie so schnell drin waren?

»Ich glaube, das ist eine Persönlichkeitscharakteristik, über die ich nicht viel sagen kann. Ich hatte einen Einfügungssinn, den die meisten meiner Freunde nicht hatten. Das war schon so in Frankreich, das ist auch hier so gewesen, so daß ich mich zu der Zeit, als diese dann in Chicago waren, auf ziemlich schnelle Art dort zurechtfand – ich meine: *geistig* zurechtfand. So erschien ich denen wie jemand, der irgendwas Spezielles hat, aber mit dem man doch wie mit anderen Amerikanern reden kann. Das ist es zum Beispiel, was der Kurt (Wolff) nicht hat. Ich sage das nicht, weil es ein besonderer Vorteil ist – es ist nun einmal so.«

Demokratisches Amerika und falscher Egalitarismus

Kommt Ihnen, um es überspitzt zu fragen, eher die Fähigkeit zur Empathie, auch eine Art Neugier gegenüber sozialen Situationen zugute, oder ist es eine über den Vater tradierte Tradition der Assimilation?

»Es ist vielleicht beides. Aber ansonsten – man fühlt sich am meisten als Amerikaner, wenn man in Europa ist. Als ich dieses Jahr in Frankreich war, hatte ich das Gefühl: Ich bin wirklich Amerikaner. Das bedeutet zum Beispiel einen viel lockereren Lebensstil. Nicht die Rigidität der deutschen Universitäten oder den Egozentrismus der französischen Universität, sondern viel lockerer. Das Gefühl, daß Demokratie, obwohl das manchmal in Frage gestellt wird, hier Wurzeln hat, die im intellektuellen Leben sehr tief gehen. Viel tiefer als etwa in Frankreich, von Deutschland gar nicht zu reden. Vielleicht in England noch, das irgendwie als ein Zentrum des geistigen Lebens dazugehört.«

Auch im umgekehrten Sinne, daß im sozialen Leben insgesamt die Demokratie stärker verankert ist?

»Ja, auch. Es gibt ein demokratisches Amerika, das ist tief verwurzelt. Das findet man nicht nur heraus, wenn man mit Intellektuellen spricht, sondern auch mit dem Friseur. Auf der anderen Seite gibt es eine – ich will nicht sagen: antidemokratische, aber anti-intellektuelle Tradition. Die ist auch ziemlich stark und hat ihre Wurzeln im vorigen Jahrhundert. Das geht bis zu Jackson 1830. Darin steckt ein falscher Egalitarismus: ›Was muß ich mich darum kümmern – und überhaupt: die sind doch alle homosexuell und was weiß ich, was noch.‹«

Also die ganze Skala der Vorurteile?

»Ja, genau, die Vorurteile gegen Intellektuelle. Das hat eine sehr starke Tradition hier. Sie ist viel stärker als in Europa. Wenn ich mir in Europa im Hotel ein Zimmer bestelle, dann sage ich immer, es ist für Professor Coser. Wenn ich das hier mache, sage ich nicht Professor Coser – dann kriege ich eher ein schlechteres Zimmer. Das ist sicher übertrieben, aber so ähnlich ist es.«

»Warum Reagan so unerhört populär ist«

Wie erklären Sie sich die Rechtsentwicklung der amerikanischen Gesellschaft in den letzten fünf, acht, zehn Jahren?

»Es gibt ja so viele Wellenbewegungen in der amerikanischen kulturellen Geschichte ... Aber warum der Reagan jetzt so unerhört populär ist, dazu will ich doch eines sagen: Die Emigranten-Kinder, die Italiener, die Iren und so weiter, die vor zwanzig oder dreißig Jahren noch das Gefühl hatten, daß sie Außenseiter sind, haben jetzt das Bewußtsein, daß sie Insider sind und das verteidigen müssen, was sie sich inzwischen angeeignet haben. Wenn ich mir zwanzig Jahre lang Geld gespart habe, um irgendwo ein Haus zu kaufen, und noch viele Jahre lang eine Hypothek bezahlen muß, und dann kommt so ein Neger und will das Haus nebenan kaufen, so daß mein Haus an Wert verlieren wird – das geht zu weit. Überhaupt existiert bei den älteren Emigrantengruppen sehr stark das Gefühl: Wir sind raufgekrochen, mit vielen, vielen Anstrengungen und vielen Opfern, und jetzt kommen die und sagen, man soll den armen Leuten ›food stamps‹ geben... Ich glaube, daß ein großer Teil der älteren Emigranten jetzt das Gefühl hat: Wir haben es gemacht, jetzt müssen wir die Türe zuschließen. Wenn zu viele noch hinterherkommen, dann geht es nicht mehr.
Und es gibt hier eine alte amerikanische individualistische Tradition, die auf Emerson oder auf den Sozialdarwinismus zurückgeht. Die Engländer haben diesen schönen Slogan: ›I'm all right, Jack‹ – mir geht es gut. Es gibt Sozialdarwinisten, die sagen: Freier Markt, volle Konkurrenz – das ist das einzige natürliche Gesetz der Wirtschaft. Ich fragte die Kinder: Sagt euch das heute was? Und dann kam zu meinem Vergnügen eine und sagte, ja, das ist doch das, was der Reagan auch denkt.«

»Verglichen mit dem deutschen Antikommunismus ist der amerikanische eine Meinung, keine tiefe Sache«

»Mit dem Antikommunismus ist das eine seltsame Sache. Was mich damals im Kriege erstaunte, war, wie schnell das plötzlich alles wegfiel, nachdem die Russen Alliierte waren. Jetzt plötzlich erschienen in der großen Presse Artikel, daß es doch eigentlich sehr schön sei mit den Russen und so weiter – so daß wir, die wenigen prinzipiellen Antistalinisten, völlig isoliert waren, weil plötzlich die ganze Welt sagte, das ist doch wundervoll mit den Russen. Der Monsignore S., ein mondäner Priester, hat über die Familie so geschrieben, daß sie in Rußland viel stärker ist und viel mehr Wurzeln hat – all so 'n irrsinniger Blödsinn. Aber was mich beeindruckt, ist, wie schnell das so hin und her geht. Jetzt sind die Chinesen unsere Alliierten.«

Ich habe den Eindruck, daß der Antikommunismus hier in Amerika ein anderer ist. Einerseits sagen sie, die Unterseeboote lauern vor Manhattan, andererseits kommt es mir vor, als sei alles nicht so verbiestert und so in die Psyche des einzelnen eingelagert wie etwa bei der älteren Generation in Deutschland.

»Das mag durchaus sein. Auf jeden Fall habe ich den Eindruck, daß diese Art Stimmung sehr leicht manipulierbar ist. Vielleicht auch, weil ja die Realität der Russen im täglichen Leben nicht evident ist. Das ist doch nicht wie in Deutschland, wo man an die Mauer fährt und sieht: Dort sind die anderen, und hier sind wir.
Wenn Sie den amerikansichen Antikommunismus mit dem deutschen vergleichen, ist es eine Meinung, aber keine tiefe Sache, weil es keiner Realität direkt entspricht.«

»Die Bedeutung des Antisemitismus wurde mir erst klar, als meine marxistischen Scheuklappen kaputtgingen«

»Der antisemitische Teil des Nationalsozialismus wurde mir im großen und ganzen erst hier klar. Als meine marxistischen Scheuklappen kaputtgingen, mußte man sich ja doch langsam ein bißchen umwenden und sagen, warum habe ich diese Sachen nicht gesehen? Das war dann die Zeit, als auch hier die ersten Nachrichten über Auschwitz, über die Konzentrationslager kamen – das wußte man hier ja nicht. Man hat es auch nie geglaubt. Als die ersten Sachen hier ankamen, hat man gesagt: ›Quatsch, alles Greuelpropaganda!‹«

Wie haben Sie darauf reagiert?

»Deswegen bin ich kein religiöser Jude geworden; aber es bestärkte mich darin, daß ich wirklich Jude bin, daß ich mich mit den Opfern identifiziere. Zu dieser Zeit habe ich mich auch zum ersten Mal ein bißchen um Israel gekümmert. In den ersten Jahren habe ich gedacht, das ist gut und schön, daß sie die Leute aufnehmen konnten, das war jedoch keine besonders emotionelle Sache. Aber dann doch. Ich muß sagen, als ich zum ersten Mal in Israel war – das ist jetzt acht Jahre her, glaube ich –, hatte ich doch ein bißchen das Gefühl: Na, das ist mein Land! Es ist blödsinnig, aber diese Identifikation war dann doch da.
In dem Jahr, in dem wir nach Israel fuhren, waren wir gerade in Cambridge, England. Es war so einfach, einmal rüberzufahren. Einer der Hauptgründe war, daß es nicht viel Geld kostete, und wir wollten uns den Laden einfach mal ansehen. Als wir dann hinkamen, hatten wir beide doch einen sehr tiefen Eindruck von der ganzen Sache.
Auch einen gewissen Stolz! Was haben unsere Leute dort fertiggebracht! Das ist doch eine unerhörte Sache. Wenn man die Universität sieht, dann hat man den Eindruck, daß die einen Teil des deutschen Kulturguts dorthin gebracht haben, die Bubers, die Simons und andere. Der jüngeren Generation ist das nicht ganz klargeworden, aber es war doch so. Trotz all dieser Stereotypen über die deutschen Juden, die ›Jecken‹... Es war schon eine große Sache.«

Das war vor sieben oder acht Jahren. Das heißt, kurz vor der Begin-Ära.

»Ich glaube, Begin war damals schon dran.«

Wie haben Sie auf ihn reagiert – auch in den folgenden Jahren?

»Ich kann ihn gar nicht ausstehen. Im Grunde kommt er doch aus dieser faschistischen Yabotinsky-Bewegung. Es ist etwas Hysterisches an dem Mann. Mir gefällt er gar nicht. Der trägt also wieder diese Scheuklappen.«

Zum ersten Mal in Deutschland

»Ich war im Jahre 1960 zum ersten Mal nach dem Krieg wieder in Deutschland. Damals war noch der Stammer in Berlin, den ich noch von hier kannte. Ich schrieb also: Wenn du willst, lade mich doch mal ein...

Wie ich dann am Flughafen war, hatte ich das Gefühl, ich müsse gleich wieder zurückfliegen. Ich habe mir dann gesagt, das ist doch blödsinnig, wenn ich die Leute sehe, die da so rumlaufen. Ein Großteil dieser Leute waren Kinder in der Nazizeit. Aber eine gewisse Ambivalenz ist da immer noch – natürlich bei meiner Frau noch stärker als bei mir, glaube ich. Es gibt ja Leute, die würden sich nie einen Volkswagen kaufen. Das sagt mir nicht zu. Aber daß immer eine gewisse Ambivalenz bleibt, ist auch ganz klar.«

Haben Sie Ihr altes Haus gesucht?

»Ja, aber der vordere Teil, in dem wir gewohnt hatten, ist vollkommen ausgebombt; der hintere Teil ist noch da, aber zu dem hatte ich keine Beziehung, wir waren ja vornehme Leute.
Wir fuhren auch rüber nach Ost-Berlin, um zu dem Haus zu gehen, in dem meine Frau als kleines Mädchen gewohnt hat. Da stand eine uralte Dame, und meine Frau sprach sie an. Da sagte die Frau ganz spontan: ›Ja, hier haben mal Juden gewohnt, vor langer, langer Zeit. Das können aber nicht Ihre Eltern gewesen sein.‹«

Sie sind relativ spät ›zurückgekommen‹ – warum erst 1960 und dann erst wieder fünfzehn Jahre später?

»Was die Kerle mir angetan haben, oder Leuten meiner Art – wozu muß ich sie jetzt besuchen? Das war ganz deutlich so. Ich hätte immer eine Einladung kriegen können.«

War es eine souveräne Distanz oder war sie auch aggressiv-bitter?

»Vielleicht mehr das letztere. Aber das verschwand dann ziemlich bald. Wie gesagt, ich fuhr nach Berlin, und von Berlin flog ich rüber nach Frankfurt, wo der Pollock mich eingeladen hatte, einen Vortrag zu halten. Da waren einige außerordentlich sympathische Leute – das gefiel mir großartig. Das war dann kein Problem mehr.«

»Zum ersten Mal eine wirkliche deutsche Demokratie«

»In einem gewissen Sinne glaube ich, daß es zum ersten Mal eine wirkliche deutsche Demokratie gibt, wenn man so etwas überhaupt sagen kann. Denn die Weimarer Republik war doch immer so ein künstliches Gebilde, soziologisch gesprochen. Jetzt zum ersten Mal. Der Ralf Dahrendorf hat ja ganz gute Sachen geschrieben. Die Junker sind jetzt wirklich kaputt, so daß ich ein bißchen Angst bekam, als man in Paris im vorigen Jahr wieder von deutsch-nationalen Bestrebungen las; daß ein Teil der Grünen nicht nur für den Pazifismus eintritt, sondern auch Vereinigungsgedanken hegt. Aber es hat sich rausgestellt, daß das nicht sehr weit gegangen ist, soweit ich das beurteilen kann.«

»Ich bin immer noch ein oller Sozialist«

»Zu Hause fühle ich mich hier sicherlich nicht, in Europa. Wie wir jetzt in Paris waren... ich weiß noch, wie ich zu amerikanischen Freunden gesagt habe, es sei wie ein ›homecoming‹, aber das war es nicht. Es war sehr schön, für neun Monate. Aber *ich gehöre hierher nach Amerika, nicht dorthin*. Das habe ich auch nie angezweifelt. Es ist mir wirklich nie in den Kopf gekommen. In den fünfziger Jahren wäre es für mich sehr leicht gewesen, dort irgendeine Anstellung an der Universität zu bekommen. Wir hatten beide nie den Eindruck, daß dies eine wirkliche Alternative sei.«

Also, Sie haben mich allmählich überzeugt: Sie sind wirklich gerne Amerikaner!

»Ja, gar kein Zweifel. Aber deshalb bin ich nicht weniger kritisch. Im Gegenteil. Ich meine, am kritischsten ist man mit seinen eigenen Kindern, die man sehr liebt, die man aber ganz besonders kritisieren will und muß, damit sie auch wirklich so werden, wie man gerne will. Ich habe mich immer so gesehen, und ich werde auch seit vielen Jahren so angesehen, daß ich Amerikaner bin, dessen Obligation es ist, als Amerikaner kritisch zu sein, als amerikanischer Intellektueller. Wenn ich eine Zeitschrift herausgebe, die *›Dissent‹* heißt, dann ist das genau dasselbe, wie wenn einige gute Amerikaner sagen: Jetzt aber Schluß mit dem McCarthy.
Ich bin ja immer noch ein oller Sozialist und glaube, daß die sozialistischen Ideen sehr revidiert werden müssen, gemessen an den originären marxistisch-sozialistischen Ideen; aber ich bin doch noch der Auffassung, daß Planung eine schöne und gute Sache ist – allerdings eine Planung, die nur mit Partizipation zusammenhängt, nicht eine Planung von Technokraten, die da oben sitzen. Ich glaube, man kann die Gesellschaft in Amerika dadurch verbessern, daß man die Traditionen, die es hier gibt, benutzt, um nicht nur Demokratie zu haben, sondern wirklich soziale Demokratie.

Das richtet sich gegen die Akkumulation der Macht in relativ wenigen Händen – dagegen, daß der Herr, der jetzt Generaldirektor von General Motors ist, mehr Macht hat als der Präsident von Kanada.«

Kurt H. Wolff:
»Zurück nach Deutschland? Nicht einmal zu Besuch!«

Kurt Heinrich Wolff, 1912 in Darmstadt geboren, studierte zwischen 1930 und 1933 Sozialwissenschaften in Frankfurt, unter anderem bei dem Wissenssoziologen Karl Mannheim. Vom Oktober 1933 bis Anfang 1939 hielt sich Wolff in Italien auf, zunächst in Florenz, dann als Lehrer in Recco bei Genua, schließlich in Ruta. 1939 emigrierte er in die Vereinigten Staaten. In Dallas (Texas), Chicago und Richmond (Ohio) betrieb er Studien und bekleidete Universitätsfunktionen. Seit 1959 ist er Professor an der von Juden gegründeten Brandeis University in Boston. Er lebt heute in Newton bei Boston.
Neben Lewis A. Coser und Reinhard Bendix gilt Kurt H. Wolff als einer der wichtigsten Brückenbauer zu den mitteleuropäischen Gründungsvätern moderner Soziologie, vor allem zu Georg Simmel und Emile Durkheim.
Unser Porträt von ihm geht auf Gespräche im Herbst 1984 und im Sommer 1987 zurück.

Zwar ging Wolffs Familie an hohen Feiertagen, also zu Neujahr und am Versöhnungstag, in die Synagoge – aber das war's dann auch. So wollte der Sohn Kurt Wolff, angeregt durch den Religionsunterricht, einmal »zu Hause jüdische Bräuche einführen«: »Da wir keine Minorah hatten, habe ich mir eine gemacht, mir ein Stück Brett genommen, eine Kerze draufgestellt und privat Chanukka[1] gefeiert. Zwei Tage war es interessant, dann ist es langweilig geworden...«
Schon früh, bereits als Jugendlicher, zog sich Kurt Wolff darauf zurück, vor allem unveröffentlichte Romane zu schreiben. Es war ein Protest weniger gegen ein Klima der Assimilation als vielmehr gegen ein Klima herablassender Distanz in seiner Familie, die sich etwas »auf ihren Goethe einbildeten... eine Art Bildung, in der man nichts verstand, durch die man sich aber berechtigt sah, andere, die Goethe nicht auswendig konnten, zu *verachten*«.

[1] Das jüdische Fest »Chanukka« (hebr. Weihe) erinnert an die Wiederaufnahme des Tempeldienstes im Jahre 164 v. Chr.; zuvor hatte sich Antiochos IV. Epiphanes einer Entweihung schuldig gemacht (1. Makk. 4,36ff.; 2. Makk. 10,6ff.). Dazu gehört, daß abends die Lichter des achtarmigen Chanukka-Leuchters angezündet werden; an jedem Festtag kommt ein Licht dazu. Anm. d. Red.

So schrieb er nie veröffentlichte Romane, verehrte Kleist, Hölderlin – und hielt Jakob Wassermann und Stefan Zweig für »seichtes Literatenzeug«; Musils *Mann ohne Eigenschaften*, Hermann Broch, James Joyce und vor allem Gottfried Benn, kurz: das Extravagante, Neue, Existentielle faszinierten ihn. »Ich war begeistert von der *Dreigroschenoper*, ich habe sie viermal gesehen, das erste Mal 1928, als ich sechzehn war... und fortwährend mitgesungen habe ich sie. Es war weniger der Brecht, sondern eben die *Dreigroschenoper* – und später *Mahagonny*.
Ich bin ja während meiner Pubertät durch mehrere Phasen gegangen; eine war zum Beispiel durch meinen passionierten Wunsch geprägt, einen Pfeiffer-Anzug zu besitzen. Ich weiß nicht, ob Sie wissen, was das ist. Pfeiffer-Anzüge waren aus Manchester-Material, diesem samtartig gerippten Zeug, mit kurzen Hosen selbstverständlich und einem kurzen Jäckchen! Ein bißchen Jugendstil und Jugendbewegung.
Kennen Sie in dem Zusammenhang übrigens Fidus? Fidus war ein Verherrlicher des nackten Körpers, er zeichnete glänzend, ich hatte viele Postkarten von ihm in meinem Zimmer, meistens von Halbwüchsigen, die die Liebe erfahren haben! Sie sind ja ganz ungebildet, wenn Sie Fidus nicht kennen! Und Gertrud Prellwitz, den frühen Hesse, *Peter Camenzind*... Wissen Sie, es war Ausdruck meiner tiefen Verachtung, meines Hasses gegen alles Bürgerliche.«
Kurt Wolffs Kritik an seiner Umgebung ist herb, sarkastisch: nicht nur daran, daß sie diejenigen, die den Goethe nicht auswendig kannten, verachteten; sondern ebenso daran, daß sie auch *die* Juden ablehnten, die in Darmstadt »aus der falschen Gegend kamen, daher, wo angesehene, ordentliche Becher (Bürger) nicht wohnen«: »Meine Eltern haben an dieser Verachtung teilgenommen... Und dann erinnere ich mich, wie meine Mutter (mein Vater starb schon 1924, ein Jahr später ging das Geschäft zugrunde) fürchterliche Geschichten über den Spartakus erzählte, der *alles* bedrohte, alles Gutbürgerliche, Gut-CV-sche (bezieht sich auf den als liberal geltenden Centralverein Deutscher Staatsbürger Jüdischen Glaubens, d. Hg.), der unter dem Bett lag und plötzlich auf dich zusprang, und dergleichen Gespenstergeschichten...« – So zog es ihn zu *Mahagonny, Dreigroschenoper* und Manchester-Anzügen.

»Man darf nichts für selbstverständlich halten«

Zur Soziologie bei Karl Mannheim kam Wolff genauso: über »Extravaganzen«. Karl Mannheim war nicht nur rhetorisch begabt, sondern trug auch Seide: »Das Vehikel für diese Faszination war etwas ganz Äußerliches: nämlich einmal der ungarische Akzent, den ich spannend fand, und dann die hellblauen Seidenhemden, die ich ungeheuer elegant fand. Verstehen Sie? Kommt es nicht oft vor, daß das Wichtige durch etwa so Äußerliches vermittelt wird? Hinzu kam: Ich wußte zwar, daß ich studieren wollte, hatte aber keine Ahnung, was. So habe ich alles Mögliche belegt, vom Mittelhochdeutschen bis zum Russischen und Griechischen. Nichts war besonders interessant, ich hatte keinen Halt – und da hat mir jemand erzählt, ich weiß nicht mehr wer, aus Heidelberg sei ein neuer, unheimlich aufregender junger Mann gekommen, namens Mannheim, den ich hören müsse. So bin ich hingegangen und war sofort fasziniert.«

Ob es vielleicht doch auch mit Mannheims wissenssoziologischem Konzept, überkommene Traditionen in Frage zu stellen, zu tun gehabt haben könne, der Aufhebung des Überkommenen?

Kurt Wolff reagiert unsicher, sagt dann aber »ganz aus dem Stegreif«: »Wahrscheinlich ja, mit der antibürgerlichen Haltung, mit der Tendenz, Tradition, Gepflogenheit, Sitte usw. einzuklammern – mit anderen Worten: mit der *Säkularisierung*. Das hat mich bei Mannheim wahrscheinlich angesprochen, daß man nichts für selbstverständlich halten darf. Ich sehe heute deutlicher, wie das In-Frage-Stellen, das ich in Mannheim verkörpert sah, zu meinen Arbeiten geführt hat, zum Beispiel zu dem, was ich ja schon wenig später, 1935 in Italien, geschrieben habe.« (Kurt Wolff schrieb 1935 das Stück *Der Vorgang*, in welchem er sich in expressionistisch-existentialistischer Form mit der für ihn bedrohlichen Zeit auseinandersetzte.)

1933: Noch in Darmstadt – aber schon weg

Auch im Sommer 1933 schreibt Kurt Wolff – »Ich war vor allem allein« – an einem Roman. Während er daran arbeitet, ist die NSDAP gerade im südhessischen Darmstadt »erfolgreich«. In den letzten halbwegs »freien« Wahlen vom März 1933 stimmen über 50 Prozent der Darmstädter für die NSDAP. Anders als in anderen Landstrichen gab es in Darmstadt bereits im März 1933 Übergriffe und Boykotts. Schon in den Tagen nach der Wahl vom 5. März wurden prominente Juden wie Herz Löb von örtlichen NS-Funktionären mit Gummiknüppeln und Stahlruten auf das Unmenschlichste geprügelt. »Der schwerkranke Heinrich Wechsler... wurde von einem SA-Sturmführer... mit der Hakenkreuzfahne in der Hand durch den Ort getrieben und starb zwei Tage später an seiner dadurch verschlimmerten Angina.«[2]

Schon im März wurden nicht nur politische Gegner des Regimes, sondern auch Juden im noch im gleichen Monat errichteten »Schutzhaftlager Osthofen bei Worms« festgesetzt, unter anderem zum Leeren von Jauchegruben. Bereits Anfang März kam es zu Boykott-Aktionen in jüdischen Kaufhäusern, Porzellangeschäften und im Warenhaus Tietz. Am 28. März erfolgte die »offiziöse« Schließung sämtlicher jüdischer Geschäfte, da »ihr Offenhalten die öffentliche Ruhe und Ordnung gefährdet«.

Das heißt, stärker als etwa in Berlin oder anderen Gegenden Deutschlands zum gleichen Zeitpunkt kam es im südhessischen Darmstadt schon vor Ende März 1933 zu einem Klima der Einschüchterung und des Terrors, auch und vor allem gegenüber Juden; SA-Braunhemden beherrschten die Straßen.

Zum Hintergrund:

In Darmstadt, einer Stadt von etwa 80000 Einwohnern, lebten[3] in den zwanziger Jahren etwa 1500 Juden. Es gab zwei jüdische Gemeinden, eine »orthodoxe« (Agudas jisroel) und eine liberale.

Unmittelbar nach dem Ersten Weltkrieg hatten sich in Darmstadt antisemitische Parteien und Initiativen formiert – so der Deutsch-Völkische Schutz- und Trutzbund, der schon 1920 Flugblätter mit der Aufschrift »Auf zum Pogrom« verteilte und in öffentlichen Versammlungen »den Juden... die Ursache des Zusammenbruchs«, den »Dolchstoß von hinten« attestierte. Schon 1919 war der »Hochschulring Deutscher Art« gegründet worden, der 1924 im AStA der TH Darmstadt vorübergehend mehr als zwei Drittel der Sitze einnahm.[4]

Gleichwohl kam es im Laufe der zwanziger Jahre in Darmstadt nur zu vereinzelten antisemitischen Übergriffen. Diese Situation veränderte sich ab Anfang der dreißiger Jahre, als die NSDAP ein Viertel der Wählerstimmen in Darmstadt auf sich vereinen konnte – und erst recht, wie beschrieben, unmittelbar nach den März-Wahlen 1933.

Diese vergleichsweise breite antisemitische Bewegung mag dazu ge-

[2] Vgl. E. G. Franz/H. Pingel-Rollmann: *Hakenkreuz und Judenstern. Das Schicksal der Darmstädter Juden unter der Terrorherrschaft des NS-Regimes*, S. 159ff.

[3] nach Angaben von Franz/Pingel-Rollmann, a. a. O.

[4] Vgl. E. Johann/E. G. Franz, *Düstere Vorzeichen.*

führt haben, daß schon in den ersten Jahren des Nazi-Regimes etwa 400, also rund ein Viertel der Juden in Darmstadt auswanderten, vor allem schon in den Jahren 1933 und 1934.
Es dürfte mit der Vorgeschichte zu tun haben, daß die Angriffe auf Juden, auf jüdische Synagogen, in Darmstadt – wie auch im gesamten südhessischen Raum – im November 1938 unter *großer* Beteiligung der Bevölkerung stattfanden. Es kam nicht nur zu großen Sachbeschädigungen, sondern auch zu Körperverletzungen. 180 jüdische Bürger wurden in den Tagen nach dem November-Pogrom verhaftet. Die »Landeszeitung« sprach von einer »Antwort des Volkes«, bei der niemand bedauert habe, daß »die beiden Judentempel... die fremden Zeugen einer asiatischen Bauweise, in Flammen aufgingen«.[5]
Besonders brutal gingen die SA-Trupps in dem Vorort Eberstadt vor. Kleine Gruppen aus SA-Leuten, Parteimitgliedern und Hitlerjungen stürmten die Wohnungen jüdischer Familien, stürzten Möbel um, zerschlugen Glas und Porzellan, warfen Wäsche und Einrichtungsgegenstände auf die Straße. Es kam zu körperlichen Mißhandlungen. F. Reinheimer mußte sich auf einen Tisch stellen und unter Hohngeschrei und Schlägen aus dem Talmud vorlesen. Die zusammengetriebenen Juden wurden am Mühltalbach »durch die Bach« gejagt und erneut mißhandelt. Moses Hayum hatte laut Zeugenaussage ein Loch im Kopf, zwei Rippen und das eine Handgelenk gebrochen. Die Tochter des Zeitungsverlegers A. Reinhardt, dessen Wohnung ebenfalls demoliert worden war, starb an den Sturzverletzungen, die sie sich beim Sprung aus dem Fenster zugezogen hatte; ihr Vater erhängte sich auf die Nachricht vom Tode der Tocher hin. Die Café-Besitzerin D. Stern starb wenige Tage, nachdem sie ein durchs Fenster geworfener Stein am Kopf verletzt hatte. Waren bis 1938 etwa 500 Juden ausgewandert, so waren es in den beiden folgenden Jahren noch einmal etwa 500. Im Sommer 1940 lebten noch rund 400 Juden in Darmstadt.[6]
Vor allem seit 1940 kam es zum zwangsweisen Arbeitseinsatz. Schon seit Ende 1939 wurden offenbar zunächst die aus dem Osten stammenden Juden in die Lager geschickt[7] – und die noch verbliebenen in wenigen Wohnungen gettoisiert: schon 1940 in sogenannten »Judenhäusern«.
Ab 1942 kam es, zunächst im März, später im Herbst, zu den »Transporten«.

[5] Vgl. ibid. S. 174
[6] Vgl. ibid. S. 179
[7] Vgl. ibid. S. 182

Bis Ende April 1943 wurden auch die sogenannten »Mischlinge« und privilegierten Juden (mit einem nicht-jüdischen Ehepartner) verhaftet, zu Zwangsarbeit oder in Konzentrationslager deportiert.

Kurt Wolff blieb dieses Treiben nicht verborgen. Er versuchte, sich davor zu verbergen und zurückzuziehen:
»Nach dem 30. Januar 1933 gab es überall Hakenkreuze und schwarze Uniformen, hauptsächlich SA-, aber auch SS-Uniformen. Mit dem, was man gesagt oder nicht gesagt hat, ist man sehr vorsichtig geworden.
Aber an sonst etwas erinnere ich mich persönlich nicht mehr. Ich habe meinen Roman gemacht. Ich war, wie Sie inzwischen wohl schon kapiert haben, völlig unpolitisch. Ich ging meinem Dichtertum nach, ich habe unentwegt geschrieben, alles natürlich unveröffentlichbar. Es kann sein, daß ich noch einmal, wenn ich lange genug lebe, auf diesen Roman zurückkomme. Er heißt *Organda* – der Phantasiename einer Gesellschaft, die ganz primitiv faszinierend-abstoßend, mit eigentümlichen Gesetzen, vor allem mit Strafen ausgestattet ist. Die Figuren sind nach Personen geformt, die ich gekannt habe, unter anderem nach Leuten in Paris; ich war ja kurz in Paris, ich weiß nicht mehr wann, wohl im April oder Mai 1933. Ich kam mit einem Freund aus Heidelberg, der anfing, Medizin zu studieren – mit dem bin ich übrigens noch heute befreundet. Er ist vor mir nach Amerika. Er hatte mich ursprünglich nach Italien eingeladen, wo er sein Studium beenden wollte. Mit dem bin ich also nach Paris. Er war auch ein Dichter, ja – *wir waren Dichter*. In Paris habe ich Erika Mann gesehen, Klaus Mann, französische literarische Figuren. So habe ich ein paar Personen in meinem Roman nach diesen lebenden Personen gestaltet. Vor allem auch nach einem Carl Einstein, einem Kunsthistoriker, der mich ebenfalls hauptsächlich durch seine Manieren beeindruckte: Er hat immer im dunklen Zimmer gesessen, mit künstlicher Beleuchtung... Eine Episode ist übrigens doch, nach 1934, unter dem Titel *Joachim auf dem Dorf* in der ›Frankfurter Zeitung‹ erschienen – ich war schon in Italien. Na ja.«
Waren Kurt Wolffs Romane für ihn tatsächlich nur eine Art existentialistischer Ausbruch aus einer von ihm als kleinbürgerlich charakterisierten Atmosphäre? Ganz und gar unpolitisch? Oder doch auch eine Art Schutzhaut, die er sich überzog?
»Daß ich Romane schrieb, hat natürlich mit dem zu tun, was um mich herum war. Ich hatte große Angst, daß sich nun plötzlich meine Freunde zurückziehen. Jüdische Freunde hatte ich kaum – Sie wissen,

daß Freund etwas anderes heißt als hier in den Vereinigten Staaten, hier hat man ›lots of friends‹: Bekannte. Aber die deutsche Idee, daß man einen, allenfalls zwei Freunde hat, war auch die meine gewesen – und diese Freunde waren Nicht-Juden... Einer meiner Freunde, der von Loew, war genau wie vorher; ein anderer, der Musiker, hatte sich zurückgezogen... Manche Leute haben auch nicht mehr angerufen. Jedenfalls habe ich meinen Roman geschrieben, ich war allein, ich konnte tun, was ich wollte – und bin im September 1933 weg.«

Karl Mannheim: »Der (Hitler) ist ja so verrückt, das kann nicht mehr als sechs Wochen dauern!«

Hatten Sie geahnt, was kommen würde?

»Nein. Ich erinnere mich, daß ich zufällig, ich glaube im Februar, also kurz nach der Machtergreifung, in Frankfurt meinem Lehrer Karl Mannheim auf der Staße begegnet bin und zu ihm sage – ich habe mich da sehr bedeutend gefühlt, denn da war der kleine Student, der mit dem berühmten Professor sprach –: ›So, jetzt müssen wir ja wohl beide raus...‹ Er aber hat das völlig bagatellisiert: ›Ach Quatsch, das ist ja ein... der ist ja so verrückt, das kann doch nicht mehr als sechs Wochen dauern.‹ Bevor die sechs Wochen vorüber waren, war Mannheim schon in England... Es war ja auch unglaublich, unglaublich, daß dieser völlig unglaubwürdige Mensch, wenn er einer war, siegen würde.«

Italien: »Siami tutti cristiani...«

Im Spätsommer 1933 geht Kurt Wolff nach Italien – eine Liebe auf den ersten Blick, trotz Mussolini. Er bleibt bis zur letzten Minute, ehe er Anfang 1939 raus muß.
»Ich wollte sowieso weg, nicht nur wegen des Nazismus, sondern aus Wanderslust. Ich wollte mal etwas anderes sehen. Nach Italien, vom Nazismus zum Faschismus kam ich, weil mein Freund, den ich eben erwähnt habe, nicht weiter Medizin studieren konnte – ähnlich wie ich ja auch nicht weiter studieren konnte. Ich hatte bei Mannheim in Frankfurt meine Dissertation über die Darmstädter Intelligenz angefangen. Die konnte ich natürlich nicht weitermachen. Mein Freund

hatte mich eingeladen, in eine Pension Münchhausen nach Florenz zu kommen. Sie war als ein Haus bekannt, in das sehr viele deutsche Schriftsteller kamen, unter anderem Karl Wolfskehl. Dort konnte ich ihn auch kennenlernen. Mein Freund hatte mich auf vier Wochen eingeladen, aber die Baronin Münchhausen hat mich dabehalten, solange ich irgendwelche Arbeiten machte: Ich strich Türen, führte Bücher – und mußte jede Nacht in einem anderen Zimmer wohnen –. Ich bin das ganze Jahr dagewesen, es war sehr nett, es hat nichts gekostet, und ich habe nach kurzer Zeit angefangen, Italienisch zu unterrichten. Nach drei Monaten hab' ich etwas gewußt – die Leute, die gerade aus Deutschland kamen, noch nicht. Später habe ich die Baronin Münchhausen wiedergesehen. Da hat sie ihr schönes Hakenkreuz gehabt; wenn auch klein und unscheinbar, war es mir trotzdem unangenehm.«

1935 schloß Kurt Wolff in Florenz seine Promotion über Wissenssoziologie ab und im gleichen Jahr seine Schrift voll »furchbarster Träume, böser Ahnungen über ausweglose Destruktion«: *Vorgang*, ein »rationales Gedicht zwischen Surrealismus und Existentialismus« (Hermann Broch). Was er vierzig Jahre später in einem fiktiven Brief an Hermann Broch über *Vorgang* schreibt, macht spürbar, daß Kurt Wolff seine wirklichen Empfindungen vor allem seinen Schriften anvertraut:

»Geliebter und verehrter Hermann Broch... Wissen Sie, was mich nach mehr als vierzig Jahren wieder daran erinnerte, mich dazu brachte, [den Text] wieder einmal anzusehen, dann zu lesen, zu revidieren... und als Brief an Sie? Ein Film über das Leben der Juden im nazi-verseuchten Holland! Es war so unerträglich wie je, dazu persönliche Beklemmung. Was waren also meine Aussichten, was waren die Aussichten der Menschheit? Es war eine Erleichterung – nein, lachen Sie nicht –, als mir, wenn auch nur vage, die letzten Seiten des *Vorgang* in Erinnerung kamen: ›...ganz anders wird es kommen und viel schlimmer, auf Klippen werdet Ihr wohnen und auf Steinschollen, spitz, daß Eure Füße schmerzten, wenn Ihr gehen könntet, doch Ihr könnt nicht gehen... In den Steinspitzen ist Stechkraft, wann's raschelt in der Luft, ist's der Tod... Auf diesem Hai werdet Ihr wohnen müssen, zerriß es mir das Herz... Froh wohnen müssen über die Schuppe, die Euch als Haus zuteil wird, ein Spitzschöllchen zum Halt, Liebdornen, nahes hastig Rot zu Augenlust und Augenschwindel, ohne Nahrung, ohne Arbeit harrt Ihr aus, bis Euch der Riese, der sich schüttelt, vor seinen Rachen wirft – wenn Ihr Euch bewegt, ist's Zer-

störung, und nur im Tod gereicht Ihr zur Nahrung dem, der sich nun nicht mehr fangen läßt.‹
Und ich? Angesichts dieser grauenhaften Erwartung – was tat ich? Ich rettete mein Leben, schon in dieser Voraussage selbst, in dieser Vision, die so unerträglich war, daß sie nur in Bildern wisperte . . . – Aber seither unverstehend und schuldig, im Versuch, das Schuldgefühl – weil mein Leben und der Kampf gegen die Nazis, gegen alle Menschenfeinde, gegen sämtliche Übel nicht ein und dasselbe ist – durch Flucht in das, ›was wirklich, was ich schließlich doch tun muß, wozu ich da bin‹, zu vergessen, zu fühlen, daß ich mich nicht schuldig fühlen muß . . . Meine Einbildung ging auf eine Welt, die hoffnungslos war, reif, wie ein pralles Geschwür, für nichts als – sanftes dichterisches Bestreichen. Zu retten: nichts!«[8]
Sein finanzielles Auskommen fand Kurt Wolff in Italien als Italienischlehrer an einer deutschen Schule in Recco bei Genua. Dort trifft er auf »eine junge, sehr anziehende Dame aus Berlin«, der er »Gott sei Dank den Gebrauch des Rückfahrbillets ausreden konnte, sonst wäre sie vermutlich tot«: Karla E. Bruck, eine in Berlin geborene jüdische Musiklehrerin. Wolff heiratet sie 1936.

Antisemitismus war etwas völlig Unbekanntes

»Die wachsende Macht Hitlers in Italien drückte sich unter anderem in der Durchsetzung antisemitischer Gesetze aus, die am 1. und 2. September 1938 veröffentlicht worden sind. Wir unterrichteten damals an einer Schule in den Dolomiten. Eine der Gesetzesvorschriften war, daß kein Jude unterrichten durfte; eine andere lautete, daß alle Juden, die nach dem 1. Januar 1919 nach Italien gekommen waren, innerhalb von sechs Monaten raus mußten. Man hat mir also – sehr verlegen, gar kein Zweifel –, gesagt, leider könne ich nicht mehr unterrichten. Ich glaube, ich mußte sofort aufhören. Sie waren deswegen in größter Verlegenheit, denn ich war beliebt. Aber sie würden garantieren, daß mir kein Haar gekrümmt werde. Wir sind also zurück in unsere Wohnung nach Ruta, wo uns jeder gekannt hat und wo wir – ein ganz kleiner Ort –, zu Hause waren. Wir waren sehr gespannt auf die Reaktion der Leute im Dorf.
Zu unserem Entsetzen hat kein Mensch etwas gesagt. Wir dachten:

[8] Aus: Kurt H. Wolff, *Vorgang und immerwährende Revolution*, Wiesbaden 1978, S. 51 ff.; leicht gekürzt.

Um Gottes willen, er hat also auch hier Fuß gefaßt. Vollkommen falsch! Denn nach kurzer Zeit ist gegen Mussolini ein Fluchen losgegangen wie niemals zuvor. Mit anderen Worten: Sie waren derart gedemütigt, als Italiener einen Führer zu haben, der sich dem Hitler total unterworfen hat! Antisemitismus war etwas völlig Unbekanntes! Ich habe zum Beispiel erfahren, daß mein Hauptprofessor in Florenz, bei dem ich meinen Doktor gemacht hatte, ein Jude war, ohne das damals gewußt zu haben. Das war vollkommen gleichgültig!«

Wie erklären Sie, daß es im »Sozialcharakter« der Italiener keine Quellen für Antisemitismus gab und gibt!

»Ich meine, das gab es auch damals. Es gab natürlich Parteimitglieder, die es zu etwas bringen wollten und die dann mitgeplärrt haben. Aber es war völlig künstlich.
Wie ich mir erkläre, daß es keinen Antisemitismus in Italien gab, weiß ich eigentlich nicht. Es ist eine mediterrane Kultur – ihr bester Ausdruck ist: ›Siami tutti cristiani – wir sind alle Christen‹. Aber Christen heißt: Menschen! Verstehen Sie? Wir sind alle Menschen. Außerdem gab es eine ungeheure Verachtung des Klerus, immer noch.
Und die Leute in Recco, die wir persönlich gut kannten und nach dem Krieg auch wieder besucht haben, hatten sich ebenfalls überhaupt nicht geändert. Sie waren genau so wie vorher! Diejenigen, die wir vom Sehen etwa im Geschäft, in dem man gekauft hat, zum Teil namentlich gekannt haben, haben zunächst einmal aus schierer Verlegenheit überhaupt nichts gesagt. Sie haben weggeguckt. Dann ging es los. Ich erinnere mich an einen namens Zucchini – warum ich mich an den Namen noch erinnere, weiß ich nicht –, der auch losgelegt hat; er erzählte eine schöne Geschichte: ›Wenn man im Faschismus was sagen will, geht man ins Haus, schließt sämtliche Zimmer ab, macht das Licht aus und hält den Mund.‹ – Das sagte er *nach* dem Faschismus. Damals hörte man so etwas von Italienern nie, dazu waren sie auch wieder zu stolz: als Italiener ihre Regierung gegenüber einem Ausländer wie mir zu schmähen. Wenn wir politischer gewesen wären und etwa mit der Opposition Kontakt gehabt hätten, wäre das etwas anderes gewesen.
In Italien verachtet man die Regierung – nicht nur den Klerus –, ungleichlich mehr als in Deutschland. Ganz besonders in Süditalien. Man ist furchtbar skeptisch, pessimistisch und nicht sentimental – wie so viele Deutsche. Man hat keine Hochachtung vor der Regierung. *Der Staat als heiliges Gebilde ist unbekannt*. Gott sei Dank. *Und Religion ist Privatsache*. Wenn einer lieber eine Jacke mit drei Knöpfen als

mit zwei Knöpfen hat, merkt man das nicht – es ist gleichgültig. Was gilt, ist, wie man sich benimmt. Ob man schlau ist, ob man weiß, wie man betrügt oder ob man lieb ist und wirklich Gefühle für jemanden hat!«

In Amerika: Umwege und Enttäuschungen

Daß Kurt Wolff 1939 nach Amerika floh, war dem Nationalsozialismus zuzuschreiben, der zur Empörung der Italiener die zitierten antisemitischen Gesetze durchgesetzt hatte. Am drittletzten Tag vor dem Inkrafttreten dieser Gesetze im Februar 1939 verließ Kurt Wolff mit seiner Frau Italien und ging über London – wo er Mannheim wiedertraf – nach New York.
Seine Karriere in Amerika ist, wie die der allermeisten emigrierten Wissenschaftler, eine mit vielen Enttäuschungen und Umwegen. Erst zwanzig Jahre nach seiner Immigration kam er an den Ort, an dem er dann bis zu seiner Emeritierung lehren konnte, nämlich an die Brandeis University in Boston.
Drei Wochen bleibt er in New York, dann geht er bis 1944 nach Dallas/Texas. An der University of Chicago lernt er die »berühmten Leute der Chicagoer Schule, Louis Wirth, Robert Redfield, Hubert Bloomer, Everett C. Hughes...« kennen. Dort wird er zu seiner Gemeindestudie in einem mexikanischen Dorf inspiriert, der sogenannten *»Loma-Studie«*. Sie ist vor allem unkonventionell.
»Als ich hinkam, war mir plötzlich vollkommen unklar, warum ich Kulturmuster studieren sollte. Statt dessen fand ich es notwendig, alles festzuhalten, was mir überhaupt irgendwie auffiel – ich hatte mich verliebt in die Gegend, in die Leute und die Situation.« Vierzehntäglich schickte Kurt Wolff sogenannte selbstgemachte Notizen. Die Reaktion Redfields, seines Supervisors, war wissenschaftlich: »Wo bleiben die Hypothesen?« – »Ich war ungeheuer erstaunt und beglückt, als Redfield mir schrieb, er wisse nicht, was ich da eigentlich tue. Wenn man ins Feld gehe, täte er das mit einer Hypothese, die ihm sage, was wichtig und was nicht wichtig sei. Aber ich hatte nicht nachgegeben...«
Es ist wohl diese Verliebtheit, dieses Engagement und die Empathie für die Menschen und ihre soziale Situation, die in Kurt Wolffs Schaffen einen zentralen Stellenwert einnehmen – eine Hingabe an die Sache. Kurt Wolff geht davon aus, daß nur dadurch, daß jemand eine Sache, einen Forschungsgegenstand erst dann zu begreifen vermag,

wenn er sich diesem wirklich aussetzt und anvertraut, »sich ausliefert«.
Mit diesem unkonventionellen Vorgehen hat Kurt Wolff Generationen von Soziologen in Amerika beeinflußt, ähnlich wie Coser; zugleich »vermittelte« er damit mitteleuropäische Soziologie, wie sie etwa Georg Simmel um die Jahrhundertwende betrieb. Aber anders als Coser blieb Kurt Wolff in der amerikanischen Soziologie »mehr an der Peripherie« (Coser). Einer von Wolffs Schülern, S. Kalberg, erinnert sich: »Coser war mir sehr hilfreich, es war ein Student-Lehrer-Verhältnis. Mit Kurt Wolff hatte ich eine freundschaftliche Beziehung: He is extremely friendly and easy-going – and unusually likeable.«

»Zurück nach Deutschland? Nicht einmal zu Besuch!«

Ich treffe die Wolffs im Sommer 1987 während eines Aufenthaltes in Cambridge/Massachusetts.
Immer wieder fallen italienische Wendungen. Als ich zwischendurch gefragt werde, ob es auch jetzt Antisemitismus in Deutschland gebe, unterbrechen sie mich in meiner Antwort unvermittelt: *»Das Unitalienischste, was es gibt, ist Antisemitismus!«* Ich frage, ob sie an Italien hängen. »Ja!« Und: »Können *Sie* mir erklären, warum Juden nach Deutschland zurückgegangen sind? Ich kann es nicht verstehen! Nicht einmal zu Besuch...«
Kurt Wolff war einige wenige Male da – »aber nur zu Besuch«. Das erste Mal schon 1952. Am Frankfurter Institut für Sozialforschung wirkte er an der Auswertung der ersten nachkriegsdeutschen Antisemitismus-Studie mit, dem sogenannten Gruppenexperiment. (In den Jahren 1951 und 1952 fanden dafür über 150 Gruppendiskussionen statt.) Er analysierte die Textpassagen, in denen die Interviewten sich über andere Länder äußerten, hauptsächlich über Amerika und Rußland. Das zweite Mal nahm er an einer Untersuchung über die Reaktion auf die Entnazifizierung in kleineren und mittelgrößeren Gemeinden in den westlichen Besatzungszonen teil. (Beides wurde vom State Department bezahlt.)
Als Wolff die Gruppendiskussion auswertete, war sein vorherrschender Eindruck: Die Deutschen vertreten eine Art »Bilanz-Moral«. »Ihr habt euer Coventry, wir unser Dresden, das gleicht sich aus. Was wir mit den Juden, habt ihr mit den Schwarzen...«
Warum blieb das Material zunächst unveröffentlicht? Warum wurde

es erst sehr viel später, in der von Pollock herausgegebenen Fassung unter dem Titel *Das Gruppenexperiment*, zugänglich gemacht? »Wissen Sie, Horkheimer war ungeheuer vorsichtig...«

Mehr angeekelt als erschreckt

Kurt Wolff besuchte auch Darmstadt. »Fürchterlich beschädigt, durch die Bombardiererei – und dann nach dem Krieg hat man die Reste geschleift und ersetzt.«

»Damals war ich sehr beeindruckt von meinem Freund, mit dem ich vor allem viel gemeinsam musiziert hatte. Über ihn hatte ich auch Kurt Weill kennengelernt, mit ihm zusammen eine Oper verfaßt; ich habe den Text, er aber nie die Musik geschrieben... Nach dem Kriege habe ich ihn wiedergesehen. Während des Krieges war er wegen Schizophrenie im Krankenhaus, er war sehr verstört. Ich erinnere mich daran, wie ich, als ich 19 Jahre danach das erste Mal nach Deutschland zurückgekommen bin, ein paar Bekannte gesehen und diese nach ihm gefragt habe: ›Der?! Der ist verrückt!‹ Ich empfand: Er wurde abgetan. ›Der?! Der ist verrückt!‹«

Das hat Sie erschreckt?

»Es hat mich mehr angeekelt als erschreckt. In dem Moment, in dem es gesagt wurde, habe ich gedacht: ›Ja natürlich, so sagt man das in Deutschland...‹ Schrecklich, diese Mitleidlosigkeit.«

»Es gibt kein Darmstadt mehr«

Kurt Wolff suchte auch das Haus, in dem er aufgewachsen war. Er fand es zerstört vor – nicht das Erdgeschoß, aber alle anderen Stockwerke.

»Das war für mich eine merkwürdige, unverständliche Mischung von Familiarität oder sogar *Intimität* in meiner Vaterstadt und totaler *Fremdheit*. Wozu natürlich kommt, daß Darmstadt völlig entstellt war. Damals gab es noch ein paar Ruinen, die allerdings verschwunden sind. Wie Sie wissen, ist der Kern total kaputt und nun zwar wieder aufgebaut worden, aber ganz anders, als er war. *Es gibt kein Darmstadt mehr.* Das *war*, damit habe ich mich abgefunden. Ich war ein ungeheurer Lokalpatriot, es gab nichts Schöneres und Besseres und Unvergleichlicheres als Darmstadt, für mich. Bei meinem ersten

Besuch stand noch das Parterre-Geschoß unseres Hauses, oben drüber war alles kaputt. Da stand auch noch der Lustturm, wir haben natürlich einen Turm gehabt. Ich weiß nicht, wer den gebaut hat. Im Garten stand ein Turm, der überhaupt keine Funktion gehabt hatte, außer daß man raufsteigen konnte und dann wieder runter... Wenn man oben war, sah man mehr, als wenn man unten war... An den habe ich mich selbstverständlich erinnert.
Als ich das zweite Mal 1953 zurückkam, war alles durch ein Gebäude mit Büros und im Erdgeschoß durch ein Restaurant, ein griechisches Restaurant, besetzt. Die Hausnummer war dieselbe – 46, Rheinstraße 46. Ich erinnere mich, wie ich in dem griechischen Restaurant gegessen und zu dem Besitzer gesagt habe, ich sei in dem Haus geboren... ›Nehmen Sie noch etwas Senf!‹ hat er geantwortet. Warum sollte es ihn auch interessieren?«
Gegen Ende unserer Gespräche – wir hatten uns im Sommer 1987 mehrmals wiedergetroffen – frage ich Kurt Wolff dann doch, wie es war, als er von Auschwitz erfuhr. »Entsetzt? – Nein, lahmgelegt. Wissen Sie, ich hatte meinen Bruder sehr gemocht. Er hatte sich in Holland versteckt. Er hatte eine sehr resolute holländische, christliche Frau, die die Deutschen einfach mehrmals rausgeschmissen hatte, als sie nach ihrem Mann fragten. Er hatte sich im Speicher versteckt. Es ist dann durch einen Zufall herausgekommen. Er hatte einen Brief irgendwo liegen gelassen. Mit seiner Adresse. So wurde er verhaftet. Und dann – Sie kennen die Stationen: Westerbork, Theresienstadt...«

Teil III
Psychoanalytiker, die nach Amerika emigrierten

Ort der Handlung: Berlin, Reichsinstitut für psychologische Forschung und Psychopathologie im Reichsforschungsrat, Keithstraße 41. Zeitpunkt: 1943/44. Eine Analytikerin behandelt einen vierzehnjährigen Jungen, der in einem Spandauer Militärareal Gewehre gestohlen hatte. Sie will dem Jungen das Diebesgut abnehmen und im Institut deponieren; denn bekanntlich war es zu jener Zeit lebensgefährlich, im Besitz solcher Gewehre angetroffen zu werden. Unter dem Siegel der ärztlichen Schweigepflicht sprach sie darüber mit dem Leiter des Instituts, Matthias Heinrich Göring, einem Vetter des Reichsmarschalls Göring.
Nach einem Jungenstreich in einer Laubenkolonie kommt es zu einem Prozeß gegen den Jungen. Zum Entsetzen der Analytikerin tauchen dabei im Gerichtssaal sämtliche Gewehre als entscheidendes Beweismaterial auf, die im Institut vermeintlich sicher verwahrt sind. Unter dem Bruch der ärztlichen Schweigepflicht ist der Junge denunziert worden. Er kommt in ein Gefängnis, in einen Raum mit einem »Schwindsüchtigen«, nach Umwegen dann in die berüchtigte Euthanasieanstalt Hadamar in Hessen. Zwar kann er noch auf Betreiben der Analytikerin herausgeholt werden, stirbt aber an den Folgen der Krankheit, die er sich im Gefängnis zugezogen hat.
Das geschah in einem Institut, das einst ein blühendes Zentrum der Psychoanalyse war: das »Berliner Psychoanalytische Institut« (BPI); mit ihm verbanden sich Namen wie Karl Abraham, Max Eitingon, Melanie Klein, Michael Balint, Ernst Simmel. Nach langen, vergeblichen Anläufen war es 1910 von Karl Abraham gegründet worden, dem jüdischen Psychoanalytiker, der in der Schweiz aufgrund seiner jüdischen Herkunft keinen beruflichen Boden unter die Füße bekam. In den zwanziger Jahren avancierte es neben dem Wien Freuds zu *dem* Zentrum der Psychoanalyse. Es war ein Ort auch und vor allem sozial engagierten Aufbruchs: Viele Analytiker waren linksliberal und vor allem sozialistisch eingestellt – so etwa Ernst Simmel, Henry Lowenfeld oder Edith Jacobsohn, sie setzten sich auch für die Schichten ein, die bis dahin nicht unbedingt zur klassischen Klientel der Psychoanalyse gehört hatten.
Mitte der dreißiger Jahre wurde das BPI zum »Deutschen Institut für psychologische Forschung und Psychotherapie« gleichgeschaltet.

Von da an gaben Psychoanalytiker wie Müller-Braunschweig, Schultz-Hencke, Felix Boehm und Werner Kemper den Ton an, nachdem ihre jüdischen Kollegen durch äußeren wie inneren Druck aus dem Institut getrieben worden waren und emigrieren mußten.
Der eingangs beschriebene Skandal markiert die Zerstörung der Psychoanalyse in Mitteleuropa. Kaum eine Berufsgruppe erlebte ein derartiges Maß an Verfolgung wie die Psychoanalytiker – unter ihnen viele Juden, die sozialistisch engagiert waren *und* als Wissenschaftler an Tabus rüttelten. Gerade die sozial fortschrittlichere Berliner Psychoanalyse war den Nazis besonders verhaßt: demokratisch, sozialistisch, jüdisch, kultur-kritisch, links – das waren die Merkmale, anhand derer die Nationalsozialisten sie der Gefahr einer »jüdisch-bolschewistischen Weltverschwörung« zuordneten; ihr wurde die nationalsozialistische Rassentheorie und die darauf aufbauende »deutsche Seelenheilkunde« entgegengesetzt, die alles psychisch Kranke auf Fragen der Rasse und alles Heilende auf Fragen der Rassenhygiene reduzierte.[1] Schon im August/September 1933 ist in der Zeitschrift für »Deutsche Volksgesundheit aus Blut und Boden« die Rede von der »zersetzenden, verbrecherischen Tätigkeit des Juden in der Medizin. Er hat sie als Instrument benutzt, um unerkannt Deutsche krank zu machen, zu töten, Kranke an der Heilung zu hindern, jede naturgemäße Gesundheitspflege zu unterbinden und als Arzt seine asiatische Sinnlichkeit (!) an blonden Frauen und Kindern auszulassen«. Daran schließt sich die Aufforderung zur Denunziation an, »damit wir nicht nur auch den letzten jüdischen Ärzten das Handwerk legen, sondern besonders auch den Judengeist und das Judenhandwerk aus der deutschen Medizin hinauskämpfen können«. Die Psychoanalyse nehme der »Patientenseele ... den letzten ethischen Halt«, um sie in die asiatische Weltanschauung – »Genieße, denn morgen bist du tot!« – hinabzustoßen ... und so die nordische Rasse an ihrem empfindlichsten Punkt, dem Geschlechtsleben, zu treffen.[2]
Viele gingen sofort: Henry und Yela Lowenfeld in den ersten Apriltagen 1933, Erik Erikson aus Wien Mitte der dreißiger Jahre, Georg Gerö früher; andere erst nach ihrer Verhaftung, wie Edith Jacobsohn. Wieder andere flohen zu spät, wie Karl Landauer, der die seit 1927

[1] Vgl. Brecht u. a., S. 86
[2] »Daß Felix Boehm sich *so* verhalten hat, habe ich erst auf dem Hamburger Psychoanalytiker-Kongreß 1985 erfahren«, so Judith Kestenberg tief enttäuscht. Felix Boehm und Karl Müller-Braunschweig gehörten neben Schultz-Hencke auch zu denjenigen, die und andere nach 1945 an vorderster Front am »Wiederaufbau« der Psychoanalyse mitwirkten – so als wäre nichts geschehen ...

betriebene Frankfurter Dependance der Psychoanalyse gegründet und betrieben hatte, in enger Zusammenarbeit mit dem Institut für Sozialforschung unter Horkheimer; er ging nach Holland, wurde dort aber von der Gestapo gefaßt.

Der größere Teil emigrierte, weil es keine Alternative gab, enttäuscht und verbittert über den dreifachen Bruch: die Bekämpfung der Psychoanalyse durch die Nazis, die in den eigenen Reihen betriebene Gleichschaltung und den praktischen Hinauswurf der jüdischen Mitglieder durch Felix Boehm, Karl Müller-Braunschweig und andere.[3]

Ein geringerer Teil setzte sich ab, weil er hat vorhersehen können, was folgte: Henry und Yela Lowenfeld gehörten dazu.

Viele flohen erst in allerletzter Minute – wie Sigmund Freud, nachdem die Gestapo die Zimmer durcheinandergebracht hatte. Doch immerhin konnten sie sich retten – und kamen nicht zu einem so großen Teil um wie die ungarischen Psychoanalytiker, die wie Geza Roheim trotz allem die Gefahr nicht sahen und erst spät, im Jahre 1944, von den »Pfeilkreuzlern« verhaftet, deportiert oder umgebracht wurden.[4]

Mit diesen Erfahrungen hängt es zusammen, daß die Rückkehrer an einer Hand abzuzählen sind. Außerdem eröffneten ihre Zufluchtsländer einer ganzen Reihe unter den Psychoanalytikern neue Chancen: so für Erikson, Lowenfeld, Kestenberg; für Martin Wangh, der heute in Israel lebt; für Hans Keilson in den Niederlanden.

Ist es die Erfahrung des Bruchs mit einer ganzen Kultur, die viele unter ihnen nicht ruhen läßt und sie zwingt, sich zeit ihres Lebens immer wieder mit dem »Rätsel Hitler« auseinanderzusetzen – und damit auch uns die Geschichte erneut zu vergegenwärtigen?

Davon taucht in den Gesprächen immer wieder etwas auf: eine Idealisierung der Neuen Welt *und* eine melancholische Bescheidung angesichts eines unverarbeiteten »Zivilisationsbruchs«, der vielen von ihnen die politische, die öffentliche Sprache verschlagen hat. Ihre Akkulturation hindert sie nicht daran, sich emphatisch an das Deutschland von Goethe, Kant, Schiller – und von Marx und Freud – zu erinnern – im Bewußtsein, daß diese Größen Deutschland »... nur wie ein Kranichzug überflogen haben«, wie es William Niederland, der emigrierte Psychoanalytiker aus Würzburg, ausdrückt.

[3] Zit. nach Brecht u. a., S. 87.
[4] Vgl. Brecht u. a.

Henry und Yela Lowenfeld:

»Weihrauch und Giftgas« – Der Versuch, das Rätsel Hitler zu erklären

Das Ehepaar Henry und Yela Lowenfeld, beides Ärzte und Psychoanalytiker, verließ Berlin am 1. April 1933. Sie entschlossen sich dazu, nachdem sie Hitlers *Mein Kampf* gelesen hatten und die früh einsetzende Verfolgung jüdischer Ärzte erlebten. Zunächst flohen sie ins Elsaß, dann in die Schweiz, von dort nach Paris und weiter nach Prag. Im Jahre 1938 erreichten sie New York.
Ich traf die beiden im September 1984 in ihrer New Yorker Wohnung am Central Park West. Sie empfingen mich in Henry Lowenfelds Bibliothek, die sie noch aus Berlin hatten retten können.
Henry Lowenfeld starb 1986, seine Frau 1987.

»Wir, meine Frau und ich, hatten damals (1932) einen ganz kleinen, etwa zwei Jahre alten Jungen und hatten als Hilfe ein sehr nettes – ich würde sagen: typisch deutsches – Mädchen. Warum deutsch? Junge Mädchen sind ja sehr ähnlich – also einfach brav, nett, hübsch; sie liebte das Kind. Wir hatten sie gern, und sie war sehr gern bei uns. Meine Frau ging morgens zur Arbeit und kam so gegen drei Uhr zurück, so daß sie sich dann des Kindes annehmen konnte. Von morgens bis mittags also war dieses Mädchen bei uns. Es war im Grunde eine leichte, aber verantwortliche Arbeit.
Eines Tages traf sie irgendwie einen jungen Mann in der Stadt, sie befreundeten sich sehr und kamen einander immer näher. Da sagte er: ›Ja, aber warum bleibst du denn bei den Juden da?‹ Daraufhin hat sie natürlich gesagt: ›Ich habe eine gute Stellung, das Kind ist furchtbar lieb und nett.‹ Darauf wieder er: ›Aber eben das ist jüdisch!‹ – ›Nein‹, sagte sie, ›das ist doch ganz gleichgültig.‹
Ich meine, sie kannte wahrscheinlich sehr wenig Juden, sie kam vom

Lande. Er hat ihr dann dieses Buch [*Mein Kampf*] zu lesen gegeben: ›Da wirst du sehen, daß du dort nicht bleiben kannst!‹
Jedenfalls hat sie es nicht gelesen. Aber ich. Vom Anfang bis zum Ende. Danach war mir klar, daß für die Juden *nichts* zu machen war. Es war absolut klar, denn er hat in dem Buch genau beschrieben, daß er sie vernichten will. Zweitens hat man sehen können, daß er eine richtige psychiatrische Paranoia hatte, denn er beschrieb genau, wie er in Wien auf der Inneren Straße einen sogenannten Kaftan-Juden, also einen Juden im Kaftan, sah und wie im Blitz plötzlich alles verstand: *Die sind schuld an allen Problemen, am Kapitalismus, am Kommunismus, an der Armut und an was immer.* Eine paranoide Idee. Wissen Sie, Leute, die eine Paranoia haben, haben eine ungeheuer gewaltige Stoßkraft. Kein Mensch kann so sicher sein wie ein Paranoiker.
Die Sozialdemokraten wollten zwar alles tun, was möglich war, aber sie wußten nicht so recht, was sie machen sollten. Es war klar, daß er den Krieg wollte, *und wenn er den Krieg gewinnt, sind wir verloren; wenn er sieht, daß er den Krieg verliert, sind wir noch mehr verloren.* So dachte ich. Denn uns kann er umbringen, und die anderen werden ihn vielleicht umbringen. Das war klar.«
Yela: »Nach der Machteroberung Hitlers gingen sie sofort gegen die Kommunisten vor – den Juden geschah zunächst, in den ersten Wochen, nichts Besonderes, obwohl Hitler ja sofort den Antisemitismus proklamiert hatte.
Wir wohnten damals in Grunewald, in der Charlottenbrunner Straße. Dort wohnten sehr wenige Leute, und die Häuser waren nicht sehr hoch. Wir besaßen auch einen kleinen Wagen. Eines Tages nun wurden wir angerufen, ob Fröhlich und Fischer – das waren damals die beiden bekanntesten Kommunisten – bei uns übernachten könnten. Wir haben ›Ja‹ gesagt. Wir waren selbst keine Kommunisten, aber wir wollten nicht, daß sie den Nazis in die Hände fielen.
Also kamen die zu uns, fuhren mit diesem verrückten riesigen Motorrad vor, so daß sich jeder nach ihnen umgucken mußte – dort in der Gegend fuhren normalerweise überhaupt keine Motorräder –, und mit den größten Scheinwerfern, die man sich vorstellen kann. So kamen sie an.
Wir fanden das blöd. Sie hätten beobachtet werden können. Dann wäre man zu uns heraufgekommen, und es wäre sehr gut möglich gewesen, daß sie uns dann gleich mit verhaftet hätten. Und vielleicht auch wieder freigelassen, aber immerhin... Man wußte ja schließlich nicht, was geschieht.«

Die Nationalsozialisten gingen schon vor der Machtergreifung, aber erst recht nach dem 30. Januar 1933, mit aller Härte gegen rassisch und politisch mißliebige Bürger, vor allem gegen Ärzte und Rechtsanwälte, vor – anders als bei anderen, weniger beneideten und als weniger gefährlich wahrgenommenen Berufsgruppen.
Noch bevor die Regierung Hitlers im April 1933 erste gesetzgeberische Ausschaltungsmaßnahmen gegen Ärzte begann, hatten SA- und SS-Trupps und untere Funktionäre Entlassungen und Verhaftungen »auf eigene Faust« betrieben, so insbesondere in den ersten Märztagen in Berlin, Breslau oder Bayern. (Einige der damals Verhafteten haben das KZ nie wieder verlassen und sind der »Endlösung« zum Opfer gefallen.)
Diese Übergriffe fielen mit dem *»Judenboykott«* am 1. April zusammen, zu dem am 29. März aufgerufen worden war. Ziel war die »Einführung einer relativen Zahl für die Beschäftigung der Juden in allen Berufen entsprechend ihrer Beteiligung an der deutschen Volkszahl«. »Um die Stoßkraft der Aktion zu erhöhen«, konzentrierten sich die Übergriffe auf den Besuch deutscher Mittel- und Hochschulen und die Berufsgruppen der Rechtsanwälte und der Ärzte.[1] Jüdischen Ärzten, erst recht sozialistisch eingestellten, drohten regelrechte Pogrome. Es entstand ein Klima mit einer unmittelbaren Gefährdung für Leib und Leben. Dieses Klima der Gewalt führte innerhalb weniger Tage zur Emigration der Lowenfelds.

»Ich arbeitete damals seit fast fünf Jahren im Krankenhaus Lankwitz«, erinnert sich Henry Lowenfeld. »Eines Tages erschienen da zwei Nazis und verteilten Flugblätter gegen ›die Juden‹ und gegen alles. Ich bin zu ihnen und habe ihnen gesagt: ›Das ist ein Nervensanatorium, Sie können hier nicht solche Propaganda machen, das geht nicht, das sind Kranke, Nervöse, die anfangen, sich zu zanken – das geht nicht.‹
Sie wußten selbst nicht, was sie machen sollten, haben sich miteinander besprochen und sind dann zu ihrem Laden zurückgegangen. Wenig später, vielleicht nach einer halben Stunde, kamen sie zurück und ließen sich nicht mehr wegjagen. Soweit zur Vorgeschichte.
Die meisten, die dort im Krankenhaus arbeiteten, waren in Wirklichkeit noch keine Nazis, obgleich es eine kleine Gruppe unter der Leitung einer Krankenschwester gegeben haben soll. Die meisten

[1] Vgl. zu diesen Maßnahmen: Christian Pross/Rolf Winau, *»Nie mißhandeln«. Das Krankenhaus Moabit*, Berlin 1984.

Krankenschwestern gehörten aber einem protestantischen Orden an.
Wenig später tauchte erneut eine Gruppe von SA- oder SS-Leuten auf. Jeder dachte, sie würden kommen, um mich zu suchen. Statt dessen suchten sie einen guten Freund von uns, Heinrich Winnik – einen Kollegen jüdischer, rumänischer Herkunft, der perfekt Deutsch sprach. Sie kamen also in das Büro des Telefonisten und verlangten nach Herrn Dr. Winnik, nicht nach mir; und nach einem anderen Arzt, einem noch jungen, erst gut dreißig Jahre alten Mann, der im Krieg Leutnant war und von dem sie irgendwie wußten. Sie befragten ihn – und während der vorgab, nachzusehen, hat er sofort den Schwestern signalisiert, Winnik müsse auf der Stelle verschwinden! Dieser Arzt war ein deutsch-nationaler, ziemlich rechts stehender Patriot, aber ein absoluter Antinazi.
Da wir das Gefühl hatten, die könnten sowieso kommen und nicht nur zu zweit und auch mich holen, hatten wir untereinander verabredet, meinen Wagen auf der Rückseite des Krankenhauses so stehenzulassen, daß man ihn sofort benutzen konnte. So kam er schnell nach hinten, wir stiegen in unser Auto, und er konnte verschwinden. Aber wohin gehen? Wir mußten ihn verstecken, irgendwo. Wir fuhren zu Yelas Schwester, die mit einem Christen, einem furchtbar netten jungen Musikologen und Pianisten, verheiratet war. Wir dachten: Das sind die einzigen, die nicht gesucht werden. Denn er sah aus wie der deutsche Siegfried – ein schöner Mensch! Ich weiß nicht, ob irgendein Nazi so gut ausgesehen hat... (lacht). Sie haben Winnik dann wirklich versteckt, ungefähr eine Woche lang, damit er sich einen Paß verschaffen konnte.
Er hat einen rumänischen Paß bekommen und ist dann weggegangen. Ich erzähle das als eine kleine Anekdote.
Wir selbst hatten natürlich auch ein bißchen Angst. Könnten wir Yelas Schwester schaden? Aber sie und ihr Mann waren mutig, es hat ihnen nicht geschadet. Und Winnik ist rausgekommen. Übrigens, was vielleicht noch dazugehört: Winnik hatte in Wien studiert und dort furchtbar viel Antisemitismus erlebt. Sie hatten ihn bei einem Vorfall auf den Boden geworfen und geprügelt. Damals hatte er zu uns gesagt: ›Wenn mir so etwas noch einmal passiert, nehme ich mir das Leben.‹ Merkwürdig, nicht wahr? Es war für ihn eine solche *Erniedrigung!* Gott sei Dank ist es nicht passiert, und er hat sich nicht das Leben genommen. Er ist später nach Israel gegangen.
Ich meine, man hat getan, was man konnte, wußte aber immer: Uns

kann genau das gleiche passieren. Trotzdem wollte man nicht alle gleich im Stich lassen. Ich habe aber etwas ganz anderes gemacht: Am 1. April 1933[2] bin ich gegangen. Es gab aber keinen Nachfolger für mich! Das Lankwitzer Krankenhaus war zwar groß, aber ohne Nervenärzte. Aber das hat mich nicht gekümmert.«

»Wenn die Ärzte mit Streik gedroht hätten...«

»Die Leute im Krankenhaus, was auch immer sie getan haben, waren gewiß keine Nazis. Wenn der eine Kollege zum Beispiel nicht so schlagfertig gewesen wäre, hätten sie Winnik verhaftet. Er war sehr geschickt. Aber mehr haben sie doch auch nicht gemacht! Schauen Sie, wenn die Ärzte damals zum Beispiel gesagt hätten: ›Wir werden nicht mehr arbeiten, wenn Sie die jüdischen Ärzte rauswerfen‹ – das hätte einen Effekt gehabt, einen sehr großen Effekt! Sie haben es aber nicht getan.
Meiner Frau Yela hat ihre Kollegin gesagt: ›Jetzt kommen wir ran!‹ Sie hatte Yelas Koffer genommen und ihr geholfen – fast zärtlich war sie. Aber irgendwo hat sie dann wahrscheinlich die Stellung bekommen. Sie hatten gar nicht so viele als Ersatz, da viele 1933 weggingen.
Wissen Sie, wer Goldstein[3] war? Nein? Es ist alles schon so lange her. Er war berühmt, war ursprünglich in Frankfurt und ist dann nach Berlin ans Moabiter Krankenhaus gekommen. Wir, besonders Yela, waren mit seiner zweiten Frau befreundet. Als wir ihnen sagten: ›Wir gehen weg, wir gehen morgen weg‹, sagte er: ›Wie könnt ihr denn weggehen? Habt ihr denn Geld?‹ Er fand es einfach empörend. Er könne – wie so viele andere Ärzte – nicht weggehen, wenn nicht *alle* weggehen könnten. Das schien mir nun ganz verrückt. Eine Woche später brachen sie (die Nazis) in das Moabiter Krankenhaus ein. Er ist

[2] Der 1. April 1933 war der von den Nationalsozialisten ausgerufene »Boykott-Tag«, an dem zum ersten Male offiziell und öffentlich gegen Juden gehetzt, ihre Geschäfte belagert und sie selbst, besonders einzelne Berufsgruppen, bedrängt, verprügelt und verhaftet wurden. Vgl. auch den Bericht Theodor Holdheims über seine Erfahrungen als junger Mann in Berlin-Charlottenburg sowie das Gespräch mit Kurt H. Wolff.

[3] Kurt Goldstein (1878–1965), als Kind eines jüdischen Holzhändlers in Kattowitz geboren, war einer der Begründer der psychosomatischen Neurologie in Deutschland. Er kam von Frankfurt 1930 an die neu eingerichtete neurologische Abteilung des Krankenhauses Berlin-Moabit und war im Verein Sozialistischer Ärzte aktiv. Am 5. April – vier Tage nach der Flucht der Lowenfelds – flohen auch die Goldsteins über die Schweiz nach Amsterdam und gingen 1935 nach New York. Goldstein starb 1962. Seine »ganzheitsmedizinischen« Ansätze wurden nach seiner Vertreibung bis heute kaum aufgegriffen. (Vgl. Pross u. a.: *Nie mißhandeln...*)

mit Mühe und Not am Leben geblieben. Wir haben ihn dann hier noch versorgt, als er sehr alt war. Wissen Sie, es sind so viele verrückte Dinge passiert... Es ist schwer, das zu beschreiben.«

Emigrantenjahre in Prag

»Erst sind wir ins Elsaß, dann in die Schweiz, von der Schweiz dann nach Paris«, erzählt Yela. »In Paris hatten wir ein elendes Emigrantendasein. Alle Emigranten liefen verzweifelt herum, sprachen die Sprache nicht und hatten kein Geld. Sie paßten nach Frankreich wie die Faust aufs Auge.[4]
Als wir die Grenze überschritten hatten, war das ein Gefühl von unendlicher Freiheit. Unendlicher Freiheit! Es ist merkwürdig, aber wir wurden von allen beneidet, auch von den Deutschen – wir haben das bemerkt. Ein Freund meinte: ›Eigentlich beneide ich euch, daß ihr weggeht.‹ Worauf ich entgegnete: ›Du kannst ja auch weggehen.‹ Sagt er: ›Nein, das tut man eben nicht. Man geht nicht. Man geht nicht, man muß einen Grund haben, muß rausgetrieben werden.‹
Wir waren dann lange – bis 1938 – in Prag. Das war eine wirkliche Emigration in Prag. Prag ist eine der schönsten Städte, die es gibt, aber unsere Existenz war trostlos. Gehaßt von den Tschechen als Deutsche, unangenehm begrüßt von den jüdischen Bürgern, daß wir Schwarzraben kommen – arm und arbeitslos.«

Der eher ruhige, nur manchmal unvermittelt sich zuspitzende Ton, in dem beide fünfzig Jahre später von ihren Erfahrungen berichten, war 1933 ein ganz anderer gewesen: Wenige Monate nach der Flucht versucht Henry Lowenfeld unter dem Pseudonym Heinrich Lind sich das »Rätsel Hitler« zu erklären.[5]

Mehr als vierzig Jahre später kommt er noch einmal auf dieses »Rätsel« zurück; die Motive seiner Fragen haben sich kaum verändert. In *Psyche* schreibt er 1967 *Über den Niedergang des Teufelsglaubens und seine Folgen für die Massenpsychologie*. Ihn fasziniert die Beobachtung, daß die Dualität von Gottes- und Teufelsglauben mit der Auf-

[4] Demgegenüber sind die Erfahrungen des amerikanischen Soziologen Lewis A. Coser offenkundig ganz anderer Art. Er hat sich zur gleichen Zeit – vermutlich auch unter besseren Ausgangsbedingungen – in Paris sehr wohl fühlen können. Vgl. das Gespräch mit Coser in diesem Band.
[5] Veröffentlicht in *Die neue Weltbühne* am 8. Oktober 1933.

klärung zurückgedrängt wurde, ohne daß zugleich – allem Zivilisations-Firnis zum Trotz – das im Teufelsglauben repräsentierte, dem Teufel ›anhaftende‹ Böse (und damit die Aggression) mit zurückgedrängt worden wäre. Das so hinterlassene Vakuum, so behauptete Lowenfeld, biete dem Nationalsozialismus das ideale Einfallstor für eine expressive Teufelsbeschwörung: »Dem Juden« haftete alles Böse an. Diese Beschwörung konnte erst recht wirksam werden, weil sie gerade die unter dem Firnis der Aufklärung noch schlummernden antijüdischen Assoziationen von Teufel und Jude bewußt neu entfachte und miteinander verschmolz – und das vor dem Hintergrund tiefer sozialer Verunsicherung und nationaler Kränkung. Das Ergebnis scheint paradox: Je mehr der traditionelle Teufelsglaube schwand, desto ungehinderter ließ er sich, neu verbrämt, auf »den Juden« projizieren. Weihrauch *und* Giftgas: das war die bittere Ernte der Aufklärung.

Hitler und der Teufel im Unbewußten

»Kennen Sie Feuerbachs Buch *Wesen des Christentums*? Es ist ein großartiges Buch, und ich verstehe nicht, daß es nicht mehr gelesen wird. In ganz Europa war es ein Bestseller. Feuerbach beschreibt genau das besondere Bedürfnis nach Religion, ja, daß die ganze Religion eine Erfindung unserer Bedürfnisse ist, man aber immer weniger direkt daran glauben kann, gerade weil wir wissen, daß wir ihrer bedürfen, und kommt zu dem Schluß, daß wir die Religion vom Himmel auf die Erde bringen müssen. Er schlägt vor, nicht mehr Christus zu lieben – an diese Wunder können wir einfach nicht mehr glauben –, sondern *einander zu lieben*. Das klingt kindisch, ist es aber nicht. Ein großartiges Buch! Er kommt gar nicht auf die Idee, daß man etwas anderes machen kann.
Freud hat knapp hundert Jahre später eigentlich ganz ähnlich, zugleich aber sehr widersprüchlich formuliert: Die Religion geht verloren, ob wir das wollen oder nicht. Wir müssen daher versuchen, die Menschen so zu erziehen, daß sie den Verstand wirklich gebrauchen lernen. Er erwähnt als Beispiel seine eigenen Kinder: ›Meine Kinder sind ganz ohne Religion erzogen worden, aber ich habe nicht gefunden, daß sie je etwas wirklich Böses getan haben. Sie haben sich an alle guten, anständigen Werte gehalten.‹ Das ist sicher wahr: Es ist keiner von ihnen ein Verbrecher geworden oder auch nur ein Schwindler oder Betrüger. Wenn man die Leute eben so erzieht, daß der Verstand

wirklich gebraucht wird, und sie in der Erziehung *nicht dumm gemacht* werden, dann können wir in der Tat die Kultur vielleicht noch erhalten.
Freud hat dieses Buch *Die Zukunft einer Illusion* als Dialog von Freud I und Freud II geschrieben. Im Grunde aber glaubt man dem Freud, der sagt: ›Ohne diese Religion werden wir anfangen, uns alle umzubringen.‹ Und daran ist ja einiges wahr. Wenn ich an die vielen Morde heute denke!«

Hitlers Propaganda und Ideologie gleicht in vielen Hinsichten einer Ersatzreligion; sie hat zum genauen Gegenteil dessen geführt, was Freud der Religion zugewiesen hatte:
»Vor allem (zu) eine(r) ungeheure(n) Befriedigung der aggressiven Triebe!« meint Yela Lowenfeld. »Das war seine Macht! Eine absolut diabolische Konstruktion.
Die Entfesselung der bösen Triebe richtet sich ja speziell gegen Juden. Sie waren eine gute Zielscheibe. Wen hätten die Nazis sonst auch nehmen sollen? Schwarze fehlten. Hätten sie – in bezug auf Begabung und Intelligenz – die Stellung der Juden eingenommen, wäre es nicht gegen die Juden gegangen.
Alles haben sie »den Juden« angehängt: Reichtum, Intelligenz, Verschwörung, Internationalismus, sexuelle Aktivität – und das zusammen *gehaßt*. Der Jude ist der Anti-Christ, er hat die Funktion des Teufels. Der Teufel kann ein junges hübsches Mädchen werden oder ein häßliches Männchen. Und zugleich hat ein großer Teil der Bevölkerung vollständig indifferent reagiert. Die gingen gar nicht über ihre Familien hinaus: ›Uns geht's gut – und das ist die Hauptsache.‹«[6]
Henry ergänzt: »Hitler hat einmal gesagt: ›Der Jude ist der ekelhafte Kapitalist – *und* er ist der Bolschewist.‹ Das steht alles in seinem Buch drin.
Der Teufel kann häßlich sein, mit hinkendem Bein, *und* er kann als schönes Mädchen auftreten. Goethe hat einmal gesagt: ›Denn *den* Teufel sind wir los, *die* Teufel sind geblieben.‹ Wir brauchen sie.
Der Teufel bietet ein absolut widersprüchliches Bild. Aber wissen Sie, die Leute haben gar nichts gegen Widersprüche. Nehmen Sie doch

[6] Dieser Beobachtung Yela Lowenfelds entsprechen auch erste Ergebnisse einer Studie, die Hartman, Friedrich und Funke durchführen. Es fällt auf, daß neben flüchtigen Masseninszenierungen ein Alltag vorherrscht, in dem es nur noch um sozialen Vorteil geht und auf bestmögliches Überleben geschaut wird. Das gilt nach der Erinnerung von mehr als 50 in dieser Untersuchung Interviewten vor allem für die dreißiger Jahre: gleichsam »Goldene Dreißiger« im Vergleich zu den auch für Deutsche eher »traumatischen« Kriegs- und Zerstörungsjahren.

auch die Widersprüche in der Religion selbst, die die Leute ja auch alle schlucken.
Auch wenn sie ›der Jude‹ sagen, ist es doch eher der Judas – unglücklicherweise dasselbe Wort. Jüdisch und Judas. Judas war der gemeine Verräter Christi – das Jüdische als Anti-Christliches.
Wie auch immer: Das Bösartige und Verführerische scheint auf den ersten Blick gar nicht zusammenzupassen, aber genau das zeigt, daß *die* Teufel wirklich geblieben sind – auch in der Literatur, wenn man etwa an *Jud Süß* denkt. Es scheint so, daß mit dem Nachlassen der Religion auch die Rolle des Teufels zurückgeht – obwohl er bei vielen, gerade bei Katholiken, noch nachwirkt – und eine Religion in dem Moment verschwindet, in dem der Teufel nicht mehr *die* Rolle spielt.
Was die Bedeutung des Teufels betrifft: Schopenhauer kommt zu dem Ergebnis, daß sich in der Kultur gewissermaßen alles gegenseitig stützt. Anders ließe sich nicht erklären, warum es so gemeine Dinge gibt, wo wir doch einen lebendigen Gott haben. Gerade darum brauchen wir den Teufel: Er repräsentiert das Böse, das Schlechte. Und der liebe Gott kann weder das Böse oder das Schlechte noch den Teufel umbringen. In dem Moment, in dem der Glaube an den Teufel verlorengeht, ist es nur eine Frage der Zeit, bis auch der Glaube an Gott verloren ist.
Daran zeigt sich: Religionen spiegeln in hohem Maße menschliche Gefühlsregungen wider. Schauen Sie, in jedem Menschen steckt doch Liebe und Haß. Bismarck hat zum Beispiel gesagt: ›Für meine Liebe habe ich meine Frau‹ – die er wirklich sehr geliebt und verwöhnt hat –, ›für meinen Haß habe ich Windholz!‹ (Lacht) Windholz war als Führer des damaligen ›Zentrum‹ ein Gegner Bismarcks.
Es ist eine Aufspaltung! Und in der Hitlerschen ›Religion‹ hat sich Hitler gleichzeitig zum Gott erklärt *und* den Haß zugelassen, ja ausdrücklich erlaubt; und ihn vor allem gezielt zu steigern vermocht. Der Führer sollte geliebt werden (›Mich müßt ihr lieben!‹) – um diese Liebe dazu zu benutzen, den Haß ohne Schuldgefühle zu erlauben und zu steigern. (Deswegen hat er übrigens auch nicht geheiratet. Er hat verstanden, daß er gar nicht verheiratet sein darf. Er hat selbst geschrieben: ›Er darf niemand anderen lieben als seine Anhänger.‹) Psychologisch ist das ein ziemlich billiger Trick – das meiste seiner massenpsychologischen Techniken steht bei Le Bon.
Das Wichtigste ist aber: Hitler hat der aggressiven, sadistischen und vernichtenden Seite der menschlichen Seele mit seiner ›Religion‹ die volle Erlaubnis erteilt.«

»Ich glaube«, fügt Yela hinzu, »daß dazu auch die Niederlage des Ersten Weltkriegs viel beigetragen und die Deutschen sehr beleidigt hat. Vor allem für die höheren Schichten war das eine Beleidigung, die wieder gutgemacht werden sollte: ›Wir sind besser als die anderen‹.«
Henry Lowenfeld fährt fort: »›Selbst wenn ich den Weltkrieg nicht gewinnen sollte‹ – so war Hitlers Gefühl... ›Wenn wir die Juden alle umbringen, *bin ich doch der Sieger*‹. Das war sein Gefühl. ›Dann siege ich.‹
Diese Aggressionstriebe der Leute konnte er direkt und schnell befriedigen, die Befriedigung der anderen Bedürfnisse – sozialer Bedürfnisse – blieb ja unsicher. So hat er sie sozusagen zur Ruhe gebracht, ihnen einen Knochen hingeworfen: Die Vernichtung der Juden kriegt ihr, zumindest erst einmal. Er hat damit zugleich auch seine eigenen Aggressionen befriedigt, die ja unbeschreiblich waren, die pathologische Aggressionen waren.«

Ursula von Kardorff: »Bei den Nazis ist wenigstens Leben«

»Mir fällt dabei die Geschichte der Ursula Kardorff ein, deren Familie in Berlin lebte.
Ihr Vater war, glaube ich, ein Maler; ihr Großvater war der engste Freund Bismarcks – und der einzige, der ihm treu geblieben war. Die Eltern der Ursula Kardorff waren absolut konservativ-liberale Antinazis. Sie haben ihrer Tochter strikt verboten, in die Mädchenorganisation der Hitlerbewegung einzutreten. Sie beschreibt nun in ihrem Buch, wie sie am Kurfürstendamm die Mädchen vorbeimarschieren sah und sich so neidisch fühlte, daß sie sagte: ›Was machen wir denn? Ich gehe zum Geburtstag und bringe Kuchenbrötchen mit oder so was – das ist doch überhaupt nichts! In zehn Tagen hat der [Hitler] Geburtstag, dann gehe ich *dahin*! *Die* haben doch *Leben*!‹
Sie war, als sie das schrieb, ihren Eltern böse, daß sie ihr diese Freude verwehrt hatten. Die Eltern waren nicht für Hitler – einer der Söhne war im Krieg gefallen. Aber sie sind eben nicht einen Schritt weiter gegangen und haben gesagt: ›Nein.‹«
Yela erinnert sich an einen anderen Fall: »Oder nehmen Sie die Familie Kollwitz, die ich traf, als ich 1937 noch einmal nach Deutschland kam, um meine Mutter und Schwester zu besuchen. Sie selbst ist ja immer noch ein Begriff in Deutschland. Der Sohn von Käthe Kollwitz

war Arzt und mit uns sehr befreundet. Als Hitler an die Macht kam, hatte er mich eingeladen. Ich hatte noch eine jüdische Nichte mitgenommen, weil ich keine Lust hatte, mit meinem kleinen zweieinhalbjährigen Sohn allein hinzufahren. Als wir uns – es war in einer Arbeitergegend ziemlich weit außerhalb – seinem Haus näherten, sah ich die Hitlerfahne gehißt. Als ich das sah, sagte ich zu meiner Nichte: ›Komm, Sibylle, wir gehen, das ist nichts für uns. Wir gehen doch nicht zu Leuten, die die Hitlerfahne hissen.‹ Als wir uns noch so unterhielten, geht die Tür auf, und die ganze Familie Kollwitz kommt auf uns zugerannt: ›Glücklich! Kommt rein! Herrlich!‹ Ich habe sie nachher gefragt: ›Warum habt ihr die Hitlerfahne auf dem Dach? Mir ist das furchtbar unangenehm!‹ Darauf sie: ›Mir auch. Wir sollten überhaupt auswandern, wir haben die Möglichkeit, wir können hingehen, wo wir wollen – aber mein Mann hat abgelehnt. Er müsse besonders vorsichtig sein, denn sein Vater sei sozialistischer Arzt.‹ Dann kam der ältere Sohn herein – in der Uniform der Hitlerjugend! (Auch die Töchter waren im BDM – dem »Bund Deutscher Mädel« – organisiert.)
Nun glaube ich, daß der Sohn von Käthe Kollwitz in seiner Seele kein richtiger Nazi war und irgendwie auch nur dazugehörte, aber er wollte sich schützen. Er war nicht stark genug zu sagen: ›Ich verlasse Deutschland, weil ich als Sohn von Käthe Kollwitz gezeichnet bin.‹ Man kann verstehen, daß er das nicht wollte. Es kann nicht jeder Mensch zu seiner Überzeugung stehen – dazu war er zu schwach. Er war kein schlechter Mensch! Ein netter Mensch.
Frau Kollwitz hat dann noch ein Bild von unseren beiden kleinen Kindern gemacht – sie hießen beide Andreas –, sehr niedliche Kinder... Später hat uns jemand das Bild geschickt – aus einer Goebbelsschen Zeitschrift ›Unsere Jugend, deutsche Jugend!‹ – Unsere Kinder! Auf der ersten Seite waren sie zu sehen... das Bild haben wir noch. Der Kollwitz-Junge war sehr blond, wasserblond, weißblond, unser Junge etwas dunkler, so wie ich ungefähr, aber beide mit Stupsnasen und furchtbar niedlich. Ich meine, es war ein Durcheinander ohnegleichen! Die Nazis hatten ja gar keinen Instinkt: Sie haben doch behauptet, man merkt, ob ein Kind jüdisch sei oder nicht. Die haben mein Kind als ein arisches Kind ausgestellt! Es war ein solches Durcheinander! Aber ich muß sagen, die Sache mit diesem Kollwitz hat mir damals einen furchtbaren Schock versetzt. Wir sind weg und haben nie mehr miteinander gesprochen.
Sein Junge ist übrigens in Rußland gefallen. Es war absolut das Werk seines Vaters. Sie hätten rausgehen müssen! Es war ihnen ja sogar

überall angeboten worden: ›Ihr könnt kommen.‹ Wenigstens seine Kinder hätte er rausschicken können!
Was bei diesen Menschen so wirksam war, war die *Identifizierung mit der Macht*. Aber wie dumm sie gleichzeitig waren! Hitler hatte doch die ›blonden‹, ›großen‹ Menschen verehrt – und war doch selbst ein häßlicher, schwarzhaariger Kerl. Nicht daß ich Schwarzhaarige häßlich finde, aber er war eine häßliche Spezies von Mensch – doch das hat die Leute gar nicht gestört...«

»Wir hatten noch Glück«

»Wir sind mit dem Schiff, mit der ›*Normandy*‹, in New York angekommen«, erinnert sich Yela.

Und was waren Ihre Gefühle?

»Gott sei Dank!« Sie lacht. »So ein Gefühl! Ein unbeschreibliches Gefühl von Befreiung! Wir sind gleich in New York hängengeblieben. Wir hatten überhaupt kein Reisegeld mehr und hatten Freunde hier. Wir sind in elenden Buden herumgezogen. Zuerst waren wir in einem ›Congress House‹ untergebracht, das Juden für jüdische Flüchtlinge eingerichtet hatten. Auch der Verwalter war Jude; er war schon ein Jahr vor uns hier, schaute nun ungeheuer auf uns herab und nutzte uns aus: Er hat die Lebensmittel, die uns gespendet wurden, gestohlen und verkauft... Sehen Sie, die Menschen sind alle schlecht.«

Lieben Sie New York?

»Früher haben wir New York geliebt. Aber jetzt, durch diese furchtbare Unsicherheit, abends nicht mehr frei spazierengehen zu können, im Dunkel Angst haben zu müssen – das schränkt erheblich ein. Wenn das nicht wäre, dann ja. Ich finde es auch schön, daß hier so viele Nationen herumlaufen: Schwarze, Weiße, Gelbe – das finde ich herrlich... Ich glaube, dies ist die einzig völlig unprovinzielle Stadt der Welt!«

»Das Exil ist eine Tragödie

»Natürlich haben wir etwas verloren«, sagt Henry Lowenfeld. »Sicher, die amerikanischen Analytiker waren sehr nett. Einige von den Älteren – Lewin zum Beispiel war auch in Berlin geboren – waren schon sehr viel früher, weit vor der Nazizeit, hierhergekommen.

Diese Generation der Älteren stand uns viel näher als die Amerikaner, die aber persönlich auch sehr nett waren. Wir haben etwas verloren, aber andere haben sehr viel mehr verloren. Schauen Sie, wir konnten Medizin studieren, wir konnten Analysen treiben und weiterlernen. Wir haben auch schnell wieder Geld verdient. Und: Wir haben alle Bücher mitnehmen können. Alles andere hatten wir verloren.
Es ist uns insgesamt gesehen – das erste Jahr ausgenommen – hier finanziell doch sehr gut gegangen. Wir sind Ärzte geworden, wir sind nicht reich, aber wir verdienen genug. Wir leben sehr komfortabel und haben uns ein wunderbares Landhaus gebaut. Daß wir im ersten und zweiten Jahr kein Geld hatten, vergißt man schnell, wenn man einen Beruf hat.
Vielen Kaufleuten und Rechtsanwälten ist es sehr schlecht gegangen. Sie konnten nicht studieren und sich nicht zurechtfinden. Aber wenn man als Arzt herkam, wußte man, daß es vielleicht ein bis zwei Jahre dauert, man dann aber denselben Beruf ausüben kann. Und die Amerikaner waren ja auch furchtbar nett zu uns. Sie sind nicht wie die Engländer oder die Franzosen, die einen verachten, wenn man die Sprache nicht kann. Jeder spricht, wie er kann, schlecht und recht.«
Yela ergänzt: »Ich wüßte nicht, wo ich mich sonst wohler fühlen würde. Sagen wir es so.«

Und die Erfahrungen der McCarthy-Ära?

»Ich muß gestehen, davon habe ich überhaupt nichts gemerkt. Das ist alles entsetzlich übertrieben worden. Die Leute haben sogar von Terror geredet. Wenn man aus Europa kommt und weiß, was in Rußland ist, ist das lächerlich. McCarthy hatte ja kaum Macht, er konnte nicht viel machen – und nebenbei bemerkt: Es gab eben unter den Intellektuellen wirklich viele Kommunisten, die bereit waren, ihre Sache nach Rußland zu verraten.
McCarthy hat selbst ebenfalls übertrieben. Er hatte doch behauptet, Eisenhower sei Kommunist! Es ist alles entsetzlich übertrieben worden.«
»Ich fühle mich nirgends mehr zu Hause«, bekennt Henry. »Ich finde, das Exil ist eine Tragödie für jeden Menschen. Die Kollegen, die wir hier gehabt haben, haben immer so getan, als ob es für sie gar keine Bedeutung habe – aber man hat's ihnen angemerkt.
Ich fühle mich nirgends zu Hause, und in Deutschland auch nicht, obwohl ich mich bei einigen Deutschen viel mehr zu Hause fühle. Schauen Sie, wir haben dieselbe Bildung... In der Schweiz würde ich mich vielleicht heute noch wohl fühlen.«

»Da bist du *auch* im Exil«, erwidert ihm seine Frau. »Du würdest auch nicht dazugehören. Es macht nichts, nicht dazuzugehören. Die Deutschen in großen Mengen gehen mir noch heute furchtbar auf die Nerven! Besonders die Deutschen im Ausland. Ich meine natürlich nicht Sie! ... Aber es schadet ja nichts. Ist man eben heimatlos ...«
Henry: »Das Schlimmste ist: Hitler hat ja auch den Deutschen zerstört.«
Yela fügt hinzu: »Er hat ja auch Deutschland für die Deutschen zerstört! Wir haben irgendwo in der Schweiz zwei Lehrerinnen getroffen, die sicher keine wilden Nazis gewesen sind und doch eigentlich sehr pro Hitler eingestellt waren. Ich frage mich, wie es kommt, daß Deutsche es nicht einmal übelnehmen, daß er Deutschland zerstört hat.«
»Schon aus deutschem Patriotismus würde ich ihn hassen«, meint Henry. »Warum muß denn Königsberg russisch sein? Kant hat dort gelebt! Warum lieben sie ihn? Sie nehmen ihm das alles nicht übel! Gar nicht! Die eine Lehrerin war aus Schlesien. Sie war noch sehr von Hitler und der ganzen Zeit begeistert. Die andere war katholisch und war im Rheinland aufgewachsen. Sie sagte, daß ihr Vater das alles ganz fürchterlich gefunden habe: ›Wir waren nicht in der Hitlerjugend. Darüber wurde gar nicht gesprochen. Wenn es hieß, die Kinder sollen in die Hitlerjugend, hat man gesagt, das kommt nicht in Frage.‹«
»Aber ich erinnere mich«, so Yela, »daß auch diese schlesische Lehrerin auf die Frage, wie es kommt, daß sie Hitler das alles nicht übelnehmen, gesagt hat: ›Das waren die Russen, die alles zerstört haben!‹ Damit war sie zufrieden.«
Henry Lowenfeld kann das nicht verstehen: »Das, obwohl Deutschland, bevor Hitler kam, ein blühendes Land war! Und was die Russen angeht: Eine Verschiebung, die man immer wieder mal in Deutschland antrifft und die eine Quelle des militanten Antikommunismus ist: Man hat gegen Hitler nicht gesiegt und kämpft heute um so mehr gegen den Bolschewismus ...«
»Eine trostlose Angelegenheit«, findet Yela. »Ich möchte nicht in Deutschland leben. Ist es sehr schwer, in Deutschland zu leben? Sie leben natürlich nirgendwo anders. Man fragt sich gar nicht ... Da lebe ich eben. Ich habe das Gefühl, daß die anständigen Deutschen heimatlos sind.«
Henry ergänzt: »Es ist doch interessant, daß einer unserer deutschen Freunde jüngst gesagt hat: ›Jetzt weiß ich erst recht, wie die Deutschen vor Hitler waren.‹ Er hat *mich* als einen Vertreter der Deutschen gesehen, verstehst du?«

Zurück zu den Wurzeln: Der Vater Raphael Löwenfeld

»Das Exil ist eine Tragödie« – so weit entfernt und gut situiert das Ehepaar Lowenfeld in New York auch wohnt, Henry Lowenfeld – seine Frau vielleicht weniger – blieb immer »deutscher Staatsbürger jüdischen Glaubens«, der deutschen Kultur und vor allem der Klassik verpflichtet: ein Humanist, Goethianer, Schillerverehrer. Die Sehnsucht danach drückt Henry Lowenfeld ganz offen aus, obwohl es die Sehnsucht nach einer Erfahrung ist, die gleich mehrfach zersplittert wurde.

»Ich will Ihnen etwas über meinen Vater sagen. Ich habe eine intensive Erinnerung an ihn, obgleich er schon 1910 – ich war damals zehn Jahre alt – gestorben ist. Ich habe vor kurzem etwas über ihn geschrieben.«

In einem Brief vom 28. September 1984 kommt Henry Lowenfeld auf seinen Vater zurück – und legt einen Beitrag bei, den er im Alter von achtzig Jahren im Bulletin des Leo-Baeck-Instituts über seinen Vater veröffentlicht hat: eine Liebeserklärung an ihn, an sein lebendiges Literatur- und Theaterleben in der Schillerstraße – im Hinterhaus des von seinem Vater gegründeten ersten Volkstheaters in Berlin, des Schiller-Theaters.

Raphael Löwenfeld war im polnischen Posen aufgewachsen und *daher* nie in der Gefahr gewesen, andere Minoritäten oder Völker gering zu achten – er liebte die Menschen. Seine Toleranz war praktisch: gelebte Toleranz. Deswegen war er geachtet und geliebt, gerade auch bei denen, für die er dieses Volkstheater in Berlin geschaffen hatte.

Aus der Distanz verschiedener Kulturen, der Rebellion gegenüber der strengen Orthodoxie (»Tyrannei«) seines treu religiösen Elternhauses, erwarb sich der Vater Raphael Löwenfeld das Profil eines Kosmopoliten, eines sozial engagierten, liberalen, emanzipierten Juden. Ohne jede Tradition im Sinne der jüdischen Bräuche, aber in starker Affinität zu den gebildeten Juden der Emanzipationszeit.

Henry Lowenfeld schreibt über seinen Vater und seinen Großvater: »Hier lebte in ihm die vom Vater ererbte altjüdische Tradition wieder auf, die von den Satten fordert, dem Darbenden sein Herz und sein Haus nicht zu verschließen.« Vielleicht war es für jene schmale Schicht gebildeter und wohlhabender Juden in der Tat eine späte, kurze Sternstunde wirklicher Emanzipation.

Wie auch immer, Henry Lowenfelds kindliche Vorkriegserinnerungen erscheinen ihm wie ein Glück, das aus der Kindheit herüberscheint: ein liebevoller Vater, demokratisch, offen, tolerant und geachtet – und kaum Antisemitismus.

»Mein Vater hatte sich weitgehend von der jüdischen Tradition gelöst. Sehen Sie, sein eigener Vater war – ich habe darüber sogar geschrieben – ein Schüler dieses weitgerühmten jüdischen Weisen Akiba Eger. Davon habe ich erst kürzlich erfahren, weil ich etwas über meinen Vater suchte.

Als ich noch Kind war, hat er immer nach einem Theaterhaus gesucht und es zu konzipieren versucht, das gewissermaßen schon *demokratisch* war: Von jedem Platz aus sollte man gleich gut sehen können. Nach jahrelangen, vergeblichen Kämpfen hat er es dann bekommen: Das Charlottenburger Schiller-Theater wurde 1907 erbaut und 1908 eingeweiht. An der Rückseite hat er sich für uns eine Wohnung bauen lassen, so daß er direkt ins Theater konnte. Sie wissen, an der Ecke Grolmannstraße/Schillerstraße. Wir sind dann 1908 umgezogen – und da standen nun alle die Bücherkisten. Und da er sich schon anstrengen mußte – er war nicht mehr so jung –, immer aufzustehen, um ein Buch zu holen oder wegzustellen, habe ich es für ihn gemacht: Ich war für ihn der Renner. So hatte ich direkten Kontakt mit seinen Büchern. Außerdem hatte ihm das großen Spaß gemacht, denn ich kannte jedes Buch von außen, jeden Titel.

Eigentlich erkenne ich sie auch heute noch. Allerdings hat mein Gedächtnis nachgelassen, aber die *alten* Bücher, die von ihm stammen, kann ich immer noch erkennen, auch schon von weitem! Es war für mich natürlich eine ungewöhnliche Beziehung, und für ihn war es einfach eine große Freude. Ich habe das Gefühl, daß ich ihn sehr gut verstanden habe. Ich habe oft gesehen, wie Leute vom Theater rüberkamen, um mit ihm zu sprechen. Sie kamen einfach rüber und haben mit ihm geredet. Es war eine Beziehung gegenseitiger Liebe. Zum Beispiel war da der Herr K., der ist als kleiner Bursche mit vierzehn Jahren eingetreten, und nun war er jemand im Theater. Ich erinnere mich, daß mein Vater einmal sagte: ›Wenn ich weiß, daß K. abends da ist, weiß ich, daß nichts passieren wird.‹ Er war überaus zuverlässig. Dabei war dieser K. nicht etwa ein besonders hochgebildeter Mann, aber er hat das Theater verstanden. Er wußte genau, was anstand – eine gegenseitige Beziehung voller Wertschätzung und Liebe. Liebe ist ein starkes Wort, aber… *keiner war dem anderen gleich-*

gültig! Jeder fühlte sich von meinem Vater anerkannt und umgekehrt.
Jüdische Tradition? Er hat mit seiner Streitschrift *›Schutzjuden oder Staatsbürger?‹* gegen den Hofprediger Stöcker, den Gründer einer antisemitischen Partei, geschrieben. Im Namen der Liebe verbreitete der nichts als Haß. Mein Vater war diesem Mann böse – *nicht nur als Jude, sondern wirklich als Deutscher*. Das war ganz eindeutig. Er war, wenn man so will, ein deutscher Patriot, nur daß das Wort ›Patriot‹ in Mißkredit gekommen ist.
In der Wohnung meines Vaters wurde auch der Verein gegründet, der das Emanzipationsversprechen schon im Namen führt: ›Centralverein deutscher Staatsbürger jüdischen Glaubens‹ – gegen den modernen Antisemitismus der Stöckers, Treitschkes und so weiter.
Was den Antisemitismus angeht: Im Ersten Weltkrieg begann er schon stärker zu werden. Man hat genau aufgepaßt, ob auch genug Juden in der Armee sind. Und dann natürlich im Zuge der Niederlage. Vorher war es nicht ganz so schlimm.
Aber habe ich Ihnen im Zusammenhang mit Antisemitismus die Geschichte von meinem Onkel erzählt? Onkel Rothstein?
Bismarcks rechte Hand, der Kultusminister, hat ihn – einen damals bekannten Philologen – zu sich kommen lassen und ihm eröffnet: ›Wenn Sie sich taufen lassen, würden Sie die Stellung (eine erwünschte Professur) bekommen, die Sie verdienen. Ich weiß doch genau, daß Sie nicht religiös sind, das ist bekannt. Warum können Sie nicht zum Christentum übertreten? Wir sind doch nun einmal ein christliches Land. Und die Taufe bedeutet für Sie doch gar nichts, ist doch nur ein Stück Papier. Warum sind Sie denn so eigensinnig?‹
Onkel Rothstein hat abgelehnt, obwohl er überhaupt keine Beziehung zur jüdischen Tradition hatte. Aber es hat ihn in seiner Achtung gestört. Er hat nur gesagt: ›Ich könnte mich taufen lassen, wenn ich wirklich zum Christentum übertreten will. Aber nur, um eine Stellung zu bekommen ...‹
Allerdings hatte er das Glück, daß er von seinem Vater Geld geerbt hatte – sein Vater war Bankier und Börsenmann und hatte genug Geld, so daß er sich das leisten konnte.«

Vor dem Hintergrund dieser kindlichen Erfahrung hat Henry Lowenfeld den Bruch 1933 erlebt, deswegen ist das Exil so schwer geworden. Henry Lowenfeld hatte mit seiner Familie teil am Aufstieg und Bruch des modernen Judentums in Deutschland: mit seinem Großvater, der noch Schüler des berühmten Religionsgelehrten Akiba Eger[7] war, seinem Vater Raphael Löwenfeld, der gegen die »Tyrannei« des orthodoxen Judentums rebellierte und sich gleichzeitig in altjüdischer Tradition sozial engagierte, das Aufklärungs- und Emanzipationsversprechen einklagte und gegen den modernen Antisemitismus Stökkers den Centralverein gründete; und Heinrich Löwenfeld selbst (erst später nennt er sich Henry Lowenfeld), der früh ins Exil geht, weil er das »Ende«: die Zerstörung des deutschen Judentums kommen sieht.

[7] Von Akiba Eger hat auch Ernst Simon seinen zweiten Vornamen; vgl. Simons Porträt in diesem Band.

Judith Kestenberg:
»Natürlich möchte man das ungeschehen machen«

Judith Kestenberg wurde 1910 in Tarnow bei Krakau in Polen geboren. Zu Beginn des Ersten Weltkrieges floh sie mit ihrer Familie nach Baden bei Wien, 1918 kehrten sie nach Polen zurück, ehe wiederum die ganze Familie ins (ersehnte) Wien zog.
In Wien studierte sie Medizin und Psychoanalyse, unter anderem bei Ernst Kris und Heinz Hartmann. Da sie weder in Wien noch Galizien beruflich Chancen hatte, wanderte sie 1937 nach Amerika aus. Ihre Eltern wurden im Dritten Reich ermordet.
Erst nach mehr als zwanzig Jahren setzte sie sich durch Erfahrungen in ihrer psychoanalytischen Praxis mit dem auseinander, was in ihrem Leben der Nationalsozialismus bedeutete. Seit Ende der sechziger Jahre arbeitet sie in ihrer Praxis mit Überlebenden und ihren Kindern, seit Mitte der siebziger Jahre an einer Untersuchung auch der Kinder der Täter.
Die Psychoanalytikerin Judith Kestenberg lebt heute mit ihrem Mann Milton auf Long Island bei New York. Im Jerome Riker Center arbeitet sie mit Kindern von Überlebenden; ihr Mann hat als Rechtsanwalt in Manhattan abgelehnte Wiedergutmachungsverfahren neu – und erfolgreich – aufgerollt.[1]

»Wo regen sich Deutsche auf, daß man ihre Jugend zerstört hat?«

Mein erstes Gespräch mit Judith Kestenberg fand im Oktober 1984 in New York statt. Zu Beginn erwähne ich, daß Teile meiner Verwandtschaft nicht so sehr weit entfernt von ihrem Geburtsort Tarnow in Polen gelebt hatten. Da vertauschte sie unsere Rollen und interviewte mich: wie ich selbst mit den Erfahrungen der Eltern im Nationalsozialismus umgegangen sei; was ich von der Hitlerjugend durch meine Verwandten erfahren habe; über Faszination und Terror im Krieg; über den konservativen Widerstand des katholischen Süd-Oldenburgs; über das Schweigen in den fünfziger Jahren, unseren Protest in der Studentenbewegung.[2] Einer Frage vor allem geht Judith Kestenberg nach: Was ist von der NS-Sozialisation auf die näch-

[1] Vgl. dazu *Generations of the Holocaust*, Jucovy/Bergmann (Hrsg.)
[2] Vgl. meinen Versuch einer Antwort am Schluß dieses Buches.

ste Generation tradiert worden? Wie wirkt der Nationalsozialismus nach?[3]

»Denn wir wollen irgendwas tun, damit sich so was nicht wiederholt. Vor allem interessiert uns, wie Kinder vor und nach der Nazizeit behandelt wurden. Wir hatten nicht gewußt, daß *die Deutschen eigentlich ihre Kinder umbringen* wollten. Das meine ich nicht so, daß Ihr Vater Sie nun umbringen wollte. Ich meine, daß viele der preußisch beeinflußten Eltern einen latenten Wunsch hatten, ihre Kinder umzubringen, bis ihnen das schließlich gelungen ist! Es sind ja viel mehr Deutsche gefallen als Juden! 14 Millionen Menschen!

Was wir nicht verstehen, ist, daß die Deutschen sich gar nicht *darüber* aufregen, sondern sagen: Die Russen haben uns das angetan! *Wo regen sich Deutsche auf, daß man ihre Jugend zerstört hat, daß sie ihre Jugend verloren haben?!* Daß sie dazu erzogen wurden, Mörder zu werden? Und natürlich selber zu sterben?

In Auschwitz haben mein Mann und ich eine Gruppe von Deutschen aus der ›Aktion Sühnezeichen‹ getroffen und von ihnen erfahren, wie sie mit ihren Eltern sprechen und sie fragen: ›Warum habt ihr euch nicht geweigert? Warum habt ihr nicht Juden geretet?‹ So oder ähnlich. Ich habe ihnen gesagt, daß man mit Eltern so nicht sprechen kann. Man muß sich vor Augen halten, was geschehen ist, und sie fragen: ›War das gut für euch? Nicht *nur* für andere, sondern auch für euch selbst?‹ Sie haben häufig nicht gewußt, daß ihre eigenen Söhne ermordet werden. Irgendwie ist ihnen das nicht bewußt geworden.

Ich denke dabei an das, was Mocharski über Strupp, der das Warschauer Ghetto vernichtete, geschrieben hat. Mocharski war ein polnischer Widerstandskämpfer, der nach dem Krieg fünfzehn Jahre im Gefängnis war, bevor er freigesprochen wurde. 25 Monate davon war er mit Strupp in einer Zelle gewesen. Mocharski beschrieb, daß Strupp seinem Kind, als es acht Jahre alt war, eine SS-Uniform hat nähen lassen und den Kleinen zum Aufseher über die Sklavenarbeiter, die im Garten von Herrn Strupp gearbeitet haben, gemacht hat – mit einem geladenen Revolver.

Oder nehmen Sie ein zweites Beispiel aus Polen: Einer der SS-Leute, die eigentlich nichts damit zu tun hatten, hatte angeordnet, daß am nächsten Tag fünfzig Leute erschossen werden – und dazu seine vierjährige Tochter eingeladen! Dann, bei Krakau, ist dieses Arbeitslager

[3] Diese Frage betrifft die politische Kultur in der Bundesrepublik Deutschland insgesamt; angeregt durch die Gespräche mit Judith Kestenberg, haben sie drei deutsche Sozialwissenschaftler (H. Friedrich, G. Hardtmann und ich selbst) in einem gemeinsamen Projekt mit der New Yorker Psychoanalytikerin aufgegriffen.

– entschuldigen Sie: *war* dieses Arbeitslager. Es kommt immer wieder vor, daß ich glaube, es ist noch immer da! Kennen Sie das? Daß Sie plötzlich meinen, daß Sie im Zweiten Weltkrieg sind? Fühlen Sie das, als lebten sie in jener Zeit?«

Ich fühle es, wenn ich da bin: als ich Mauthausen besuchte oder wenn ein Überlebender davon berichtet, oder auch während des Films Spiel um Zeit *über das Mädchenorchester in Auschwitz . . .*

»Um darauf zurückzukommen: In diesem Lager bei Krakau gab es einen Lagerführer namens Gött, der Kinder in die Luft geschmissen und sie erschossen hat und seine kleine Tochter dabeihatte, die rief: ›Mehr, Papa! Mehr, Papa!‹ . . . Wissen Sie, was mich bei dem allem so beunruhigt? Was ist aus *diesen* Kindern geworden? Was aus dem vierjährigen Kind, was aus Olaf Strupp? Ihr habt in Deutschland noch immer Kinder, die von ihren Eltern im Sinne der Nazi-Ideologie erzogen worden sind. Was ist aus den Kindern geworden, deren Eltern weggelaufen sind, die entnazifiziert oder verurteilt wurden? Zum Beispiel ist Strupp natürlich zum Tode verurteilt worden. Wo sind diese Kinder? Kann man sie finden und mit ihnen sprechen – wenn sie dazu imstande sind? Ich glaube, daß es viel wichtiger ist als alles andere, daß man weiß, was aus diesen Kindern geworden ist und wie sie ihre eigenen Kinder erziehen. Denn es muß ihnen ja etwas von dieser Erziehung geblieben sein, in der man *Freude am Morden* hatte, wo es ein Spektakel war, wenn man ein Kind ›zum Schießen‹ mitnimmt . . .
Das Kindesopfer ist seit Abraham abgeschafft. Kindesmord-Wunsch ist eine uralte Geschichte. Wir kennen das aus alten Sagen. Bis heute werden Kinder, wenn sie zur Last fallen, verhauen und manchmal auch getötet. Daß das in jedem steckt, ist klar. Ich habe das Gefühl, daß Juden auch deswegen so verhaßt waren, weil sie *eigentlich* Anwälte der Kinder waren, weil sie Kinder so glorifizierten, wie den Deutschen befohlen wurde, ihr Leben für das Vaterland herzugeben. Wie man dem deutschen Kind gesagt hat: fürs Vaterland zu sterben, so sagt man dem jüdischen Kind: das Leben der Thora, dem Lernen, dem Buch zu geben: ›Damit stirbst du nicht! Dein Leben muß sich daran entwickeln, daß du Gottes Wort lernst.‹ So herrscht ein großer Antagonismus zwischen Menschen, die sich eigentlich ihrem ›Todestrieb‹ hingeben, und Menschen, die dem Buch leben.
Die Nazis haben den germanischen Tod glorifiziert, die *Walhalla*, in der man sich mit den Toten verbindet. Die Juden haben die Kindestötung abgeschafft. Sie wissen doch, daß die Völker, die neben den

Juden lebten, ihre Kinder dem Moloch geopfert haben. Und die Juden haben das Kindesopfer abgeschafft – woran ja im Fest *Rosh Hashana* erinnert wird.«

Hitlers Erziehung zum Tod

Hitler hat ja die Erziehung zum Tod selbst ausgesprochen, als er sagte: »Wir tun alles für unsere Kinder, wir organisieren sie, zunächst in der Hitlerjugend, dann im Arbeitsdienst, und wenn sie dann immer noch frei sein sollten, im Militär, so daß sie das ganze Leben hindurch im Griff sind und sie, wörtlich, ›nicht mehr frei sein werden ihr ganzes Leben‹.«

»So ist es. In der Tiefe *zerstören* sie den Menschen. Wenn man immer militaristischer wird, *muß* man schließlich sterben. Vielleicht entkommt man noch in dem einen, aber nicht im nächsten Krieg. Es ist eigentlich dieser Zwang, der letztlich zum Tod führt – und so war es ja schließlich im Zweiten Weltkrieg.
Nehmen Sie die Geschichte des Hitlerjungen Quex, wie sie in einem bei den Nazis sehr verbreiteten Buch schon 1932 beschrieben worden ist. In diesem Buch wird die Entwicklung eines Jungen zum Hitlerjungen gezeigt. Am Ende des Buches wird das Kind mit fünfzehn Jahren von Kommunisten getötet. Dem Buch nach ist das *das Beste*, was einem Hitlerjungen passieren kann: Er wird glorifiziert, mit Standarten und allem – das ist das Schönste, was einem Hitlerjungen passieren kann!«

»Die Deutschen waren viel anständiger als die Polen.«

»Ich bin so geboren, daß ich den Ersten Weltkrieg noch miterlebt habe. Das hatte eine große Wirkung auf meine Wahrnehmung des Zweiten Weltkriegs, denn das hat wirklich *alle*, mit denen ich gesprochen habe, so *falsch* auf das vorbereitet, was die Deutschen in Polen machen würden! Im Ersten Weltkrieg haben sie sich sehr anständig benommen. Sie haben sich sogar viel anständiger benommen als die Russen zum Beispiel. Sie waren viel netter zu den Polen, besonders zu den Juden, so daß die jüdische Bevölkerung dieser Generation nicht hat *glauben* wollen, was immer auch Hitler gesagt hat, was immer sie auch gehört haben. Sie haben gesehen, daß Hitler die Polen, die in Deutschland gewohnt haben, hinausgeschmissen hat, und sie mußten ihm dabei helfen. Und doch haben sie gesagt: ›Die Deutschen sind zivilisierte Menschen. Natürlich, in jedem Krieg kommt schon was vor, manchmal gibt es Exzesse, aber es wird schon wieder gut werden...‹ Das ist etwas, was auch die deutschen Juden geglaubt haben: daß so etwas *nicht sein kann*.

Als ich 1937 hierhergekommen bin, habe ich meiner Familie geschrieben, sie sollen nachkommen. Man konnte damals für 5000 Dollar, glaube ich, ein Visum bekommen. Darauf haben sie mir geschrieben, mit diesen 5000 Dollar kaufen wir uns einen Wolkenkratzer! Sie haben mich ausgelacht, weil sie nicht verstanden haben, daß Hitler nach Wien kommen könnte.

Daß er gekommen ist, hat mich tief erschüttert, weil auch ich sehr an Wien gebunden war. Ich war *nicht an Polen gebunden, da ich dort Antisemitismus persönlich erlebt habe*. Ich habe – das ist eine meiner unangenehmsten Erinnerungen – selbst gesehen, wie eine jüdische Bäuerin, die einen Gasthof hatte, wie das bei Juden in Polen häufig der Fall war, zu uns kam, ganz mit Blut überströmt, weil die polnischen Bauern sie geschlagen hatten. Sie hatte ihnen Wein und Essen gegeben und auch Geld geliehen, aber dann hatte man sie zusammengeschlagen. Ich habe es selber gesehen, das blutüberströmte Gesicht – es ist in meinem Gedächtnis.

In der Schule habe ich erlebt, daß Lehrer antisemitische Bemerkungen gemacht haben. Ich weiß nicht mehr, wie ich das aufgefaßt habe, denn manche Lehrer haben auch Bemerkungen gegen Polen gemacht. Heute glaube ich, daß diese Leute unterbezahlt und eigentlich unzufrieden waren, aber für mich als Kind war es ein Beweis für Diskriminierung.

Ich bin in einer Atmosphäre aufgewachsen, in der wir den *polnischen Antisemitismus erlebt und erwartet hatten, aber nicht den deutschen*.

Daß wir zum Beispiel am Freitagabend – jeden Freitagabend hatten wir ein Fest – nicht Polnisch, sondern nur Deutsch sprachen, zeigt etwas von dieser Erwartung. *Noch heute kann ich nicht glauben, daß die Deutschen antisemitisch sind. Bis heute glaube ich es nicht, obwohl ich es doch weiß*. Eigentlich glaube ich, daß nur die *Österreicher* und *Polen* antisemitisch sind, die Deutschen nicht. Das ist so eine Wahnidee meiner Kindheit. Ich kann ohne Schwierigkeiten nach Deutschland gehen, aber nach Österreich kaum mehr wieder. Ich war eingeladen, bin aber lange Zeit nicht hingefahren.

Als ich dieses Jahr das erste Mal nach Polen kam, habe ich schreckliche Angst gehabt. Ich hatte Angst davor, daß man mich dort einsperrt, ich weiß nicht, warum. Als ich dann in Polen angekommen war, ist diese Angst vergangen, da sie ja nun wirklich nichts mit der

Wirklichkeit zu tun hatte. Es ist wahr, daß es in Polen antisemitische Wellen auch nach dem Zweiten Weltkrieg gegeben hat, zuerst in dem Pogrom von Kielce[4], gleich nach dem Krieg. Es kam sogar vor, daß Juden aus dem Konzentrationslager zurückkamen und die Polen sagten: ›Ach, der Hitler hat euch nicht umgebracht?‹ und *sie* haben dann einige von ihnen umgebracht. Die Polen beklagen sich, daß wir auf sie wütender sind als auf die Deutschen. Das kommt daher, daß wir in Polen gelebt haben, uns als Polen gefühlt haben, und daher auf die Polen, die einen unmittelbar verfolgten, *viel wütender als auf die Deutschen waren, die eigentlich Fremde geblieben sind...*«

In einem persönlichen *Brief* vom 6. Dezember 1986 ergänzt Judith Kestenberg ihre Erinnerungen an ihre frühe Kindheit.

Mit vier Jahren, als zu Beginn des Ersten Weltkriegs russisches Militär nach Polen eindrang, war sie mit ihren Eltern aus Polen nach Baden bei Wien geflohen. »Tatsächlich haben sie sich wie die Vandalen benommen und unsere teuren Möbel als Heizungsmaterial verbrannt.«

Ihr Vater hatte sich mit der deutsch-österreichischen Kultur identifiziert, war aber dagegen, nun in den Dienst der österreichischen Armee zu treten. Er hatte sich versteckt und kam dafür ins Gefängnis. Der Rest der Familie lebte unter erbärmlichsten Verhältnissen in Baden bei Wien – eben als Flüchtlinge. In ihrem Brief schreibt sie:

»Mein Vater kam nicht mit, und ich habe nie gefragt und auch nicht gewußt, wo er war. Hätten wir nicht Eßpäckchen aus Ungarn von einem unbekannten Wohltäter bekommen, dann hätten wir hungern müssen.«

Als kleines Mädchen, das leider nicht in die Schule konnte, fühlte sie sich als *polnisches* Flüchtlingskind und identifizierte sich mit dem bedrohten *Österreich*:

»Ich erinnere mich mit größter Klarheit des Slogans: ›Gott strafe England! Er strafe es!‹ Es hat mich sehr überzeugt, daß es so zu sein habe, aber ich wußte nicht, warum und wie. Ich zitierte ›dicke Berta‹ – die ich mir als Tonne vorstellte, obwohl es in Wirklichkeit eine Kanone war. Untereinander nannten wir uns ›Dicke Berta‹ oder ›Dumdum-Geschoß‹ – der Gedanke an Waffen kam uns gar nicht.

Gegen Ende des Krieges waren die Russen gegangen. Wir kehrten in

[4] In Kielce sind Anfang Juli 1946 42 der etwa 200 Überlebenden des Holocaust in einem Pogrom ermordet worden – aufgrund eines Gerüchts, wonach Juden einen Ritualmord begangen hätten.

ein wunderbares Elf-Zimmer-Haus zurück – in dem kein Raum für mich da war! Ich hatte in einer Krippe im elterlichen Schlafzimmer zu schlafen und fühlte mich zurückgestoßen und betrogen, da ich keinen eigenen Raum hatte.«
Ihren Vater hatte sie offenbar als gefährdet, vielleicht sogar geschwächt erlebt – und auch als jemanden, der sie nicht zu schützen vermochte:
»Bald kam mein Vater zurück und brachte mir ein wunderschönes Puppenhaus mit roten Plüschmöbeln. Zuvor hatte er sich versteckt gehabt, und ich entdeckte seine schmutzige Wäsche im Haus. Ich sah, wie die Polizei kam, um den Buchhalter meines Vaters zu arrestieren, und sah auch, wie ängstlich er war.
Als die Polizei nach dem Bild meines Vaters fragte, zeigte ich ihnen ein Bild. Meine Mutter strafte mich deswegen nicht: Sie wollte nicht, daß ich verstehe, was ich getan hatte. Später fand ich heraus, daß mein Vater im Gefängnis war, um dem Militärdienst zu entgehen. Als mein Vater zurückkehrte, nahm ich wahr, daß Polen aufbegehrt hatte und nicht länger einen Kaiser hatte.
Ich habe noch immer ein Gefühl eines verlorenen Zugangs zu diesen beiden Ereignissen... und ich hatte meine eigenen Vorurteile: *Die Russen waren wild, die Kosaken töteten Juden und die polnischen Bauern ebenso. Die Österreicher waren in Ordnung und die Deutschen fein.* Als ich später nach Wien zog und den hohen Grad ihres Antisemitismus erkannte, wollte ich es nicht glauben. Immerhin, sie töteten Juden nicht in diesem Ausmaß...«

»Besonders an die Gesänge erinnere ich mich«

»Ich erinnere mich an alle Bräuche gern. An alle! An Seder an Yom Kippur – alle diese Bräuche sind für mich mit meiner Familie verbunden, mit meinem Vater, mit der kleinen Gemeinde von Juden, die dort lebten. Besonders an die Gesänge erinnere ich mich. Ich bin sehr an diese Bräuche gebunden, obwohl ich sie aufgegeben habe. Aber wenn ich so einen Gesang höre, bin ich sehr bewegt!
Wir haben unter Juden und Christen gelebt. Als ich – sehr spät – in die Schule gekommen bin, traf ich auf viele jüdische Kinder, aber auch auf nichtjüdische. Ich habe mit jüdischen wie mit nichtjüdischen gespielt. Mein Vater war Präsident der Kultusgemeinde und gleichzeitig Abgeordneter im Stadtrat. Es herrschte eigentlich eine Atmosphäre der Toleranz. Das sah man daran, daß alle gelacht haben, wenn mein

Vater eine Rede halten wollte und kaum konnte, aber alle trotzdem zugehört haben. Denn Deutsch sprach er gut, Polnisch nicht. Ganz typisch.«

Chassidim: Milde Menschen des Buches

»Wir gehörten zu den Chassidim. Ich war mit ihnen sehr verbunden. Wenn ich sie sehe, empfinde ich sehr viel Wärme.
Das waren sehr milde Menschen. Wenn es zu einem Pogrom kam, sind sie weggelaufen. Ich hörte als Kind von einer Geschichte, nach der ein österreichischer Offizier einem Juden eine Ohrfeige gibt, dieser dann umfällt und sich vor ihm verneigt. Beides war sehr unangenehm zu hören: daß der eine ihm eine Ohrfeige gibt und der andere sich nicht wehrt.
Ich bin *verärgert* darüber, daß sie in *Israel* versuchen, ihre Werte der ganzen Bevölkerung überzustülpen. Und ich bin sehr erzürnt über Menschen, die gewalttätig sind, zum Teil sogar gegen ihre eigenen Leute und ihre Nachbarn noch dazu!
Es gab einen *wirklichen Mythos in meiner Kindheit, daß Juden die Menschen des Buches und nicht gewalttätig sind.* Als ich nach Amerika gekommen war und mir jemand gesagt hat, daß es jüdische Verbrecher gibt, habe ich es einfach nicht geglaubt. So etwas machen die Juden nicht! (Lacht) Sie sind doch das auserwählte Volk!
Ja, aber ›auserwähltes Volk‹... Gott hat sie auserwählt, aber Gott hat sie schließlich auch in Kriege geführt. Aber daß sie Mörder seien – nein! Obwohl auch das in der Bibel steht...«

In Wien war ich Sozialistin

»Im Jahre 1924 sind wir alle nach Wien gezogen. Ich habe mich in Polen nicht gut gefühlt, in Wien dagegen sehr viel besser, vor allem, als ich Sozialistin wurde. Ich bin mit der Hausmeisterin auf die Sitzung gegangen, ich war richtig mit Arbeitern dort. Am 1. Mai bin ich nicht mit den Studenten gezogen, so daß ich eigentlich eine Ausnahme blieb. Was es in Österreich bestimmt gab, war Antisemitismus – etwa an der Universtität. Sie wissen, daß Freud nicht Professor werden konnte, weil er Jude war. Es war ein Antisemitismus, den man hinnahm und den ich auch später in Amerika, etwa bei ›restricted clubs‹, einer Art milderen Numerus clausus auf besseren Universtitäten, er-

lebt habe; das hat sich eigentlich erst nach dem Zweiten Weltkrieg geändert. In Wien hatten sich die Juden unter Kaiser Franz-Josef geschützt gefühlt, aber es gab einen klerikalen Antisemitismus. Als ich Medizin studierte, konnte jeder aufgenommen werden. Aber Juden und Nichtjuden waren etwa in Anatomie getrennt. Professor Tannle, ein Sozialdemokrat, hat die Juden unterrichtet – auch ein paar Nichtjuden, die Sozialisten waren. Ein anderer übernahm die Nichtjuden. Das haben wir so akzeptiert, als ob es normal sei. So zweimal im Jahr haben die Universitätsstudenten die Juden verhauen. Es ging *immer* gegen die Juden, es ging gegen nichts anderes als gegen die Juden. Ich war damals nicht auf dem Universitätsgelände, weil die medizinischen Vorlesungen in den Krankenhäusern gehalten wurden, so daß ich das nicht gesehen habe. Aber meine Schwester, meine Mutter und mein Bruder waren dabei.
Das größte Trauma in Wien war für uns der Zusammenbruch der Sozialdemokratie 1934 und die Herrschaft der Austrofaschisten unter Dollfuß und Schuschnigg.[5]«

Radau-Antisemitismus und passive sozialistische Freunde

»Es war eine Art italienischer Faschismus, antisemitisch zwar, aber meiner Erfahrung nach nicht sehr viel antisemitischer als früher, als die Sozialdemokraten an der Macht waren. Obwohl die Sozialdemokraten offiziell nicht antisemitisch waren, waren sie es doch auch. Ich nenne Ihnen ein Beispiel: Ich hatte in der Neurologie zwei Kollegen: Der eine war Professor Redlich, der jetzt, glaube ich, in Kalifornien lebt und damals ein junger Mann war, der sich gerade um eine Stelle bemüht hatte; der andere war ein besonderer junger Freund von mir, Walter Birkmeier, der, wie sich später herausstellte, ein Nazi war.
Der eine war Nichtjude, der andere Jude. Damals erzählte man dann, daß man nachgesehen hat, ob Redlich – das waren Witze! – beschnitten ist!« (Sie lacht.) »Und jeder hat gewußt, daß ›der Jude‹ die Stelle nicht bekommen wird. Man hat das alles irgendwie zu passiv aufgenommen. Sie wissen, Wien war eine rote Stadt!
Obwohl die meisten unserer Freunde Sozialisten waren, hat man nicht dagegen gekämpft. Man hat keine Demonstrationen gemacht. Man hat es nicht verhindert, obwohl die Sozialdemokratie stärker war, be-

[5] Vgl. das Gespräch mit Marie Jahoda in diesem Buch.

sonders am Wiener Krankenhaus und an der Wiener Universität. Wenn man das selber erlebt hat, kann man verstehen, wie sich auch in Deutschland so etwas *eingeschlichen* hat. Es wird noch ein bißchen mehr, noch ein bißchen mehr und noch ein bißchen mehr sein – und man wird es so annehmen, weil man seit Jahrzehnten so daran gewöhnt ist.
1934 habe ich dann das Studium beendet und wollte praktizieren. Aber die Polen ließen mich nicht, und die Wiener ließen mich auch nicht; so bin ich halt weggegangen. Die Wiener ließen mich nicht, weil ich Polin war. Das war alles legitim. Von den Polen war es nicht legitim, mich nicht praktizieren zu lassen.«

Haben Sie das, was Hitler dann unternahm, vorhergesehen?

»Wir haben Hitler überhaupt nicht vorhergesehen. Wir waren so mit unseren eigenen Faschisten beschäftigt. Man hat sich immer so gefreut, daß man nicht verhaftet wurde, wenn wir in unserer kleinen sozialistischen Gruppe zusammenkamen.
Eines Tages ging ich nicht in die Gruppe, weil meine Schwester mich so gequält hat, ich solle nicht hingehen, ich solle nicht gehen. Sie hat mich gerettet, denn *alle* wurden verhaftet. Man war so beschäftigt mit den eigenen Faschisten, mit dem Verlust des Roten Wien. Der Hitler war nicht so ferne – mein bester Freund war ein Nazi!« (Sie lacht.) »Und ich hab' das nicht einmal gewußt.«

Das Rote Wien – war das für Sie die Erfüllung der politischen Hoffnung?

»Ja, das Rote Wien war ein großes Ideal.«

Es war auch gelebt?

»Ja, es war gelebt.«

Gemütlichkeit, Humor, Sadismus

Beschränkte sich das Rote Wien, das »wunderbare« Rote Wien eigentlich nur auf die Stadt selbst?

»Ja, nur auf Wien. Nur auf Wien. Im Land gab es nichts, da war Antisemitismus und Klerikalismus – beides auch nebeneinander.«

»Wir haben empfunden, daß wir irgendwie etwas gutmachen wollten«

Zu Judith Kestenbergs gegenwärtigen Arbeitsschwerpunkten zählt das Interesse, zu erfahren, wie die zweite Generation der Deutschen mit dem Nationalsozialismus umgegangen ist und noch umgeht. Sie gehört damit zu den wenigen, die sich mit beiden Gruppen auseinandersetzt: den Kindern von Überlebenden, denen ihre Arbeit zuvor ausschließlich galt, wie den Nachkommen von Tätern.

»Die Motive dafür sind sehr persönlich. Ich habe meinen Vater in Auschwitz verloren. Meine Mutter ist 1941 im östlichen Teil Polens umgekommen. Und dann sind es Erfahrungen aus meiner Praxis:
Ich habe ein Mädchen in meiner Praxis gehabt, das wie eine Verfolgte ausgesehen hat; sie ist aus dem Lager gekommen, obwohl ›nur‹ ihre Eltern Verfolgte waren. Sie hat das Leben ihrer Eltern wiederholt. Das hat mich sehr beeindruckt. Hinzu kommt, daß ich durch meinen Mann, der als Anwalt Wiedergutmachungsfälle betreute, viel damit zu tun hatte. Er hat mir immer wieder erzählt, an was sich die Leute erinnern und an was nicht.
1974 haben wir eine Gruppe zur psychoanalytischen Erforschung der Folgen des Holocaust auf die zweite Generation gegründet.«[6]

Was treibt Sie zu dieser Arbeit an? Sie machen das viel aktiver als viele andere in Ihrer Profession. Sie tun diese Arbeit zusammen. Ihr Mann als Anwalt in peinlichen Auseinandersetzungen um Wiedergutmachungszahlungen...

»Ich hatte für eine gewisse Zeit Überlebende vertreten«, erklärt Milton Kestenberg. »Da ich mich mit diesem Gebiet auf Einladung deutscher Rechtsanwälte erst sehr spät beschäftigt habe, bekam ich nur Fälle, die abgelehnt worden waren. Das Problem bestand darin, die Fälle wieder aufzunehmen. Eine Gruppe bezog sich auf Leute, die während der Verfolgung kleine Kinder gewesen waren und sich nicht daran erinnern konnten, was sie erlebt hatten. Eine Frau hatte beispielsweise – sie trägt eine Nummer aus Auschwitz – zwei- oder dreimal versucht, Selbstmord zu begehen, weil sie mit dem Leben nicht mehr fertig wurde; aber was während des Krieges mit ihr geschehen war, das wußte sie nicht, weil sie damals viel zu klein gewesen war... und ihr Antrag ist abgelehnt worden. Ich habe vielleicht mit ihr einen

[6] Vgl. das Buch von Jucovy/Bergmann (Hrsg.), *Generations of the Holocaust.*

ganzen Tag gesprochen, und wir haben die ganze Unterhaltung niedergeschrieben. Das habe ich dann an die deutsche Behörde geschickt. Durch die Unterhaltung hat sie sich an viele Sachen erinnern können, die sie zunächst vollständig vergessen hatte.
Der Frau war sehr daran gelegen, Entschädigung zu bekommen, weil sie ein kleines Kind hatte und die deutsche Wiedergutmachung dringend brauchte. Sie hat dann aufgrund eines revidierten Bescheides eine lebenslange Rente und eine Rückerstattung für die Vergangenheit bekommen. Später nutzte sie das Geld, um ein kleines Geschäft zu eröffnen. Sie lebt heute in New York.
Durch diese Erfahrungen habe ich dann viele solcher Fälle behandeln können.
Dabei habe ich noch eine andere Sache erfahren. Vielen hat nämlich ihre psychoanalytische Behandlung überhaupt nicht geholfen. Der Analytiker wollte häufig gar nicht wissen, was diesen Personen während des Krieges widerfahren war. So waren Leute über Jahre hinweg in einer Behandlung, die ihnen überhaupt nicht geholfen hat.
Ich muß noch hinzufügen, daß sich die Behörden in sehr vielen Fällen sehr schlecht benommen haben. Das Wiedergutmachungsgesetz enthält einen Paragraphen 7, der besagt, daß ein Fall abgelehnt werden muß, wenn die betreffende Person etwas äußert, was nicht wahr ist, obgleich sie sich dessen nicht bewußt ist, daß es nicht wahr ist. Dieser Paragraph 7 war die Basis der Ablehnung von etwa dreißig bis vierzig Prozent aller Anträge, obwohl kein Zweifel daran bestand, daß die betreffende Frau oder der betreffende Mann verfolgt worden waren. Die Behörden blockierten das einfach. Die Leute mußten Hunderte von Fragen beantworten, neue Fragebögen, wieder neue Fragebögen – und dann saßen in Deutschland Ärzte dabei, die alle Antworten in den Fragebögen verglichen. Wenn sie eine Differenz entdeckten, wurde die Sache sogleich abgelehnt. Das hat für die Leute nicht nur ein ökonomisches Leiden bedeutet; vor allem war es auch ein schreckliches psychisches Erlebnis, wenn die Behörde sagte: *›Dein Fall wird abgelehnt, weil du gelogen hast!‹* Das kann unter Umständen das ganze Leben eines Menschen zerstören, sein Verhältnis zu seiner Frau und seinen Kindern, denen er ja vieles von seinen Erlebnissen erzählt hatte – wenn ihm attestiert wird, daß er ein Lügner sei ... eine ungeheure Kränkung!«

Judith Kestenberg ergänzt: »Das hat man vor allem bei den Kindern der Verfolgten gesehen, die sagten: ›Mein Vater hat gelogen, das ist ja eigentlich gar nicht geschehen.‹ Daß ich mich erst relativ spät, dann aber sehr stark damit beschäftigt habe, kommt, glaube ich, aus einer langen Latenzperiode, die ich hatte. Ich wollte eigentlich nicht davon sprechen. Ich habe meine ältere Tochter aufgezogen, ohne daß sie etwas davon wußte. Eher im sozialistischen Sinne. Sie ist auch so geblieben und weiß nur wenig vom Judentum. Ich bin erst nach langer Zeit durch einen Patienten aufgewacht, der wie ein Kind aus dem Konzentrationslager ausgesehen hat und der – als ich ihm irgendwann sagen konnte, was der Vater mitgemacht hatte – langsam wieder normal zu essen begonnen hat. Das hat mich auf die Probleme der zweiten Generation gebracht –, aber das war nur der Anlaß. Ich bin nicht verfolgt worden, aber meine Eltern wurden verfolgt, mein Bruder wurde verfolgt. Mein Vater ist in Auschwitz gestorben, meine Mutter in einer Stadt, die jetzt in Rußland liegt. Das hat mich erschüttert, ich habe darauf nicht reagieren können. Die ganze Katastrophe hat mich erschüttert. Es gab Leute, die mir nahestanden und plötzlich Nazis wurden. Und – der größte Teil meiner Familie ist ermordet worden. *Aber es ist nicht nur die Familie, es sind Freunde, eine ganze Kultur – und der Glaube.* Ich habe eigentlich nie an Polen geglaubt, aber an Wien – an Wien habe ich geglaubt! Das war meine Stadt! Und das haben sie auch zerstört! So wollte ich das irgendwie, als die Latenzperiode vorbei war, rückgängig machen.
Ich habe mich mit Patienten verbunden, die Überlebende oder Kinder von Überlebenden sind. Wir haben alle empfunden, daß wir irgendwie wieder gutmachen wollten, daß wir irgendwas... jedenfalls verhindern wollten, daß das noch einmal geschehen kann. Deswegen haben wir auch mit den Deutschen gearbeitet. *Wir können das nicht verhindern helfen, wenn wir nur die Verfolgten studieren und mit ihnen arbeiten – wir müssen das gleiche mit den Verfolgern und ihren Kindern tun.* Deswegen sind viele Leute hier in den Vereinigten Staaten sehr böse auf uns.
Meine Motivation ist, glaube ich, wie bei vielen anderen auch, es gutzumachen, es nicht... man war so ohnmächtig, man konnte nur ohnmächtig werden, nicht dran denken – und nichts half. Man konnte niemanden retten, so daß wir hinterher Leute retten wollten, aber das machen Sie doch auch...«

Ja, wenn das möglich ist... Sie haben gesagt, daß Sie eine Latenzphase durchgemacht haben. Analysieren kann man Überlebende nur, wenn man selber die Abwehr, sich damit auseinanderzusetzen, durchgearbeitet hat. Sie haben lange gebraucht...

»Nun, das hat ungefähr 23 Jahre gebraucht, aber so an die 25 Jahre haben viele gebraucht, manche länger, manche kürzer. Zuvor hatte schon William Niederland[7] seine Arbeiten zum Überlebenssyndrom veröffentlicht. Ich wußte auch, daß sie in der Analytischen Vereinigung Workshops abhalten, und hatte schon vage von dem ›Überlebenssyndrom‹ gehört. Aber das hat sich mir nicht emotional verbunden. Ich glaube, daß ich so außerordentlich stark mit dem Konzentrationslager konfrontiert worden bin, lag daran, daß ich meinem Patienten nicht entrinnen konnte. Es gibt viele, die dem zu entrinnen suchen und nicht darüber reden. Ich konnte alles Mögliche analysieren und fand nicht heraus, daß sein eigener Vater in einem Konzentrationslager war, weil er es mir nicht erzählt hatte. Bis ich fragte...
So gab es eine innere Bereitschaft und ein äußeres Ereignis, das die ganze Auseinandersetzung bei mir ausgelöst hat.«

»Wir können mit der Trauerarbeit gar nicht fertigwerden«

Sie sagten: ›ungeschehen machen‹, ›irgendwas retten‹...

»Das kann man nicht mehr, nicht wahr? Man kann die Kinder der nächsten Generation retten – das ist rational gesagt. Irrational will man natürlich seine Eltern retten und die Kinder, die ermordet wurden. Das ist die größte Motivation.«

Sie haben auch von Trauerarbeit gesprochen. Trauerarbeit soll ja auch heißen, etwas als ›vergangen‹ aufzugeben.

»Ich glaube, daß die Trauerarbeit weitergeht und noch immer da ist. Als ich jetzt in Warschau im ehemaligen Ghetto war, hat mich das sehr erschüttert. Die Trauerarbeit ist nicht fertig. Wir können in unserer Generation mit der Trauerarbeit gar nicht fertigwerden. Wir verlangen eigentlich von unseren Kindern, daß sie diese Arbeit fortsetzen. Man kann das nicht wirklich aufgeben, dazu ist das viel zu traumatisch. Das ist nicht nur so, daß einem die Mutter oder der Vater stirbt – nach einer Trauerarbeit nimmt man das an. Aber was mich besonders

[7] William Niederland, *Folgen der Verfolgung*, Frankfurt am Main 1980.

erschüttert: nicht nur, daß meine Eltern, meine Onkel, meine... *Was mich besonders erschüttert, ist, daß eine ganze Generation von Kindern hin ist... wie kann ich das akzeptieren?* Daß alte Leute gestorben sind – auf diese Weise kann ich das natürlich akzeptieren, aber das ist die Ordnung der Welt. Aber die vielen Kinder! Das kann ich nicht akzeptieren...«

Es gibt einen Stein in Yad Vashem, auf dem einfach nur steht: ›1500000 Kinder‹...

»Und das ist noch gar nicht wahr. Es sind wahrscheinlich mehr...« (Pause)

Sie haben in Generations of the Holocaust *über Ihre Patientin Rahel M. geschrieben und bei ihr beobachtet, daß sie in einer doppelten Wirklichkeit gelebt hat: daß sie zugleich der Vater, der im Konzentrationslager war, und die Großmutter war... Sie haben das »Transposition« genannt: eine besonders intensive Form, gleichsam das Leben dieser Verwandten bis in die konkreten Details des Alltags hinein »stellvertretend« zu leben.*

Rahel M. hatte sich so sehr in die Situation der Verwandten hineinversetzt, daß sie aufhörte zu essen und dies für sie häufig lebensgefährlich wurde. Alle aggressiven Triebimpulse standen unmittelbar und voll für den Tod. Sie lebte in einer zweifachen Welt: in ihrer Gegenwart – und der ihres unter der NS-Herrschaft verfolgten Vaters, welcher seine Familie im Holocaust verlor. Indem sie sich aus sozialen Kontakten zurückzog, war sie der Vater. Zumeist aber war sie die Großmutter, nach der Interpretation Judith Kestenbergs eine Inkarnation der toten Mutter des Vaters.
Judith Kestenberg schreibt weiter, daß diese bis in die physischen Äußerungen hineinreichende Transposition auf die blockierte Trauer des Vaters zurückzuführen sei: eine Transposition statt Trauer.
Über ähnlich schwerwiegende stille Aufträge der Elterngeneration Überlebender auf die nächste – und deren schwierige Heilung – berichteten auf dem Internationalen Psychoanalytiker-Kongreß in Hamburg 1985 auch Ilany Kogan und Hillel Klein. Beobachtet werden spiegelbildliche Prozesse, die von Erfahrungen besonderer Ohnmacht ausgelöst werden: etwa Allmachtsgefühle, die erlebte Entwürdigung gleichsam nachträglich kompensieren.

»Spüren Sie nicht, daß meine eigene Transposition auch dieses Gespräch begleitet? Ich hatte auch nach Ihrer gefragt: Ob Sie fühlen, daß die NS-Zeit bei Ihnen gegenwärtig ist – worauf Sie sagten, Sie spürten sie, wenn Sie ein Konzentrationslager besuchen ...«

Wie können denn Menschen wie Rahel M. mit dieser Erfahrung umgehen lernen? Wie können sie Schritte zu einer Besserung, wenn nicht zu einer Heilung tun, solange die Trauer des Vaters blockiert ist?

»Die Trauer des Vaters war blockiert, aber sie hat zunehmend mit ihm wieder sprechen können. Und *er* hat mit ihr sprechen können. Sie konnte ihrem Vater immer stärker helfen, zu sprechen. Sie ist dann nicht nur mit dem Vater, sondern mit der ganzen Familie in Israel gewesen, wo Überlebende zusammengekommen sind. Dort hat ihr Vater *gesagt*, was ihm widerfahren ist. Es ist der zweiten Generation durchaus häufig gelungen, den Eltern direkt zu helfen, darüber zu sprechen. Und das ist ein Stück Verarbeiten – so weit das möglich ist.«

»Man kann sprechen und nicht verarbeiten«

Darüber zu sprechen ist wichtig?

»Sprechen allein nicht. Man kann sprechen und nichts verarbeiten. Viele erzählen immer dieselben Geschichten aus dem Konzentrationslager und verarbeiten nichts. Man muß sprechen, *nicht um des Sprechens oder der Katharsis wegen, sondern um es anzusehen* und die Möglichkeiten zu gewinnen, es anzusehen, ohne es zwanghaft ansehen zu müssen. Denn zuerst mußte man ja dem entgehen, um nicht immer daran denken zu müssen. Viele Leute haben das noch immer: Unablässig denken sie daran. Das heißt, daß sie eben nicht damit fertigwerden, nicht davon loskommen. Auch dieser Vater, dem es ja sehr schwerfiel, ist doch imstande, darüber zu sprechen und zu verstehen. Und er hat auch ihr sehr oft Verständnis entgegengebracht und ihr dann eines Tages gesagt: ›Weißt du, du mußt dich nicht die ganze Zeit für Dinge bestrafen, die du nicht gemacht hast!‹«

Helfen Begegnungen? Kann diesem Ziel auch eine Konferenz wie die zwischen Verfolgten und Helfern dienen, wie sie kürzlich mit Ihrer Beteiligung unter der Leitung von Elie Wiesel in Washington stattgefunden hat?[8]

[8] Gemeint ist die von Elie Wiesel angeregte Konferenz zwischen »Rettern und Geretteten« im September 1984, an der ich als Journalist teilnehmen konnte – H. F.

»Das hilft sehr. Rahel M. ist bei einer ähnlichen Konferenz gewesen. Sie hat mir damals gesagt, daß ihr diese Konferenz sogar *sehr geholfen* hat, weil sie gesehen hat, daß ihre Angelegenheit die Angelegenheit einer ganzen Generation ist. Es fällt leichter, sich mit gemeinsamen Kräften dieser Sache auszusetzen und nicht bloß als Individuum.«

Ich war überrascht, wie wichtig vielen der Verfolgten die Ehrung *derjenigen ist, die ihnen damals geholfen haben, zu überleben. Es ging vielen sehr nahe – was mir* gezeigt *hat, wie wenig diese Geschichte »Geschichte« ist. Es hat die Verfolgten entlastet, darüber zu sprechen, und dann noch mit Menschen, die ihnen wirklich ganz konkret geholfen haben.*

»Ich bin nicht sicher, ob es entlastet. Die Beziehung des ›Retters‹ zu den ›Geretteten‹ ist eine Sache, die sehr komplex und ambivalent ist. Es ist nicht so, daß man nur den Helfer liebt und ihm dankbar ist. Man ist auch sehr böse auf ihn. Ein Mann in meiner Arbeitsgruppe etwa hat so sehr betont, die Kinder seien bei ihm glücklich gewesen, daß er praktisch übersehen hat, daß er gleichwohl nicht Mutter und Vater war. Und als ihm das vorgehalten wurde, war er sehr enttäuscht. Einem Priester, der geholfen hatte – einem sehr feinen Mann –, begegnete einer der Überlebenden besonders aggressiv – womöglich eine Art Schuldübertragung. Diesem Priester wurde bedeutet, daß er nach Polen zurückgehen möge. Es war schrecklich! Die Wut, die viele auf die Polen haben, ist dabei noch größer als die Wut auf die Deutschen! Den Deutschen wird mehr vergeben. Worauf die Polen nicht ganz zu Unrecht sagen: Ihr benehmt euch so, als ob *wir* das gemacht hätten.«

Anders als die Psychoanalytikerin Ilse Grubrich-Simitis sprechen Sie nicht von einer »kumulativen traumatischen Neurose« bei Überlebenden.

»Ich spreche von einer *indirekten traumatischen Neurose*, da ich glaube – und natürlich hoffe –, daß die Eltern nicht immer so traumatisieren wie in dem von dem englischen Analytiker Kahn konzipierten Sinne. Das kommt gewiß vor. Es gibt Eltern, die sehr, sehr geschädigt sind. Aber es sind nicht alle Eltern so geschädigt. Sie haben vielleicht gesehen, wie viele der Menschen, die selber im Lager waren, irgendwie herausgekommen sind, ohne *so* geschädigt zu sein, daß sie kein Verständnis für die Kinder mehr haben.
Entscheidend ist, daß man mit dem Patienten das Holocaust-Trauma zu überwinden sucht. Und immer wieder neu. Wenn man mit mehre-

ren solcher Patienten arbeitet, muß man jedes Trauma erneut überwinden helfen. Und wenn man die Leute – wie ich das jetzt tue, wie viele von uns das tun – durch Gespräche kennenlernt, dann muß man erneut mit ihnen das Holocaust-Trauma irgendwie überwinden...

Das *zweite* wichtige Problem ist, daß Überlebende nicht selten den alltäglichen Bedürfnissen ihr Recht bestreiten und sie verdrängen. Es gibt Menschen unter ihnen, die nicht wissen, daß sie aufs Klo gehen müssen, die nicht wissen, daß sie hungrig sind. Sie betrachten ihre Bedürfnisse so, als wären es unrealistische Phantasiewünsche ohne Recht auf Verwirklichung.

Ihre ›Realität‹ im Konzentrationslager oder Ghetto war so traumatisch, daß sie sich ihre einfachsten Bedürfnisse bestreiten mußten. Und ihre Erinnerung daran ist so nah, daß sie sich heute noch nicht die Freiheit gestatten, *diesen einfachen Grundbedürfnissen des Alltags ohne Schuldgefühle*, ohne Überlebensschuld nachzukommen.

Wenn man das nicht analysiert, hat man alles analysiert, *nur nicht die tiefste Schicht des Traumas*. Und dazu gehört eine Form intensiver Erinnerung – wenn man so will: der Transposition. *Man muß mit dieser Erinnerung so umgehen, daß die Erinnerung nicht erneut traumatisierend wirkt.* Das habe ich noch nie beschrieben. Viele Analytiker haben entdeckt, daß Überlebende die Erinnerung dazu benutzen, um mit der Gegenwart eben *nicht* fertigzuwerden, sondern sich immer erneut *durch die Erinnerung retraumatisieren* und dadurch nie damit fertigwerden. Es ist ein Wiederholungszwang. Es kommt nichts dabei heraus. Man muß dem Patienten helfen, die Erinnerung konstruktiv und integrierend zu verwenden und etwas aus der Erinnerung zu machen, statt nur an sie gebunden zu bleiben – und diese Arbeit ist sehr schwer.«

Margrit Wreschner-Rustow:

»Wir haben uns gesagt: Wir werden es schaffen«

Margrit Wreschner-Rustow lebt als Psychologin in New York. 1927 geboren, wuchs sie in einer streng orthodox-religiösen Frankfurter Familie auf. Ihr Vater, Baer-Sontheimer, war in seiner Familie nahezu der einzige, der *nicht* Rabbiner wurde, sondern Mitinhaber einer Immobilien- und Exportfirma. Margrits Mutter stammt aus einer jüdischen Familie in Ungarn.

1935 wanderte die Familie nach Amsterdam aus. Vier Jahre später starb der Vater. 1940 marschierte die Deutsche Wehrmacht in Holland ein. Margrit, ihre Mutter und ihre anderthalb Jahre ältere Schwester Lotte kamen in verschiedenen Wohnungen unter. Zweieinhalb Jahre lang versteckten sie sich, entgingen Razzien. Ende 1943 verließen die drei gemeinsam einen ihrer Unterschlüpfe, um eine Synagoge zu besuchen. Eine Denunziation brachte ihnen drei Monate Westerbork ein; Ende 1944 wurden sie dann ins Konzentrationslager Ravensbrück deportiert. Während Mutter und Schwester zerschossene SS-Uniformen herrichteten, »durfte« Margrit bei den Siemens & Halske-Werken elektrische Widerstände zusammenbauen. Ihre Mutter starb vor ihren Augen an Typhus. Die beiden Schwestern stützten sich gegenseitig, kamen nach Theresienstadt – und überlebten.

Nach dem Krieg kehrte Margrit Wreschner in ein verwüstetes Amsterdam zurück. Ohne Freunde fühlte sie sich fremd. Nach langen Irrfahrten zwischen Palästina und Amerika blieb sie schließlich in New York.

Zu ihren schmerzlichsten Erfahrungen gehörte die Trennung von ihrer älteren Schwester, als diese in Israel eine Ehe einging. Margrit Wreschner heiratete in New York einen nichtjüdischen Deutschen, der 1939 als Vierzehnjähriger dem Ruf seines Vaters, des Marktwirtschaftlers und Geistesgeschichtlers Andreas Rustow, nach Istanbul gefolgt und später in die Vereinigten Staaten emigriert war.

Neben ihrer Tätigkeit als Psychologin ist Margrit Wreschner-Rustow auch bei »amnesty international« aktiv; sie schreibt an einer Arbeit über die Bedeutung religiöser Überzeugung bei der Rettung von gefährdeten Menschen während des Nazi-Regimes.

»Mein Elternhaus war streng religiös«

»Mein Vater gehörte zum Vorstand der ›Austrittsgemeinde‹ der orthodoxen jüdischen Gemeinde in Frankfurt, deren Gründer im 19. Jahrhundert der bekannte Rabbiner Samson Raphael Hirsch war.

Wir haben einen streng koscheren Haushalt gehabt, Shabbat und Feiertage wurden eingehalten, ich ging sogar in die fromme jüdische Samson-Raphael-Hirsch-Schule. Mein Vater war Mitinhaber der großen Import- und Export-Metall- und Erzfirma Baer-Sontheimer, er hat sich von ganz unten hochgearbeitet und wurde Mitdirektor der Firma, die bis 1932 sehr gut ging, ehe sie durch Depression und Inflation in finanzielle Schwierigkeiten geriet. Auf mich hat das als kleines Kind schon großen Einfluß ausgeübt, denn wir mußten unseren Lebensstandard verändern. Mein Vater kam aus einer sehr intellektuellen Familie in Breslau. Er war fast der einzige, der *keinen* intellektuellen Beruf gewählt hat; sein ältester Bruder war Rabbiner, der dritte Professor für Psychologie und Medizin in Zürich, der dritte Rabbiner in Hamburg, seine Schwester hatte (auch in Hamburg) einen Mathematiker geheiratet. Mein Vater hat aber sehr viel studiert und gelesen, meistens jüdische Wissenschaft, und philosophische Gespräche geführt.
In der väterlichen Familie gab es viele Rabbiner und jüdische Gelehrte, mein Großvater war zwar kein Rabbiner, aber auch ein Gelehrter, und auch meine Vettern väterlicherseits sind fast alle religiös. Lediglich mein Onkel, der in der Schweiz Professor war, hatte sich assimiliert; der hatte eine sehr komische Entwicklung genommen. Eines Tages kam er von seinen Eltern zurück und sagte zu seinen Kindern: Jetzt werden wir anfangen, samstags nicht mehr in die Schule zu gehen. Das hat natürlich große Reaktionen ausgelöst: Zwei *seiner* Kinder haben sich taufen lassen (!), sind sogar sehr christlich-fromm geworden – ein Sohn aber, ein Vetter von mir, ist Gemeindevorsteher und Präsident der jüdischen Gemeinde in Zürich geworden.
An meinen Vater erinnere ich mich *sehr* gern, ich war die Jüngste und sein Liebling – ich bin geboren, als er schon 57 war. Ich hatte ihn, wie er sagte, ›jung gehalten‹ – meine Mutter war zwanzig Jahre jünger als mein Vater. Sie kam aus einer sehr wohlhabenden ungarischen Familie, die Weingüter hatte. In der ersten Ehe war sie in Wien verheiratet gewesen und kam dann nach Frankfurt, um meinen Vater zu heiraten.
Vom Temperament her gesehen, stand ich ihm viel näher als meiner Mutter, ohne daß ich ihn allerdings viel gesehen hätte, da er viel gereist ist und sehr lange Stunden am Tag arbeiten mußte, als ich klein war. Ich habe eine *gute* Erinnerung an ihn, er konnte sich sehr freuen; am Shabbat und an Feiertagen kam er dann doch immer nach Hause, es war eines der wenigen Male in der Woche, daß wir

alle zusammen waren. Oft gab es zu Hause – wir hatten ein großes – viele Gäste, alles war sehr lebendig, mein Vater hat viel gesungen, vor allem an den Festen. Ich war erst zwölf, als er gestorben ist.«

Sie waren gerade sechs Jahre alt, als Hitler an die Macht kam...

»Ich erinnere mich wie heute, als meine Eltern zur Wahl gingen – ich war ein kleines Kind, ich glaube, es muß noch 1932 gewesen sein – und sehr betrübt zurückkamen, sehr deprimiert. Sie hatten das Gefühl, daß das nicht gut ausgeht. Als dann die Saar besetzt wurde, wurde das in der Familie sehr ernstgenommen. Ich erinnere mich auch ganz vage, daß meine Eltern sehr ernst waren, als Hitler an die Macht kam.
Als Kind war ich sehr fröhlich, habe gern gespielt und mich nicht viel um das gekümmert, was die Erwachsenen gemacht haben – aber an diese Situationen erinnere ich mich, ja.
Als ich von der Volksschule in die Sexta kommen sollte, hat mich *sehr* betroffen, daß ich mit den anderen jüdischen Kindern nicht mehr in die Realschule gehen durfte. Es gab nur eine Ausnahme: wenn die Väter im Ersten Weltkrieg Frontkämpfer gewesen waren. Da muß ich ungefähr neun gewesen sein. Mir hat man einen Platz gegeben, *obwohl* mein Vater kein Frontkämpfer war, wohl deswegen, weil er im Vorstand der Schule war. Mich hat das sehr gestört, ich hatte das Gefühl, daß es nicht um mich ging, sondern um etwas, was meinen Vater betraf. Allerdings erinnere ich mich nicht mehr an Gespräche, die darüber geführt worden wären; man hat uns, meine Schwester und mich, irgendwie draußen gehalten – leider.«

1934 verschwanden die Kinder um mich herum: »Ausgewandert«

Hat es Sie gekränkt? Hat es Sie für Ihren Vater gekränkt?

»Es hat *mich* gekränkt, daß es nicht durch meine eigene Leistung entschieden worden war. Ich habe darunter gelitten, aber mir ist nicht mehr bewußt, wie. Ich weiß aber noch sehr genau, daß ich im letzten Jahr 1934 in Frankfurt keine gute Schülerin war. Es war auch schon ein Jahr, in dem viele andere Kinder weggingen; schon im Jahr davor waren viele Freundinnen abgereist, ausgewandert, und das war schwer für mich als kleines Kind: Plötzlich sprachen Kinder um mich herum darüber, sie würden abfahren und nicht wiederkommen – das gab uns das Gefühl von Verlassensein.

Diese Woche habe ich mein Poesiealbum angeguckt – ich habe meines aufbewahrt...
Ich habe plötzlich gemerkt, daß die Kinder irgendwie verschwunden sind; ich weiß nicht, ob *ich* wegging oder ob *sie* weggingen.
Dann war da noch etwas anderes. Ich war als Kind oft krank und hatte Hals-Nasen-Ohren-Geschichten. Man hat mich dann 1934 in die Schweiz geschickt, also zu der Zeit, in der Menschen schon weggingen und auch meine Eltern es sich eigentlich nicht erlauben konnten, mich in die Schweiz in ein Kinderheim zu schicken. Aber wohl, weil der Doktor sagte, die Höhenluft wäre gut für mich, haben sie es doch getan. Und ich hatte ein Gefühl von Ängstlichkeit, wegzugehen...
Dadurch war die Trennung besonders schwierig, ich war deswegen sehr ungern in diesem Kinderheim und hatte ständig Heimweh.
Richtig antijüdische Erfahrungen hatte ich persönlich kaum. Doch – an einige Male erinnere ich mich, es ging gegen mich und meine Schwester Lotte. Am Samstag sind wir immer besonders gut angezogen worden, um in die Synagoge zu gehen. Wir sind allein ungefähr vierzig Minuten zur Synagoge in der Friedberger Anlage gelaufen, fahren durften wir nicht, da hat man uns ›Judenkinder‹ nachgerufen.
Ein anderes Mal haben uns Kinder in der Nähe des Zoologischen Gartens verhauen, in der Nähe unserer Schule, und das hat uns sehr viel angst gemacht. Ich weiß nicht, ob die viel älter waren, aber es waren Jungen – und sie waren stärker.
Ich erinnere mich auch noch an eine andere Geschichte: Wir hatten damals ein Haus in Königstein im Taunus und sind dort manchmal übers Wochenende hingefahren, und meistens im Sommer in den Ferien. Auch die Kinder meines Bruders waren dort. Wir haben dort gespielt, das Haus war groß und lag sehr schön direkt am Wald – es waren meine schönsten Erinnerungen. Normalerweise sind wir von Königstein im Zug zurückgefahren. Ich erinnere mich, daß wir vom Zugfenster aus bei einer dieser Rückfahrten – es muß 1933 gewesen sein – sehen konnten, wie da marschiert wurde. Das Kindermädchen, das die Kinder meines Bruders versorgte, hat sich zum Zugfenster hinausgelehnt und denen ganz laut ›Heil Hitler‹ zugerufen. *Das* hat mich irgendwie erschüttert. Ich weiß nicht wieso, man hat uns wahrscheinlich gesagt, das dürften wir nicht mitmachen oder so was.
Eine weitere Erinnerung bezieht sich auf das Jahr 1934, als wir meine beiden Brüder besucht hatten, die schon nach Amsterdam ausgewandert waren; nun fuhren wir zurück. Da nahm mich im Zug ein Mann

zu sich und blätterte mit mir ein Journal mit vielen Bildern durch. Wir sahen Bilder von all den Kindern mit den braunen Hemden, und er fragte mich: ›Hast du auch ein braunes Kleid?‹ Und ich: ›Ja.‹ Er: ›Wo ist es?‹ Ich: ›In der Wäsche...‹. Ich wußte genau, ich hab' gelogen. Als ich nach Hause kam, hab' ich das meinem Vater erzählt, worauf der sehr böse wurde: ›Das darfst du nicht machen, tu das nie wieder, du hast gelogen! Du bist Jüdin und sollst stolz darauf sein!‹ Ich habe mich sehr geschämt: Einmal hatte ich mein Judentum verleugnet, und dann hatte ich gelogen – aus Angst, aber gelogen. Der Mann in dem Zug hatte auch noch gefragt, ob ich zur Hitlerjugend gehöre, und auch da hatte ich gelogen und ja gesagt. Ich mußte irgendwie das Gefühl gehabt haben, daß es gefährlich ist, ›Nein‹ zu sagen.«

War es vielleicht auch mit dem Wunsch verbunden, im Gespräch mit diesem Mann nicht in ein zudem nur geahntes Problem zu geraten?

»Kann sehr gut sein, ich war sehr *›flirtatious‹*, wie man sagt; ich kann mir vorstellen, die Männer haben mich sehr gern gehabt...«

Hat sich durch dieses Gespräch mit Ihrem Vater etwas von seinem Stolz auf Sie übertragen?

»...Das ist interessant.« (Seufzt nachdenklich.) »Mein Vater hatte mir damals in mein Poesiealbum geschrieben, ich solle auf mein Judentum stolz sein – für ihn war das sehr wichtig. Sehen Sie, es war im Grunde nie ein Konflikt für mich, Jude zu sein. Daher war es gar nicht nötig, so etwas zu sagen – ich bin von Anfang an so erzogen worden. Vielleicht ist es deswegen für mich bis heute schwer zu verstehen, daß ich nicht den Mut gehabt hatte...«

Auswanderung nach Amsterdam 1935: »eine herrliche Rheintour«

Sind Sie mit Ihren Eltern 1935 nach Amsterdam gegangen?

»Es war eine vorbereitete Emigration. Meine Geschwister hatten sie vorbereitet, um es uns zu erleichtern. Mein Vater war ja kein junger Mann mehr, hat dennoch in Amsterdam neu anfangen müssen und ein Geschäft aufgebaut. Finanziell war das nur dadurch möglich, daß er einen Freund hatte, der Inhaber einer Bank in Leipzig war, die ihm als Ausgleich für Häuser in Deutschland Kapital für den Geschäftsaufbau im Ausland gab. Dadurch konnte er neu anfangen, wir konnten mit unseren Möbeln ganz regulär auswandern, nur ein kleiner Teil der Möbel blieb in Königstein zurück, wo wir ja ein großes schönes Haus hatten, daran erinnere ich mich doch mit ziemlicher Wehmut. Als wir am letzten Tag mit dem Auto zum Zug fuhren, erinnere ich mich genau, wie wir – Kennen Sie Frankfurt? – über den Opernplatz kamen. Ich weiß noch, wie der Boden war, es war so ein Kinderköpfe-Pflaster – ich hab' gedacht, vielleicht ist's das letzte Mal...

Aber dann haben wir eine herrliche Rheintour gemacht, mein Vater hat wohl darauf bestanden. Er hat Deutschland sehr geliebt, und so sind wir mit dem Schiff von Wiesbaden über Koblenz, Köln, Düsseldorf den Rhein entlang – das war eine phantastische Tour. Mein Vater hat Deutschland wirklich geliebt und wollte, daß wir es schön in Erinnerung behalten. Ich habe diese Tour vor jetzt vielleicht zehn Jahren noch einmal selbst gemacht. Wir sind sogar damals auf den Berg zur Loreley mit dem Esel geritten.« (Sie lacht.) »Es war herrlich! Mein Vater hat es genossen!

Dann sind wir mit dem Auto an der holländischen Grenze von meiner Schwester abgeholt worden und nach Amsterdam gefahren. Der Abschied wurde uns leicht gemacht, da es schön war, unsere Geschwister wiederzusehen. Es war alles vorbereitet, wir hatten ein schönes Haus in Amsterdam und einen guten Anfang! Allerdings war mein Vater schon damals ab und zu krank; zwei Jahre später ist er dann gestorben.

In Amsterdam mußten wir natürlich eine neue Sprache lernen, und so kam es, daß ich das erste Mal eine Sprache besser beherrschte als meine Eltern, die beide mehrere Sprachen zugleich konnten.«

September 1939: Auswanderer als »Unruhestifter«

»1939 kamen dann verschiedene Sachen auf einmal: Mein Vater starb, wir mußten in eine kleinere Wohnung, unser Lebensstandard ging zurück – wieder ein neuer Anfang. In der Zwischenzeit war meine ältere Schwester nach Amerika gegangen, weil sie in Holland keine Arbeitserlaubnis bekam. Meine Eltern hatten sie in Amerika noch besucht, es hatte ihnen sogar sehr gut gefallen – aber sie sind nach Holland zurückgekehrt.

Vor allem hat uns der Ausbruch des Krieges geängstigt. Wir hatten ja schon Erfahrung mit den Nazis, ich habe mich nie mehr so sicher gefühlt wie in der Zeit bis 1937.

Aber schon im Jahr zuvor, vor allem nach der ›Kristallnacht‹, waren ja Freunde von uns – nun aus Holland – ausgewandert und dafür noch vom Leiter der jüdischen Gemeinde kritisiert worden. Ich erinnere mich genau, wie der Oberrabbiner von Amsterdam von der Kanzel aus gesagt hat, daß diese Leute ›vor dem unsichtbaren Feind fliehen‹, wegen einer Gefahr, die nicht besteht. Sie brachten Unruhe in die Gemeinde.
Mich hat das sehr geängstigt, wir fanden, daß es vollkommen verkehrt war. Es war vielleicht das erste Mal – ich war sehr fromm, sehr emotional gläubig –, daß es mich mit einer jüdischen Autorität, einer religiösen Autorität in Konflikt brachte, denn wir hatten das ja mitgemacht. Ich konnte nicht verstehen, daß die Leute das nicht sehen wollten. Dann kam 1939 der Kriegsausbruch. Wir haben uns furchtbar gewundert, daß zum Beispiel die englische und die amerikanische Regierung so reagierten wie Chamberlain und Daladier 1938, als sie *nicht* eingriffen und niemand was wissen wollte, die Gefahr sehen wollte...«

»... und dann kam Hitler nach Holland«

»Ich war noch ziemlich klein, elf oder zwölf Jahre alt, aber sehr viele haben *davon* gesprochen, so war ich irgendwie vorbereitet... und dann kam Hitler nach Holland.
Ich muß noch etwas dazu erzählen. Wir hatten Anfang 1940 Papiere zum Auswandern. Viele unserer Bekannten und Freunde waren schon ausgewandert, so daß meine Eltern keine nahen Freunde mehr in Amsterdam hatten – und wir *hatten* Papiere, nach Amerika zu fahren, Affidavits und sogar Billets. Doch meine Mutter war nach dem Tode meines Vaters so deprimiert, sie hat immer Schwarz getragen. Außerdem war einer meiner zwei Brüder in dem Sinne sehr bürgerlich, daß er gerne das Leben in Amsterdam genießen wollte – und es ging uns sehr gut. Er hatte zwei kleine Kinder, eine verwöhnte Frau, er wollte nicht wieder gehen... Mein *ältester* Bruder Siegfried (!) – mein Vater war sehr deutsch-kulturell – hatte dagegen eine Frau, die furchtbar ängstlich war. Die sind mit der ganzen Familie noch vor Kriegsausbruch nach England gegangen, um dort ein Kind zu bekommen, aber danach wieder zurückgekehrt.«

»Anfang 1940 sind sie (Bruder und seine Frau) mit ihren fünf Kindern nach Kanada ausgewandert – das war, als wir alle auswandern sollten und meine Mutter gesagt hatte: ›Nein, ich mach's nicht!‹ Auch mein zweitältester Bruder wollte nicht. Ich erinnere mich genau an die Gespräche – ›Warum nicht auswandern?‹ – und daran, daß Geschäftsfreunde meines Vaters gesagt hatten, als die ausgewandert waren: ›Wenn Ihr Vater leben würde, dann würde er weggehen!‹ Meine Mutter sagte: ›Nein, ich bleibe hier!‹ Sie war schon so oft in ihrem Leben umgezogen, sie hatte ihren Mann verloren – und wollte nicht *wieder* neu anfangen. Sie hatte auch Angst, meiner Schwester hier in Amerika zur Last zu fallen und nicht genug Geld zu haben, um unabhängig zu sein...
Ich glaube, ich war die einzige, die damals auswandern wollte. Aber es kam ja nicht in Frage – alleine. Und wir sind eh nicht weggegangen. Das war im Januar 1940.
Als Hitler in Holland einfiel, waren wir sehr überrascht. Ich weiß nicht, ob wir es wirklich nicht geglaubt hatten, ob wir irgendeine Vogel-Strauß-Politik gemacht hatten... Kurz vor dem Einmarsch Hitlers in Holland sind wir in eine Wohnung gezogen, in der ausgewanderte Freunde gewohnt hatten. Wir hatten vier Kinder aufgenommen, deren Mutter noch in Deutschland lebte und für ihren in Holland lebenden Mann, Hans Kroch hieß er, als Geisel festgehalten wurde. Hans Kroch war ein einflußreicher jüdischer Bankier, dem freie Reisen erlaubt worden waren. 1940 wurde er in Holland durch den Einmarsch der Wehrmacht überrascht. Sein Versuch, seine Frau illegal zu holen, scheiterte. Sie hatte oft wegen der Kinder besorgte Briefe geschrieben, dann ist sie schließlich verhaftet und nach Ravensbrück gebracht worden. Eines Tages kam eine Todesbescheinigung. Anfang 1941 hat man Hans Kroch und den vier Kindern eine offizielle Erlaubnis gegeben, auszuwandern, und sie konnten nach Spanien und von dort nach Argentinien fahren. Als die Deutschen Holland besetzten, haben wir darüber gelacht. Ich erinnere mich genau, wir Kinder haben Witze gemacht, über das Wort Krieg-Ohrlog, Loch-im-Ohr.
Die ersten vier Tage durften wir nicht aus dem Haus, Ausgangssperre für Fremde – und wir waren ja Fremde und hatten uns in Holland jeden Monat bei der Polizei zu melden. Ich erinnere mich auch, daß mein zweitältester Bruder, der gerade ein vier Wochen altes Baby hatte, versucht hat, am vierten Tag mit einem Boot nach England zu

fliehen. Ich war damals noch nicht ganz fünfzehn. Sie hatten das versucht, *ohne* es uns wissen zu lassen – das Boot ist aber nicht mehr abgefahren. Dann kamen sie zurück. Mich hat das alles ziemlich erschüttert, meine Mutter hat immer gesagt, sie würde diese vier Kinder nicht verlassen. Jedenfalls war die Folge, daß wir wieder umziehen mußten...«

»Razzien, keine Trambahn, Ausgehverbot – und die Aufforderung, sich bei der Gestapo zu melden«

»1941 hat man mit Razzien und strengeren Judengesetzen angefangen. Ich kann Ihnen Dokumente von Anfang 1941 zeigen. Dann mußten wir die nichtjüdischen Schulen verlassen.
Für uns war das sehr schwer, denn wir waren in einem sehr liberalen Lyzeum, mit einem Direktor, den wir sehr verehrten. Wir mußten dann also in jüdische Schulen gehen, was bedeutete, täglich dreißig bis vierzig Minuten zur Schule zu laufen, da wir ja nicht mehr mit der Trambahn und den öffentlichen Verkehrsmitteln fahren durften, nicht mehr nach acht Uhr abends ausgehen durften, nur zwischen zwei und vier Uhr einkaufen konnten...
1943 – oder war es 1942? – mußten wir ganz von der Schule, um uns zu schützen. Die Deportationen hatten angefangen. Wir waren staatenlos, was bedeutete, daß wir die ersten waren, die aufgefordert wurden, uns zu melden, um deportiert zu werden. Wir waren also damals... sechzehn... fünfzehn – war das 1941 oder 1942? Es gab damals schon Razzien und verschiedene Judengesetze, dann kamen die Aufrufe zum Arbeitseinsatz, mit den staatenlosen Jugendlichen hat man angefangen. Ich erinnere mich genau, wir gehörten zur jüdischen Jugendbewegung, hatten gewußt, daß verschiedene andere Kinder in unserer Lage auch Aufrufe bekamen. In dieser Situation haben meine Schwester und ich beschlossen, uns nicht zu melden. Heute kann ich es mir überhaupt nicht mehr vorstellen, wie viele unserer Freunde sich damals einfach gemeldet haben, um deportiert zu werden, mit Rucksack und einer Liste von Sachen – man hat es als eine Art Pionierabenteuer empfunden... Heute kann ich es einfach nicht mehr verstehen, wie man das... Unsere Erziehung war ja so, daß man tut, was man gesagt bekommt! Gerade diese Woche habe ich einen Film über das Ghetto Lodz gesehen, der zeigte, wie die Juden immer wieder versucht haben, sich dadurch am Leben zu halten, daß sie arbeiten, produktiv sind. Also ich kann es einfach nicht verstehen!

Ich erinnere mich wie heute, daß es Freundinnen von uns gab, die Zionistinnen waren und als Vorbereitung auf die Emigration nach Palästina Haushaltsdienste bei unseren jüdischen Jugendleitern gemacht haben; die sind gegangen, weil diese Leiter ihnen zugeraten hatten... Ich kann es einfach nicht mehr verstehen...
Ich konnte es damals schon nicht verstehen! Und wir beide haben uns immer wieder, immer wieder gewehrt. Trotzdem sind wir zum Schluß gegangen – aber nie freiwillig. Ich habe heute noch die Aufrufe, die uns befahlen, zu einer bestimmten Zeit uns zu melden. Wir sind nie gekommen.
Wir haben damals gelernt, was man machen kann, um sich zu schützen. Es gab alle möglichen Arbeiten, die Schutz boten. Zum Beispiel konnte man in Altersheimen arbeiten, Sozialarbeit machen.
Wir haben auch versucht, von der holländischen jüdischen Organisation Arbeit zu bekommen, aber sie haben uns als Staatenlosen keine Arbeit geben wollen, weil sie gesehen haben, daß wir ja weg müssen. Das hat uns damals *furchtbar* wehgetan. Trotzdem haben wir dann Arbeit gefunden. Ich habe als junges Mädchen erst für die jüdische Gemeinde, dann für den Jüdischen Rat gearbeitet. Sie wissen, der Jüdische Rat ist auch mit dem Zweck dagewesen, bei den Deportationen behilflich zu sein. Man wußte, daß die Gestapo die Menschen nachts abholte mit Hilfe der holländischen Polizei. Für die haben wir Butterbrote gemacht, die ganze Nacht hindurch Kartoffeln geschält und dergleichen. – Also wir gehörten zum Jüdischen Rat. Der hat auch den Nazis Listen gegeben. Das war ein schwarzes Kapitel der jüdischen Deportationen...«

Haben Sie Möglichkeiten gesehen, nicht zu gehen, sich nicht zu melden, nachdem Sie einmal auf den Listen standen?

»1941 wußte man schon...«

»Wir haben uns nie gemeldet! Man hat uns auf Listen gehabt, weil wir Mitglieder der jüdischen Gemeinde waren – wir haben uns *nie* gemeldet. Außerdem hat auch die holländische Polizei von den Staatenlosen zuvor schon Listen gehabt und sie den Deutschen gegeben. *Am Anfang haben die meisten Leute gar nicht geglaubt, daß sie nicht zurückkommen.* Das alles war noch nicht bekannt. Bald darauf haben wir in der BBC, dem englischen Sender, gehört, was wirklich vorgeht. Und dann kamen die Razzien. 1941 gab es zum Beispiel eine große

Razzia, durch die junge Männer nach Mauthausen deportiert wurden, und nach wenigen Monaten kamen von *allen* Todesbescheinigungen. *Da wußte man schon...* Ein Bruder einer Freundin war dabei. Derjenige, der für die jüdische Deportation verantwortlich war, hieß Aus-der-Fuenten.
Ich erinnere mich gerade an einen unserer Jugendleiter, der noch immer ein guter Freund von uns ist; der hat damals gesagt, man sollte gehen – aus einer Art naivem Pionier-Idealismus. Sie wissen ja, daß die zionistischen Pioniere oft Jugendliche waren, die arbeiten gehen wollten, um dann in Palästina etwas Neues aufzubauen. Das war irgendein Idealismus, der nun auf diese Sache hin transferiert worden ist. Das ist ganz schwer zu verstehen, aber es war so: ›Man muß das machen‹ – vielleicht mit dem Argument: Wenn soundso viele Jugendliche gehen, dann läßt man die Älteren in Ruhe... Es war jedenfalls in keiner Weise aus einer bösen Absicht heraus gesagt worden. Ich erinnere mich genau, das war sehr aufregend, als dieser Mann nach dem Krieg zurückkam.« (seufzt) »Von 110000 holländischen Juden waren 105000 deportiert worden – und 5000 kamen zurück! Als wir, die zurückgekommen waren, den ersten Jugendgottesdienst an Jom Kippur hatten, ist er nach vorne gegangen und hat vor Gott um Vergebung gebeten. Das war sehr beeindruckend, aber es waren viele teure Fehler. Sie wissen um den Einfluß, den Jugendleiter auf Jugendliche in diesem Alter haben können. Fehler – viele teure Fehler...
Aber zurück: Die Razzien nahmen zu, die Deportationen fingen mit den Staatenlosen an, und zwar mit der Aufforderung, zum Arbeitseinsatz anzutreten.«

»... einfach leben, als ob wir keine Juden seien.
Das war verkehrt.«

»Das haben wir aber nicht gemacht. Dadurch waren wir eine Zeitlang geschützt. Wir haben miterlebt, wie mehr und mehr Leute in Gefahr gerieten, mehr und mehr Gruppen arrestiert wurden. Man hat Leuten nicht mehr befohlen, sich zu melden – weil das nicht mehr gewirkt hat –, sondern ist von Haus zu Haus gegangen. Es wurde schlimmer und schlimmer, größer und größer, und dann hat man ein Ghetto leergemacht und ein neues Ghetto etabliert. Mein Bruder, seine Kinder und seine Frau sollten in ein Ghetto gehen, haben dann aber für eine Übergangszeit bei uns gewohnt und sind zum drittenmal arrestiert worden. Es war höllisch. Die ersten beiden Male wurden sie wieder freigelassen – wir waren sehr eng miteinander verbunden –, das dritte Mal nicht mehr. Sie wurden dann nach Westerbork ins Transitlager deportiert. Wir anderen – meine Mutter, meine Schwester und ich – waren untergetaucht, versteckt, sind aber nach Amsterdam in unsere Wohnung zurückgekommen – eigentlich, weil wir empfanden, daß mein Bruder uns brauchte, um ihm Essen und Kleider zu schicken... Ich glaube auch, daß wir irgendwie das Leben als Versteckte nicht akzeptieren wollten... konnten und wollten! Es war schwierig, sich zu verleugnen...

Das war sehr schwer. Wir waren eigentlich nur ganz kurze Zeit versteckt, in einem Dorf. Irgendwie haben wir alle drei gefunden, daß wir zurückgehen sollten. Das war verkehrt, aber wir haben es doch gemacht. Und dann haben wir angefangen, Pakete zu schicken. Wir hatten zwar schon dauernd an alle möglichen Leute im Transitlager Pakete geschickt, das war damals unsere Hauptaufgabe.

Wir hatten damals eigentlich südamerikanische Pässe und haben dann beschlossen – dazu gehörte sehr viel Mut –, unsere Sterne abzunehmen, uns gegenüber Juden nicht mehr an jüdische Gesetze zu halten und einfach zu leben, als ob wir keine Juden seien. Das war einerseits wahrscheinlich vernünftig, andererseits waren wir zu bekannt und in zu großer Nähe des deutschen Hauptquartiers. Einmal sind wir sogar von einem der Deutschen gewarnt worden, daß man uns holen würde. Man war einige Male bei uns – wir hatten auch andere Leute bei uns versteckt, die man holen wollte. Aber wir sind immer durchgekommen.

Dadurch sind wir vielleicht ein bißchen keck geworden. Eines Tages, irgendwann 1943, sind meine Mutter und ich dann ohne Sterne in die Synagoge gegangen. Dabei hat man uns mit jemandem gesehen, der auch einen Stern trug – es waren damals schon sehr wenige Juden in Amsterdam. Man hat uns verfolgt, einer von der holländischen Polizei, die mit der Gestapo zusammengearbeitet hat, ist uns nachgelaufen, man hat uns verhaftet, uns drei, und in Amsterdam ins Gefängnis gebracht. Der Sammelplatz, zu dem man Juden sonst hingebracht hat, war schon geschlossen, die meisten Juden waren schon deportiert. Man hat uns dann für ungefähr eine Woche im Gefängnis behalten. Wir haben uns noch immer einen Spaß daraus gemacht, gelacht und gesagt: ›Na, wenn die Königin zurückkommt, wird sie fragen, wer war nicht verhaftet und warum nicht...‹ Also wir haben noch irgendwelchen Unsinn daraus gemacht, aber es war toter Ernst!

Dann hat man uns den Schlüssel unserer Wohnung im Gefängnis zurückgegeben. Erst hatte man uns unsere Wohnung, wie alle jüdischen

Wohnungen, abnehmen wollen; aber da meine Mutter von Geburt Ungarin war und neben uns der ungarische Konsul gewohnt hat, hat der den Deutschen gesagt: ›Da gehen Sie nicht ran! Das ist ungarischer Besitz!‹ Dann hat man uns sogar ins Gefängnis den Schlüssel unserer Wohnung zurückgebracht!
Jedenfalls sind wir dann von dort nach Westerbork in das holländische Durchgangslager gebracht worden, wo wir unseren Bruder mit seiner Familie vorfanden. Wir waren ungefähr drei Monate dort und haben gearbeitet. Es war furchtbar. Der Schock, von der Freiheit in die Gefangenschaft zu kommen, war entsetzlich – darüber könnte ich viel erzählen...
Im Februar des nächsten Jahres, 1944, hat man uns dann deportiert. Wir hatten zwischen verschiedenen Pässen und Zertifikaten zu ›wählen‹: Wir hatten ecuadorianische Pässe, wir haben Palästina-Zertifikate ins Lager zugeschickt bekommen, die einem die Hoffnung gaben, nach Palästina zu kommen, und meine Mutter hatte ihre frühere ungarische Staatsangehörigkeit wiederbekommen. Wir hätten also ›wählen‹ können, auf was wir uns jetzt verlassen. Mein Bruder hatte ebenfalls südamerikanische Pässe gehabt und ist nach Bergen-Belsen geschickt worden. Wir haben beschlossen, den Deutschen zu glauben – was ein Fehler war! Man hat uns versprochen, daß wir nach Ungarn geschickt würden, und uns in einen Transport mit ungarischen und rumänischen Frauen und Kindern gesteckt. Es war ein kleiner Transport mit sechzig Leuten. Und in diesen Viehwagen hat man uns dann nach Ravensbrück geschickt; das waren geschlossene Wagen, das war furchtbar. Wir wußten nicht, wo wir hinkommen würden. Am dritten Tag hat man uns gesagt, wir würden nach Ravensbrück kommen. Niemand außer uns wußte, was Ravensbrück war – wir hatten die Erfahrung von Frau Kroch.«

Im Frauenkonzentrationslager Ravensbrück

»Wir kamen ins Frauenkonzentrationslager Ravensbrück. Das war furchtbar. Ich weiß nicht, ob Sie was davon wissen – das war... ich weiß nicht, womit man das vergleichen kann – vielleicht mit Auschwitz.
Am Anfang hat es Gaskammern gehabt, als wir dort ankamen. Man hat uns ausgezogen und fast alles abgenommen, die Haare nicht ganz, aber halb abgeschnitten, und uns in Häftlingskleider gesteckt. Ich war ein sehr naives Mädchen und wußte nicht, was... wie das Leben wirk-

lich ist, und wurde plötzlich dem ausgesetzt, alles Abscheuliche vom Leben so... zu lernen, über Nacht. Wir bekamen die Häftlingskleidung, die gestreifte Kleidung; es war sehr kalt... dünne Jacken und Holzklumpen, diese Holzpantoffeln... man hat uns nur angeschrien. Wir bekamen Nummern aufgenäht; die waren nicht tätowiert wie in Auschwitz... die wurden aufgenäht. Man hat uns vier Wochen in die Quarantäne gesteckt, wo es absolut entsetzlich war. Ich glaube, wir durften nicht unter die anderen Häftlinge – das war fast unerträglich. Viele, viele sind am Anfang gestorben, einfach wie die Fliegen. Meine Mutter, die sehr tapfer war und irgendwie sehr stark, hat immer gesagt: ›Ihr werdet's überleben.‹

Wir waren zusammen im ersten Block mit unserer Gruppe und mit Gruppen anderer Häftlinge, ›Mischlinge‹, die von Auschwitz kamen, die uns gleich am Anfang gesagt haben, sie seien wegen ›Rassenschande‹ da. Sie kamen von Auschwitz, das waren meistens sogenannte Mischlinge, also ein Teil jüdisch, ein Teil christlich oder mit Juden verheiratet. Denen hat man versprochen, sie werden freigelassen, und man hat sie dann nach Ravensbrück geschickt... und die haben uns gleich gesagt: ›Ihr geht in das Feuer!‹ So haben wir wirklich gewußt, was da vorging.

Zuerst haben wir's nicht geglaubt, ich erinnere mich genau. Wir haben alle geglaubt, das könnten wir nie überleben. Und dann haben wir... der Schock, der Schock war unerträglich. Und dieses stundenlange Appell-Stehen. Und dann mußten wir uns anstellen zur Außenarbeit. Wir waren ›verfügbar‹ und mußten sehr schwere Außenarbeit machen, es war Winter – im Februar/März. Ravensbrück liegt in Mecklenburg, da ist es sehr kalt! Wir waren nicht danach angezogen, zwölf Stunden Außenarbeit – und sehr schwere Arbeit. Wir mußten entweder einen Weg bauen oder Zement, Kohlen oder Stroh tragen – also unerträglich. Und da hab' ich mich dann freiwillig zu Siemens gemeldet, denn ich hab' mir gedacht, alles ist besser als diese schwere Arbeit hier draußen, und bei Siemens ist man wenigstens drin.

Ich mußte so ein blödes Examen machen und bin akzeptiert worden. Meine Schwester hat gesagt, sie würde sich nie freiwillig zu etwas melden – das war ihr großer Fehler!

Ich erinnere mich noch genau an dieses Examen, das ich machen mußte. Sie wissen, was Siemens ist? Siemens & Halske, diese Elektrofabriken. Davon war eine in Ravensbrück...

Meine Schwester hat sich nicht freiwillig gemeldet und ist dann für SS-Werke ausgesucht worden. Das bedeutete, sie mußte... das war entsetzlich. Die Arbeiterinnen dort mußten die Uniformen, die von der Front zurückgeschickt wurden und ganz blutig waren, wieder herrichten, zum Teil mit so einer weißen Masse streichen. Sie mußte diese Arbeit unter der Drohung machen, daß man Hunde auf sie hetzen würde. Wenn sie nicht jeden Tag eine bestimmte Anzahl gemacht hatten, wurden sie entweder geschlagen oder von den Hunden gebissen – das war entsetzlich. Und außerdem war es furchtbar ungesund: die Dämpfe der weißen Farben...

Wir haben enorme Angst umeinander gehabt. Ich hab' bei Siemens Widerstände eingetaucht, die vielleicht für den Flugzeugbau gebraucht wurden... Ich weiß nicht genau. Ich wollte wissen, wofür die waren, aber interessanterweise wußte niemand genau, wozu das gebraucht wurde.

In den Hallen sind wir von ein oder zwei SS-Frauen und deutschen Zivilisten beaufsichtigt worden, die Fabrikarbeiter waren und schon in Berlin oder in anderen Siemens-Fabriken gearbeitet hatten. Wir durften uns im Grunde genommen nicht mit den Deutschen unterhalten und die sich nicht mit uns. Aber was ich gemacht habe, hat mich irgendwie interessiert, und ich habe Deutsch gesprochen, während in dieser Halle sehr viele Holländerinnen, Französinnen und alle möglichen anderen Nationalitäten gearbeitet haben. Ich bin dann von einem deutschen Vorgesetzten als Vorarbeiterin an einem Band ausgewählt worden. Der mochte mich wohl ganz gerne. Dann war ich verantwortlich für ungefähr zehn Frauen. Ich brauchte nicht immer nur eine Sache zu machen, die furchtbar langweilig war.

Ich erinnere mich, daß ich sabotiert habe, daß ich zum Beispiel aufschreiben mußte, wieviel jede Frau produziert – ich mußte Buch führen. Ich hab' gesagt, die haben alle viel mehr gemacht, als sie wirklich gemacht haben.«

Sie hatten Widerstände mit einer bestimmten Flüssigkeit zu umgeben. Was haben die anderen gemacht?

»Meine Abteilung war für die Mischung des Materials aus einem Pulver und einer Flüssigkeit zuständig. Diese wurden in riesige Töpfe getan; die Töpfe wurden auf Walzen gehoben, wo sie gemischt wurden. Nach der Mischung wurden sie in Formen gefüllt. Die Formen wurden mit großen heißen Pressen bearbeitet, da das Gemisch bei einer bestimmten Hitze gepreßt werden mußte. Dann wurden sie in Öfen gebacken und von beiden Seiten mit einer gelben Farbe bemalt, die einen Elektrizitätskontakt erzeugte. Nach dem Trocknen wurden sie wie Batterien gemessen.

Ich glaube, das waren kleine Widerstände, die man in Bügeleisen

oder in Radios einsetzte. Die Apparate kamen aus ausgebombten Fabriken in Berlin; man sagte mir, daß sie deshalb nicht so gut funktionieren – wir hatten sehr viel Abfall.
Das habe ich übernommen – und ich war natürlich sehr jung und naiv und sah anständig aus, und so hat man mir immer geglaubt! Das war sehr interessant – die deutschen *Zivilarbeiter* haben *mir* immer geglaubt; dabei waren sie *untereinander* sehr mißtrauisch. Es gab sogar einen, der den englischen Sender gehört hat und uns immer erzählte, was er mitbekam. Er hat gesagt: ›Wir wollen nicht, daß ihr (aus dem KZ) ›rauskommt‹ – wenn ihr rauskommt, dann wissen wir, daß wir reinkommen.« Ein anderer war ein großer Nazi und hat mir gesagt, er habe den Namen meines Vaters in einem Buch Industrieller gelesen; das seien die Juden, die den Deutschen die Arbeit weggenommen haben.
Derjenige, der mir vermutlich die Arbeit verschafft hat, hat mir gesagt, daß er meine Cousine von einer anderen Siemens-Fabrik her kannte. Als das jüdische Neujahrsfest war, hat er mir ein gutes Jahr gewünscht. Das war für mich eine riesige Sache, es hat mich sehr beeindruckt.
Ich erinnere mich, daß für ihn seine Werkzeuge ungeheuer wichtig waren. Er hat *mir* den Schlüssel zu seiner Werkzeugschublade gegeben – nicht seinen Kollegen.
Unter den Deutschen, die sich uns genähert haben, sind mir die Anständigen schon aufgefallen.
Später kamen zwei Ingenieure, wesentlich intelligentere Männer als die einfachen Arbeiter. Mit einem von den beiden habe ich mich immer unterhalten. Ich habe ihm erzählt, was bei uns vorging. Die wußten nicht, wie wir im KZ lebten, obwohl die Fabrik nur zehn Minuten vom KZ entfernt war. Sie konnten nicht glauben, wie wir hungerten.
Mit mir arbeitete eine Frau, die ich sehr geachtet habe. Sie war die Frau eines holländischen Professors und hatte kleine Kinder. Sie wohnte in unserem Haus. Sie versteckte sieben Juden, von denen einer arrestiert wurde und ihren Namen nannte; das brachte der Frau Ravensbrück ein. Ich hatte sie angefordert, bei mir zu arbeiten, weil sie von den deutschen Zivilistinnen so schlecht behandelt wurde. Ich habe ihr gezeigt, wie sie viel produzieren kann. Wie viele Holländer und Franzosen protestierte sie, indem sie die Arbeit verweigerte. Deshalb wurde sie oft sehr schlecht behandelt. Sie ist dort gestorben.«

Sie haben durch die Arbeit in der Fabrik überlebt?

»Meine Schwester war in dieser SS-Fabrik, es war unerträglich. Ich habe versucht, sie zu uns zu bringen – das war lebensgefährlich, weil man nie von da weggehen durfte, wo man war. Aber sie hat sehr viel Mut gehabt, und eines Morgens hat sie sich einfach zu Siemens angestellt. Das war wahrscheinlich ihre Rettung.
Die Frauen, die kamen, standen zur Auswahl, es war wie ein Sklavenhandel, die Zivilisten konnten sie sich aussuchen, je nachdem, welches Gesicht ihnen am besten gefiel. Nachdem ich Kontakt zu den Zivilisten hatte, habe ich sie darauf vorbereitet, wie meine Schwester aussieht, was sie anhat; sie haben sie ausgesucht, und von da an hat meine Schwester in meiner Halle gearbeitet. Das war für uns eine große Sache.
Anscheinend hatte es niemand gemerkt – so viele Leute sind gestorben, es waren 100000 Frauen, und obwohl es alles gut organisiert war, gab es Lücken.
Meine Schwester hat in dem Büro der Halle gearbeitet, hat also keine Handarbeit gemacht.
Meine Mutter war im Lager, strickte und mußte viel Schweres tragen. Ich wollte, daß auch sie zu Siemens kommt. Denn man sprach davon, daß alle, die bei Siemens arbeiteten – ungefähr 5000 Frauen –, in ein Extralager kommen sollten.
Siemens hat für die Leute rund eine Mark täglich bezahlt. Die Situation im großen Lager in Ravensbrück wurde unerträglich; es kamen viele, viele neue Frauen, Ungarinnen im Juli 1944, die Leute konnten nicht mehr schlafen und haben nicht sehr viel zu essen bekommen. Dann muß Siemens gesagt haben: ›Entweder die Leute produzieren, oder wir hören auf‹ – so stelle ich mir das vor. Daraufhin hat man ein neues Lager für 5000 Siemens-Frauen außerhalb des großen Lagers gebaut, in der Nähe der Fabrik. Dort ging's uns viel besser.
Ich habe versucht, meine Mutter zu uns zu bringen, weil es im großen Lager so unerträglich war und wir wußten, daß sie allein nicht für sich sorgen konnte. Aber es ist nicht gelungen. Sie hat das dumme Examen nicht bestanden, weil ihre Augen nicht gut genug waren. Ich hatte das nicht gut genug vorbereitet, und man hat sie mit einer anderen Frau verwechselt.
Als sie dann endlich kommen konnte, wurde sie krank, konnte schon nicht mehr richtig laufen und wurde dann ins Krankenhaus gebracht, zurück ins große Lager. Bald darauf ist sie gestorben – an Typhus, Hunger und Ödemen.

Eine Woche, nachdem meine Mutter gestorben war, wurde ich furchtbar verhauen, weil man mich verraten hat. Völlig unsinnig – ich hatte ein kleines Gebetbuch und eine leere Puderdose, und das war verboten. Außerdem war man eifersüchtig, weil ich gerade zum ersten Mal ein Paket bekommen hatte. Man hat uns alles weggenommen, was wir angesammelt hatten, und ich glaubte, das sei unser Ende.
Aber das war es nicht. Zwei Wochen später hat man meine Schwester und mich beim Appell aus den Massen von Menschen herausgeholt. Man hat unsere Nummern ausgerufen, uns herausgeholt und gesagt, wir würden weggeschickt. Wir haben furchtbare Angst bekommen, angefangen zu weinen und gesagt, daß wir nicht wollen, obwohl es die Hölle war. Man hat andauernd Tote gesehen, haufenweise, das Feuer hat Tag und Nacht gebrannt, es wurde vergast – es war entsetzlich.
Aber wir wußten: Jeder, der von Ravensbrück weggeschickt wird, wird entweder erschossen oder nach Auschwitz geschickt. Damals waren wir ungefähr ein Jahr dort.
Dann plötzlich haben wir einander getröstet und gesagt: ›Wir werden es schaffen!‹ Interessanterweise war es das, was meine Mutter zu uns gesagt hat, als sie im Sterben lag: ›Ich weiß, daß es euch besser gehen wird, daß ihr überleben werdet!‹
Man schickte uns ins große Lager, wo wir daraufhin untersucht wurden, ob man uns der Außenwelt zeigen kann; denn die meisten Leute hatten viele Narben. Man beschloß ›Ja‹, und dann sagte man uns, daß wir auf Befehl des Außenministeriums nach Theresienstadt geschickt werden: ›ins Altersghetto, wo Ihr eine ‚Himmelfahrtsspritze‘ bekommt‹. Das war im Januar 1945.
Wir haben das nicht mehr ernst genommen. ›Was passiert, passiert, wir werden's überleben.‹
Man gab uns Zivilkleidung. Meine Schwester hat ihren alten Mantel zurückbekommen, weil er ein Pelzfutter hatte; das empfand man als wertvoll. Meine Kleider habe ich nicht bekommen; man hat sich dafür entschuldigt und gesagt, die hätten die Bombenopfer gekriegt. Aber alle ›Zeichen der Zivilisation‹ – Uhren, Taschen, eine kleine Bibel –, die man uns abgenommen hatte, als wir kamen, hat man uns zurückgegeben, als wir fuhren. Nach einem Jahr unter Tausenden und Tausenden von Menschen hatte man dieses Kuvert mit Namen und unserer Nummer drauf... das war interessant. ›Ordnung.‹
Wir durften nicht mehr zu den anderen Häftlingen zurück und übernachteten in dem Bad, wo die Ankömmlinge saßen. Meine Schwester, die im Gegensatz zu mir eine enorme Courage hatte – ich hatte Todesangst –, ging an den Schrank, in dem sich die Sachen befanden,

die man den Leuten abgenommen hatte. Sie fand, wir müßten auch Nähzeug und eine Schere haben – man könne doch ohne das nicht reisen. Sie fand auch ein kleines Köfferchen.
Zu fünft – Lotte und ich, eine Mutter mit ihrer Tochter und eine andere Frau – sind wir von einem SS-Mann und einer SS-Frau an den Zug gebracht worden. Die sollten auf uns aufpassen – dabei waren wir so ausgehungert, daß wir überhaupt keine Kraft gehabt hätten, wegzulaufen. Die Oberaufseherin hat uns getroffen und uns zugerufen: ›Wenn ihr weglauft, werdet ihr Deutschland nie lebendig wiedersehen!‹
Im Zug mußten wir getrennt sitzen; die SS-Leute haben die Zugführer gewarnt, daß wir Häftlinge sind, damit sie sich nicht mit uns einlassen.
In Berlin mußten wir umsteigen. Dort war alles ganz kaputt, es war Ende Januar 1945, aber wir waren irgendwie optimistisch. Wir sind dann mit einem Militärzug gefahren, in dem Offiziere waren, die aus Rußland zurückkamen. Es waren keine Verwundeten dabei. Die SS-Leute haben zu diesem Zeitpunkt bereits nicht mehr versucht, uns von ihnen fernzuhalten, und die Offiziere sagten zu uns: ›Habt Mut, wir verlieren, und ihr werdet bald frei sein.‹ Sie haben mit uns ihre Butterbrote geteilt, und das hat großen Eindruck auf uns gemacht. Der SS-Mann hat mit mir anbändeln wollen, das weiß ich noch genau« (lacht). »Ich hab das natürlich nicht gewollt.«

Theresienstadt: »ein ungeheuer faszinierendes Dorf«

»Dann sind wir in Theresienstadt angekommen und in die Kommandantur gebracht worden. Sie wußten nicht, was sie mit uns anfangen sollten. Also haben sie uns in einen Keller gesperrt, wo es uns – den Umständen entsprechend – sehr gut ging. Für fünf Wochen. Wir brauchten nicht zu arbeiten, wir hatten Stroh, wir hatten ein Außenhaus, wo wir aufs Klo gehen konnten, man hat uns Essen gebracht, viel besseres, als wir's gewohnt waren. Wir durften keinen Kontakt mit den Juden haben, wir haben sie nur gesehen. Man brachte uns das Essen an die Tür, und wir mußten es unter der Aufsicht des SS-Mannes entgegennehmen.
Sie haben uns Bücher gebracht. Das war eine große Sache für uns, das Lesen hatten wir sehr entbehrt, in Ravensbrück war das völlig undenkbar. Zeitungen haben wir nicht gehabt, auch in Theresienstadt nicht.

Wir wurden 24 Stunden von tschechischen Gendarmen bewacht. Die waren wunderbar – sehr väterlich, sie haben uns getröstet und uns gesagt, daß es nicht mehr lange dauern würde, daß wir bald frei sein würden. Manchmal haben sie uns sogar Brötchen gebracht. Wir waren so dankbar, daß wir ihnen zum Dank ein Lederetui gegeben haben« (lacht).

»Nach fünf Wochen kamen dann plötzlich vier hohe SS-Offiziere – Rahm, der Kommandant des Lagers, Eichmann, und noch einer. Die fragten, wie es uns geht; sie wußten nicht, was sie mit uns machen sollten. Dann beschlossen sie, uns einzeln zu verhören. Für uns war das natürlich riskant.

Meine Schwester und ich haben uns abgesprochen, was wir sagen werden – wir waren Schwestern, wir wollten uns retten und wir wußten nicht, wieso wir nach Theresienstadt gekommen waren. Wir haben beschlossen zu lügen und zu sagen, wir seien Südamerikanerinnen. Wir hatten diese Kopien von den Pässen da. Und wir haben eine Geschichte erzählt, daß wir in Südamerika geboren sind und dann zurück sind.

Wir haben *als Jüdinnen aus Südamerika*, die auch in Holland waren, geantwortet. Wir wußten, daß irgend etwas Besonderes mit uns war, sonst wären wir nicht auf Befehl des Außenministeriums nach Theresienstadt geschickt worden. Wir wußten auch, daß sie Angst davor hatten, wir würden erzählen, was wir wußten. Wir hatten nämlich gehört, daß Leute von Theresienstadt nach Auschwitz geschickt und dort vergast worden sind, daß aber auch einige nach Ravensbrück weitergeschickt worden sind. Wir wußten, daß wir darüber nicht sprechen durften. Sie hatten Angst, daß wir den Leuten, die Theresienstadt besuchten, die Wahrheit erzählen, so daß sie nicht mehr an die Geschichten glauben würden, die man ihnen weismachte. Denn Theresienstadt war das Musterlager, wohin man die ausländischen Besucher und das Rote Kreuz schickte. Wir achteten also sehr darauf, nicht zu erzählen, was wir wußten. Man hat sogar in Ravensbrück nicht gewollt, daß man untereinander Kontakt hat.

Wir mußten jedenfalls schwören, daß wir nichts erzählen, und dann hat man uns in das Altersghetto Theresienstadt eingereiht.

Na, und dort ging es uns viel besser. Es gab eine Selbstverwaltung, man hat uns irgendwie besonders behandelt, außerdem haben wir viele Bekannte aus Holland getroffen.

Die Gefahr in Theresienstadt lag darin, weitergeschickt zu werden. Ein Transport mit 150 Menschen war auch bereits in die Schweiz abgegangen, und man sprach davon, einen neuen Transport von prominen-

ten Juden in die Schweiz zu schicken; für den haben wir dann die letzten zwei Nummern bekommen. Dieser Transport war, wie sich dann herausstellte, der erste, der in Theresienstadt vergast werden sollte. Es wurde von einem jüdischen Ingenieur ein Gasofen gebaut, aber als der herausfand, was er da baut, hat er aufgehört. Man hatte einen Befehl von Hitler gefunden, daß die Leute vergast werden sollten, aber der Kommandant wollte seine Haut schützen und hat das nicht durchgeführt. Er hat dadurch sein Leben gerettet.
Ich habe in der Landwirtschaft gearbeitet, meine Schwester im Hausdienst.
Theresienstadt war ein potemkinsches, ungeheuer faszinierendes Dorf mit leeren Gräbern und Kunstblumen, wo niemand begraben wurde; mit Café und Restaurant, wo niemand bedient wurde; mit einer Bank mit jüdischem Geld, richtig gedrucktem Geld, wofür man nichts kaufen konnte; mit Bankbüchern, mit denen man nichts anfangen konnte – es war alles, alles eine Farce, das ganze Dorf! Als das Rote Kreuz kam, sind Kinder gedrillt worden zu sagen: ›Onkel Rahm, schon wieder Sardinen?‹
Das ganze Theresienstadt war eine riesengroße Lüge, aber es hat funktioniert, und es hat gewirkt.
Ich habe bis heute nicht verstanden, warum ich nach Theresienstadt gekommen bin. Meine Schwester hat darüber im Eichmann-Prozeß ausgesagt, über unsere Erfahrungen mit Eichmann, aber wir hatten keine Ahnung. Die Leute haben spekuliert: weil wir junge Mädchen waren, weil wir hübsch waren, weil wir Geld hatten, allen möglichen Quatsch. Irgend jemand aus dem Ausland hat interveniert; das kann der Hans gewesen sein, der damals für meine Mutter etwas tun wollte und Kontakte hatte – aber ich weiß es nicht.
Als die Alliierten kamen, hatte man vor, alle übrigen Juden aus den verschiedenen Lagern in Theresienstadt zu konzentrieren, und man schickte sie einfach ab auf einen Hungermarsch. Sie sind Tage und Wochen ohne Essen gewandert, und die, die nicht mehr konnten, sind einfach totgeschossen worden.
Dann kamen Tausende von diesen Leuten halbtot in Theresienstadt an. Sie wurden in Quarantäne gehalten und eingesperrt – sie waren wild, sie waren verhungert, sie brachten Typhus mit. Viele von ihnen sind gestorben.
Dann kamen die Russen. Die sind erst an Theresienstadt vorbeigegangen, nach Prag.«

»Wir sind einfach weggerannt«

»*Wir beide sind einfach weggerannt*. Als der Krieg zu Ende war, haben wir uns gesagt, daß wir keinen Tag länger bleiben wollen, auch unter den Russen nicht. Auch die Russen waren wild. Unzüchtig.
Wir haben einen Kraftwagen angehalten und sind nach Prag. Die Tschechen haben uns versorgt, sie haben uns Geld und Lebensmittelmarken gegeben und uns in Hotels untergebracht.
Auch Kriegsarbeiter sind in Prag gewesen und dort in öffentlichen Küchen verpflegt worden, und wir warteten auf einen Transport zurück nach Holland.
Wir haben uns frei gefühlt, so frei, daß wir noch nach Theresienstadt zurückgegangen sind, um noch mal das Gefühl zu haben, wegzugehen. *Frei zurückzugehen und wegzugehen.*
Wir sind anschließend mit dem ersten Transport zurück. Dann zu realisieren, was geschehen ist... wir waren zuerst ein bißchen manisch, erst langsam ist uns klargeworden, was geschehen ist...«

Sie und Ihre Schwester. Hätten Sie ohne Ihre Schwester überlebt?

»Das habe ich mich auch oft gefragt; *ob ich ohne sie überlebt hätte und sie ohne mich.*
Ich glaube, ich habe im Lager besser funktioniert als jemals sonst in meinem Leben. Obwohl sie auch enorm viel Courage hatte.
Das Zusammensein war sehr wichtig. Wir waren uns enorm nah, und wir haben einander nicht nur am Leben gehalten. Ich glaube, ich hätte es auch ohne meine Schwester überlebt. Aber irgendwie haben wir uns gemeinsam viel mehr Werte erhalten und unsere Identität verstärkt, uns bewußt gemacht, warum wir dort sind. Es waren viele Juden dort, die ihr Judentum verleugnet und sich auch innerlich aufgegeben hatten – ich hatte Mitleid mit ihnen. Wir haben das nie getan.
Weil wir ›Wir‹ waren, glaube ich. Wir haben viele Gespräche darüber gehabt. ›Ist es der Mühe wert, zu leben? Zu überleben? Für wen überlebt man?‹ Die meisten Leute haben sich selbst verloren, sind untereinander zu Tieren geworden, und das war das Unerträglichste. Die Behandlung war sehr schlimm, aber *zu werden, wie man behandelt wurde, war das Allerschlimmste.*
Viel mehr als für meine Schwester hat für mich die Religion eine sehr große Rolle gespielt. Ich habe jeden Tag gebetet, ich habe eine persönliche Beziehung mit Gott gehabt »(lacht)«, die mir sehr viel geholfen hat, und meine *Mutter war sehr stark darin*. Ich erinnere mich nicht an Gespräche, aber an Haltungen meiner Mutter.

Meine Schwester und ich haben sehr viel darüber gesprochen, wer und was das Leben wert macht. Die psychische Kraft, die wir uns gegenseitig gegeben haben, hat uns physische Kraft gegeben. Und die Religion.
Wir haben Hunger gehabt, furchtbaren Hunger. Das ging so weit, daß wir nicht mit ansehen konnten, wenn jemand aus einem Paket, das er bekommen hatte, ein Stück Zucker aß: Wir mußten weggucken.
Eines Tages teilte man uns während der Arbeit Beilagen aus, bestehend aus Sardinen oder Marmelade – gestohlen aus Paketen von Häftlingen. Meine Schwester und ich wußten das. Verteilt wurden die Sachen vom Chef der Abteilung. Wir haben uns geweigert, sie anzunehmen. Das hat uns irgendwie Stärke gegeben, und es hat auf den Chef Eindruck gemacht.
Wir wollten irgend etwas von den Werten behalten und wenn auch nur symbolisch. Wir haben zum Beispiel am Samstag zu Hause kein Licht angemacht. In der Halle, in der ich gearbeitet habe, habe ich für die Halle das Licht angemacht, aber nicht an meinem Platz. Das war symbolisch für mich, und für die Gemeinschaft, dieses Ritual.«

Sie haben damit sich selbst Identität verschafft?

»Ja. Ich war mir immer bewußt, daß das Leben nicht nur daraus besteht, daß man genug zu essen hat, sondern auch, daß man weiß, warum man überlebt und wie.«

Und warum? Für wen?

»Für die Menschen und für die Werte, nach denen wir erzogen wurden und an die wir geglaubt haben, auch als bewußte Juden.«

Also nicht für die Familie, sondern auch fremde Menschen...

»Ja. Wir haben uns überlegt, wer unter all den Leuten um uns herum das Leben lebenswert macht.
Wir haben überlegt, ob es die Frommen sind – nicht nur Juden, es waren ja in Ravensbrück alle möglichen Menschen, politische Gefangene, Asoziale, Prostituierte, Schwerverbrecher.
Aber es war ein ganz einfaches Mädchen, das wir kannten, von der wir sagten, daß sie die einzige sei, die das Leben trotzdem lebenswert macht, weil sie sich nicht erniedrigt und stiehlt.«

Gab es auch unter Ihren Vorgesetzten, unter den SS-Leuten oder unter den Zivilisten, die bei Siemens arbeiteten, auch welche, an die Sie dachten?

»Ich weiß nicht. Ich kannte sie persönlich nicht so gut, ich habe mich mit ihnen unterhalten, aber nicht mehr. Sie waren nicht mit uns im Lager. Aber ich weiß genau, daß es uns sehr beeindruckt hat, als der eine gesagt hat: ›Wir wollen nicht, daß ihr ›rausgeht‹ – das war sehr ehrlich von ihm! Es war auf unsere Kosten, aber dennoch hat es mich beeindruckt.«

Die Rädchen der NS-Maschine

Wie haben Sie denen gegenüber empfunden, die Sie verhauen haben, die Sie ins KZ gebracht haben, die die Verantwortung trugen – kleinere oder größere Eichmänner?

»Ich habe sie gehaßt. Ich habe sie gehaßt (sehr leise). Die waren das Werkzeug, Rädchen der Maschine. Schließlich haben die an der Vernichtung mitgearbeitet, der Vernichtung eines Volks von Hunderttausenden von Menschen. Es war ganz selbstverständlich, daß man die gehaßt hat. Ich war viel mehr beeindruckt von denen, die anders gehandelt haben. Und wenn zum Beispiel mal eine SS-Aufseherin da war, die sich menschlich gezeigt hat, dann hat das Eindruck auf mich gemacht. Ich glaube, wir haben nicht mehr wirklich erwartet, daß Menschen menschlich waren.
Ich erinnere mich an eine deutsche Aufseherin, die sich sehr warm ausgedrückt hat, als meine Mutter gestorben ist. Eine holländische Aufseherin war davor viel schlimmer.
Frauen sind überhaupt sadistischer als Männer, glaube ich. Männer waren auch sadistisch, aber ich glaube, Frauen können noch sadistischer sein. So habe ich's erlebt.
Ich erinnere mich an Eichmann. Als er mich verhört hat, habe ich furchtbare Angst gehabt. Ich wußte, daß er einer der Besten war, daß er gefährlich und zu allen möglichen Greueltaten imstande war – und daß er Hebräisch verstand.
Wir haben irgendwie unseren Kopf auf ›Notfunktion‹, auf ›Überleben‹ eingeschaltet, und irgendwie muß ich gut dabei gewesen sein. Eichmann hat so auf mich keinen großen Eindruck gemacht, ich war mir nur bewußt, daß das ein einflußreicher Mann war.«

Kann es sein, daß die, die zu Tieren zu werden gezwungen waren, nach den Erfahrungen im KZ anders mit sich umgegangen sind als Sie?

»Ich bin davon überzeugt. Ich glaube nicht, daß man im normalen Leben so lebt, und trotzdem... ach, ich möchte nicht, das ist ein Thema, das vielleicht zu deprimierend ist.«

Sie und Ihre Schwester haben nach der Befreiung erst allmählich erfaßt, was eigentlich alles war. Was haben Sie realisiert?

»Die Vernichtung Tausender, meiner Familie, auch meines Bruders mit Frau und Kindern, die *nach* dem Krieg in Bergen-Belsen teilweise an Typhus gestorben sind. Kurz vor Kriegsende sind sie noch von Bergen-Belsen wegtransportiert; als die Russen in der Nähe von Bergen-Belsen waren, hat man diejenigen, die noch laufen konnten, auf Züge gebracht, und der Zug ist einfach *ins Nichts* gefahren. Als die Russen kamen, ist der Zug plötzlich stehengeblieben; in ihm sind sehr viele an Typhus gestorben. So auch mein Bruder und eines seiner drei Kinder. Der älteste Sohn ist noch im April in Bergen-Belsen gestorben. Das jüngste Kind, das damals fünf Jahre alt war, ist übriggeblieben. Als wir nach Holland zurückkamen, hörten wir, daß dieses Kind auf der Liste der Überlebenden war. Die Mutter war neben ihm gestorben, das Kind war allein, und andere Leute hatten Angst, es zu sich zu nehmen und zu versorgen. Die Russen haben es dann in ein Krankenhaus gebracht, und dort ist es dann gestorben. Langsam wurde das ganze Bild klar, und wir haben aus unserem Rausch heraus die Realität gesehen.
Als wir zurückkamen, war unser Haus bewohnt. Die Leute meinten, wir seien sowieso tot. Wir mußten die verschiedenen Parteien abzahlen, ohne einen Pfennig Geld zu haben – ich weiß gar nicht, wie wir das gemacht haben, aber irgendwie haben wir's geschafft. Wir sind in das Haus zurückgegangen und haben einen Tisch noch so vorgefunden, wie wir ihn verlassen hatten – das war sehr komisch.«

»Es gab keine Grenzen, alles ging«

»Wir waren im Juni da, und dann haben alle möglichen Leute bei uns gewohnt, irgendwann waren wir plötzlich zu fünfzehnt. Es gab keine Grenzen damals, alles ging. Wir kamen aus dem KZ, wo alles ging... es gab keine Betten, man konnte auf dem Boden schlafen, es gab auch nichts zu essen, aber irgendwie haben wir es trotzdem hingekriegt.
Dann bekam ich ein Stipendium für einen Studienplatz in Pädagogik und Psychologie in der Schweiz; es war ein Studium mit dem Ziel, mit Kriegswaisen zu arbeiten. Ich war nicht vollkommen dafür vorberei-

tet, aber es war mein Interesse. Ein Jahr lang war ich in der Schweiz. Es war sehr schwer, sich nach all dem hinzusetzen und zu studieren. Ich habe damals eine sehr schwere Reaktion gehabt, und in der Schweiz gab es niemanden, der irgendwelches Verständnis für all das gehabt hätte. Ich habe gearbeitet, ich habe funktioniert, aber es war sehr schwer.
Ich habe noch ein Praktikum gemacht und bin dann nach einem Jahr nach Amsterdam zurückgegangen... Meine Schwester machte eine andere Arbeit, sie interessierte sich für Kunstgeschichte.
1947 sind wir aus Holland ausgewandert und hierher nach Amerika gekommen, wo wir eine Schwester hatten und einen Bruder in Kanada. Die hatten wir noch nicht wiedergesehen.
Als wir herkamen, haben wir gemerkt, daß frühere Freunde und Bekannte hier keinerlei Ahnung, wenig Verständnis und noch weniger Interesse für das hatten, was wirklich in Europa passiert ist. Das war für uns ein enormer Schock. Wir waren zwei Jahre hier, haben beide gearbeitet und abends studiert. Sofort nach der Staatsgründung ist meine Schwester nach Israel und dort auf eine Sozialarbeiterschule gegangen; ich bin ihr ein halbes Jahr später gefolgt. Wir haben beide in Jerusalem gelebt und auch gearbeitet. Am Anfang war das sehr aufregend. Nach all den Erlebnissen war das Resultat doch etwas Positives: daß der Staat Israel gegründet werden konnte. Es war erfüllter. Viele Einwanderer haben Ähnliches mitgemacht wie wir. Wir hatten das Gefühl, am Aufbau, nicht am Abbruch mitzuwirken – das war sehr wichtig für uns: nicht abhängig sein zu müssen, etwas Neues zu schaffen.«

Wie haben Sie das aushalten können, daß Sie mit solchen eigentlich unverarbeitbaren Erfahrungen im Grunde mit Ihrer Schwester allein waren?

»In mancherlei Hinsicht war das Überleben hinterher schwerer als im KZ. Ich habe zwischen Überleben und Leben immer einen Unterschied gemacht. Wenn man in einer lebensgefährlichen Situation tagtäglich kämpfen muß, um am Leben zu bleiben, mobilisiert man alles, was man hat, um am Leben zu bleiben. Leben ist eine andere Sache. Im Leben muß man sich mit sehr vielen Dingen auseinandersetzen, im normalen Leben werden andere Kräfte, andere Energien in Bewegung gesetzt, nicht nur die Notaggregate...
Ich habe mich allein und auch überwältigt gefühlt von diesen Erfahrungen. Man mußte sich zudem ja den neuen Anforderungen eines Tages stellen, um sich ›einzureihen‹ – so hat man immer in Theresien-

stadt gesagt –, um sich auch wieder zu finden, es zu verarbeiten. Wir waren uns bewußt, daß es einen Unterschied zwischen Überleben und Leben gibt. Und anfangs, nach 1945, war das Leben schwieriger als das Überleben. Es gibt einen so starken unbewußten Willen zu überleben, und das kann man nicht immer vom Leben sagen.
Die Beziehung zu meiner Schwester war sehr kompliziert, *weil* wir so nahe waren. In *religiöser* Hinsicht habe ich sehr viele Konflikte durchgemacht, die ich gelöst habe, indem ich alles aufgegeben habe – nicht alles, nicht die Tradition, aber die Orthodoxie. Ich habe dafür viele Jahre gebraucht. Ich glaube, für mich war es noch schwieriger als für meine Schwester. Sie ist dann wieder nach Amerika gegangen, um zu studieren, und ich bin allein in Israel geblieben.
Ich hatte furchtbare Schuldgefühle, und ich glaube nicht, daß es einen Überlebenden gibt, der keine hat. Besonders meiner Mutter gegenüber, die es nicht überlebte, hatte ich sehr starke Schuldgefühle.
Auch der Glaube an Gott... wie konnte Gott so etwas erlauben? Ich konnte die Orthodoxie nicht mehr akzeptieren, obwohl ich es sehr gerne wollte. Denn am Anfang, nach unserer Rückkehr, bildete *sie* die Brücke zu meiner Familie und unserem Leben vor dem Krieg. Ich bin davon überzeugt, daß meine Heirat, die Wahl, die ich getroffen habe, auch davon beeinflußt war: Ich habe einen Nichtjuden geheiratet, einen Mann aus der Tradition des antifaschistischen Deutschland – das war für mich sehr wichtig. Mein Mann ist in der Odenwaldschule[1] aufgewachsen. Schon als kleiner Junge war er sehr antifaschistisch, obwohl er Mitglied der HJ werden mußte; als ich das hörte, hätte ich fast Schluß mit ihm gemacht, aber ich habe dann doch mehr davon verstanden.«

War es die Beschäftigung mit der Psychoanalyse, die Ihnen bei Ihren Entscheidungen geholfen hat?

»Ich glaube, daß die Erfahrungen immer mit mir waren und sind – heute viel weniger bewußt, aber unbewußt immer. Ich hoffe auch, daß ich sie nie vollkommen verdrängen werde. Interessant ist dabei, daß ich mich an anderes erinnere als meine Schwester.

[1] Der deutsche Pädagoge Paul Geheeb (1870–1961) gründete 1910 die Odenwaldschule als Landerziehungsheim in Oberhambach bei Heppenheim an der Bergstraße. 1934 aufgelöst, wurde sie nach dem Krieg zu einer differenzierten Gesamtschule ausgebaut. Mit modernen pädagogischen Bestrebungen wie Koedukation, »Schulgemeinde«, Selbstverwaltung und Mitverantwortung der Schüler, Kursunterricht und anderem wurde die Odenwaldschule in den sechziger und siebziger Jahren zu einem Schrittmacher der allgemeinen Schulreform. Anm. d. Red.

Freud hat gesagt, daß wichtige Entschlüsse im Leben unbewußt gefaßt werden, und ich glaube das auch. Ich glaube auch, daß das mehr graduell als plötzlich geschieht. So denke ich, daß das langsam gekommen ist.«

Judith Kestenberg hat in einem ihrer Bücher berichtet, daß sie zwanzig Jahre gebraucht hat, bevor sie sich in der Psychoanalyse mit den Kindern der Holocaust-Generation und damit auch noch einmal mit sich selbst auseinandersetzen konnte. Das ist ein langer Zeitraum. War das bei Ihnen ähnlich?

»Vielleicht nicht so, denn meine Schwester und ich haben uns *immer* darüber unterhalten. Und in Israel – mehr als hier – sind Menschen aufgetaucht, zu denen wir in den verschiedenen Phasen unserer Verfolgung Kontakte hatten. Auch hatten wir einander, um darüber zu sprechen. Beides war entlastend. Ich war schon hier, als sie Zeugin beim Eichmann-Prozeß war. In Israel war man gezwungen, sich damit auseinanderzusetzen.«

»Ich habe überlebt. Das bedeutet, daß ich etwas
aus meinem Leben machen muß.«

»Ich habe es zunächst in Israel jahrelang sehr schwer gehabt und bin dann mit zwei Analytikern in die Psychoanalyse gegangen, die mir meines Erachtens überhaupt nicht geholfen haben. Ich habe dann beschlossen, es aufzugeben und hierherzukommen – gegen den Rat der Analytiker. Meine Schwester hat damals beschlossen zu heiraten, und das war *sehr* schwer für mich, weil wir uns so nah waren. Ich kam dann her, um zu studieren, und habe auch die Analyse weitergemacht. Allerdings war der Analytiker nicht gut für mich, was ich bald sah, nachdem ich mein analytisches Studium begonnen hatte – aber ich hatte nicht die Kraft für eine weitere Trennung. Er hat dann Schluß gemacht, und es war sehr schwer für mich, wieder neu anzufangen. Ich habe dann neu angefangen – wieder mit jemand Falschem. Ich habe mir immer gesagt: *Ich hab's überlebt, und das bedeutet, daß ich etwas aus meinem Leben machen muß.* Das war teils meine Arbeit, teils mein persönliches Leben. Ich kam dann endlich zu einer Analytikerin, die sehr gut für mich war, mir sehr viel geholfen hat. Ich war irgendwie entschlossen, das durchzukämpfen.«

Sie machen Ihren Beruf gern?

»Ja. ich mache ihn sehr gern. Ich seufze, Sie haben's gemerkt – dieser Beruf ist schwer, aber der Mühe wert, wenn man den Leuten helfen kann, wenn auch nur minimal.«

Sie haben ja sehr viel und sehr oft unter unheimlich couragiertem Einsatz geholfen, auch Ihrer Mutter – ist das ein Stück Kontinuität?

»Weiß ich nicht. Ich weiß nur, daß ich damit aufgewachsen bin. Wenn ich als kleines Kind aus dem Fenster sah, sah ich immer eine Reihe von Leuten, die bei uns Brot oder Geld bekamen, es ist nie jemand weggeschickt worden, der etwas gebraucht hatte. Es kam nie vor, daß meine Mutter oder mein Vater keine Zeit hatten, wenn jemand in Not war. Ich glaube, es ist kein Zufall, daß wir beide, meine Schwester und ich, im sozialen Bereich arbeiten. Irgendwo ist das vielleicht ein Stück Kontinuität. Ich glaube, auch im Lager war das so – wir haben einmal darüber gesprochen, daß es für uns beide schwierig ist, zu nehmen, und viel leichter, zu geben. Heute kann ich leichter annehmen – ich glaube, die Analyse hat mir dabei geholfen.«

Was haben Sie empfunden, als Sie das erste Mal nach Deutschland gingen? Wohin gingen Sie?

»Sehr schwierig. Das erste Mal ging ich nach Ravensbrück zurück. Ich hatte in Ost-Berlin acht Stunden Aufenthalt; am Flughafen hatte man mir gesagt: ›Da haben Sie uns ja nicht in guter Erinnerung‹, als ich erzählt hatte, warum ich komme. Das war faszinierend.
Ich habe zwei Gefühle gehabt – ich weiß nicht, ob das ganz ehrlich ist –, zunächst vielleicht ›Ich will nichts damit zu tun haben‹. Wenn ich einen Beamten in Uniform sah, war das für mich ein Greuel. Ich habe auch kein Deutsch sprechen wollen. Dann habe ich das Gefühl gehabt, daß ich darüber hinwegkommen muß, zugleich aber ein Schuldgefühl. Wenn jemand autoritär war, dann hat mich das sehr abgestoßen. *Zugleich war mir immer bewußt, daß dieses Land das Blut meines Volkes aufgesaugt hat.*
Trotzdem finde ich, daß wir darüber hinwegkommen müssen – das ist eine neue Generation, und ich versuche sehr, Kontakt mit dieser neuen Generation zu finden.
Ich denke gerade daran, daß meine Analytikerin mir gesagt hat, sie wolle nie etwas mit Deutschland zu tun haben. *Das* Gefühl habe ich nie gehabt.

Wir sind jetzt oft in Deutschland; die Stiefmutter meines Mannes lebt dort und ist dort sehr gebunden. Ich habe das Gefühl, all das ist schon sehr viel weniger geworden, aber wenn ich etwas sehe, was mich ans KZ erinnert... Ich habe meinen Mann nach Bergen-Belsen geschleppt, wir sind an Dachau vorbeigefahren... Jedesmal, wenn ich in Deutschland bin, habe ich das Gefühl, ich muß in einen Buchladen gehen, zu sehen, welche neuen Bücher es gibt... Immer habe ich das Gefühl, ich muß etwas machen, es läßt mich nicht los.
Jahrelang hat es mich in Träumen verfolgt, jetzt nicht mehr, jetzt nur noch, wenn es irgendwelche Angstsituationen gibt – dann kommt es noch oft in Form von Gejagtwerden, von deutschen Soldaten und so weiter. Aber es ist ziemlich selten.«

Fühlen Sie sich hier wohl?

»So wohl, wie man sich in einem Land fühlen kann, in dem man nicht aufgewachsen ist. Amerika macht's einem einfach als Emigrant, aber man fühlt sich nie ganz zu Hause – *ich* fühle mich nie ganz zu Hause. Ich war jetzt in Europa, und irgendwo sehe und erlebe ich, was mir hier fehlt. Die Natur, die Wälder, all das gibt's hier nicht.«

Sie haben ja auch beobachtet, wie Israel sich verändert hat. Was ist Ihnen besonders wichtig, das nicht in Israel passiert? Was wünschen Sie sich von Israel?

»Weniger Materialismus, weniger primitive Unwerte, die für den Moment sind und die ursprünglichen Werte des Landes kaputtmachen; Sozialismus, Gerechtigkeit, Verständigung mit den Arabern, Beziehungen zu den Arabern, auch Beziehungen zueinander, nicht so ein Wettkampf. Ich finde Sharon furchtbar.«

Sie beschäftigen sich jetzt mehr mit der Holocaust-Auseinandersetzung. Sie fühlen sich erst jetzt dazu in der Lage. Sehen Sie auch Chancen, daß es etwas bringt?

»Ich wollte es immer und habe es immer verschoben. Schreiben und erzählen. Und hoffentlich zur Verständigung der Menschen beitragen.«

Was wünschen Sie sich von Deutschen?

»Ich will Ihnen eine Unterhaltung beschreiben, die ich im Zug nach Holland gehabt habe.
Wir waren alles junge Menschen, die wußten, was geschehen war, und die überlebt hatten. Wir haben uns damit beschäftigt, wie man mit

den Deutschen nun umgehen soll. Die Frage kam auf, ob alle Deutschen in einem bestimmten Alter umgebracht werden sollten. Sofort kam die Frage: ›Was aber würdet ihr tun, wenn ihr direkt an der deutsch-holländischen Grenze lebtet und hungrige deutsche Kinder kämen – würdet ihr ihnen zu essen geben?‹ – ›Selbstverständlich!‹ war unsere Antwort.
Es war beides. Irgendwelche Reaktionen mußten wir haben. Man kann aber keinem Menschen, der nicht verantwortlich ist, etwas antun.
Ich will Sie fragen: Was kann ich erwarten? Ich meine das nicht im Sinne von irgendwelchen Wiedergutmachungen, das finde ich ganz unwichtig. Sie sind aus einer anderen Geschichte, vielleicht sogar aus einem anderen Land. *Was würde helfen?* Das einzige, was ich mir vorstellen könnte, wären irgendwelche Erklärungen, Aussprachen, Verständigung. Ich weiß im Grunde zu wenig, zu oberflächlich Bescheid – vielleicht ist das Feigheit meinerseits... aber was könnte Sinn haben, was könnte ich erwarten, was könnte man von mir erwarten? Könnte ich zu irgendeinem Verständnis beitragen? Ich weiß wirklich nicht, was Sie im Kopf hatten, als Sie diese Frage stellten.
Wie empfinden Sie als Deutscher, was Sie von mir gehört haben?«

Erik Homburger Erikson:

»Nur durch Mitscherlich konnte ich Deutschland wieder besuchen«

1902 in Karlsruhe geboren, wuchs Erik Homburger Erikson dort mit seiner Mutter, einer jüdischen Dänin, und seinem Stiefvater Dr. Homburger, einem deutsch-jüdischen Arzt, auf. Nach seiner Gymnasialzeit suchte er sich in Italien eine Künstlerausbildung. 1927 wurde er Kunstlehrer in Wien. Über den Psychoanalytiker Peter Blos kam er in den inneren Kreis um Sigmund Freud, unterzog sich einer Lehranalyse bei Anna Freud. Als Nicht-Arzt fühlte er sich hier in der Rolle eines »begünstigten Stiefsohns«.

Anfang der dreißiger Jahre verließ Erikson Wien. Nachdem sein Versuch scheiterte, in Kopenhagen ein psychoanalytisches Institut aufzubauen, wanderte er in die Vereinigten Staaten aus. Zu seinen amerikanischen Wirkungsstätten zählen die Harvard Medical School, in der er als Kinder-Analytiker tätig war, sowie die Universitäten von Yale und Berkeley.

Erikson erweiterte die Freudsche Psychoanalyse um historische, kulturkritische und ethnologisch-vergleichende Aspekte. Als einer der ersten Konzentration auf Mittelschichtpatienten und öffnete sich anderen Kulturen und Schichten: so in der in einem Reservat von South Dakota durchgeführten Studie mit Sioux-Kindern, aber auch in seinen Therapien mit Kindern von Arbeiterfamilien und Arbeitslosen im Western Psychiatric Institute in Pittsburgh.

Erik Homburger Erikson lebt heute in Tiburon, Kalifornien.

In Deutschland ist er durch sein erstes Buch mit dem Titel *Kindheit und Gesellschaft* bekannt geworden, das er erst 1950 veröffentlichte, ebenso durch *Der junge Mann Luther* (1958), *Jugend und Krise* (1968), *Identität und Lebenszyklus* (1968) und *Gandhis Wahrheit* (1969).

Erik Erikson traf ich in Adams House, einem ehrwürdigen Internat aus dem vorigen Jahrhundert in Cambridge / Massachusetts. Für einen Vortrag über die Dringlichkeit der Abrüstung war er für einige Zeit an den Ort zurückgekommen, der für ihn wegen seiner Liberalität und Geistesaristokratie zu den Wendepunkten in seinem Leben zählt. Daß er hier in Harvard freundlich aufgenommen worden war, betont er dankbar, fast gerührt. Vor allem die Harvard Medical School hatte ihm die Schwierigkeiten seiner Emigration beiseite geräumt. Hier in Harvard war er »angekommen«, war ihm nach einer inneren und äußeren Odyssee eine Identität zugefallen. Erikson berichtet offen, mit

den Kategorien, die sein Werk prägen, über seine »Ich-Identität«, seine »Identitätskrise«, sein »Moratorium«.
Schon in einer früheren, 1970 geschriebenen autobiographischen Notiz[1] hatte Erikson berichtet, daß er vor einer gleich dreifachen Identitätsproblematik gestanden hatte. Geboren als Kind einer Jüdin, die aus Dänemark kam; in Karlsruhe mit einem jüdischen Vater aufgewachsen, der nicht sein leiblicher Vater war, wie er erst mit vier oder fünf Jahren entdeckte, und den er doch lieben lernte – so wuchs er nicht ganz deutsch, aber in einer klassischen deutschen Mittelstadt, mit dem Mythos vom wirklichen Vater und deswegen auch nicht ganz jüdisch auf.

Zwischen Identifikation und Identität

»Ich bin in Karlsruhe in Baden als Sohn des Kinderarztes Dr. Theodor Homburger und seiner Frau Karla, geb. Abrahamsen, einer gebürtigen Kopenhagenerin, aufgewachsen. Während meiner ganzen frühen Kindheit haben sie mir verschwiegen, daß meine Mutter zuvor verheiratet war und ich der Sohn eines Dänen war, der sie vor meiner Geburt im Stich gelassen hatte. Sie dachte offensichtlich, daß ein solches Geheimnis nicht nur möglich ist, weil Kinder nichts davon mitkriegen, wenn ihnen nichts erzählt wird, sondern auch dazu nützlich, daß ich mich in ihrem Hause vollkommen zu Hause fühlen kann. Wie Kinder es so tun, spielte ich mit und vergaß mehr oder weniger die Zeit meiner ersten drei Lebensjahre, als meine Mutter und ich allein gelebt hatten. Damals waren ihre Freunde Künstler, die im Volksstil von Hans Thoma (aus dem Schwarzwald) arbeiteten. Sie vermittelten mir, glaube ich, meinen ersten Eindruck von Männern, bevor ich mich mit diesem Eindringling, dem bärtigen Doktor, mit seiner heilenden Liebe und seinen mysteriösen Instrumenten zurechtfand. Später genoß ich es, zwischen dem Maleratelier und unserem Haus hin und her zu pendeln, dessen erster Stock nachmittags voll war mit gespannten und vertrauensvollen Eltern und Kindern. Mein Gefühl, anders zu sein, nahm in Phantasien Zuflucht, wie es häufig bei Kindern vorkommt, auch wenn sie nicht in derart akuten Problemen stecken; in diesen Phantasien war ich, Sohn weit besserer Eltern, eigentlich... ein Findling.
Mein Stiefvater war jedenfalls alles andere als der sprichwörtliche

[1] Aus: Autobiographic Notes on the Identity Crisis (1970, S. /16)

›Stief‹-Vater. Er gab mir seinen Namen, den ich als mittleren Namen beibehalten habe, und erwartete, daß ich selbst Arzt werden solle wie er.
Identitätsprobleme verschärfen sich in der Pubertät, wenn die gegensätzlichen Identifikationen der Vergangenheit in Einklang gebracht werden müssen und die Entwicklung zukünftiger Rollen unvermeidlich wird.
Mein Stiefvater war der einzige und hochangesehene Gebildete in einer engen jüdischen Kleinbürgerfamilie, während ich von meiner gemischten skandinavischen Herkunft her blond und blauäugig war und auffallend groß geriet.
Lange zuvor bekam ich im Tempel meines Stiefvaters den Spitznamen ›Goj‹, während ich gleichzeitig für meine Klassenkameraden ein ›Jude‹ war. Obwohl ich mir verzweifelt Mühe gab, ein guter deutscher Chauvinist zu sein, wurde ich zum ›Dänen‹, als Dänemark während des Ersten Weltkriegs neutral blieb.
Auch wenn solche Bestimmungen zufällig sind, können sie doch Gefühle von Fremdsein unterstreichen und tatsächlich stärker das wirkliche Selbst repräsentieren als die einfachen und stabilen Tatsachen, die sonst eine positive Identität von jemandem ausmachen.
Zur Klärung dieser deutschen, jüdischen und dänischen Elemente meines Hintergrunds muß ich klarmachen, daß ich von einer Periode spreche, lange bevor das Judentum durch den Nationalsozialismus wie durch den Zionismus Veränderungen erfuhr. Meine Mutter konnte nach wie vor nostalgisch dänisch sein und irgendwie ihr mythisches Dänisch-Sein kultivieren, ohne sich genötigt zu fühlen, ihre jüdische Herkunft zu betonen.
Zum anderen hat das reformierte Judentum in unserem sozialen Leben auch gar nicht eine besonders starke Identifizierung als Juden gefördert. Im Gegenteil.«
Fremdsein, Wanderschaft, Identifizierung mit dem Stiefvater, dänische, deutsche und jüdische Einflüsse – in diesem mixtum compositum suchte der junge Erik Erikson seine Identität: mal chauvinistisch; mal durch die Gesänge der lutherischen Kirche in Karlsruhe, die ihn auch religiös anzogen; nach seiner Gymnasialzeit als wandernder Künstler, der sich in Skizzen und Holzschnitten probierte und von der Bearbeitung des primären Naturmaterials fasziniert war. Seine »Identitätskrise« (Erikson) trieb ihn schließlich in den von ihm selbst besungenen Süden, nach Italien:
»In jener Zeit zog es jeden, der sich in seiner eigenen nördlichen Kultur fremd fühlte und sich selbst achtete, früher oder später nach Ita-

lien, wo man endlos Zeit hatte, die südliche Sonne in sich aufzusaugen und den allgegenwärtigen Anblick in der großartigen Verschmelzung von Natur und Kultur. Sosehr dies ein ›Moratorium‹ für mich war, so sicher auch eine Periode totaler Läuterung der militärischen, politischen und ökonomischen Katastrophe... Solange man einige finanzielle Unterstützung von zu Hause erwarten konnte und sich nicht unversehens in Sintfluten verlor, lebte man – oder dachte es wenigstens – in einem Zeitgefühl, das nach Jahrhunderten, nicht nach Dekaden zählte. Denkt man heute darüber nach, so lebten wir in einem ausufernden patriarchalen Universum, noch durch mütterliche Kräfte gemäßigt... Solch ein Narzißmus kann natürlich den Sturz einer jungen Person bedeuten, wenn er nicht eine überragende Idee und Bedingungen vorfindet, an ihr zu arbeiten. Es war mein Freund Peter Blos – heute ein New Yorker Psychoanalytiker, bekannt durch seinen Klassiker über die Adoleszenz – der mich rettete.«[2]
Über Peter Blos gelangte Erikson nach Wien.

Sigmund Freud – der »zweite« Stiefvater

Sigmund Freud war *die* Person in seinem Leben, die ihm half, sein ›Moratorium‹ zu beenden:
»Da war eine mythische Figur und ein großer Arzt, der gegen die medizinische Profession *rebelliert* hatte. Da war ein Kreis, der mir erlaubte, zu einer Art Ausbildung zu kommen, durch die ich – wie es nur irgendwie für einen Nicht-Arzt möglich war – zu einem Kinderarzt habe werden können. Was in mir auf diese Situation reagierte, war, denke ich, eine *ambivalente Identifizierung* mit meinem Vater, vermischt mit der Suche nach meinem eigenen mythischen Vater.«
Es scheint, als habe sich für Erikson Realität und Mythos verknüpft. Noch Jahrzehnte später spricht er von einer gelungenen Identifizierung als Stiefsohn Freuds. Erikson hatte auch einen »alles andere als den sprichwörtlichen Stiefvater« erlebt. Sein Stiefvater hatte ihm eine Mischung von bereitwilliger Anerkennung und heilender Liebe geboten, ohne doch der Vater zu sein. Er ermöglichte Erik zugleich Anerkennung *und* Distanz.
»Und wenn ich mich frage, in welchem Geist ich meine gewiß verblüf-

[2] Vgl. ebda., S. 17

fende Adoption im Kreis um Freud akzeptierte, kann ich nur vermuten – nicht ohne Verlegenheit: Es war eine Art von begünstigter Stiefsohn-Identität, die es mir problemlos werden ließ, daß ich auch dort akzeptiert wurde, wohin ich nicht ganz gehörte. Zugleich hatte ich meine Nichtzugehörigkeit zu wahren. Ich hielt Kontakt mit dem Künstler in mir, meine psychoanalytische Identität war nicht genügend gefestigt, bis ich sehr viel später mit der Hilfe meiner amerikanischen Frau *schreibender* Psychoanalytiker wurde – wenn man so will: erneut in einer Sprache, die nicht die meine gewesen war.«[3]

Viele dunkle Gefühlsmächte

Erik Erikson hat in seinem Werk *Jugend und Krise* und in fast allen seinen großen Veröffentlichungen die Passage aus der Rede von Sigmund Freud vor der B'nai B'rith-Loge in Wien zitiert. Darin äußert sich Freud *das einzige Mal* deutlich über seine jüdische Herkunft; er umschreibt sie mit einem Wort, das für Eriksons Biographie wie für sein wissenschaftliches Werk *das* zentrale ist: *Identität*. Erikson hat diese Passage nicht nur häufig zitiert, sondern sie auch interpretatorisch herausgehoben. Er begreift sie als eine Aussage, »die eine Einheit der persönlichen und der kulturellen Identität bekräftigt, welche im Schicksal eines alten Volkes wurzelt«. Für Erikson ist es die »Ansprache eines schöpferischen Beobachters, der lange in einem Beruf isoliert war, an seine ›Brüder‹«[4]:

»Ein nationales Hochgefühl habe ich, wenn ich dazu neigte, zu unterdrücken mich bemüht, als unheilvoll und ungerecht, erschreckt durch die warnenden Beispiele der Völker, unter denen wir Juden leben. Aber es blieb genug anderes übrig, was die Anziehung des Judentums und der Juden unwiderstehlich machte, viele dunkle Gefühlsmächte, um so gewaltiger, je weniger sie sich in Worten erfassen ließen, ebenso wie die klare Bewußtheit der inneren Identität, die Heimlichkeit der gleichen seelischen Konstruktion. Und dazu kam bald die Einsicht, daß ich nur meiner jüdischen Natur die zwei Eigenschaften verdankte, die mir auf meinem schwierigen Lebensweg unerläßlich geworden waren. Weil ich Jude war, fand ich mich frei von vielen Vorurteilen, die andere im Gebrauch ihres Intellekts beschränkten, als Jude

[3] Vgl. ebda., S. 17
[4] Ebenda

war ich dafür vorbereitet, in die Opposition zu gehen und auf das Einvernehmen mit der ›kompakten Majorität‹ zu verzichten.«[5]

Als ich Erikson auf diese Stelle anspreche, bestätigt er:
»Das einzige Mal, daß Freud das Wort ›Identität‹ verwandte, war in einem Vortrag vor einer jüdischen Loge. Das einzige Mal, wo er vor einem jüdischen Auditorium stand, sprach er über jüdische Identität und verwandte hierzu, ebenfalls das einzige Mal, das Wort ›Identität‹. Das war natürlich sehr wichtig für mich. Denn wenn Sie im Begriff der Identität arbeiten, ist es wichtig, was Freud sagte. Er war mein Lehrer – und wichtig wegen der jüdischen Identität!«

Die »Söhne« Sigmund Freuds

»In der Zeit, die ich übersehe, in der ich in Wien war, hat Freud das Judentum ausschließlich als Religion betrachtet. C. G. Jung betrachtete die Freudsche Psychoanalyse als jüdisch und die Juden die Jungsche als goi'isch. So geht das eben.
Freud schrieb über Jung eigentlich ganz freundlich an Fliess. Er wollte ihn sogar als Nachfolger, weil es Freud unangenehm war, daß die Psychoanalyse *jüdisch* und *wienerisch* war. Denn die Psychoanalytische Vereinigung war nicht nur jüdisch, sondern wienerisch-jüdisch. Freud selbst aber hatte keinen großstädtisch-jüdischen Hintergrund. Er spielte jedenfalls mit dem Gedanken, Jung zu seinem Nachfolger zu machen: gleichsam zu seinem Sohn. Ich kann nicht so weit gehen zu sagen, er wollte einen Nichtjuden. Es sollte aber auf jeden Fall jemand sein, der nicht aus *Wien* kam. Und Jung war eine ganz andere Erscheinung. Dadurch wurde wiederum Jung in seiner christlichen Orientierung bestärkt. Die beiden wurden jedoch Gegner, wie Sie wissen, so daß die verschiedenen Identitäten wieder gegeneinanderstießen.
Auf der anderen Seite repräsentierte Adler exakt die jüdische Psychoanalyse, die Freud nicht akzeptieren konnte. Ich glaube, das hängt mit der Biographie Freuds zusammen. Sehen Sie, Freud kommt nicht aus Wien, er war kein Wiener. Er kam aus einem Ort nördlich von Wien, in der Tschechoslowakei, soweit ich weiß. Für ihn war es sehr wichtig, daß seine Familie nicht eine Wiener, großstädtisch-jüdi-

[5] Sigmund Freud, »Ansprache an die Mitglieder des Vereins B'nai B'rith« (1926), Gesammelte Werke, Bd. XVII, London (Imago).

sche Tradition aufwies, sondern eine kleinstädtische: ein Beispiel dafür, wie sehr die Identität eines einzelnen an einem bestimmten Platz in der Gesellschaft von geographischen, historischen und kulturellen Bedingungen geprägt ist.«

War etwas an dem jüdischen ›spirit‹ der Wiener Psychoanalytiker?

»Wenn Sie zu den psychoanalytischen Meetings in der Wiener Psychoanalytischen Vereinigung gingen und wenn Sie in Synagogen gingen, fühlten Sie – das ist meine Beobachtung – das gleiche. Und es war ja auch so, daß die Wiener Psychoanalytische Vereinigung anfangs zu achtzig Prozent aus jüdischen Mitgliedern bestand. Das hat mich daran erinnert, wie ich als Kind meine Eltern in die Synagoge begleitet habe: Da treffen sich Leute in einem Raum und empfinden, daß sie sich in einer spirituellen Atmosphäre treffen. Die Atmosphäre in der Psychoanalytischen Vereinigung hatte etwas von dieser Qualität, und zwar besonders, da der Vereinigung viele Juden angehörten.«

Nach Amerika: Keine Flucht

Erikson verließ seinen ihn fördernden »Stiefvater« Sigmund Freud, sobald er Psychoanalytiker geworden war, durchquerte Hitlers Deutschland, um sich in Kopenhagen um den Aufbau eines Psychoanalytischen Instituts zu bemühen. Als er aufgrund innerdänischer Schwierigkeiten auch daran scheiterte, reiste er schon nach wenigen Monaten nach Amerika.
So hatte Erikson Wien rechtzeitig verlassen, gleich nach dem Abschluß der Lehranalyse bei Anna Freud und seiner Heirat mit Joan Emerson, einer Tänzerin und Lehrerin.
Für ihn war Amerika das Land der »unbegrenzten Möglichkeiten«, wie er selbst sagt, gerade die ersten drei Jahre in Cambridge und dann in Berkeley.
Zum selben Zeitpunkt, als er seine erste große öffentliche Anerkennung fand, wurde er sich seiner amerikanischen Identität durch einen gravierenden Konflikt bewußt. Er weigerte sich, einen Revers zu unterschreiben, den der wegen seiner gefürchteten antikommunistischen Hearings Anfang der fünfziger Jahre bekannte McCarthy angeregt hatte. Damit gab Erikson seinen gerade erreichten Status als Professor in Berkeley auf. Er protestierte, »weil ich nicht bleiben wollte, wo anderen die Universität verweigert wurde, obwohl sie das

gleiche taten wie ich«. Für Erikson war seine Argumentation, »eine der ganz bewegenden Verteidigungsreden der akademischen Freiheit« (Lewis A. Coser), der *»Test meiner amerikanischen Identität«:* »Denn als uns ›foreign born‹ unter denen, die die Unterschrift verweigert hatten, gesagt wurde: ›Geht zurück, von wo ihr gekommen seid!‹, spürten wir plötzlich ganz sicher, daß die Ideale, die hinter unserem offenkundigen Loyalitätsbruch den Soldaten in Korea gegenüberstanden, in Wirklichkeit genau jene waren, für die sie in den Krieg ziehen sollten.«

Seine erste große Veröffentlichung *Kindheit und Gesellschaft* entsprach diesem Standpunkt auch wissenschaftlich. Sie brach mit engen fachwissenschaftlichen Konventionen und Themenbegrenzungen und war von den Problemen und Chancen der demokratischen Tradition in Amerika inspiriert:

Im Vorwort schreibt Erikson: »Identitätsprobleme gehörten zum geistigen Gepäck von Generationen neuer Amerikaner, die ihre Mutter- und Vaterländer hinter sich gelassen hatten... Immigration kann eine harte und herzlose Sache sein und neue Formen der Identität für Überlebende eröffnen... In der Roosevelt-Ära konnten wir Emigranten uns sagen, daß Amerika ein weiteres Mal dazu beiträgt, die atlantische Welt von der Tyrannei zu befreien. Und waren wir nicht als Mitglieder einer helfenden Berufsgruppe dabei, einen Beitrag dazu zu leisten, die innere und äußere Unterdrückung von Menschen zu verringern...?«

Situationen, die nach Deutung und Abhilfe verlangten, waren das Movens des Buches: die Angst bei kleinen Kindern, die apathische Passivität der amerikanischen Indianer, die seelische Verwirrung bei Kriegsteilnehmern, die Arroganz der jungen Nationalsozialisten...

»Nur durch Mitscherlich konnte ich Deutschland wieder besuchen«

Wie sehr er von dem umgetrieben wird, was in Deutschland geschehen ist oder geschieht, deutet Erikson an, als ich ihn danach frage, wie er seine erste Begegnung in Deutschland nach 1945 erlebt hat:

»Die Empfindungen, die in mir ausgelöst worden sind, als ich das erste Mal nach Deutschland kam, sind zu kompliziert. Hier bin ich aufgewachsen... Aber schauen Sie, was geschehen ist!«

Erik Erikson ist selten in Deutschland gewesen, und wenn, dann immer nur für kurze Zeit. Aber seine Fragen kreisen auch heute

noch um die Themen, die ihn schon vor und nach Hitler beschäftigt haben:
Überlegungen zum projektiven Antisemitismus, zum Verhältnis von Deutschen und Demokratie, zu Krieg und Abrüstung. Seine Fragen kommen zugleich von weither, aus einem Amerika, mit dessen demokratischen Traditionen er sich wie kaum ein anderer meiner Gesprächspartner identifiziert hat. Erikson ist kein intimer Kenner der bundesrepublikanischen Szene; aber als ich im Gespräch die Bedeutung der »Unfähigkeit zu trauern« (Mitscherlich) für die Studentenbewegung erwähne, unterbricht mich Erikson:
»Das ist sehr interessant, weil – sehr, sehr weit zurückgeschaut – ich nur durch Mitscherlich in der Lage war, nach Deutschland zurückzukommen. Er war wirklich bekannt und anerkannt. Wir haben uns zwar nur zu Tagungen und Treffen gesehen, aber uns gut verstanden, er hat ja auch eine dänische Frau gehabt. Anläßlich des hundertsten Geburtstags von Freud 1956 wurde mir angetragen, die Geburtstagsreden in Heidelberg und Frankfurt zu halten. Ich denke, es war Mitscherlichs Einfluß, daß Sigmund Freuds Geburtstag in Deutschland gefeiert wurde. Nach der Einladung sagten viele meiner Freunde: ›Das darf man nicht tun, man kann nicht nach Deutschland.‹ Daraufhin habe ich an die Universitäten in Heidelberg und Frankfurt geschrieben: Ich werde kommen, wenn Sie mir versprechen, daß die halbe Zuhörerschaft junge Leute sein werden, die den Freud als etwas verstehen werden, das in die Zukunft geht und zur Zukunft gehört. Und sie haben das getan. Als ich hinkam, war das Auditorium voll von jungen Leuten. Und auch das 1960 gegründete Sigmund-Freud-Institut in Frankfurt war eine gute Sache. Es war eine Verbindung der deutschen Kultur mit der Psychoanalyse.«

Eine Verbindung auch dadurch, daß sich Mitscherlich mit der NS-Zeit sehr auseinandergesetzt hat...

»Ja, und er hat sehr gelitten. Es war schwer für ihn, aber er war ein mutiger Mann. Er ist vor keinem Problem weggelaufen. Mir ist es wichtig zu sagen, daß es Mitscherlich war, der es mir möglich gemacht hat, nach Deutschland zu kommen. Ich bin nicht oft nach Deutschland gegangen. Aber wo es einen guten Plan gegeben hat, bin ich gegangen.«
Erikson umkreist das Thema des Nationalsozialismus mit einem Begriff, der für seine Arbeiten leitmotivischen Charakter hat: mit dem der »Pseudo-Species«. Demzufolge ist »nur allein die eigene Art und

Gattung von einer allweisen Gottheit geplagt« worden, wie Erikson in *Jugend und Krise* (S. 312) schreibt.[6]
In der Art, wie Erikson auf dieses Thema zurückkommt, klingt noch jenes Erstaunen mit, welches ihn schon kurz nach dem Zweiten Weltkrieg erfaßt hat; als er damals in *Kindheit und Gesellschaft* über den Nationalsozialismus schrieb, fragte er sich, wie der Plan Hitlers, wie ein solcher Entwurf aus dem gleichen nationalen Geist entspringen konnte wie die einfache Güte und kosmopolitische Weisheit, die die »wirkliche« deutsche Kultur repräsentiert habe.[7]

». . . der Blitzkrieg als Heilungsmöglichkeit für das traumatisierte deutsche Volk«

»Es ist gerade ein verhängnisvoller Irrtum«, schreibt Erikson in *Kindheit und Gesellschaft*, »daß der Nationalsozialismus *trotz* Deutschlands intellektueller Größe ans Ruder kam.« Erikson erinnert daran, daß »Thomas Mann während des Ersten Weltkrieges die Deutschen durch die Feststellung ermutigt hat, daß ein Philosoph wie Kant die Französische Revolution mehr als aufwiege und die Kritik der reinen Vernunft tatsächlich eine radikalere Revolution darstelle als die Proklamation der Menschenrechte«.[8] Der deutschen Klassik, nicht nur Bismarck, sondern auch Goethe, fehle das Bild des politischen Menschen: der franzöische Citoyen, der angelsächsische Demokrat. Vom »Thomas Mann des Ersten Weltkriegs bis zum Nazi-Philosophen des Zweiten Weltkriegs« galt der deutsche Soldat als Personifikation oder selbst als Vergeistigung dessen, was deutsch ist. Er repräsentiert die »Wacht am Rhein« – die menschliche Mauer, die Deutschlands fehlende natürliche Grenze ersetzt. In ihm bewies sich die Einheit durch *blinden Gehorsam* und widerlegten sich Aspirationen in Richtung einer *demokratischen Vielfalt.*[9]
Es war eine Situation, die nach Erikson dazu beitrug, eine »Offiziersaristokratie« zu entwickeln, die einen Geist der Zusammenarbeit und persönlichen Verantwortung beschwor, welche den blinden Gehor-

[6] Für Erikson stellt es eine »Form der Lüge« dar, sich gemäß der Vorstellung zu sehen, die dem Begriff der »Pseudo-Species« zugrundeliegt. »Die Entwicklung zur Pseudo-Species ging durch die gesamte Evolutionsgeschichte, sicher. Aber die Nazis sind das radikalste Beispiel, vor allem, wie dann plötzlich eine Trennung in zwei Species vorgenommen wurde und die abgetrennte grausamer behandelt wurde, als Tiere andere Arten innerhalb der Tierwelt behandeln.« – »Es war so erstaunlich, daß es in solch einem entwickelten, gebildeten Land stattfand.« (Vgl. *Jugend und Krise*, S. 312).
[7] Vgl. ebda., S. 326
[8] Ebda., S. 329
[9] Ebda., S. 330

sam ersetzten. Reife anstelle von Kaste wurde zum Kennzeichen des Offiziers. Mit solchem neuen Material wurde der Blitzkrieg vorbereitet; es war nicht nur eine technische Leistung, sondern auch eine großartige Lösung und Heilungsmöglichkeit für das traumatisierte deutsche Volk.[10]

Erikson identifiziert die »Wende« als den Moment, in dem das nationalsozialistische Regime erlebte, daß »die Russen«, für Hitler Sumpf- und Untermenschen, standhielten. Sie wurden damit gegen Ende des Krieges den anderen Untermenschen gleichgesetzt, den Juden. *»Nur besaßen die glücklicheren Russen ein Land und eine Armee.«*

Er präzisiert in diesem Zusammenhang die These eines *Antisemitismus aus Projektion:* Viele Menschen sehen in den Juden überdeutlich das, was sie an sich selbst nicht erkennen wollen. »Es ist der geheime Pakt..., die Träume von einer Welteroberung – eine dem deutschen Chauvinismus völlig adäquate Vorstellung.«[11] »Der Jude scheint trotz kosmopolitischer Weltläufigkeit, erzwungener Zerstreuung über die Welt, er selbst zu bleiben, während der Deutsche im eigenen Land um seine Identität zittert, Grund zum Neid. Kosmopolitisch zu sein und sich in ›bitterem Stolz‹ identisch zu sehen *und* ›den Höhepunkt der kulturellen und wissenschaftlichen Krise Europas‹ zu formulieren (mit Marx, Freud und Einstein), ist eine Herausforderung und für ein Land, das zu *defensiver Starrheit zurückgreift*, um ›Identität‹ zu wahren, eine Provokation: starke Zeiten und starke Länder assimilieren die Beiträge kraftvoller jüdischer Geister, da ihr Identitätsgefühl durch die fortschreitende Neudefinierung gesteigert wird. In Zeiten kollektiver Angst hingegen wird schon die Andeutung der Relativität übelgenommen, und das besonders von den Klassen, die dabei sind, Status und Selbstgefühl zu verlieren. In ihrem Bemühen, eine Plattform zu finden, auf der sie sich erhalten können, klammern sie sich in grimmiger Einseitigkeit an diejenigen absoluten Werte, die sie zu retten hoffen.«[12]

Die jüdische Provokation

Einer der Gründe für die Gewalt des Antisemitismus sieht man darin, daß Deutsche das Selbstbewußtsein von Juden in der Diaspora irritierte: Woher nahmen die Juden das, trotz fehlender Territorialität und Staatlichkeit?

[10] Ebda., S. 331
[11] Ebda., S. 332
[12] Ebda., S. 332 ff.

Die Juden, so Erikson, hatten mitten in einem Territorium gelebt, »in das man beständig einfiel und durchmarschierte« (hier sieht Erikson auch eine Analogie zur Geographie und Geschichte der Deutschen), ohne daß die Juden die Übergriffe hätten abwehren können – einer der Gründe für die Diaspora. Genau dieses verstreute Volk war nun auch nach Deutschland gekommen: »Als die Juden nach Deutschland kamen, sprachen sie Tschechisch, Holländisch... Es waren Menschen, die sich dennoch immer noch als Volk sahen, obwohl es doch *nur eine Religion* war, die sie verband. Sie hatten keinen Staat und fühlten sich doch als Nation.
Sie waren über die ganze Welt verstreut, über die ganze Welt gewandert, nirgends zu Hause, und hatten kaum Einfluß, bis auf Ausnahmen wie vielleicht einen gewissen geistig-kulturellen Einfluß während der Weimarer Republik. Und doch hatten sie als Volk der Diaspora ein ›Territorium‹, den Glauben an Jehova – nicht an irgendeinen Gott, sondern an Jehova. Der Glaube an Jehova ist ihnen gemeinsam. Von allergrößter Bedeutung für den Jehova-Glauben ist die Ausgangssituation, in der Gott Moses die Gesetze gibt und, als er Moses verlassen will, von diesem gefragt wird: ›Wer bist du? Wie soll ich meinem Volk erzählen, wer du bist? Sie warten unten. Was soll ich ihnen sagen? Wer sprach zu mir?‹ – Und Jehova antwortete: *›Jehova bedeutet: Ich bin Ich. Also geh zu deinem Volk und sage ihnen: Ich, der Ich ist, gab Euch diese Gesetze.‹* Durch die Gesetze und das Gebet zu Jehova aber sind die Juden nun die Species, die durch die geographische Welt wandert, verstreut, aber in der geistigen Welt das Volk Jehovas, das ein Ich, ein Zentrum hat. Jude bedeutet keine ethnische, sondern eine religiöse Gruppenzugehörigkeit, die sich dadurch bestimmt, zur Synagoge zu gehen und zu Gott, dem ›Ich-bin-Ich‹-Gott zu beten.
Soweit sie sich aber mit jedermann, der im Lande lebt, identifiziert haben, haben sie, historisch gesehen, naturgemäß auch Schuldgefühle entwickelt. Ihr historischer Mangel an Macht, ohne Staat, Armee, Flagge oder königliche Familie, kam noch hinzu. Um so mehr blieb ihnen, zur Synagoge zu gehen und zu Jehova zu beten, dessen auserwählte Kinder sie sind.«

Nun hat ja Ben-Gurion nach 1945 eben diese Flagge gehißt. Was hat das für Ihre jüdische Identität bedeutet? Haben Sie Israel besucht?

»Ja. Ich habe dort heute eine Halbschwester, eine weitere lebt in New York, und eine ist gestorben. Meine Mutter wie mein Stiefvater starben in Israel. Ich war mehrere Male in Israel zu Seminaren an der Hebräischen Universität. Dort erlebte ich, wie praktisch jeder über die Identität der Juden in Israel diskutiert. Ich habe einen enormen Respekt Israel gegenüber. Junge Israelis haben eine Identität, die andere anderswo so nicht haben. Dennoch, ich bin Amerikaner geworden, obwohl meine Mutter in Israel lebte. Ich habe nie daran gedacht, in Israel zu leben. Ich bin noch immer glücklich, nach Amerika gekommen zu sein.«

»Ich würde gern in der Friedensbewegung arbeiten«

In unserem Gespräch interessierte mich vor allem Eriksons Auseinandersetzung mit dem Nationalsozialismus, seine Identität als Jude. Erikson sprach mehrfach davon, was der Anlaß seines Besuchs in Cambridge war: die Thematik von Krieg und Abrüstung. Die Verbindung beider Themen ist für ihn zentral: Denn ein ganzes Volk zur »Pseudo-Species« zu erklären und es schlimmer zu »behandeln«, als selbst Tiere andere Tiere behandeln, ist auch 33 Jahre nach Eriksons erster großer Veröffentlichung *Kindheit und Gesellschaft* etwas, was er zu verstehen versucht – eben nicht nur wegen des Geschehenen.
»Ich glaube, den Menschen die Einsicht in diese Dynamik der Pseudo-Species zu vermitteln, ist wohl die einzige Chance, einen Nuklearkrieg zu verhindern. Die Nazis sind das radikalste Beispiel – was wir zwischen Rußland und Amerika erleben, scheint zeitweise analog zu sein.«
»Ich würde gern in der Friedensbewegung arbeiten. Ich habe kürzlich ein Papier über das, was ich die ›Goldene Regel‹ nenne, geschrieben; sie möge für Individuen wie für Gesellschaften gelten und – das wäre für die Friedensbewegung wichtig – lautet etwa so: ›Do to another what will help the other to develop even as it helps you to develop.‹ (Tu einem anderen, was dem anderen hilft, sich zu entwickeln, wie es dir selbst hilft, dich zu entwickeln). Mit anderen Worten: Zwei Menschen haben eine Konversation, und jeder soll das repräsentieren, was dem anderen zu seiner Entwicklung verhilft. Gerade in der Friedensarbeit ist es wichtig, die menschliche Entwicklung zu begreifen, die Bedingungen ihrer Entfaltung, der jeweiligen Entfaltung jeweiliger Völker. Wie für die Deutschen, so für die Russen. Aber ohne falsche Zuschreibungen, ohne Pseudo-Species! Wir befinden uns in der gleichen Entwicklungsrichtung und müssen uns austauschen.

Wenn Sie sich Rußland wirklich anschauen, seine Entwicklung und seine Nuklearenergie, könnten sich Amerika und Rußland nahe fühlen und umgekehrt, gerade mit der gemeinsamen Erfahrung von Kriegen, im Wissen um die Kriegsgefahr, besonders seit dem Zweiten Weltkrieg. Das brauchen wir.«

Teil IV
Emigranten in Europa

Ein kleinerer Teil der Emigranten lebt in west- und nordeuropäischen Demokratien, vor allem in England, aber auch in Holland, Dänemark, Schweden, Frankreich und der Schweiz.
Wie bei den Auswanderern nach Nordamerika, so spürten wir auch bei ihnen Dankbarkeit gegenüber ihren Emigrationsländern – trotz aller Amibivalenzen und der unterschiedlichen Situation in den einzelnen Ländern.
Da sind einmal die Engländer, die »wirklich großartig sind, wenn es ihnen dreckig geht«, wie sie Richard Löwenthal im Zweiten Weltkrieg erlebte; ähnlich äußerten sich auch Marie Jahoda und Eva Reichmann.
Zu Holland verhielten sich viele Emigranten eher zwiespältig. Margrit Wreschner-Rustow und Zvi Bacharach waren dorthin geflohen, wo die Nazis sie wieder einholten und ins Konzentrationslager verschleppten, zwar kehrten sie nach dem Krieg nach Holland zurück, mochten aber auf Dauer nicht bleiben. Im Gegensatz zu ihnen hält Hans Keilson dort vor allem die positive Erfahrung auch heute noch in Holland, daß er hier damals Menschen kennenlernte, die ihre Integrität bewahrten und zum Teil den Nazis Widerstand leisteten.
Am stärksten war die Dankbarkeit gegenüber Dänemark. Wo sonst hätte es auch ein Land gegeben, das 1933 bei annähernd gleich hoher Arbeitslosigkeit wie in Deutschland eher pazifistisch-demokratisch als militärisch oder gar militaristisch dachte? Aus Protest gegen Judenverfolgung ritt der dänische König sogar mit einem Judenstern durch die Stadt. In Dänemark erhielt der Widerstand gegen die Deutschen großen Auftrieb und erfaßte breite Schichten der Bevölkerung, als im Oktober 1943 über 3000 Juden mit Fischerbooten über den Oresund nach Schweden in Sicherheit gebracht wurden.
Einige wenige kehrten wieder dorthin zurück, von wo sie vertrieben worden waren: in die Bundesrepublik und West-Berlin, in die Deutsche Demokratische Republik und nach Österreich.
Aber auch sie kamen in erster Linie zu den Organisationen zurück, die schon vorher ihre geistige Heimat gewesen waren: Ossip K. Flechtheim zur Arbeiterbewegung, Richard Löwenthal zur SPD, Brigitte Gollwitzer zu den Kreisen der Bekennenden Kirche, die wirklich im aktiven Widerstand gewesen waren.

Ganz anders war die Situation im stalinistisch geprägten Osteuropa, wo die jüdischen Erfahrungen nach dem Krieg systematisch negiert wurden. Helmut Eschwege fand in der DDR als Historiker erst spät Anerkennung. In der Tschechoslowakei kämpfte Erich Kulka jahrzehntelang darum; nach dem Scheitern der Hoffnungen, die sich mit dem Prager Frühling verbanden, verließ er 1969 schließlich doch die ČSSR und ging nach Israel.
Simon Wiesenthal aber blieb immer in unmittelbarer Nähe des Geschehens. Heute arbeitet er in dem Gebäude, das einst eines der Zentren der Gestapo in Wien war – ganz bewußt: »Ich habe euch nicht vergessen...«

Eva Reichmann:

»Tragt ihn mit Stolz, den gelben Fleck«

Eva Reichmann, 1897 in Oppeln in Schlesien geboren, wuchs in einem religiös-jüdischen Elternhaus auf. Während des Ersten Weltkriegs begann sie, Nationalökonomie und Soziologie zu studieren – unter anderem bei Emil Lederer in München.
Ab 1925 war sie im »Centralverein deutscher Staatsbürger Jüdischen Glaubens« (CV) tätig, mit 70000 Mitgliedern die größte jüdische Organisation in der Weimarer Republik; bis 1933 repräsentierten ihn 500 Ortsgruppen. 1893 gegründet, verstand sich der »Centralverein« – im Gegensatz zu den Zionisten – politisch und kulturell als Interessenvertretung von Deutschen jüdischer Herkunft. Er stand zunächst der liberalen »Deutschen Demokratischen Partei« (DDP) nahe, nach deren Zerfall der Sozialdemokratie. Seit Mitte der zwanziger Jahre wurde die Auseinandersetzung mit dem Antisemitismus zunehmend sein Haupttätigkeitsfeld; er versuchte dies mit rationaler Öffentlichkeitsarbeit und Rechtshilfe.
Nach Hitlers Machtergreifung wurden die Gegensätze zwischen liberalem »Centralverein« und Zionisten in der 1933 gegründeten »Reichsvertretung der deutschen Juden« überbrückt. Ihr Präsident war der große Berliner Rabbiner Leo Baeck; einst hatte er die Jüdische Gemeinde von Oppeln geleitet, der Eva Reichmann als Kind angehörte. Sie gab das Organ der »Reichsvertretung« heraus: ›Der Morgen‹.
Nachdem ihr Mann für sechs Wochen im KZ Sachsenhausen war, verließen Eva Reichmann und ihr Mann mit Hilfe eines Sammelvisums Anfang 1939 Deutschland; über Holland emigirierte sie mit ihrem Mann nach London. Während des Zweiten Weltkriegs schrieb sie *Flucht in den Haß* (englisch *Hostages of Civilisation*, 1950), das 1956 in Deutschland erschien. Von 1945 bis 1959 war sie Forschungsdirektor der Wiener Library London, einer bedeutenden Sammlung zur jüdischen und Zeitgeschichte, benannt nach ihrem Gründer. Im Londoner Leo-Baeck-Institut war sie Vorstandsmitglied und Mitarbeiterin. Zu ihren weiteren Veröffentlichungen gehören *Größe und Verhängnis deutsch-jüdischer Existenz. Zeugnis einer tragischen Begegnung.* Mit einem Geleitwort von H. Gollwitzer (1974).
1982 erhielt Eva Reichmann in Berlin den »Moses-Mendelssohn-Preis« »zur Förderung der Toleranz gegenüber Andersdenkenden und zwischen den Völkern, Rassen und anderen Religionen«.

Eva Reichmann, ich möchte mit Ihnen vor allem über Ihre Erfahrungen während des Hitler-Faschismus und über Ihr Buch »Flucht in den Haß« sprechen.

»Das Wichtigste: Ich bin erst 1939 weg und im April 1939 hierher nach London gekommen, weil wir, mein Mann und ich, in Deutschland in der jüdischen Arbeit standen. Wir waren im Centralverein. Sie wissen, was das ist. Wir hatten das Gefühl, wir durften die Menschen nicht im Stich lassen, wir müssen warten – bis dann mein Mann am 19. November 1938 ins KZ gekommen ist. Als er nach Sachsenhausen geholt wurde, war ich gerade auf der Gestapo, weil ich den ›Morgen‹ herausgegeben hatte, und als Chefredakteur des ›Morgen‹ mußte ich dort den Abschluß der Zeitschrift unterzeichnen. Als ich nach Hause kam, war mein Mann weg. Ja, er war in Sachsenhausen sechs Wochen lang, und er ist, Gott sei Dank, mit dem Leben davongekommen. Wie damals die meisten Menschen, und wenn ich jetzt etwas ganz Paradoxes sagen will, dann hieß es: Das KZ hat uns das Leben gerettet, wir wären nämlich sonst nicht ausgewandert. Aber er mußte auswandern, er wurde mit der Auflage entlassen auszuwandern. Wir bekamen also nun auch ein Kollektivvisum für jüdische Beamte... so kamen wir hierher nach England. Aber sagen Sie mir, wo leben Sie, Herr Funke, in Deutschland?«
Ich lebe in Berlin.
»In Berlin. Sie wissen ja, daß alle jüdischen Blätter furchtbar viel her machen mit den neonazistischen Zwischenfällen, die es da gibt. Ich gebe mir immer Mühe, die Dinge etwas ruhiger und objektiver zu sehen, aber schön sind sie nicht. Ich hoffe wirklich, trotz aller schrecklichen Erfahrung, daß es nicht wieder zu einer wirklichen Gefahr wird. Wie denken Sie darüber?«

Ich denke, daß die Neonazis selbst in ihrer organisierten Form nicht unmittelbar eine Gefahr sind, aber ich meine, daß der latente und zum Teil virulent werdende Fremdenhaß...

»...der sich jetzt hauptsächlich gegen die Türken richtet... aber natürlich sehr schnell gegen jede Fremdengruppe umschlagen kann...«

Jüdische Kindheit in Oberschlesien

Gut. Dann kommen wir zu meinen Fragewünschen:
Sie sind 1897 geboren – im gleichen Jahr, in dem Herzl seinen Judenstaat propagiert hat. Sie sind in Schlesien geboren, einer Region, in der der Antisemitismus gegenüber Ostjuden damals auch schon verbreitet war.

»Nein, ich lebte in Oppeln, da gab es gar keine Ostjuden. Merkwürdigerweise. Ostjuden gab es in Kattowitz und in dem Hüttengebiet, das unserer Grenze nahelag. Damals gab es ja noch Entfernungen, heute gibt es keine Entfernungen mehr. Oppeln war schon etwas zu weit weg, bei uns gab es nicht einen einzigen Ostjuden mehr. Natürlich habe ich immer das Problem gekannt, aber bei uns gab es gar keine; es war eine jüdische Gemeinde, und wir hatten als Rabbiner den Dr. Baeck.«

Welche Rolle spielte die jüdische Tradition, die rabbinischen Traditionen in Ihrem Elternhaus und im Lehrhaus...?

»Das erzähle ich Ihnen gern. Baeck war ein persönlicher Freund meiner Eltern, und ich war ja damals ein Kind. Denn er ging schon 1906 weg, da war ich neun Jahre alt. Aber ich liebte ihn. Ich hatte irgendwie einen guten Instinkt, daß ich so für ihn schwärmte. Und wie gesagt, meine Eltern waren mit ihm und seiner entzückenden Frau befreundet. Er kam oft in unser Elternhaus, nach den hohen Feiertagen zum Beispiel kam er auf ein Glas Ungarwein, das wurde in Oberschlesien kultiviert – das kam aus Pardowitz, wo einmal Goethe in der Ungarweinstube ein Gedicht gemacht hat ›fern von gebildeten Menschen am Rande der Erde, ihr müht Euch, Schätze zu bringen ans Licht‹... das war die Kohle... Kohle gab es in Oppeln nicht, in Oppeln gab es Zement. Viele Zementfabriken.
Baeck war also der früheste jüdische Eindruck meiner Kindheit. Seine Predigten habe ich vielleicht gar nicht richtig verstanden. Aber ich hatte irgendwie ein Gefühl von der Großartigkeit und von der Art und Weise, in der er so vortrug. Ich habe immer gesagt, er spricht so innig, so innig. Also, er war ein entzückender Mann. Damals war er noch ziemlich jung und ich war tief unglücklich, als er damals von Oppeln nach Düsseldorf berufen wurde. Erst nach Düsseldorf und dann später nach Berlin (1912). Und wir bekamen einen anderen Rabbiner, der ganz anders war als er, aber auch sehr lebendig und sehr auf die Jungen einging: Dr. Felix Goldmann[1]. Bei ihm habe ich eigentlich meine ersten Religionsstunden gehabt. Und dies hat mich immer interessiert, obwohl unser Elternhaus vollkommen assimiliert war. Bei uns verkehrten genauso viele Nichtjuden wie Juden. Aber es war eine jüdische Tradition, sie war stark, Feiertage wurden gehalten, sogar die Freitagabende, solange meine Großmutter lebte. Die Mut-

[1] Dr. Felix Goldmann (1882–1934) war später von 1917 bis zu seinem Tod ›Gemeinderabbiner‹ in Leipzig und seit 1921 Vorsitzender des CV-Landesverbandes Sachsen.

ter meiner Mutter lebte im Nebenhaus. Als die dann starb, hat sich das ein bißchen verloren. Das sind meine Kindheitserinnerungen an das jüdische Elternhaus. Zugleich hatten wir viel allgemeine Bildung. Mein Vater war ein wirklich hochgebildeter Mann. Ich muß heute noch immer sagen, *der hat alles gewußt.* So haben wir Kinder den Eindruck gehabt: Den Vati konnten wir immer alles fragen, der wußte alles. Und meine Mutter war auch eine sehr intelligente Frau. Ich hatte zwei Geschwister, ich war die Jüngste. Ich hatte einen älteren Bruder, und eine ältere Schwester, die dann später dreizehn Jahre lang bei Gerhart Hauptmann Sekretärin war.«

Was waren Ihre wichtigsten religiösen Eindrücke damals?

»Wir standen glänzend mit allen Klassenkameradinnen, aber wir waren etwas anders. Wir gingen, wenn diese Judenstunde kam, die jüdischen und die christlichen waren gleichzeitig, die gingen dann in unsere Stunde, und das, was dort gelehrt wurde, hat mich offenbar angezogen; die jüdischen Bräuche im Elternhaus und der Weg in die Synagoge mit den Älteren hatten für mich offen etwas Anziehendes. Insofern hat sich die Tradition bei mir gefestigt.«

»Mit Antisemitismus bin ich nicht in Berührung gekommen«

Hatten Sie eigentlich in der frühen Zeit, in der Sie in Oberschlesien waren, auch Kontakte zu nichtjüdischen Kreisen?

»Nur, möchte ich beinahe sagen. Also erstens, schon meine Freundinnen in der Klasse waren Nichtjuden. Und der Verkehr meiner Eltern – mein Vater war Anwalt und Justizrat, Notar und so weiter.«

Mit dem Antisemitismus sind Sie nicht in Berührung gekommen?

»Überhaupt nicht. Bei uns verkehrte zum Beispiel der Landesgerichtspräsident, der zufällig im gleichen Hause wie wir wohnte, und es war eine innige Freundschaft. Also da haben wir nichts gemerkt.«

Sie waren zu Beginn des Ersten Weltkriegs siebzehn Jahre und nicht mehr in Ihrer Heimatstadt?

»Zu Beginn des Ersten Weltkriegs war ich nicht mehr in Oppeln, sondern ging in Liegnitz aufs Gymnasium. Religionsunterricht hatte ich leider bei einem Rabbiner, der keinen sehr großen Eindruck auf mich machte.
In meiner Klasse war außer mir nur noch eine Jüdin... die später in

Amerika als Psychoanalytikerin eine sehr große Karriere machte. Sie hieß Edith Jakobson.[2]
Im Weltkrieg war ich natürlich eine ungeheure Patriotin. Also... begeistert, begeistert. Aber in der Mitte kam ein Bruch... warten Sie mal... ich war siebzehn Jahre alt, als der Krieg losbrach, machte mit neunzehn Abitur, blieb dann erst mal eine Zeitlang zu Hause, weil meine Mutter durchaus wollte, daß ich mal wieder zu Hause bin, und fing dann an zu studieren. Erstes Semester Breslau, weil noch Krieg war und die Eltern nicht wollten, daß ich zu weit weg ging. Zweites Semester München, und in München fiel mir durch Bekannte etwas in die Hand, was mein weiteres Leben sehr stark beeinflußt hat. Es war die geheime Denkschrift des Fürsten Lichnowsky, die er als deutscher Botschafter in London (zur Zeit des Kriegsausbruchs) verfaßt und ganz geheim an einige Freunde verschickt hatte; aber ein Exemplar ist offenbar veruntreut worden und kam merkwürdigerweise auch in meine Hände. Und als ich diese Denkschrift las, hat sich bei mir das Bild der Welt verändert. Das war natürlich auch noch sehr jugendlich, denn von einem Erlebnis, wenn es auch noch so zentral und interessant war, darf man sich nicht alles verändern lassen. Ich aber kam zu der Überzeugung, daß der Earl Grey, der damals ja Außenminister war, den Krieg unter allen Umständen hatte verhindern wollen und daß von Deutschland ein solcher Druck ausgeübt wurde, den Krieg anzufangen, daß wir nach meiner unmaßgeblichen Überzeugung eindeutig am Krieg schuld waren. Das hat sich bei mir eingepflanzt. Ich habe dann sogar versucht, die Denkschrift zu verbreiten, bin dabei beinahe verhaftet worden – jedenfalls hat die Polizei mich gesucht, und als ich einmal aus dem Semester nach Oppeln zurückkam, empfing mich eine furchtbar gedrückte Stimmung in meinem Elternhaus: Die Polizei ist da gewesen und die kommen wieder, wenn du da bist. Ich durfte meine Koffer nicht berühren – es kam ein Polizist, und als mein Vater ihm freundlich Zigarren anbot, hat er nichts genommen, weil das bereits eine Bestechung gewesen wäre. Er fing an, meine Koffer zu durchsuchen. Nun hatte ich sehr viel pazifistische Literatur. Ich hatte die ›Weißen Blätter‹, ich hatte alles Mögliche, ich hatte Adlers Verteidigungsschrift, der in Wien das Attentat auf den Außenminister verübt hatte. Aber die Polizei suchte nur die Lichnowsky-Denkschrift, und die hatte ich glücklicherweise nicht. Also haben sie mich laufen lassen. Es war alles in bester Ordnung.«

[2] Edith Jacobson war schon in Berlin als Psychoanalytikerin tätig und als Mitglied von »Neu-Beginnen« in den ersten Jahren nach der Machteroberung Hitlers politisch aktiv, ehe sie in die USA emigrierte.

Wie kamen Sie zu Ihrem Berufswunsch, Soziologin zu werden?

»Wenn im Geschichtsbuch von Krieg und Schlachten und Königen und Fürsten die Rede war, so mußte ich das pflichtgemäß irgendwie in mich aufnehmen, aber interessiert haben mich nur die gesellschaftlichen Zustände. Das hat alle anderen nicht interessiert, mich immer am meisten. Das soziologische Interesse stammte schon aus dem Geschichtsunterricht. Und deswegen habe ich mich entschlossen, Nationalökonomie, das faßte damals Soziologie in sich, zu studieren.«

War darin auch der Wunsch enthalten, eigenständig zu sein, auf etwas Eigenes zurückgreifen zu können, als Frau unabhängig zu werden?

»Ja, das hing auch damit zusammen... ich muß sagen, dafür bin ich meinen Eltern so dankbar, denn der Gedanke zu studieren kam von ihnen, der kam gar nicht so sehr von mir, ich war damals noch ein Kind und freute mich, wenn ich mit sechzehn aus der Schule kam. Wie gesagt, dann habe ich mich entschlossen, Nationalökonomie zu studieren. Aber ich war damals mehr sozialistisch interessiert als jüdisch. Ich promovierte bei einem sozialistischen Professor, der leider sehr jung gestorben ist, bei Emil Lederer, falls Ihnen das noch ein Begriff ist. Mein Vater war natürlich ein guter bürgerlicher Freisinniger und nicht furchtbar glücklich, als ich ihm eines Tages mitteilte: Ich habe mich entschlossen, Sozialistin zu werden. Aber er hatte auch nichts dagegen gehabt. Meine Mutter hatte einen Bruder, der in Berlin ein großer Sozialdemokrat war, er war Sozius von Wolfgang Heine, war auch Anwalt und hieß Roth. Das haben meine Eltern einfach geschluckt.«

Wie haben Sie dann 1918 und den Beginn der Weimarer Republik erlebt?

»Da habe ich ja noch studiert. Ich habe erst 1921 promoviert. Mit einer natürlich auch sozialistischen Arbeit, mit einem fürchterlichen Titel – kennen Sie den Titel? seien Sie froh –:

›*Spontaneität und Ideologie als Faktoren der modernen sozialen Bewegung.*‹«

Hochaktuell...

»Ja, also ich fand es auch interessant. Lederer hatte mir an sich gesagt: Schreiben Sie eine Doktorarbeit über den *Syndikalismus*. Der Syndikalismus hatte damals in Deutschland und vor allen Dingen im Ruhrgebiet schwache Ansätze; aber ihn interessierte das, und als ich anfing, die Literatur zu lesen, kamen mir größere Gesichtspunkte. Ich sah Syndikalismus als eine spontane Bewegung, dagegen die sozialistische, vor allen Dingen auch die deutsche Sozialdemokratie als eine sehr stark ideologische Bewegung; so machte sich bei mir dann diese Alternative breit, und ich habe diese Arbeit geschrieben...«

Tätigkeit im Centralverein deutscher Staatsbürger jüdischen Glaubens

»Das war 1921. Dann begann die Suche nach einer Stelle, das war damals auch nicht ganz einfach. Da kam ich zuerst – diese Zwischenstadien sind im Grunde genommen uninteressant – in das Sekretariat einer großen Metallfirma. Der Chef dieser Metallfirma war ein großartiger Mann, der leider nachher in Theresienstadt umgekommen ist. Felix Bejamin. Ich wollte aus seinem Sekretariat eine wissenschaftliche Arbeit machen. Aber damals kam das Ende der Inflation, die Rentenmark. Es mußte abgebaut werden. – Ich wurde dann auch mit dem zweiten Schub abgebaut.
Ich war also wieder mal ohne Job, und da hat dann eine Freundin von mir gesagt: Ach, wissen Sie, ich bin im *Centralverein*, und es wäre sehr gut, wenn Sie uns da helfen. Da habe ich gesagt: Das kann ich leider nicht, denn ich stehe nicht auf dem Boden des Centralvereins.
Dann sagt Sie: Ach wissen Sie, das ist alles gar nicht so wichtig, sprechen Sie nun erst mal mit Holländer, dann werden Sie sehen. Holländer war der Direktor des Centralvereins.
Also kam ich zu einem Interview. Holländer sagte: ›Also liebstes Fräulein Doktor‹, so nannte er mich, ›mein liebstes Fräulein Doktor, wie wäre das?‹ Da habe ich gesagt: ›Herr Doktor, ich fürchte, es wird nicht gehen – ich bin nicht in allen Punkten auf dem Boden des Centralvereins, zum Beispiel bin ich für den Palästina-Aufbau.‹ Da hat er gesagt: ›Das b[illegible] ich doch auch, das ist doch nicht so schlimm. Das ist gar kein Entscheidungsgrund.‹ ›Ich habe auch eine etwas andere Ansicht in der Ostjudenfrage. Ich finde, man darf den Ostjuden nicht den Zugang versperren‹, sagte ich. ›Aber liebstes Fräulein Doktor, das bin ich doch auch!‹ meinte er. Dann war noch irgendeine dritte Frage, da war er ja auch – liebstes Fräulein Doktor – genau meiner Ansicht, und ich habe dann gesagt: Wir werden sehen. Dann habe ich meiner Ansicht nach eine ziemlich überhöhte Gehaltsforderung gestellt, damit die Sache zum Krach kam. Aber er ist darauf eingegangen. Da war mein Geschick besiegelt, ich kam in den Centralverein und habe es eigentlich nicht bedauert, weil ich meinen Mann dort

kennengelernt habe. Aus anderen Gründen war ich manchmal sehr kritisch. Ich habe immer stärker zum Zionismus geneigt, als das im Centralverein angebracht war. Aber natürlich, ich mußte meine Arbeit machen und habe sie loyal gemacht. Ich habe mich dort verlobt, habe dort geheiratet und blieb dort, bis er 1939 aufgelöst wurde.«

Ja, ich hatte die Frage stellen wollen, wie Sie es denn nun, wenn Sie im Centralverein gewesen sind, mit den zionistischen Ideen gehalten hatten – nun brauche ich das nicht mehr zu fragen. Es gab ja wohl auch viele Berührungspunkte.

»Es gab aber auch leider völlig unnötige Kämpfe, so wie ich es heute sehe. Und das hat mich sehr bedrückt. Ich habe natürlich immer versucht zu vermitteln – ich war ja halt noch ein kleines Mädchen und hatte ja keine große Meinung verbreiten können. Einer unserer vielen älteren maßgebenderen Menschen kam einmal nach Beuthen, wo mein Mann damals noch Syndikus des Centralvereins war, und hat ihm gesagt (das hat mir mein Mann später erzählt): Da hat man uns jetzt ein zionistisches Protektionskind hereingesetzt, die alles, was wir machen, sofort an die Zionisten verrät. Also das war ich. Ich brauche Ihnen nicht zu sagen, daß daran natürlich kein wahres Wort ist; daß ich stärkere zionistische Neigungen habe, ist richtig, aber wo hätte ich irgend etwas... um alles in der Welt... verraten; ich hatte gar keine Verbindungen zu Zionisten.«

Sie mußten sich relativ früh gegen das Anwachsen des Antisemitismus wenden?

»Das war ja der Mittelpunkt unserer Tätigkeit. Mein Mann war unterdessen nach Berlin gekommen, so habe ich ihn ja erst kennen und lieben gelernt. Die Bekämpfung des Nazismus war sein Dezernat, er war ein ganz großer Kenner des Nazismus. Ich habe mich vorwiegend mit kulturellen und mit jüdischen Dingen beschäftigt, aber der Nazismus stand im Mittelpunkt des gesamten Centralvereins.«

Schon Mitte der 20er Jahre...

»Da fing das schon an. Es ging nach und nach. Zuerst wollten wir es ja nicht ganz wahrhaben, mit der Zeit wurde es ernster und ernster.«

Was waren Ihre ersten Beobachtungen mit Nationalsozialismus und Antisemitismus, die Sie beeindruckt haben?

»Ich habe die Presse gelesen, ich selber war damit nie unmittelbar konfrontiert, jedenfalls nicht in der ersten Zeit. Später natürlich, ja.

Ich habe natürlich die Presse gelesen, ich habe den ›Angriff‹ gelesen, mein Mann hat mich mit allen Informationen versorgt, und so ist mir die Schwere des Problems sehr bald bewußt geworden. Aber wir hofften damals noch. Wir sagten uns immer: Wir haben großartige Verbündete, Sozialdemokraten, Zentrum, Demokraten. Was soll da passieren, da kann nichts passieren. Ich erinnere mich, mein Mann hatte Fühlung mit einem führenden Sozialdemokraten; der hat gesagt: ›Sie sind noch ein sehr junger Freund, ich habe schon viele solche Wellen kommen und gehen sehen. Auch diese Welle wird sich wieder verlieren.‹ Das war damals offizielle sozialdemokratische Meinung. Auch später noch, ziemlich lange. Ich kann persönliche Erlebnisse und Gemeinschaftenserlebnisse kaum voneinander trennen. Ich sah es natürlich immer stärker auf uns zukommen. Neulich bin ich von einem Rundfunkmann, einem BBC-Mann gefragt worden – das wird am 30. Januar gesendet –, was ich denn am Tage der Machtergreifung gefühlt habe. Ich kann nur sagen, wir waren fürchterlich betroffen, nicht sehr überrascht. Denn wir hatten dann das Unglück kommen sehen. Wir hatten dann noch einmal – ich glaube, im November 1932 – ein bißchen zu hoffen angefangen, das waren die Wahlmißerfolge der Nazis; und wir haben uns gesagt, daß das eine Bewegung sei, die keine Mißerfolge haben darf. Daran geht sie zugrunde. Sie kann nur immer auf dem Vormarsch sein. Aber leider, leider, die Intrigen oben um Hindenburg und so weiter ... und es kam der Tag des 30. Januar. Wir konnten uns gar nicht vorstellen und haben uns nicht vorgestellt, daß sie noch einmal überhaupt ausgeschaltet wurden. Aber unsere Hoffnung setzten wir damals törichterweise noch auf das Bündnis mit den Deutschnationalen. Wir dachten, die Deutschnationalen, die wir nicht liebten, und die uns nicht liebten, aber von denen wir wußten, daß es anständige Menschen waren, die werden sie schon nicht groß werden lassen. Die werden durch die Koalition die Sache abmildern.«

Haben Sie wie viele, die ich auch gesprochen habe, gesehen, daß es mit der demokratischen Substanz von Weimar nicht so weit her war?

»Das haben wir sehr stark gesehen. Darunter haben wir gelitten. Das haben wir in voller Klarheit gesehen. Natürlich, die Parteien bestanden noch, und die SPD war noch immer die stärkste Partei im Parlament, aber daß es im Grunde genommen eine Republik ohne Republikaner war und eine Demokratie ohne Demokraten, das ist uns immer bewußt gewesen. Da war unsere Skepsis groß.«

Wenn ich es richtig gelesen habe, war die Aufrechterhaltung der deutsch-jüdischen Identität für den CV von zentraler Bedeutung.

»Richtig, ganz richtig. Aber vor allen Dingen war es jüdische Arbeit, es war eine jüdische Arbeit auf deutsch-jüdischer Grundlage. Ich habe einmal einen Aufsatz vom *Deutsch-Jüdischen Sein* geschrieben, den ich sogar heute noch gar nicht so schlecht finde. Das war noch unter den Nazis, und das war noch ein ganz starkes Bekenntnis zu dem Deutsch-Jüdischen. Ich konnte mir etwas anderes gar nicht vorstellen. Ich bin auch heute noch keine Engländerin. Ich meine, ich habe immer noch sehr stark meine deutsche Identität behalten. Und darin hat mich mein Man auch noch sehr bestärkt. Mein Mann hatte keine zionistischen Anwandlungen.«

Wie Sie. Woher kam das bei Ihnen, diese zionistischen Anwandlungen, wie Sie sagen.

»Woher kommt so was? Das ist schwer zu sagen. Ich fühlte, man will uns nicht in Deutschland, und wenn man uns nicht will, dann sollen wir uns auf uns selbst besinnen und auch uns selbst suchen. Wir wollen uns nicht aufdrängen. Letzten Endes habe ich natürlich doch gedacht, wir sind doch nun mal Deutsche, und daran ist doch nicht zu wakkeln.«

Es gab keine Fühlung zwischen deutschen Juden und Ostjuden

Woher kam Ihr Mann?

»Er kam aus Beuthen, also noch eine Stunde östlicher von Oppeln, und stammte mehr oder weniger aus demselben Milieu; sein Vater war Apotheker, das waren immer alte CV-er. Und wie gesagt, mein Mann war Syndikus des CV für den oberschlesischen Landesverband, wir waren in Landesverbänden aufgeteilt. Das war ja eine Massenorganisation.«

Ihr Mann – vielleicht wollen Sie auch einige Worte über ihn persönlich erzählen – kommt ja aus einer Stadt, in der es ein Ghetto gab . . .

»Das gab es . . . aber es gab natürlich eine starke Gegensätzlichkeit; mein Mann war ja deutscher Jude.
Und die Trennung zwischen den Ostjuden und den ›deutschen Deutschen‹ war ja auch stärker. Die Gegensätzlichkeit zwischen den Ostjuden in Beuthen und den Deutschen.«

Wir war das Verhältnis zwischen Deutschen und Ostjuden?

»Gott, davon kann ich nicht viel sagen. Die Ostjuden waren bei den Deutschen bestimmt nicht beliebt. Die Sache ist doch so, sie waren nun ja ganz anders. Sie hatten zum Teil ihre eigene Kultur, ihre eigene Sprache. Ich meine nicht, daß ich die deutschen Juden da in Schutz nehmen will, aber daß sie sich als etwas anderes und die Ostjuden als Fremde empfunden haben, darüber kann man sich gar nicht sehr wundern. Nur muß man sich wundern, daß sie so intolerant waren, mit Fremden, Andersartigen unter allen Umständen nicht leben zu wollen. Man muß mit Andersartigen leben. Sie waren ja auch anders als sie, aber sie wollten natürlich auch mit ihnen leben, obgleich es, wie gesagt, freundschaftliche Fühlung zwischen deutschen Juden und Ostjuden kaum gab.«

Eigentlich habe ich nie meinen Kopf so hoch getragen wie in der Zeit der größten Bedrückung

Der 1. 4. 1933, an dem zum ersten Mal jüdische Geschäfte boykottiert wurden, hat sicher in Ihrer Organisation eine besondere Bedeutung in der Einschätzung der Gefahren gehabt.

»Sicherlich, am 1. 4. 1933 war ich zur Gestapo vorgeladen wegen des Verbotes unserer Publikation im CV. Und ich hatte damals an dem 1. 4. 1933 den Eindruck, daß (ich fuhr durch die Straßen von Berlin zu diesem Zweck) die Volksstimmung von dem Boykott nicht begeistert war. Ich weiß nicht, ob ich eine geborene Optimistin bin, jedenfalls war das mein Eindruck. Und der Eindruck wurde weitgehend auch von anderen geteilt. Vor allen Dingen sagten wir uns folgendes: Der Boykott war als ein Dauerboykott angesagt worden; daß er dann auf einen Tag begrenzt wurde, war der erste Triumph der Gegenseite. Und darauf haben wir natürlich viel zu viel neue Hoffnung gesetzt, so schlimm es war.«

Haben Sie auch, wie es in der Formulierung von Robert Weltsch »Tragt ihn mit Stolz, den gelben Fleck!« einmal ausgdrückt worden ist, Stolz empfunden als Jüdin?[3]

[3] Am 4. April 1933 – drei Tage nach dem Boykott jüdischer Geschäfte rief der Zionist Weltsch in der *Jüdischen Rundschau*, der zionistischen Zeitschrift, unter dem Titel *Tragt ihn mit Stolz, den gelben Fleck* die Juden in Deutschland dazu auf, dem Boykott mit Stolz auf die eigene Tradition entgegenzutreten, und erinnerte daran, daß im Mittelalter die Juden sich durch einen gelben Fleck kennzeichnen mußten.

»Ich trage ihn mit Stolz, den gelben Fleck. Er hat immer gesagt, ›Hätte ich gewußt, daß beim Centralverein so nette Menschen sind‹, denn man kannte sich nicht. *Zionisten und Centralvereinler, die lebten auf getrennten Polen der Welt.* Ja, so verrückt war das, und über dieses Wort ›trage ich mit Stolz‹ habe ich jetzt noch mal geschrieben: Robert Weltsch hat es später bedauert. Denn er hat gesagt, es war für mich, als es erschien, eine historische Sache. Sie haben alle plötzlich wieder aufrecht gestanden und aufgeguckt, alle, alle. Aber er hat dann gesagt, ich hätte das Symbol, unter dem dann die Menschen in die Gaskammer getrieben worden sind, nicht verherrlichen dürfen. Das waren seine Bedenken, erst ganz zum Ende hat er dann doch wieder eingesehen, was es damit Positives gegeben hat. So ist er dann zu einer Art von balanciertem Urteil gekommen. Ich hatte neulich einen Artikel von Ernst Simon gelesen, der Ihnen vielleicht auch ein Begriff ist. Wir haben zusammen in Heidelberg studiert. Wir waren große Freunde, und er hat mal geschrieben, er habe damals mit diesem Wort ›Tragt ihn mit Stolz, den gelben Fleck‹ eine nicht unbeträchtliche Anzahl von Menschen vom Selbstmord zurückgehalten. Das kann ich mir vorstellen.«

Damals hat auch Martin Buber mit Ihnen zusammengearbeitet. Erinnern Sie sich daran?

»Aber natürlich. Und wie! Er war unser größter Lehrer und übte besonders in seinen Vorträgen eine große Wirkung auf die Zuhörer aus; bei seinen Schriften war es schon schwieriger – aber persönlich hatte er Charisma, mit ihm und anderen gab es eine Art Renaissance auf die jüdischen Wurzeln. Beim ersten Kongreß für Erwachsenenbildung 1936 war ich dabei, in Herrlinghausen, irgendwo in Württemberg, ein entzückender Ort; das waren wunderschöne Tage. Da hatten sich dann plötzlich diese Gegensätze zwischen Zionisten und CV-ern applaniert, und das habe ich genossen. Genossen habe ich das. Ich war ganz glücklich. Da haben wir alle zusammengearbeitet. Und, o ja, selbstverständlich, dann wurde diese Erwachsenenbildung gegründet.«

Was, glauben Sie, hat an den Ideen, die dort vorgetragen und entwickelt wurden, vor allem dazu beigetragen, den geistig-psychischen Widerstand zu stärken?[4]

[4] Ernst Simon war zusammen mit Martin Buber beim Aufbau der jüdischen Erwachsenenbildung aktiv.

»Ja, es wurden damals jüdische Kulturhäuser gestattet, es wurde der Kulturbund ins Leben gerufen. Alle diese Dinge, die damals und in den ersten Jahren des Nazismus noch gestattet waren, haben natürlich das jüdische Bewußtsein, das Bewußtsein der jüdischen Werte, das fast verlorengegangen war, ungeheuer gestärkt. Ich habe zum Beispiel im Lehrhaus auch manchmal Vorträge gehalten oder... sie haben einfach in den jüdischen Schriften gelesen, mit der Bibel gearbeitet, also sagen wir mal einen Lehrgang mit Jesaja und dergleichen. Wir haben ja diese Dinge, die im deutsch-jüdischen Bewußtsein fast verloren waren, neu gestärkt. Das hat natürlich das jüdische Bewußtsein sehr gefördert. *Eigentlich habe ich nie meinen Kopf so hoch getragen wie in der Zeit der größten Bedrückung.* Weil wir uns so hoch erhaben über das Gesindel vorkamen, das uns das antat. Und damals glaubten wir noch, wir kommen lebendig durch.«

Welche jüdischen Werte waren Ihnen besonders bedeutsam?

»Der reine Monotheismus. Ich bin eine große Verehrerin des Christentums, das nur nebenbei gesagt, aber ich halte den reinen Monotheismus über die Dreieinigkeitslehre für überlegen. Dazu kommt das starke *soziale Bewußtsein*, das durch die ganze Bibel geht. Nicht allein das ›Du sollst ruhen am Sabbattage‹, sondern auch dein Knecht und Deine Magd und der Fremdling, der in Deinen Toren ist‹. Diese Dinge haben mich sehr bewegt und haben wohl auch, wie sie damals in das Bewußtsein gehoben worden sind, die Menschen stark jüdisch intensiviert. Reiner Monotheismus, sozialer Gedanke, und dann die *Propheten*, das ist doch zum Teil großartig. Haben wir doch gar nicht gekannt, wir haben doch das alles gar nicht gekannt. Und als man das dann neu las und neu erklärt bekam, hat man gemerkt, daß das eine gute Sache ist, das Judentum. Das Judentum ist eine gute Sache. Und wahrscheinlich wird es deswegen so verfolgt, weil es eine gute Sache ist. In dieser bösen Welt.«

Die zionistische Idee bekam in dieser Phase eine steigende Attraktivität, und viele haben daraus nicht nur die Legitimität der zionistischen Idee hergeleitet, aus dieser Situation, sondern als einzige Konsequenz betrachtet. Sie haben das nicht getan. Ihr Buch ist dagegen geschrieben, nicht aus der furchtbaren Zerstörung der Emanzipation der Juden in Deutschland auf einen Emanzipationsdefaitismus zu schließen.

»Denn ich habe gesagt: Wenn man sagen würde, die Emanzipation als Idee ist gescheitert, so hätte man sagen müssen, die Frauenbewegung ist gescheitert; daß die Nazis zerstört haben, war noch kein Scheitern. Das war eine gewaltsame Zerstörung.«

Aber liegt dem nicht auch eine ungeheuere, auch emotionale Anstrengung zugrunde, das in Ihrem Buch Flucht in den Haß *auszuführen – was hat Sie eigentlich dazu befähigt, sich über die Gründe dieser faschistischen Bewegung und ihre zerstörerische Kraft so kurz, nachdem Sie das alles erfahren haben, auseinanderzusetzen?*

»Es ging uns an den Kragen, Herr Funke, wir waren Ausgetriebene aus unserer Heimat. Man hat uns alles genommen. Alles. Das, was Sie hier um sich sehen, ist nur ›Wiedergutmachung‹. Wir sind mit zehn Mark über die Grenze gegangen. Wir haben auch nichts im Ausland gehabt. Wir waren schreckliche Jeckes, wenn Sie wissen, was das ist. Wissen Sie, deutsche Juden werden unter Juden mit dem jiddischen Ausdruck Jeckes benannt, und sie sagen immer, die Jeckes sind furchtbar ehrlich, wir waren Jeckes und wir sind mit zehn Mark ausgewandert, und als ich mit dem Zug über die Grenze fuhr nach Holland, habe ich geweint. Es ist mir furchtbar schwergefallen. Und natürlich, es war uns in den Kern unseres Herzens der Dolch gestoßen worden. Da wollte ich wissen, *warum*. Das habe ich mich gefragt. Wie konnte es geschehen? Das war der Ansporn zu dem Buch, zu meiner Untersuchung. 1938 war natürlich furchtbar. Mein Mann ist damals ins KZ gekommen; aber das war ja dann mehr oder weniger keine Überraschung mehr, nachdem die die Macht usurpiert hatten. Aber was wir nicht erwartet haben, war der Massenmord. Den haben wir damals noch nicht geglaubt. Den haben damals die Nazis noch nicht geglaubt. Das war eine spätere Stufe der Entwicklung, die erst mit der Wannsee-Konferenz 1942 überhaupt ihren Ausgang nahm. Denn zuerst haben sie uns ja geradezu ›retten‹, ›helfen‹ wollen, indem sie auf die Auswanderung gedrängt haben. Ohne sie wären wir ja nicht ausgewandert. Also das war auch da eine *historische Entwicklung* in Etappen. Und natürlich war dieser Pogrom etwas Furchtbares. Aber da mußte man schon sagen: Das kann einen nicht mehr überraschen.«

Fühlten Sie sich physisch bedroht in dieser sogenannten Kristallnacht?

»Ja, natürlich. Die haben bei mir Hausdurchsuchung gemacht. Mein Mann war schon im KZ, und das war natürlich schrecklich. Ich habe vom ersten Tag an versucht, alles in die Wege zu leiten, um ihn zu befreien. Ich bin damals zur Gestapo vorgeladen worden, auch noch vor dem Pogrom. Nämlich des ›Morgen‹ wegen. Im ›Morgen‹ hatte zum

Beispiel Else Lasker-Schüler geschrieben. Sie haben mich also vorgeladen, und da war dieser, wie hieß er denn, das ist egal, ich komme jetzt nicht auf den Namen, der also mit Judensachen hauptsächlich zu tun hatte, und der hat mich empfangen; wie ich da in das Zimmer kam, hat er gesagt: ›Na, Frau Reichmann, nun müssen Sie jetzt hier bleiben, jetzt gerade vor Chanukka.‹ Er wollte mit seinen jüdischen Kenntnissen protzen. Ich hatte gar keine Angst, ich wußte, daß die mich wieder rauslassen werden. Aber dann haben sie mich einmal vorgeladen und gesagt: ›Frau Reichmann, es wird mir mitgeteilt, daß Sie so sehr viele Herrenbesuche bekommen.‹ Da habe ich gesagt: ›Nun, was ist denn das?‹ ›Ja, das ist mir mitgeteilt worden. Haben Sie da vielleicht geheime Versammlungen?‹ Da sage ich, ›Nein, ich will Ihnen etwas sagen‹ – in Berlin waren ja bei weitem nicht alle Leute verhaftet. Wir hatten noch sehr viele Freunde, und es kamen alle Freunde mich fragen, ob sie mir helfen konnten, meinen Mann herauszubringen. Da gab es manchmal bei mir zehn oder zwanzig, die zusammen da waren. Das ist tatsächlich wahr. Und da haben ›freundliche‹ Nachbarn mich denunziert. Aber dann habe ich denen erklärt, wie das kam. Ich habe gesagt, daß ich da in der Organisation bin – ich bin bekannt, mein Mann ist sehr bekannt, und sie wollen mir helfen. Und dann habe ich gesagt: ›Och, ich habe gedacht, Sie werden mir sagen, wie ich meinen Mann herausbekomme.‹
Dabei kamen mir wohl ein paar Tränchen. Und da sagte der – das war die Polizei, das waren Polizeibeamte –: ›Jetzt fängt Frau Reichmann an zu weinen, weil sie dachte, wir werden ihren Mann herauslassen.‹ Die waren sehr nett zu mir... es gab die größten Kontraste.
Aber kurz und gut, dann, *nach dem Pogrom, da haben wir gewußt, jetzt müssen wir weg.* Jetzt müssen wir weg, und da haben wir versucht, uns ein Visum zu beschaffen, und sind mit einem Kollektivvisum von England herausgekommen.«

Man verkehrte nur noch mit Juden

Wie haben Sie Ihren Mann wieder herausgekriegt?

»Meinen Mann haben sie nach sieben Wochen entlassen. Er kam an, er hatte sehr abgenommen, was ihm sehr gut getan hat, er war viel zu dick; er hat sich ins Bett gelegt, wir haben einen Arzt kommen lassen, der fand das alles soweit in Ordnung. Und dann hatte er so furchtbar viele komische Sachen zu erzählen – aus dem KZ, er hatte sehr viel

Sinn für Humor, und er war immer ›looking at the bright side‹. Einmal haben wir Freunde da gehabt, denen hat er soviel komische Dinge erzählt, daß nachher einer von unseren Freunden, die schon einen Bruder verloren hatten, sich beklagt und gesagt hat, wir haben zuviel gelacht über diese furchtbar tragischen Dinge. Aber so ist es gewesen. Es war alles dicht beieinander.«

Vielleicht noch ein Wort zum Gemeindeleben. Das alltägliche Leben unter Juden hatte sich verändert?

»Also *man verkehrte nur noch mit Juden.* Wir hatten natürlich immer einige Nichtjuden, die unbedingte und ernstzunehmende Anti-Nazis waren und die mein Mann noch vom Centralverein her, als der noch existierte, in die Nazi-Versammlung schickte, zur Berichterstattung. Ich habe auch einmal Hitler gehört... ich bin einmal in einer Hitler-Versammlung gewesen. Das war sehr interessant. Das hat furchtbar lange gedauert, bis er erschien, denn er hatte schon bei ungefähr zehn anderen Versammlungen gesprochen. Da kam der Badenweiler-marsch, es gab große Begeisterung, und er hat ein Wort gesagt, das ich mir gemerkt habe, andere Dinge weiß ich natürlich nicht mehr, er hat gesagt, ›Ich bin Euch ja genauso verfallen wie Ihr mir.‹ ›Verfallen‹, das Wort hat er gebraucht.«

Das hat ja eine vielfältige Bedeutung.

»Ja, ein sehr verfängliches Wort. Ja.«

Wie haben Sie damals darauf reagiert?

»Ich habe gesagt, ich verstehe seine Massenwirkung. Ich kann sie verstehen. Nicht etwa, daß ich in Gefahr war, ihr zu ›verfallen‹, aber ich konnte seine Massenwirkung verstehen, und natürlich dann mit der Musik und mit den ungeheuren Massenliedern – ich habe also einen Begriff bekommen von seiner *Massenattraktion*.«

»Flucht in den Haß«

... das war auch eines der zentralen Gegenstände Ihres Buches.

»Ja, er hat sozusagen dem deutschen Volk *alle seine Wünsche erfüllt.* Er hat es verstanden, ihnen ihre gegensätzlichen Wünsche zu erfüllen. Darauf beruhte sein Charisma, denn das hat er gehabt.«

In Ihrer Systematik sind Sie in dem Buch zunächst ausgegangen von der »objektiven Judenfrage«, wie Sie sagten.

»Ja, habe ich immer im Unterschied etwa sogar zum Centralverein gesagt: *Es hat eine Judenfrage gegeben.* Der Centralverein hat oft gesagt, es gibt gar keine Judenfrage, es gibt nur eine Antisemitenfrage. Das habe ich verneint. Ich habe gesagt: Es gibt noch gewisse Anomalien, mit denen ein gesundes Volk ohne weiteres fertig wird. Vergleichen Sie England, es gibt hier auch einen Antisemitismus, aber keinen gefährlichen. *Aber Deutschland ist ein neuropathologisches Volk,* auch heute noch, leider, und die haben darauf so schlimm reagiert. Aber gewisse Anomalien hat es gegeben.«

Neuropathologisches Volk ist ja das, was Sie mit subjektiver Judenfrage umschreiben, denn die objektive Judenfrage verweist ja darauf, daß es reale Gegensätzlichkeiten in der historischen Erfahrung gegeben hat. Und auch Widersprüche.

»Die aber ohne weites hätten überwunden werden können und die auch die Tendenz zum Abbau hatten.«

Nicht aber die Gegensätzlichkeiten, die auf objektiven Merkmalen beruhten.

»Ja, Berufsgegensätze, Wohnort und so weiter. Die hat es gegeben.«

... und die nicht nur zeitliche Begrenzung des Emanzipationsprozesses.

»Die Emanzipation war eben doch noch sehr jung, denn sie war doch eigentlich eher in den siebziger, achtziger Jahren Tatsache, eigentlich erst in der Weimarer Republik.«

Zentral ist zur Erklärung dieser faschistischen Massenbewegung und des Antisemitismus die subjektive Judenfrage. Sie haben auf Freud zurückgegriffen und betont, daß der Verdrängungsprozeß von Triebwünschen, der mit Zivilisation zu tun hat, nicht ohne Anstrengung und Belastungen des Ichs abläuft. Und nun ja wohl durch Krisenerfahrungen sich zuspitzt.

»Man hat mich manchmal gefragt: Sie haben Ihr Buch *Flucht in den Haß* genannt, *wovor sind sie dann geflohen?* Da habe ich gesagt: Sie sind vor einer furchtbaren Krisensituation geflohen – Arbeitslosigkeit, wirtschaftlicher Rückgang. Das hat es in allen Ländern mehr oder weniger wie auch hier gegeben. Aber hier hat man den englischen Hitler letzten Endes ausgelacht, er war eine komische Figur. Man hat ihn nicht ernstgenommen, die komische

Figur Adolf hat man sehr ernstgenommen. Gründe, sich unglücklich zu fühlen, hat es um die Zeit in den dreißiger Jahren genug gegeben.«

Daß es in Deutschland anders war als in anderen Ländern, hat seine Gründe auch in der weiteren zurückliegenden deutschen Geschichte?

»Auch in der zurückliegenden Geschichte, aber vor allen Dingen lagen sie am deutschen, im deutschen Volk, viel mehr als etwa in den Juden. *Aber das war eine psychische Erkrankung, es war eine psychische Anomalie der Deutschen. Auch ihr furchtbar übertriebenes, krankhaft übertriebenes Nationalbewußtsein.* In England würden Sie nie ein Wort hören wie ›Wir als Engländer müssen‹, aber in Deutschland sind wir doch ununterbrochen damit erzogen worden: mit dem ›freien deutschen Rhein‹, ›solang wie gierige Raben sich heiser danach schrein‹. Das sind die Lieder gewesen, mit denen wir erzogen worden sind. Und *das deutsche Nationalbewußtsein war pathologisch. Es war gar nicht echt, es wurde hochgecirct mit den übertriebensten Vorstellungen. Und immerfort mußte man bekennen, daß man ein Deutscher ist.«*

Lag es nicht auch daran, daß eine nationale demokratische Revolution wie etwa in Frankreich ausgeblieben war?

»Natürlich, einer der Hauptgründe. Es gab keine. Wäre die 48er Revolution gelungen, hätte das anders ausgesehen und sich anders ausgewirkt, wäre die ganze deutsche Geschichte anders gegangen.«

Und parallel oder komplementär dazu die preußische Entwicklung einer militarisierten, im Grunde auf Bajonetten gepflanzten nationalen Idee und Einheit.

»Es war immer leicht ins Pathologische gegangen, das ganze deutsche Nationalgefühl. Das habe ich natürlich, solange ich in Deutschland war, nicht gewußt, da habe ich das fleißig mitgemacht. Aber in England habe ich das sehr bemerkt, und ich muß sagen, *Emigration* ist ein schweres Schicksal. Sie ist uns nicht leichtgefallen. Wir haben nicht immer in einer so schönen Wohnung gewohnt. Wir haben sechzehn Jahre lang in möblierten Zimmern gelebt, bis die ›Wiedergutmachung‹ kam. Aber wenn sie eine Kompensation hat, so ist es die, daß man zwei Völker von innen heraus kennenlernt, und das belehrt einen sehr über viele Probleme.«

Sie haben in dem Buch insbesondere auch auf die psychischen Veränderungen in der Situation des Bedrohtseins hingewiesen: Wenn man sich bedroht fühlt in solch einer sozialen, ökonomischen, gesellschaftlichen und kulturellen Krise, dann wird das, was sonst eher verkraftbar ist, plötzlich doch wieder unheimlich: Sie haben auf dieses Unheimliche verwiesen und wie sich dafür der »Jude« eignet.

»Man sucht Gründe für Krise und Unsicherheit, und man sucht sie meistens an der falschen Stelle. Das haben natürlich die Deutschen sehr weidlich getan, die Deutschen fühlten sich sehr bedroht durch Wirtschaftskrise, Arbeitslosigkeit und anderes und suchten die Gründe ausgesprochen im Judentum. Während wir ja versucht haben, die Dinge wirklich objektiv zu sehen. Die Deutschen haben unter dem Eindruck der Nazi-Propaganda alles auf die Juden abgeschoben. Das war gar nicht so schwer: Juden waren einerseits reich – so haben sie geglaubt. Letzten Endes stellte sich heraus, daß sie gar nicht so reich waren. Und sie standen politisch eine Zeitlang an maßgebenden Stellen. Das hat mit dazu beigetragen. Also, sie haben alles auf die Juden geschoben. Der Sündenbock waren die Juden. Und das war sehr bequem.«

Und dann die Aggressivität. Sie haben davon geschrieben, daß die Wirtschaftskrise nicht nur die Existenz bedroht, sondern parallel dazu die Unlustgefühle verstärkt.

»Natürlich. Und Unlustgefühle lösen Aggressivität aus. Und wenn sich dann ein Objekt darstellt... ich habe, glaube ich, auch an einer Stelle geschrieben: *Es hätten auch die katholischen Klöster sein können*. Aber das waren dann doch immerhin Katholiken, ein Drittel, das wäre nicht so geeignet gewesen. Aber eine Zeitlang war die Hetze gegen die katholischen Klöster sehr groß. Ich habe, glaube ich, noch eine Alternative angegeben. Aber letzten Endes waren die Juden am besten zum Sündenbock geeignet, das war kein Zweifel.«

Sie haben in diesem Zusammenhang von dem Unheimlichen *gesprochen.*

»Irgendwie etwas nicht ganz Erfaßtes, etwas Dunkles, etwas Unheimliches. Und darüber hat auch Freud einen kleinen Essay geschrieben. Es war etwas Unheimliches an den Juden dran, sie waren genauso wie andere Menschen, und plötzlich waren sie dann doch anders. Und man konnte sich das gar nicht erklären. Wir selber haben es uns ja kaum erklären können.«

Und dieses Unheimliche bekommt dann offenbar in solchen subjektiven und objektiven Krisensituationen eine besondere, ja eine unheimliche Bedeutung.

»Das würde ich heute noch bejahen.
Man lebt da mit einer Gruppe Menschen, die eigentlich so sind wie wir und dann doch irgendwie anders sind. Was steckt dahinter? Und wenn man etwas nicht erklären kann, ist leider der Mensch, der nicht so sehr gut geschaffen worden ist von unserem Schöpfer – ich bin sehr böse, ich finde, er hat große Fehler gemacht, große Fehler gemacht –, dann immer geneigt, eine ungünstige Erklärung zu suchen. Man tadelt sie lieber, als daß man lobt. Ich habe einmal gesagt: Warum nennt man uns immer die Christentöter, warum nennt man uns nicht die Christusgeber? Wir sind doch schließlich die Christusgeber gewesen, nicht die Christustöter, die Christustöter waren wir sowieso nicht. Aber der Mensch neigt dazu, das Schlechte in den Vordergrund zu stellen.«

Damit das überhaupt zu solch einer auch aggressiven Gewalt hat werden können, kam ja nicht nur die Krise dazu, sondern auch eben eine Organisation, die sich dieser latenten Dinge annahm.

»Eine meisterhafte Organisation. Der Goebbels war ein großer Propagandist. Ein großer, so war auch Hitler. Sie haben genau gewußt, in welchen Kern man hineinhauen muß. Sie haben das sehr gut gemacht. Wenn man verängstigten Menschen einen *Scheingrund* hinstellt und auf diesen Scheingrund mit ideologischen Gründen und mit Fäusten losschlagen läßt, so befreit man sie von Hemmungen, unter denen sie gelitten haben. Das habe ich mit der *Triebentfesselung* gemeint. Und das hat man ihnen nicht nur erlaubt, man hat es geradezu *geboten*: ihr braucht euch nicht länger in acht zu nehmen, die Juden dürft ihr totschlagen. Nun kommt dazu, daß im Grunde genommen in Deutschland sehr wenige Juden spontan getötet worden sind. Getötet worden sind sie dann nur auf höheren Befehl. Es gibt einen Mann, der ein ausgezeichnetes Buch über den Nazismus geschrieben hat, Franz Neumann, Frankfurter Schule. Der hat gesagt, die Deutschen sind das am *wenigsten antisemitische Volk*, das er kennt, und er hat nicht so ganz unrecht. Sie sind ja gemacht worden, in ihrem Unglück hat man sie so gepeitscht, daß sie dann so schlimm geworden sind. Und ich will Ihnen mal sagen: Der Massenmord, ich meine, wir können darüber keinen Volksentscheid führen, ist wahrscheinlich nicht gebilligt worden. Sie sehen, ich habe immer noch eine gewisse Loyalität – wer hat mich denn neulich beschimpft, weil ich in einem Fernsehgespräch gesagt habe, ich habe eine englische Loyalität, weil England mein Leben rettete, als meine Heimat es mir nehmen wollte –, und ich habe eine *Loyalität* gegenüber *den* Deutschen, die sich gut benommen und die Juden geschützt haben. Da kam eine Pressepolemik, wie ich das sagen konnte: Ich durfte keine deutsche Loyalität mehr haben.«

Es gab Deutsche, die geschützt haben.

»Nicht viele, viel zu wenig. Aber ich will mal sagen, Massenmörder sind auch nicht viele aus Überzeugung gewesen, sie sind dahin geschleppt worden – es war eine furchtbare Verführung, die sie da zu diesem entsetzlichen Verbrechen gebracht haben.«

Sie haben von der Triebentfesselung gesprochen – es war ein Stück (realer) Befreiung dieser unterdrückten Wünsche und Aggressionen. Und zugleich war es doch keine reale Befreiung, denke ich...

»Wenn ich an diese Hitler-Versammlung denke, wo er natürlich auch auf die Juden losgerast ist: Da durften sie mitrasen und mitschimpfen – es war eine gewisse Triebbefreiung. Natürlich war das eine seltene Stunde, eine solche große Hitler-Versammlung – aber die Zeitungen haben es ihnen jeden Tag vorerzählt, und da haben sie angefangen mitzuschimpfen, und leider schimpfen die Menschen lieber, als sie loben.«

Ich denke, daß es insofern ja nur eine Scheinbefreiung ist, weil die Individuen in ihren Möglichkeiten, ihr Leben planen zu können, keineswegs befreit worden sind.

»Nein, *dauernd gehemmt sind.* Dauernd gehemmt. Die Kultur ist eine große Hemmung. Das Kind wird doch ununterbrochen gehemmt in seinen Trieben, und das wirkt sich natürlich aus – bei manchen gelingt es, aber bei manchen gelingt es eben auch nicht. Die sind dann pathologisch.«

Wie sehen Sie den Zusammenhang zwischen dieser Triebentfesselung, die Sie beschrieben haben, und dieser destruktiven Dynamik?

»Einen sehr starken Zusammenhang, weil eben Triebe eine destruktive Dynamik entwickeln können... Ich will nicht zu pessimistisch klingen... Aber Aggression ist ein eingebauter Trieb, und wenn man die Hemmungen, die dem Kind durch den Erziehungsprozeß aufgedrängt werden und mit denen das Kind zum Teil vergewaltigt wird, plötzlich löst und sagt, hier darfst du loshauen – dann haut man eben los.«

Die destruktive Dynamik hat Hitler ja auch selbst zum Teil beschrieben, indem er in Reden darauf verwiesen hat, wie er sich die Erziehung der Jugend vorstellt. Wo er direkt darauf hingewiesen hat, daß man – wenn sie in der einen Organisation geschult worden sind und dann immer noch nicht diszipliniert genug, daß sie dann in die nächste Organisation kommen, daß sie dann in die Wehrmacht kommen, so daß man ihnen (das wörtlich) die »Freiheit« irgendwann total »nimmt«. Sie haben diesen Zusammenhang zwischen dieser Liturgie, diesen Feiern, und der Militarisierung auch in dem Buch angedeutet. Vielleicht beschreiben Sie diesen Zusammenhang von einerseits Feier, von Liturgie, und andererseits Zerstörung der Freiheit des Individuums.

»Ja, die Art, in der sie gefeiert haben, war ja auch *immer aggressiv*. Sie haben doch eine wirkliche, beschauliche, friedliche Feier nicht gekannt. Durch Feuer sind sie gesprungen, das war schon eine Sache, die aus der Jugendbewegung kam, mit der ich sehr sympathisiert habe, die aber später böse entartet ist, natürlich – aber die Art, wie sie gefeiert haben, und die Kampflieder ›Volk ans Gewehr‹ – alle Strophen habe ich gekannt –, das war auch eine aufwühlende Melodie und ein aufwühlender Text. Und das waren ihre Feiern.«

Das heißt Krieg...

(singend:) »Volk ans Gewehr – Volk ans Gewehr...«

Das heißt Krieg, Gewehr, militaristische Führung... Zerstörung der Freiheit, des Individuums und Vernichtung selbst.

»Ja, aber auch gegen den inneren Feind. Volk ans Gewehr. Und die Sache mit dem Judenblut, von Messerspritz und so, habe ich persönlich nie gehört. Aber gesungen ist es wahrscheinlich auch worden.«

Also Sie glauben, daß es einen engen Zusammenhang zwischen dieser Form des Feierns und Zerstörung gibt?

»Ja, das ist alles ein Syndrom. Das gehört alles zueinander. Und sie haben das auf eine meisterhafte Weise fertiggebracht – denn auch ›Kraft durch Freude‹ war auf Zerstörung ausgerichtet. Die haben doch auch immer Kriegslieder gesungen, es ging immer gegen den Feind.«

Gibt es nicht Zusammenhänge zwischen der Entscheidung, den Judenmord zu planen, und der Entscheidung, in den Krieg nun endlich einzutreten?

»Das möchte ich annehmen, denn mit dem Eintritt in den Krieg war ja eben auch die letzte Balance gefallen. Sicher ist das richtig. Auch haben sie ja doch die Judenmassaker, wenn möglich, im Ausland getan. Das wäre alles nicht möglich gewesen, wenn nicht Krieg gewesen wäre. Das hatte natürlich miteinander zu tun.«

... und letztlich, wenn man Ihre Analyse weiterziehen will, auch die Selbstvernichtung. Die von Hitler geplante, an sich selbst vollzogene und am deutschen Volk gewünschte Selbstvernichtung...

»Naja, wissen Sie, er hat es gesagt, und zuzutrauen ist ihm alles. Und natürlich, als er dann sah, daß für ihn selbst kein anderer Ausweg blieb als der Selbstmord, da hat er vielleicht gewünscht, daß das ganze Volk mit ihm zugrunde geht. An seine Liebe zum deutschen Volk habe ich nie geglaubt, er kannte gar keine Liebe. Liebe war gar nicht in ihm. Es war nichts davon, nur Haß, Wut, Verfolgung.«

»Es hat eine Verdrängung in allerhöchstem Maße gegeben«

Ist die deutsche Nachkriegszeit, die Sie aus England beobachtet haben, zwiespältig von Ihnen wahrgenommen worden? Es gab ja einerseits eben das, was Sie auch zitiert haben in Ihrer Dankesrede zu dem Moses-Mendelssohn-Preis, nämlich die »Unfähigkeit zu trauern« und Schweigen.

»Nein, nein, eine gewisse Elite hat sich phantastisch bewährt, und ich habe immer gesagt (die haben dann immer geschimpft auf den Philosemitismus und so): Wo so viel Grauen gewesen ist, ist eine Überkompensation eigentlich angemessen. Also... daß die sich ausbalancieren wird, das habe ich auch immer vorausgesehen. Leider hat es sich jetzt manchmal schon zu sehr ausbalanciert. Schon in die Gegenseite hinein, in Antizionismus – leider –, so sehr ich ihn ideologisch verstehen kann; da, wo er eine starke Anhängerschaft hat, ist es ein Antisemitismus in neuem Gewande. Die Stille hat meines Erachtens bei den Wortführern nicht stattgefunden. Man muß das sehr unterscheiden. Die Wortführer waren nicht still, sondern waren sehr ausgesprochen in ihrer Verurteilung. Wenn ich nach Hause kam von meinen Tagungen, vom christlich-jüdischen und Kirchentag und was ich alles gemacht habe, dann hat mein Mann zu mir gesagt: ›Hast du dir auch mal die Stiernacken in den Bierkellern angesehen, die von euren Ideen überhaupt nicht berührt worden sind? Du kommst ja nur mit den anständigen Menschen zusammen. Du bekommst ja ein falsches Bild von den Deutschen.‹ Es hat auch diese Stille gegeben; es war dann eine Stille des Sichverkriechens, des Sichversteckens, Nichteingestehenwollens; es hat eine Verdrängung in allerhöchstem Maße gegeben. Eine Verschweigung. Es war sehr viel vergessen, es war sehr vieles nicht einmal je gewußt worden. Man hat ja die Dinge nicht gekannt, man hat ja von den Dingen nicht sprechen dürfen.«

»Dulden heißt beleidigen«

Wie hat sich Ihr Traum von Nathan und der Toleranz *verändert?*

»›Die Toleranz‹ – der Begriff kommt an das Grauen, was da geschehen ist, überhaupt nicht mehr heran. Und ich bin an sich überhaupt kritisch gegenüber Toleranz. Ich habe aber während der Dankrede zum Mendelssohn-Preis doch immerhin das Goethe-Wort zitiert, daß Toleranz immer nur eine vorläufige Sache sein darf. Sie muß zur Anerkennung führen. *Dulden heißt beleidigen*, das ist meine tiefe Überzeugung.«

Deutschland war zu sehr meine Heimat

England ist für Sie zu einer zweiten Heimat geworden?

»Nein, zu einer Heimat nie. Ich finde, *eine Heimat kann man nur einmal haben. Und Deutschland war zu sehr meine Heimat.* Ich bin so eine Wanderlustige, Gesangslustige, also darin ganz jugendbewegt und so, ich habe wirklich... ich grüße die Jugend, die Deutschland durchdenkt und Deutschland durchläuft, die frei heranwächst, nicht schwarz und nicht schief, weg mit den Schlägern, ... also ich will sagen, die deutsche Landschaft liebe ich heute noch so sehr. Das war meine Heimat. Ich finde England schön, und ich finde die Kathedralen wunderbar, es ist ein Kathedralenland, und ich habe sehr, sehr viele Tugenden hier gefunden, die ich in Deutschland vermißt habe, *aber es ist nicht mein Land*.«

Wenn Sie an Deutschland denken, was macht Sie besorgt, und was hoffen Sie?

»In Deutschland macht mich vieles besorgt, aber ich muß dazu bemerken, daß die jüdische Presse, die ich lese – ich lese die *Allgemeine Wochenzeitung* –, natürlich die schlechten Zeichen isoliert, und das ist keine objektive Darstellung. Sie stellt die ungünstigen Dinge so in den Vordergrund, daß man wieder Angst bekommt. Ich habe Verwandte in Frankfurt, die sind aus Chile zurückgekommen, als dort Allende ermordet wurde; die waren zuerst begeistert, die sagten, Deutschland hat sich so verändert, und die Westdeutschen sind ganz anders als die Ostdeutschen. (Die kamen auch aus dem Osten.) Das finde ich also etwas übertrieben, ich widerspreche dem, aber besorgt bin ich natürlich doch.«

Zum Abschluß: Goldmann hat die Entwicklung Israels unter Begin verbittert kommentiert: »Dies ist nicht mein Israel, das ich wollte.« Sehen Sie in der »Peace-Now«-Bewegung ein Stück Hoffnung für Israel?

»Ja, ich muß sagen, daß *peace-now* sehr wichtig ist – da sage ich mir manchmal, irgendwas ist an der Auserwählung doch dran...«

Sie wohnen in Hamstead, nicht weit vom Grab von Karl Marx und dem Denkmal Sigmund Freuds – Väter nicht nur unserer Generation...

»Aber vergessen Sie nicht Einstein! Merkwürdig oder nicht – drei Juden, die sehr stark unser Weltbild bestimmt haben. Was glauben Sie, warum es Juden waren? Ich glaube nicht, wie man hört, daß Juden eine begabte Rasse sind – nicht nur, weil ich gegen die Rassentheorie allergisch bin, wie Sie wissen, sondern weil ich glaube, daß die Juden nicht besonders begabt sind – aber sie haben es immer sehr schwer gehabt, schwerer als die anderen; und ich glaube, dadurch mußten sie sich bewähren, besonders anstrengen. Von Sigmund Freud gibt es hier ganz in der Nähe meiner Wohnung (in Hamstead) ein Denkmal: da gehe ich ab und zu mal vorbei – nein, Sie wissen, ich bin gehbehindert –, ich fahre ab und zu und bin sehr aufmerksam dort; das kleine Denkmal ist ganz in meiner Nähe. Ja, und Karl Marx in Highgate. Als ich noch jung und behend war, bin ich mit meinem Mann oft da gewesen!«

Marie Jahoda:

Es war nicht umsonst

Marie Jahoda wurde 1907 in Wien geboren. Mit siebzehn Jahren trat sie in die Sozialistische Jugend der Sozialdemokratischen Partei Österreichs ein. 1928 heiratete sie den sechs Jahre älteren Soziologen Paul Lazarsfeld,[1] einen gebürtigen Wiener und Juden. (Die Ehe hielt bis 1933.) Ende der zwanziger Jahre führten die beiden die Untersuchung über die *Arbeitslosen von Marienthal* durch (veröffentl. 1933, zuletzt Frankfurt 1975). Während der austrofaschistischen Diktatur gehörte Marie Jahoda dem Schulungsausschuß und dem Zentralkomitee der verbotenen Organisation der österreichischen Sozialdemokratie an. 1936 festgenommen, wurde sie nach neunmonatiger Haft auf englischen Druck hin freigelassen.
Sie mußte nach London emigrieren. Dort arbeitete sie zwischen 1937 und 1945 unter anderem an sozialpsychologischen Untersuchungen, im Ministry of Information sowie für einen in Österreich ausgestrahlten Geheimsender.
1945 ging sie nach Amerika, lehrte bis 1958 an der Universität New York als Professor für Sozialpsychologie. Im Zusammenhang mit den *Studies of prejudice* der emigrierten Frankfurter Schule arbeitete sie über *Antisemitism and emotional disorder* (New York 1950).
Seit 1958 lebt sie als Professorin im englischen Sussex. Dort befaßte sie sich vor allem mit dem Problem der Arbeitslosigkeit; ihr Buch *Wieviel Arbeit braucht der Mensch?* erschien im März 1983 mit einem Vorwort von Willy Brandt.

Sie sind 1907 in einem zwar säkularisierten, aber eben doch jüdischen Elternhaus geboren. Was war das Jüdische daran? Woran erinnern Sie sich?

»Meine beiden Eltern waren nicht religiös. Beide Großeltern waren religiös und kulturell sehr am Judentum interessiert. Die Großelterngeneration war weniger bürgerlich, sondern kleinbürgerlich, aber sehr jüdisch bewußt. Und durch den Kontakt meiner Eltern mit ihren

[1] Ende der dreißiger Jahre emigrierte Lazarsfeld in die Vereinigten Staaten, lehrte unter anderem von 1940 bis 1957 an der Columbia University. Mit seinen Arbeiten zur Methodenlehre der empirischen Sozialforschung, über Kommunikation und Wahlen trug er wesentlich dazu bei, daß sich in seinem Fach quantitative Analysen gesellschaftlichen und politischen Verhaltens durchsetzten. Zu seinen Hauptwerken zählen *Wahlen und Wähler* (1944, dt. 1969, mit H. Field), *Continuities in social research* (1950, mit R. K. Merton), *Persönlicher Einfluß und Meinungsbildung* (1955, dt. 1962, mit E. Katz). Anm. d. Red.

Eltern gab es einen Respekt für das Judentum, ohne daß dies das tägliche Leben irgendwie beeinflußt hätte.«

Sie sind zehn Jahre nach dem ersten zionistischen Kongreß geboren. Gab es in Ihrem Elternhaus Diskussionen darüber, ob die zionistische Idee nicht eine berechtigte Antwort auf den Antisemitismus der späten achtziger und neunziger Jahre darstellte?

»Eigentlich nicht. Mein Vater war in Wien geboren und hat sich durchaus als Österreicher gefühlt. Meine Mutter war im österreichischen Galizien geboren. Den Großeltern zuliebe ist man zu den großen jüdischen Feiern gegangen. Die jüdische Tradition war eine Familientradition – und nicht etwas für uns Lebendiges. Und Zionismus als eine persönliche Lösung ist einfach nie in Frage gekommen. Meine Eltern waren durchaus assimilierte Juden und haben sich als Wiener, als Österreicher betrachtet.«

Ich habe in den Gesprächen mit emigrierten Juden immer wieder von der besonderen Faszination gegenüber der deutschen Aufklärungstradition gehört.

»Goethe-Zitate gab es beim täglichen Mittagessen. Man hat den Goethe gekannt, bevor man ihn gelesen hat – so sehr war er ein Inbegriff deutscher Bildung. Aber es gab noch zwei andere intellektuelle Einflüsse: Mein Onkel war der Verleger von Karl Kraus, und Karl Kraus war ein Familiengott. Er war ein Familiengott, obwohl er als Jude – wie wir alle gewußt hatten – sich hat taufen lassen und wir ihm das nicht so hoch angerechnet haben. Wir haben das eher als drittklassig empfunden – aber trotzdem: Er war ein Familiengott und hat uns alle ganz außerordentlich beeinflußt! Mein Vater war zutiefst mit Popper-Lynkeus befreundet, er war auch ein Jude, ein außerordentlicher Mensch mit außerordentlichen Ideen. Die ganze humanistische Kultur, die er hatte, und die ästhetische Kultur, die von Karl Kraus gekommen war, waren die unmittelbaren Einflüsse – abgesehen davon, daß wir die Schiller-Balladen auswendig konnten...«

Und immer noch?

»Zum Teil, ja – manchmal bleib' ich jetzt stecken.«

Haben Sie sich vor dem Hintergrund des aufkommenden Antisemitismus mit zionistischen Ideen konfrontiert?

»In der sozialistischen Jugendbewegung, an der ich sehr beteiligt war, gab es ein oder zwei junge Menschen, die Zionisten waren. Mit Ma-

nes Sperber – ich weiß nicht, ob er Ihnen ein Begriff ist – habe ich oft darüber gesprochen, aber es hat mich damals – in den ersten Jahren meines sozialen Bewußtseins – nicht *persönlich* berührt; es war interessant, es war ein Teil seiner ganzen Existenz, und da ich ihn gern gehabt habe, hat mir das einen Eindruck gemacht – aber es war nicht *meine* Existenz. Wissen Sie, in meiner Familie waren wir dadurch, daß wir alle nicht jüdisch ausgesehen haben, benachteiligt: das Judentum ist einem nicht so deutlich zu Bewußtsein gekommen.
Ich erinnere mich, daß im Jahr 1932 meine Mutter mit meiner kleinen Tochter spazierengegangen ist, als im Park ein Mann stehenblieb – sie war ein wunderbares kleines blondes Kind – und zu meiner Mutter sagte: Für diese goldene Zukunft kämpft der Nationalsozialismus! Meine Mutter, die sich nie zurückgehalten hat, in gar nichts, hat gesagt: Sie irren sich! Das ist ein jüdisches Kind! – Das war eine großartige Familienanekdote.
Ungefähr im Jahre 1928 oder 29 war ich mit einer sozialistischen Gruppe irgendwo in einer Kinderkolonie. Während dieses Lagers war eine Gruppe von Nationalsozialisten – damals illegal, aber natürlich existent – gekommen und hatte uns zu einer Diskussion aufgefordert. Meine Gruppe hat mich gewählt, um unseren Beitrag vorzutragen. Und es hat während der Diskussion ein großes Gelächter gegeben – ich war damals schon mit Paul Lazarsfeld verheiratet, der natürlich Jude war –, als einer der Nationalsozialisten zu mir sagte: Wenn Sie einmal einen echten deutschen Mann finden werden, dann werden Sie schon anders denken! Unsere Gruppe ist in ein schallendes Gelächter ausgebrochen; sie haben meinen Mann natürlich persönlich gekannt.«

Natürlich einen Juden – sagten Sie eben – hatten Sie geheiratet...

»Ja – Sie meinen, ich hätte nie einen Nichtjuden geheiratet? Da irren Sie sich. Ich habe den größten Teil meines erwachsenen Lebens allein gelebt, denn meine Ehe mit Paul ist in 1933 auseinandergegangen, und ich hab erst, wie ich 50 Jahre alt war, wieder geheiratet; so zwischen 25 und 50 habe ich ein unabhängiges Leben geführt, das nicht nur jüdische Männer eingeschlossen hat.«

Freud hat, obwohl er ungläubig war und kein Zionist, einmal von sich gesagt, daß es für ihn eine aus früheren Erfahrungen resultierende, geheime Anziehungskraft des Jüdischen gegeben habe.

»Das trifft nicht ganz für mich zu, muß ich – leider wahrscheinlich – sagen. Für mich ist mein Judentum erst mit Hitler eine wirkliche Identifikation geworden. Nicht früher. Es hat kaum in meinem Denken und Fühlen eine große Rolle gespielt.«

Sie waren sieben Jahre alt, als der Erste Weltkrieg begann.

»Ich erinnere mich deutlich an das furchtbare Essen. Ich erinnere mich – ich war noch in der Volksschule –, wie meine Mutter plötzlich in die Klasse hineingekommen ist, weil sie entdeckt hatte, daß das Brot, das sie mir mitgegeben hatte, voller Würmer war. Ich erinnere mich, daß unser großer Bruder uns drei kleinere Geschwister um sich herum gesetzt hat und uns erzählt hat, was eine Kaisersemmel ist und wie Schokolade schmeckt.
Das materielle Elend war mir durchaus bewußt, aber dazu kam noch etwas anderes. Als Fritz Adler als entschiedener Kriegsgegner 1916 den österreichischen Kriegsminister Graf Stürgkh erschossen hat, war das in unserer Familie ein großes Ereignis. Als es zu dem Strafverfahren 1917 gekommen ist, war bereits ganz Österreich – nein, das ist nicht wahr, aber ein großer Teil – gegen den Krieg und hat die Furchtbarkeit des ersten Krieges voll erlebt gehabt. Damals habe ich mir eine Fotografie von Fritz Adler gekauft – er war der große Held, derjenige, der wirklich gegen den Krieg protestiert hat. Ich war sieben Jahre, als der Krieg ausbrach. Zu Beginn des Krieges war mein Vater noch patriotisch. Nach etwa einem Jahr hat er sich ganz verändert, und wir haben in der Familie – ich war noch zu klein, um mit der Außenwelt wirklich Kontakt zu haben – immer wieder davon gehört, daß die österreichische Monarchie keine Lebensberechtigung hatte und die Unterdrückung der Nationalitäten eine Katastrophe war, so daß von der Familie her ein großer Einfluß auf die Befreiung schon damals zu spüren war.«

»Die österreichische Sozialdemokratie war einzigartig in der Bereicherung der Gegenwart für die Arbeiterklasse«

Sie sind vor diesem Hintergrund sehr früh zur sozialistischen Jugendbewegung gestoßen – und gleich als Aktivistin?

»Ja, mit sechzehn Jahren war ich die Führerin einer Pfadfindergruppe – wie mein älterer Bruder, der zur gleichen Zeit eine Bubengruppe geführt hat. Aber die ganzen Zeremonielle der Pfadfinder haben uns eigentlich nicht befriedigt, aber ich glaube, wir haben damals noch nicht von etwas anderem gewußt. Nach ein oder zwei Jahren sind wir jedoch als eine vereinigte Gruppe – mit all unseren kleinen ›Hörigen‹ – in die sozialistische Bewegung gekommen. Ich bin den sozialistischen Mittelschülern beigetreten, bin ihr Obmann geworden, und von da an bis zu meiner Ausreise aus Österreich war die politische Aktivität immer außerordentlich bedeutend für mich gewesen.«

Die Erfahrungen der österreichischen sozialdemokratischen Bewegung sind in der Linken gerade in jüngster Zeit als Beispiel dafür rezipiert worden, daß eine gesellschaftliche Alternative nicht immer abstrakt sein muß. So wurde etwa die Wohnpolitik des Roten Wien als eine Alternative zu unserer diskutiert.

»Ganz richtig! Das war das Wichtige am Austromarxismus – zumindest so, wie wir den Austromarxismus verstanden haben –, daß er *nicht ein Trost für die ferne Zukunft* war: kommt die Revolution, dann ham alle Erdbeeren mit Schlagobers – sondern es war eine Aktivität in der Gegenwart. Das heißt, diese wirklich ganz einzigartige Massenbewegung hat an einen demokratischen Übergang zum Sozialismus geglaubt, hat gewußt, daß der Sozialismus Menschen braucht, ›neue Menschen‹ braucht, und hat etwas zu tun versucht, um den Horizont aller zu erweitern. Die sozialistische Bewegung für uns in Wien zwischen 1918 und 1933 war eine Lebenswelt: Wenn wir Ski laufen gegangen sind, sind wir mit den Sozialisten gegangen, es gab die wunderbaren Arbeitersinfoniekonzerte jeden Sonntagmorgen. Das Dramatische daran war, daß es nicht nur die Mittelklasse war – so wie ich zur Mittelklasse gehört habe –, sondern daß es eine wirkliche Arbeiterbewegung war: am Sport, an den Kinderkolonien, an Wohnbauten, an der Schulreform – an allem war eine große Masse von manuellen Arbeitern genauso interessiert wie wir. Und das ist das Einzigartige. Denn alle sozialistischen Bewegungen sind, wie ich glaube, von bürgerlichen Menschen zuerst erfunden worden, aber *die österreichische Sozialdemokratie war einzigartig* in der Bereicherung der Gegenwart für die Arbeiterklasse – es gab nicht nur das Zukunftsideal, sondern auch ein Heute.«

Das klingt phantastisch!

»Es war! Mir haben meine Eltern immer leidgetan, weil ich mir gedacht habe: sie werden's nicht erleben, bis ich sozialistischer Minister für Erziehung in Österreich sein werde. Ich war überzeugt davon.«

»Wir waren voller Illusionen – aber es war großartig!«

Sie wollten alles?!

»Alles! Wie ich begonnen hab', Psychologie zu studieren, war das nicht nur aus Interesse an der Psychologie, sondern es war die richtige Vorbereitung für einen Minister der Erziehung. Wir haben uns als die Generation der Vollendung betrachtet.«

Nicht wenig!

»Nein... Wir waren voller Illusionen – aber es war großartig! Es war die beste Erziehung, die man haben konnte, auch wenn es mir heute wahnsinnig vorkommt, daß ich mit siebzehn eine Kinderkolonie mit 200 Kindern geleitet habe, in der wir Besteck, Messer und Gabeln, nur für 160 gehabt haben. Ich würde das heute keinem Siebzehnjährigen, sicher nicht mir als Siebzehnjähriger, zutrauen. Was für eine großartige Erziehung das war.«

Meine Einwürfe sind nicht ohne Selbstironie, merke ich. Denn 1968 haben wir bei aller Unvergleichbarkeit der Situationen subjektiv ähnlich gesagt: Wir wollen alles, und wir wollen es jetzt! Zu 1968 sagte mir kürzlich ein Freund: ›Es war die heilige Zeit.‹ Erst allmählich habe ich das Allmachtsphantastische an unseren Vorstellungen abbauen können – oder besser: müssen: Wir haben ja – ich hab's nachgelesen und beinahe nicht geglaubt – wirklich davon gesprochen, daß wir von der Hochschule her Revolution machen wollten. – Sie sagen nun einerseits, daß es phantastisch, lehrreich war, Spaß gemacht hat – und negieren es andererseits dadurch, daß Sie es heute als Illusion bezeichnen. War es (nicht) beides?

»Richtig, ja, es war beides... Die Illusionen haben wir in die illegale Bewegung mitgenommen. Und sogar das war unvermeidlich – ich will nicht sagen, es war richtig, aber es war unvermeidlich, daß wir nicht einfach alles aufgegeben haben. Wenn man dieses kleine Österreich mit Mussolini im Süden und Hitler im Westen objektiv betrachtet hätte, dann hätte man diese ganze illegale Bewegung als Wahnsinn betrachten können. Aber menschlich wären wir alle zugrunde gegangen, wenn wir nach den Kanonen einfach gesagt hätten: Schade, es ist alles vorbei.«

Es war für Sie sogar eine Zeit, in der Sie »neue Menschen« schufen?!

»Ja, natürlich, es war eine wirkliche Jugendkultur. Meine Eltern haben oft gesagt: Sie beneiden uns, weil wir ein so persönlich und sozial reiches Leben gehabt haben – aber es war eine Illusion...«

... die Linke dazu gebracht hat, kritisch von der »Lagermentalität« in der österreichischen – wie in der deutschen – Arbeiterbewegung der zwanziger Jahre zu sprechen.

»Von der illegalen Bewegung von 1933, wo das österreichische Parlament aufgelöst worden ist, angefangen, war die Furcht und das Sehen der Außenwelt schon mehr im Vordergrund. Bis dahin waren wir einseitig. Wissen Sie, das war auch Wien. Wien war zu 75 Prozent sozialdemokratisch. Ich hab' kaum einen Menschen näher gekannt, der nicht auch sozialistisch engagiert war. Der wirkliche soziale Horizont, den man gehabt hat, war auf Sozialisten bezogen, von Sozialisten besetzt. Es hat niemanden gegeben, dem man sich nahe gefühlt hätte, der die andere Seite Österreichs vertreten hätte. Die Einseitigkeit und Illusion, die wir gehabt haben, war so zum großen Teil durch die Wiener Situation bedingt, wo – wie Sie früher gesagt haben – die Wohnbauten und die Schulreform, die Vorträge und die Veranstaltungen und die Musik das gegenwärtige Leben so sehr bereichert haben.«

Zur Geschichte der Arbeitslosen von Marienthal

Dies »trotz« der Erfahrung, die Sie doch schon einige Jahre zuvor in Ihrer Studie mit der Situation der »Arbeitslosen von Marienthal« gemacht haben.

»Wissen Sie, ich hab' oft jetzt daran zurückgedacht: Das materielle Elend in Österreich war wirklich entsetzlich und erschreckend, aber wir haben etwas getan. Bevor wir die Marienthal-Studie angefangen haben, haben wir zueinander gesagt, daß man so eine Studie nicht machen kann als eine Ausbeutung der Menschen, die man studiert. Und deshalb haben wir in Wien eine große Kleidersammlung veranstaltet, wir haben ein paar sozialistische Ärzte beeinflußt, die uns auch bei der Forschungsarbeit geholfen haben. Sie sind regelmäßig mit uns nach Marienthal gegangen, haben ihre ärztlichen Konsultationen gemacht und den Menschen dort geholfen. Wir haben Nähkurse eingerichtet, wir haben den Leuten mit ihren Schrebergärten geholfen, wir haben, wo immer man nur konnte, versucht, etwas von dem

Elend zu verändern, was wir gesehen haben. Natürlich, wir haben nichts Wesentliches verändert.«

Die Beziehung zwischen Ihnen und den Menschen von Marienthal ging weit über das hinaus, was man heute in Untersuchungen gewöhnlich vorfindet.

»Ja. Zumindest haben wir uns sehr bemüht. Wissen Sie, ich bin vor zwei Jahren nach Marienthal zurückgegangen – es gibt eine Gruppe von drei Studenten aus der Schweiz und aus Amerika, die versuchen eine Geschichte Marienthals seit der Studie zu schreiben –, und diese Gruppe hat mich und alle Marienthaler eingeladen, zu einer Versammlung zu kommen. Es kamen ein paar alte Leute und ein paar nicht ganz so alt wie ich, die behauptet haben, sie könnten sich noch daran erinnern. Sie haben uns erzählt, wie ihnen das zum Anfang verdächtig vorgekommen ist, wie sie sich aber an uns gewöhnt haben...«

Gewöhnt, oder auch Vertrauen geschöpft?

»Es war eine rührende Versammlung, es war für mich zumindest ein großes Erlebnis. Alle sind da herumgesessen und haben einander geliebt... Wenn die dann sagen: Ja, wir ham auch Vertrauen gehabt, vielleicht war's so... es war jedenfalls so in der Stimmung des Augenblicks.

Aber ich hab' auch ein schreckliches Erlebnis in Marienthal gehabt: Wir haben uns in dem Wirtshaus getroffen, wo ich während der Untersuchung in einem kleinen Raum ein Feldbett gehabt hab', wo ich geschlafen hab'. Da war eine Frau, jetzt, von vielleicht 40 oder 45 Jahren, und ich bin mit ihr ins Gespräch gekommen, und sie hat mich gefragt, ob ich die Familie des Fabrikdirektors kennengelernt hatte, vor fünfzig Jahren, ich hab' ihr gesagt: wir haben ihm einen Höflichkeitsbesuch gemacht, aber ich habe ihn nicht gut gekannt – und da hat sie gesagt: ›Wissen Sie, ich war eine Hausgehilfin beim Sohn des Fabrikanten, und obwohl die Juden waren, waren sie doch ganz anständige Menschen‹. Das war so entsetzlich, denn das war eine angenehme, gescheite, natürliche Frau, eine wirkliche Österreicherin, die keine Ahnung davon gehabt hat, was sie gesagt hat, was das bedeutet: ›obwohl das Juden waren, waren es doch ganz anständige Menschen‹...! Wissen Sie, *dieser latente Antisemitismus in Österreich ist so tief – das ist das Schreckliche.«*

Sie haben von der Begrenzung der sozialdemokratischen Bewegung im wesentlichen auf die große Stadt Wien gesprochen. Haben Sie nicht etwas von dieser Begrenzung der Bewegung auf Wien während Ihrer Studie in dem kleinen Dorf Marienthal zu spüren bekommen?

»Zu einem gewissen Grad. Aber erst der Bürgerkrieg in Wien im Jahre '34 hat den wirklichen Zusammenbruch der Illusionen hervorgebracht. Bis dahin haben wir immer noch gedacht, daß die westlichen Mächte Österreich beschützen werden und Österreich verteidigen gegen Hitler. Was in ihrem eigenen Interesse gewesen wäre. Aber das waren illusionäre Hoffnungen.«

»Die damalige wirtschaftliche Situation hat dazu beigetragen, einem zu glauben, der alles versprochen hat, was man haben will.«

»Und in Deutschland war es die Hoffnungslosigkeit infolge der damaligen wirtschaftlichen Situation, die dazu beigetragen hat, einem zu glauben, der alles versprochen hat, was man nur haben will. Es gab die Massenarbeitslosigkeit, die Menschen haben keinen Ausweg gesehen – und da kommt einer, der sagt, wie man es machen kann. Ich glaube, das war auch ein wesentlicher Grund für den Weg Hitlers gewesen.«

Und er hat etwas Konkreteres versprochen: Brot und Arbeit.

»Ganz recht. Und gebracht! Die Marienthaler haben mir erzählt, daß nach dem Einmarsch sofort Gulaschküchen gekommen sind. Eine Frau hat mich beiseite genommen und gesagt: Wir sind nicht zum Essen hingegangen. Aber die anderen haben erzählt: Die sind alle hingegangen – und innerhalb eines Jahres hat jeder Arbeit gehabt. Die Arbeit und das Essen hat der Nationalsozialismus gebracht. Ich glaube, die Zermürbung dieser großartigen Arbeiterbewegung, die wir in Österreich bis 1933 gehabt haben – dann kam die illegale Zwischenzeit bis '38 –, durch die konkreten Bedingungen war so groß, daß ein Teil der guten Sozialisten in vollem Glauben zum Nationalsozialismus übergegangen sind.«

Haben Sie eigentlich – als Sie die Marienthal-Studie gemacht haben – etwas von der späteren Entwicklung in Marienthal geahnt?

»Nicht wirklich. Da war noch die politische Illusion zu groß: ›Uns kann das nicht passieren.‹«

Sie haben allerdings negativ auf die nicht-revolutionäre Situation infolge der Erfahrung der Arbeitslosigkeit geschlossen.

»Das war entscheidend. Gleichzeitig war das Wahlverhalten vor und nach dem Eintritt der Arbeitslosigkeit beinahe identisch: 80 Prozent der Bevölkerung haben sozialdemokratisch gewählt.«

Noch einmal zurück zu den Fehlern der Arbeiterbewegung. Was ist Ihres Erachtens aus heutiger Sicht damals von der Arbeiterbewegung in Deutschland und Österreich falsch gemacht worden? Richard Löwenthal hat für die damalige Phase genannt: Es hätte Chancen geben können, wenn vernünftige Arbeitsbeschaffungsalternativen entwickelt worden wären; er nannte das Stichwort »New Deal«.[2]

»Ich habe kürzlich die New-Deal-Resultate ein wenig nachgeschaut. Es ist erstaunlich, daß ungefähr von den damals zwölf Millionen amerikanischen Arbeitslosen nur eine Viertel Million von ihnen Arbeit gefunden haben. Nur in Schweden hat die Arbeitsbeschaffung wirklich radikal funktioniert – und in Deutschland hat es nur der Hitler zusammengebracht.«

Ungefähr zur gleichen Zeit, in der Sie ihre Studie durchgeführt haben, haben Erich Fromm (Arbeiter und Angestellte am Vorabend des Dritten Reiches, *Stuttgart 1980) und andere eine Studie über autoritäre Tendenzen in der Arbeiterschaft in Deutschland gemacht – mit Ergebnissen, die sie Ihre Entscheidung zur Emigration haben beschleunigen lassen.*

»Ja, ich kenne die Studie von Erich Fromm sehr gut. Es handelt sich um das *Ineinanderwirken von psychologischen Vorbedingungen und sozialen Prozessen.* Das Potential ist wahrscheinlich viel weiter verbreitet als Faschismus oder Nationalsozialimus. *Wenn das Leben der Menschen hoffnungslos ist, kann jeder, der Hoffnung bringt, wenn es auch noch so illusorisch und letzten Endes verbrecherisch ist, auf eine große Gefolgschaft rechnen.* Ich glaube nicht, daß die Menschen, die so viel über den deutschen Nationalcharakter gesprochen haben, wirklich recht haben. Ich glaube, daß es die Institutionen braucht, um

[2] »New Deal«, im Kartenspiel die Neuverteilung der Chancen, bezeichnet ein Reformpaket, mit dem der amerikanische Präsident Roosevelt nach 1933 die Folgen der Weltwirtschaftskrise zu überwinden versuchte. Dazu gehörten in der ersten Phase (bis 1935) unmittelbare gesetzgeberische Maßnahmen zur Belebung der Wirtschaft wie Arbeitsbeschaffungsprogramme, Verringerung der Überproduktion, höhere Mindestlöhne, kürzere Arbeitszeiten; in der zweiten Phase (bis 1938) kam es zu tiefergreifenden Reformen: So wurde die Stellung der Gewerkschaften gestärkt, die Grundlagen für eine Alters-, Unfall- und Arbeitslosenversicherung geschaffen, das Bank- und Börsenwesen reformiert, die großen Energiekonzerne entflochten, Landarbeiter und Pächter verstärkt unterstützt. Zwar reichten die Impulse des »New Deal« nicht aus, Wirtschaft und Gesellschaft aus der Krise zu führen, schufen aber wichtige Voraussetzungen dafür, daß sich die USA zum modernen Sozialstaat entwickelten. Anm. d. Red.

einen besonderen Charaktertyp oder eine besondere Anlage in allen Menschen hervorzubringen.«

Das heißt, Sie relativieren die Annahme charakterologischer Festlegungen hinsichtlich der Bedeutung politischer und institutioneller Bedingungen.

»Ja, schauen Sie, die erste Autoritätsuntersuchung ist in Deutschland gemacht worden in einer schrecklichen, wirtschaftlichen und gesellschaftlichen Situation. Ich glaube nicht, daß in der Fromm-Studie über den deutschen Nationalcharakter geredet wurde. Und wenn Sie Fromms spätere amerikanische Bücher lesen, finden Sie dort sehr Genaues über die zerstörerische Wirkung der amerikanischen Gesellschaft. Das ganze Gerede über Nationalcharakter ist mir immer verdächtig vorgekommen. Denn das läßt die komplexen Beziehungen zwischen Charakter und Gesellschaft außer acht.«

Autoritäre Dispositionen, die sonst latent bleiben mögen, wären in ihrer Virulenz von den gesellschaftlichen Bedingungen abhängig und besonders davon, ob Menschen eine Lebensplanungsperspektive besitzen oder diese ihnen entzogen wird?

»Ja, das ist sehr wichtig; es ist wiederum die gegenseitige Durchdringung von gesellschaftlichen Bedingungen und psychologischen Bedürfnissen. Zwar gibt es sicher Individuen, die autoritär sind, und solche, die es nicht sind, aber was eine Wirkung auf eine ganze Gesellschaft hat, das ist die *Art der Institutionen*, die die eine Persönlichkeit hervorbringt im Gegensatz zu anderen.«

»Ja, ich habe verloren«

Dies hieße auch: Die Attraktion der faschistischen Massenbewegung wäre geringer gewesen, hätte es zu jener Zeit nicht nur lokale, sondern gesamtgesellschaftliche und konkrete Alternativen gegeben?

»Ja, sehen Sie, da liegt das schreckliche Problem moderner Gesellschaften. Wien und der ganze großartige Versuch der österreichischen Sozialdemokratie ist letzten Endes an den Kanonen der Regierung gescheitert. Hätte es nicht den Bürgerkrieg gegeben, wäre die ganze Welt anders gewesen. Die Schutzbündler, die gewußt haben, daß es zum Kampf kommt, hatten alte Gewehre, die sie während der Nacht benutzt haben – und am Tag haben sie gearbeitet, weil sie sich

vor der Arbeitslosigkeit gefürchtet haben! Aber das Militär hat sich nicht gefürchtet – und die Kanonen haben in die Wohnhäuser hineingeschossen während der Woche des Bürgerkriegs.
Und das ist das große Problem, für das ich keine Lösung habe: Wenn die Gewalt und die Macht auf der anderen Seite ist, dann verliert man!«

Sie haben verloren.

»Ja, ich habe verloren. Das war... es war schauerlich: Dreizehn Leute wurden hingerichtet, viele sind während des Bürgerkriegs erschossen worden, es war ein totaler schauerlicher, gewaltsamer Zusammenbruch.«

Nach dem Bürgerkrieg waren Sie in der Illegalität, ehe Sie verhaftet worden sind.

»Die Haft war ein großes erzieherisches Erlebnis für mich, obwohl es mir damals nicht so vorgekommen ist. Ich war zuerst in unbeschränkter Haft, und das hätte Jahre dauern können, aber es gab damals keine physische Qual, nur psychologische. Ich war drei Monate lang in Einzelhaft, und man lernt sich kennen, man kann es überleben.«

»Man hat den Krieg nicht überleben können, ohne sich mit dem Problem des Antisemitismus auseinanderzusetzen«

Sie sind dann sehr überraschend freigekommen. Und haben den Schrieb unterschrieben...

»Daß ich das Land sofort verlassen werde, ja.«

Wie fühlten Sie sich, als Sie dann ausländischen Boden betraten?

»Großartig. Nein, es war auch sehr schrecklich. Mein Kind ist damals mit meinem vorigen Mann nach Amerika gegangen, und ich habe meine Familie, meine Arbeit, meine ganze Zugehörigkeit in Wien zurückgelassen. Es war kompliziert, aber trotzdem besser, als fünf Jahre im Gefängnis sitzen.
England während des Kriegs war großartig! Es sind die verdammten Engländer, die wirklich nur gut sind, wenn es ihnen schauerlich schlecht geht. Aber während des Blitzkrieges gab es das Gefühl der Zusammengehörigkeit, des ›to hell with it all‹, wir werden sie überleben, die ganze Verschlossenheit der Engländer ist verschwunden. Ich

erinnere mich, ich habe für eine Zeit in einem Institut gearbeitet; in der Nacht waren immer air raids, in der Früh bin ich in mein Büro gekommen, und da ist die Sekretärin gekommen, hat gesagt, sie habe Schuhreinigungsmittel mitgebracht, weil jeder durch die zerstörten Gebäude hat ins Büro kommen müssen, das sei so unangenehm, mit den schmutzigen Schuhen dazusitzen.«

Sie sind nach Ende des Krieges nach Amerika gegangen?

»Weil meine Tochter während des Krieges dort war und ich sie lange nicht gesehen hatte und weil mir das damals als das Wichtigste vorgekommen ist. Amerika ist ein wahnsinniges Land. Es gibt dort das Beste und das Schlechteste so nah beieinander, daß man genau hinschauen muß, bevor man weiß, was das eine und was das andere ist. Aber für mich als Psychologin war es großartig. Alle Mittel wurden mir zur Verfügung gestellt, ich war (gerade) nur zwei Monate dort, und schon habe ich einen Beruf gehabt, interessante Arbeit und später, wie ich an der Universität war, alles Geld für Untersuchungen, das ich nur habe verwenden können; eine ganze Reihe von wirklich großartigen bemerkenswerten Menschen und dann natürlich auch die McCarthy-Periode, eins neben dem anderen. Aber es war sehr interessant.«

Sie sind später, als Sie die Möglichkeit wieder hatten, nicht wieder nach Österreich gegangen. Warum nicht?

»Vorwiegend – nein, ausschließlich aus persönlichen Gründen. Ausschließlich wegen meiner Tochter, sie war beinahe fünfzehn Jahre alt, wie ich sie wiedergesehen habe, und für sie war das Leben vorher sehr kompliziert; wie sie noch ein kleines Kind war, war ihre Mutter im Gefängnis; dann ist sie in das fremde Land mit der fremden Sprache gekommen; dann ist ihre Mutter täglich bombardiert worden; es war nicht leicht für sie. Das war für mich ausschlaggebend.«

Sie haben sich in Ihrer Emigration des Themas Antisemitismus angenommen: in Antisemitism and emotional disorder, *einer Untersuchung über Antisemitismus in den USA.*

»Ja, man hat den Krieg nicht überleben können, ohne sich mit dem Problem des Antisemitismus auseinanderzusetzen. Es war das Gefühl, daß es da eine ungezähmte Brutalität in den Menschen in allen Ländern gibt, die sich auf Juden konzentriert. Es war nur ein Versuch, ein bißchen mehr zu verstehen, wie das aussieht, wenn die Staatsgewalt *nicht* dahinter steht und wenn es der sogenannte höfliche Antisemitismus ist. Ich bin durch die Studie zu der Überzeugung gelangt, daß unter denselben Verhältnissen mit der Staatsmacht in der Hand von wirklichen Antisemiten das Problem in einem großen Volk (wie dem amerikanischen zum Beispiel) *genau dasselbe* sein würde wie in Österreich.«

Sie vertreten damit die These, daß es entscheidend von denen abhängt, die die Staatsmacht innehaben und Legitimation haben oder schaffen, ob sich latenter Antisemitismus in manifeste Gewalt verwandelt, ob latent vorhandene Energien von oben her losgetreten werden; und damit Leuten, die gedemütigt sind und Ohnmachtserfahrungen haben, Stärke geliehen und ihre – angesichts ihrer Ohnmacht – aufgestauten und unterdrückten Aggressionen auf gesellschaftlich von oben benannte Feinde projiziert werden.

»Ja, aber dies ist nur deshalb so effektvoll, weil es etwas in den Menschen anspricht.«

Was spricht es an?

»In Wirklichkeit *Unsicherheit* über die eigene Person, Neid, das Gefühl, daß Juden – oder in Amerika die Schwarzen – zumindest eines haben, was den meisten so schwerfällt zu erreichen: nämlich *eine Identität*. Und aus der Unsicherheit über sich selbst kommt der Haß und der Neid gegen Menschen, die wissen, wer sie sind.«

Fehlende Arbeit, Unsicherheit, Antisemitismus

War es für Sie nicht eine besondere Kränkung, innerhalb der Arbeiterbewegung auf Antisemitismus gestoßen zu sein?

»Wissen Sie, die Arbeiterbewegung war so ambivalent in dieser Hinsicht: Der große Führer war Otto Bauer, ein Jude, ein bemerkenswerter Humanist, in vieler Hinsicht ein großer Mann, wahrscheinlich kein großer Führer. Aber seine Stellung in der Partei war unbezweifelt. Und trotzdem ist der Antisemitismus auch in der Partei gewesen. Es war jeder, der als Jude identifiziert war, die Ausnahme. Die Juden als Gruppe galten als schlecht, aber die eine oder der andere, die man kannte, die oder der waren okay.«

War es eigentlich nur der Antiintellektualismus, der hochgespielt wurde, oder lagen dem jene tieferen Wurzeln des Antisemitismus zugrunde?

»Aus den letzten 2000 Jahren wissen wir, daß der Gruppenhaß tiefer liegt. Tertullian hat schon gesagt, woher der Haß gegen eine Minderheitengruppe kommt, als er schrieb: Wenn der Tiber überfließt, wenn es Pest und Pestilenz gibt, dann beginnt der Schrei: Die Christen sollen vor die Löwen geworfen werden. Das ist es: die *Unsicherheit* der Welt, die dazu drängt, eine andere Gruppe zu hassen.
Dem korrespondiert die eigene psychische Unsicherheit. Die Unsicherheit darüber, wer man selbst ist. Ich glaube im übrigen, daß dies eine Unsicherheit ist, mit der alle Menschen zu kämpfen haben, und daß die Erreichung einer Identität ein Prozeß ist, der niemals aufhört.
Aber wenn nun diese Unsicherheit darüber, was man selbst ist – begründet oder nicht begründet –, *von außen unterstützt* wird, das heißt wenn es soziale Unsicherheit gibt, wenn menschliche Beziehungen besonders unsicher sind, dann ist die häufigste Gefahr, Neid auf andere zu entwickeln, denen dies anscheinend nicht passiert. Und es ist dieser Neid, der sich immer darauf bezieht, daß die anderen soviel klarer und eindeutiger erscheinen, so sicher in ihrer Identität. Es ist der Neid darauf, der Menschen veranlaßt, diese andere Gruppe erniedrigen zu wollen. Und es resultiert aus der Gefahr der eigenen Minderwertigkeit, daß in einer einfachen Kalkulation, die das Unbewußte vollzieht und nicht das Bewußte, der Gedanke entsteht: Wenn diese anderen Menschen nur wirklich erniedrigt sein können, dann weiß ich zumindest das über mich selbst: Ich bin nicht *so* schlecht wie ein Jude, wie ein Schwarzer oder ein Katholik – oder was immer sonst er sein soll. Die daraus freigesetzte Aggressivität kommt von dem Gefühl der eigenen Minderwertigkeit, was von außen her bestätigt werden kann. Das heißt, wenn man sich von anderen verachtet oder nicht eingeschätzt fühlt, dann entsteht dieses schreckliche Bedürfnis, jemand anderen noch niedriger zu machen.
Was schlecht in einem selbst ist, wird auf andere projiziert als ein Versuch der eigenen Sicherung, sich abzugrenzen von etwas, was sozial anerkannt minderwertig ist.«

»Die Arbeit ist eine der wenigen eindeutigen Bestimmungen für den Platz, den man in der Gesellschaft hat«

Sind diese Zusammenhänge der Grund dafür, daß Sie – positiv – der Selbstverwirklichung in der Arbeit eine solche Bedeutung zumessen?

»Es gibt viele manuelle und nichtmanuelle Arbeiter, die eine wirkliche Befriedigung aus dem erfahren, was sie tun. Aber es gibt natürlich auch viele Arbeiter, für die die eigentliche Betätigung in der Arbeit keine Befriedigung darstellt. Trotzdem ist die Organisation der Arbeit in modernen Gesellschaften so, daß sie eine Sicherheit gewährt, die die Arbeitslosen nicht empfinden: die Sicherheit des Kontakts mit anderen, die Vorhersehbarkeit dessen, was man mit sich macht, die Gemeinsamkeit in der Produktion, das Gebrauchtwerden... das alles ist wesentlich in der Arbeit, auch wenn man die eigentliche Tätigkeit haßt. Das gilt nicht nur für die Menschen, denen Arbeit Befriedigung gibt, sondern auch für die, die ihre Arbeit nicht leiden können: Sie bekommen eine menschliche und soziale Sicherung durch die Zugehörigkeit zum Arbeitsprozeß, die die Arbeitslosen natürlich vollkommen vermissen. Es gibt viele interessante Studien, die zeigen, wie das Schrecklichste an den schlechten Arbeiten, nämlich: keine Kontrolle zu haben – von den Menschen mit großer Initiative überwunden wird; wie Leute für eine Stunde lang so schnell arbeiten wie sie nur können, mit vollem Einsatz, weil sie sich dann hinsetzen können, eine Zigarette rauchen und für sich selbst die Zeit einteilen können. Wirklich erschreckend an vielen modernen Arbeitsbedingungen ist, daß es relativ einfach wäre, den Menschen Kontrolle über ihre Arbeit zu geben, und daß trotzdem noch Menschen am laufenden Band arbeiten und eine mechanistische Kontrolle existiert, die nicht im Produktionsprozeß selbst begründet ist, sondern nur in der Organisation. Die wirtschaftlichen Möglichkeiten, die Arbeitslosigkeit abzuschaffen, sind heute sehr gering; die wirtschaftlichen Möglichkeiten, die Arbeit menschlich befriedigend zu machen, existieren – und werden noch immer nicht angewendet.«

Wenn Sie die Ergebnisse Ihrer frühen und heutigen Studien zur Arbeitslosigkeit vergleichen – sehen Sie Ähnlichkeiten?

»Trotz der ungeheuren sozialen Veränderungen, trotz der Tatsache, daß die Arbeitslosen heute nicht mehr unter dem Existenzminimum existieren müssen, sind die psychischen Bedürfnisse, die in der Arbeit befriedigt werden können, so wichtig, daß ihre Abwesenheit in der Arbeitslosigkeit zu ähnlichen Depressionen führt, zu Resignation, zu dem ›Sich-ausgeschlossen-Fühlen‹, zu dem ›Zu-nichts-gebraucht-Werden‹ – Dinge, die sehr zermürbend für die ganze Persönlichkeit sind.«

Es sei denn, Arbeitslose können in einer sozial nützlichen Weise tätig sein.

»Das ist richtig. Sogar in Marienthal gab es (weniger als eine Handvoll) politische Funktionäre, die – natürlich freiwillig – in der politischen Organisation weiter gearbeitet haben; die waren nicht zerbrochen von der Arbeitslosigkeit! Und so gibt es auch heute natürlich unter den Arbeitslosen Menschen, die ihre eigenen sozialen Kontakte aufbauen, die einen Zweck in ihrem Leben sehen – trotz der Arbeitslosigkeit – und die auch nicht ein so gefährliches soziales Problem darstellen wie die anderen. Aber die überwältigende Mehrzahl der Arbeitslosen sind ungelernte Arbeiter – und Jugendliche, die niemals gearbeitet haben, und für die ist das kein Ausweg.«

Aber für die eben Angesprochenen hat das, was Hannah Arendt mit ›sozialem Tätigsein‹ (In Vita aktiva oder vom tätigen Leben, *München 1981) umschrieben hat, seinen Sinn.*

»Ja, ganz richtig. Es gibt in Wirklichkeit keine Knappheit der Arbeit. Menschen werden überall gebraucht, für alles, für soziale Arbeiten, dafür, Häuser fertigzustellen, Gemeinschaftshäuser zu bilden – es gibt so viel, das mit arbeitsfähigen Menschen gelöst werden könnte. Aber es sind nur wenige, die von sich aus die Initiative aufbringen, sich in diese Form der Arbeit einzubringen.«

Auch aus Antisemitism and emotional disorder *habe ich entnommen, daß Arbeit bei der Entwicklung von Selbstrespekt und Selbstwertgefühl eine enorme Rolle spielt.*

»Ich glaube, daß es eine der entscheidenden Funktionen der Arbeit in der modernen Gesellschaft ist, den Menschen mit ihren Identitätskonflikten zu helfen. Wissen Sie, demokratische Gesellschaften – im Gegensatz zu einem Kastensystem, wie es in Indien noch immer existiert – geben den Menschen widersprüchliche Andeutungen darüber, wer sie sind: Einerseits sind sie alle gleich, aber dann – wie der Orwell gesagt hat – sind ein paar gleicher als die anderen. Aber es ist alles viel unklarer als in anderen Gesellschaftsformen, und das ist eines der großen Probleme der Demokratie, daß die Menschen das Gefühl bekommen, sie müssen gegen andere kämpfen, um ihre eigene Identität zu etablieren, und die soziale Welt ihnen sehr wenige Anhaltspunkte gibt, um sich als Menschen zu fühlen. Und *Arbeit ist eine der wenigen eindeutigen Bestimmungen für den Platz, den man in der Gesellschaft oder der Gemeinschaft wirklich hat.* Das ist eine der psychologischen

Bedingungen, die die Arbeitslosigkeit zu einem solchen psychologischen Problem macht. Aber ich will nicht, daß Sie mich über die Bedeutung der Demokratie mißverstehen. Ich glaube – wie Churchill einmal gesagt hat –, sie ist die schlechteste Gesellschaftsform, abgesehen von allen anderen, die jemals erfunden worden sind. So ist es die große Aufgabe, die Massengesellschaften irgendwie so zu gliedern, daß sich die Menschen nicht verlieren... und viele verlieren sich!«

Industrielle Demokratie

... und zu einer Alltags-Demokratie vorzustoßen?

»Natürlich, industrielle Demokratie! Denn wie es richtig ist, daß Arbeit bei Identitätskonflikten hilft, so ist es auch richtig, daß Arbeitsbedingungen heute noch oft so sind, daß sie für viele Menschen diese Identität verächtlich machen. Nach außen hin ist man Arbeiter, man bekommt sein Gehalt, weiß, wo man steht, weiß, was man zu machen hat – in der Arbeitssituation behandeln die Vorgesetzten die Menschen gelegentlich nicht als Menschen, sondern als ein Werkzeug. Und es ist auch eine Frage der Art der materiellen Aufgaben. Das ist ein sehr schwieriges Problem; denn schauen Sie, ich glaube nicht, daß moderne Gesellschaften zu einer primitiven Produktionsweise zurückkehren können. Es wird daher, wenn die modernen Gesellschaften weiter bestehen sollen, immer Arbeiten geben, die den Menschen befriedigen, und Arbeiten, wie der Adam Smith schon im Jahre 1776 gesagt hat, die den Menschen zu einem Idioten machen.«

Vermischt das nicht – zumal angesichts unserer heutigen gesellschaftlichen und technologischen Möglichkeiten – Nötiges mit Unnötigem?

»Ich glaube, daß von einem ökonomischen Gesichtspunkt aus keine moderne Gesellschaft existieren kann, ohne die moderne Technologie. Die Technologie ist unumgänglich. Die einzige Hoffnung, die wir in die modernen Technologien setzen können, ist, daß sie die unmenschlichsten Arbeiten abschaffen können. Das Arbeitslosenproblem kann in Wirklichkeit nur gelöst werden durch eine systematische, radikale Verkürzung der Arbeitszeit in allen industrialisierten Ländern.«

Sind wir angesichts der Probleme heute nicht viel dringlicher als vor fünfzig Jahren an dem Punkt, die Frage nach alternativen, gesellschaftlich nützlichen und sinnvollen Produkten zu stellen – wie dies ja ohnehin ein Teil der Alternativbewegung tut?

»Eine der zentralen Ursachen des Unbehagens in modernen Gesellschaften ist das *Vorherrschen des ökonomischen Gedankens* allein. Nichts anderes gilt. Selbst in den Sozialwissenschaften sind die Ökonomen, obwohl sie nicht wissen, was sie sagen sollen, keine wirkliche Theorie haben und erst recht keine gültigen Vorhersagen, auf der Höhe, sind die angesehenen Sozialwissenschaftler! Die menschlichen Probleme, die Arbeitsbedingungen und ökologische Probleme betreffen, verlieren in der allgemeinen öffentlichen Debatte an Bedeutung. Ich nehme nicht an, daß all die vorherrschenden Regierungen in der industrialisierten Welt aus Verbrechern oder Dummköpfen bestehen. Das Problem, ökologische, soziale und humane Ideen in der Gesellschaft zu verwirklichen, impliziert natürlich auch ökonomische Lösungen. Aber das, was mir falsch vorkommt, ist, daß die wirtschaftlichen Maßnahmen statt Mittel zum Ziel – zum Selbstzweck geworden sind: eine auf Dauer hoffnungslose Perspektive! Wenn die Außenhandelsbilanz ungünstig ist, macht das offenbar keinen Bedeutungsunterschied mehr gegenüber dem Problem, das derjenige hat, der unter unmöglichen Bedingungen arbeitet oder arbeitslos ist. Und diese Verwechslung von Mittel und Zweck ist das, was auch das Denken der meisten Regierungen beeinflußt. Etwas, was in den meisten Ländern auch die Arbeiterbewegung durchdrungen hat. Der große Gedanke des Sozialismus im 19. Jahrhundert – die Solidarität der Arbeiter – ist verschwunden: die Gewerkschaften streiten gegeneinander: Lohnforderungen werden nicht damit begründet, daß man für eine Familie zu sorgen hat, sondern damit, daß die Bahnarbeiter mehr bekommen als sie selbst... Das gesamte Denken der Menschen – nicht nur der Regierungen – ist umgeschaltet auf wirtschaftliches Denken.
Worauf es mir ankommt, ist, diese Gedanken für andere Kriterien einer menschlichen Existenz in die allgemeine Debatte hineinzubringen. Schauen Sie, die Russen sind mit allen großen Gedanken an die Revolution herangegangen – und jetzt sind sie das bürokratisierteste, unbefriedigendste Land, das man sich vorstellen kann. Ich glaube, der Lenin hat vor der Revolution davon gesprochen, er habe nur eine Sorge: Wenn die Revolution kommt und alles erst zerstört werden muß, was wird mit der Post? Kann man sie wieder aufbauen?
...Wissen Sie, diese wirkliche brutale Revolution für die größten Ideale der Menschheit hat den Kapitalismus und die Bürokratisierung unter anderen Namen in Rußland wieder aufgebaut. Obwohl ich in der illegalen Bewegung zu den revolutionären Sozialisten gehört habe, glaube ich heute nicht mehr, daß Gewalt und Revolution Mittel zu einer besseren Welt sind. Das kommt daher, daß ich sehr alt bin...«

Ist das eine Frage der Generationen? Oder nicht auch dessen, daß sich eine solche Dialektik von Zerstörung und besserer Welt nach den Erfahrungen dieses Jahrhunderts, nach Ihren Erfahrungen nicht realisiert?

»Das alte Problem mit dem Sozialismus ist nach wie vor aktuell: Um den Sozialismus aufzubauen, braucht man neue Menschen, aber neue Menschen haben nur im Sozialismus eine Chance, sich zu entfalten.«

Aber hat nicht das, was Sie an neuen Verhältnissen im Wien der zwanziger Jahre miterlebt und gestaltet haben (und was in den letzten Jahren bei uns so sehr aufmerksam studiert worden ist), nicht auch neue Beziehungen zwischen den Menschen gestiftet?

»Sie haben recht. Man kann nicht auf die Revolution warten, um neue Menschen zu bekommen, und nicht neue Menschen bekommen, um Revolution zu machen; sondern es besteht in der Gegenwart die Möglichkeit, mehr und mehr Menschen heranzubilden, zu entwickeln, ihnen Raum zu geben, um neue Ideen durchzusetzen: es ist ein *gleichzeitiger* Prozeß.«

Die Alternativbewegung in Deutschland zum Beispiel scheint mir auch eine Antwort auf das Ungenügen der alten Arbeiterbewegung. Die von ihr beschworene »Solidarität« ist allzu häufig in den »Himmel der Institutionen« entschwebt – und weniger konkret erlebbar...

»Es geht mir alles ein bißchen langsam – für meine Erwartungen, wissen Sie... und es ist ein großes, katastrophales Problem, daß so viele Jugendliche arbeitslos sind – denn das führt zu Verwilderung.«

»Die Generation, die es aktiv oder passiv mitgemacht hat, ist nicht ausgeheilt«

Welche Empfindungen haben Sie, wenn Sie nach Österreich oder Deutschland kommen?

»Das erste Mal bin ich im Jahr 1953 nach Wien zurückgekommen. Ich bin am Wiener Flugplatz gelandet und habe auf einen Autobus warten müssen. Da sind zwei Kinder reingelaufen, Vierzehn-, Fünfzehnjährige, und ein dicker Vater hinter ihnen her. Er hat gerufen: ›Eva, Adolf, wartet doch auf mich!‹ ... Ich habe noch ein paar alte Freunde gehabt, da ist es ohne weiteres gegangen; aber bei jedem anderen, den ich getroffen hab, fragte ich mich: Was hat der gemacht? Es war sehr kompliziert. Aber jetzt gehe ich gelegentlich nach Wien zurück, und da gibt es zum Glück eine gute junge Generation, und es ist mir kein Problem mehr.«

Und Deutschland?

»Deutschland – ich habe Deutschland vor dem Krieg, vor Hitler, nicht sehr gut gekannt. Ich war in München und Berlin, aber nur für kurze Zeit. Ich habe eigentlich erst in den letzten zehn Jahren intensiven Kontakt mit Deutschen gehabt. Und die haben mir alle großartig gefallen. Ich habe für die deutsche Situation nicht das Problem gehabt, das ich mit meinem ersten Besuch in Wien gehabt habe. Aber ich habe auch meistens in Deutschland jüngere Menschen kennengelernt und nicht meine Altersgenossen, wo man den Verdacht wahrscheinlich niemals aufheben kann.«

Auch deswegen nicht, weil nach Ihren Beobachtungen die Fähigkeit zu trauern so schwer auszubilden ist?

»Zum Teil ist es das. Was mich an Österreichern, mit denen ich zufällig 1953 ins Gespräch gekommen bin, so erschreckt hat, war *ihre vollkommene Verleugnung von irgendeiner Beziehung zum Nationalsozialismus.* Ich war auf einem Berg, da hat mich jemand angesprochen und mich gefragt, woher ich komme; ich habe gesagt: Ich bin eine Wienerin. Sagt er, das ist komisch, nur die Deutschen sprechen so wie Sie. Und das war dieses Gefühl, die ganze Wiener Gesellschaft hat einen Wiener Dialekt gehabt, der abscheulich war, in der Betonung des Nicht-Deutschseins. Eine vollkommene Verleugnung von allem, was geschehen ist: Wir sind die gemütlichen Österreicher, es waren nur diese dreckigen Deutschen.«

Ist es eine Überforderung zu erwarten, daß man Trauerarbeit leistet?

»Es ist sehr schwer für Menschen, die ein schlechtes Gewissen haben.«

Oder erwarten Sie es nicht doch?

»Ja, man erwartet es. Sicher haben es viele zustande gebracht, sich mit der eigenen Vergangenheit auseinanderzusetzen. Aber es ist schwierig. Deshalb ist es leichter, es von sich wegzuschieben, um nicht daran zu denken. Und wissen Sie, was in Deutschland und Österreich während der Hitlerjahre geschehen ist, war so schauerlich, das hat es schwieriger gemacht, es anzuerkennen. Und die Menschen haben gewußt, was vorgegangen ist. Sicherlich in Wien, wo alles sich auf der Straße in der schrecklichsten Weise abgespielt hat. Es war nicht Nicht-Wissen um das, was geschehen ist, es war zu grotesk und schauerlich für Menschen, die nicht einen starken Charakter haben, sich damit auseinanderzusetzen.«

Es gibt noch, oder wieder, Leute in Deutschland, die an die Vergangenheit nicht erinnert werden möchten. Auf einer internationalen Tagung im Januar 1983 zur Erinnerung an die Machtergreifung Hitlers im wiedererrichteten Reichstagsgebäude lautete ein zentraler Satz des Schlußreferenten H. Lübbe: »In dieser Diskretion (wie er das »Beschweigen« der faschistischen Vergangenheit nennt) vollzog sich der Wiederaufbau der Institution, der man gemeinsam verbunden war, und nach zehn Jahren war nichts vergessen, aber einiges schließlich ausgeheilt.«

»Nein, wissen Sie, wenn die Menschen während der Zeit der Brutalitäten weggeschaut haben, war das vielleicht begreiflich, weil es sich da um Leben oder Tod gehandelt hat. Aber wie es alles vorüber war, nicht zu wissen, daß man geschwiegen hat, um sein eigenes Leben zu sichern, scheint mir psychologisch auf eine Verarmung des Seelenlebens hinzuweisen, die erschreckend sein muß und die den Materialismus der deutschen Republik vielleicht zum Teil erklärt. Das war die Entschädigung, man hat zuviel zu tun gehabt, um sich selbst anzusehen. Alle die jüngeren Deutschen, die ich kennengelernt habe, haben mit mir über die Vergangenheit gesprochen. Die Generation, die es aktiv oder passiv mitgemacht hat, ist nicht ausgeheilt. Aber sie verschwindet.«

Die Jüngeren trennen sich von der Geschichte ab

In der Friedensbewegung – wie zuvor in Amerika auch in der Studentenbewegung – ist der Wunsch gegenwärtig, anders als expansionistisch nach außen und aggressiv gegenüber Minoritäten nach innen das geschichtliche Erbe sich in einem Sinne anzueignen, der für Versöhnung, für nicht-expansionistische Politik steht.

»Die Friedensbewegung und die Studentenbewegung haben sicher die sehr wünschenswerte Motivation gehabt, sich von der alten Generation zu separieren, sich von dem nationalistischen Deutschland zu trennen und eine andere Welt zu wollen. Sehr gut. Aber aus demselben Wunsch, die Vergangenheit zu kennen und es anders zu tun, ist die Baader-Meinhof-Gruppe gekommen. Und das war ein Teil der Studentenbewegung. Und das war auch eine Abtrennung. Die Schwierigkeit ist, daß es in der Studentenbewegung und in der Friedensbewegung zum Glück viele Tausende Menschen gibt und nur einige wenige wahnsinnige Terroristen. Aber die Motivation ist sehr ähnlich.«

Abtrennung ist nicht ausreichend.

»Nein, man braucht mehr. Man braucht Ziele und Zwecke, und nicht nur nein sagen. Man muß wissen, zu was man ja sagt.«

Vielleicht ist es nicht klug, Studentenbewegung und Friedensbewegung jetzt miteinander zu verknüpfen in dieser Frage, die ich eben gestellt habe. Da gibt es auch Differenzen. Ich glaube nur, daß vieles, was an Bewegungen sich entwickelt hat, seit Mitte der sechziger Jahre eben immer auch bezogen war auf die Vorgeschichte im doppelten Sinne, nämlich die fünfziger Jahre als Nicht-Antwort und die faschistische Zeit.

»Ja, das ist wahrscheinlich richtig. Das war eine grundlegende Motivation.
Ich glaube, es ist eine der konstruktivsten Erscheinungen der letzten Jahre, daß die Friedensbewegung international so weit gegangen ist. Eine amerikanische Freundin von mir hat in Moskau demonstriert, aber das sind die schwierigen politischen Probleme zwischen einseitiger und vielseitiger Abrüstung. Aber es ist trotzdem eines der wenigen wirklich konstruktiven Elemente im modernen Leben.«

Ökologische Bewegung und Arbeiterbewegung

Gewerkschaften tun sich ja schwer, die neuen Krisenzeichen angemessen zu beantworten. So etwa die Frage der inneren und äußeren Naturzerstörung, wenn man es so zusammenziehen will, zumal sie gleichzeitig auftreten. Wird es nicht gerade vor dem Hintergrund des Ungenügens der Arbeiterbewegung gegen Ende der zwanziger Jahre und des schließlichen Versagens bedeutsam, ob es der Arbeiterbewegung gelingt, die neuen Wahrnehmungen und auch Bedürfnisse anders anzugehen als im Sinne der Ab- und Ausgrenzung?

»Ja, das ist eine Frage, was an erster Stelle kommt. Für mich kommt die Solidarität der Arbeiter und nun der Gewerkschaften mit den Arbeitslosen an einer höheren Stelle als die Solidarität mit den Walfischen und Elefanten. Obwohl ich beide sehr gern habe und nichts ausgerottet sehen möchte.«

Das ist eine polemische Antwort.

»Es gibt so ungeheuer viele Probleme, und wie in allen Bewegungen gehen die Slogans gewöhnlich auf Extreme. Was wirklich meiner Antwort zugrunde liegt, ist mein Ärger über die Tatenlosigkeit der Gewerkschaften gegenüber dem Arbeitslosenproblem. Und es ist relativ leichter, für die Elefanten zu demonstrieren, als etwas für die Arbeitslosigkeit zu tun ...«

Es gibt bei uns in Deutschland inzwischen eine ganze Reihe von Betriebsräten – selbst in Automobilbetrieben –, die sagen, daß die Zerstörung der Umwelt und damit die Verhinderung von Lebensqualität schließlich auch Arbeiter trifft. Auch Untersuchungen zeigen, daß jene Interessen haben, die über ihre Arbeitstätigkeit hinausgehen. Mit anderen Worten: Meine Frage geht in die Richtung, ob Sie nicht dem Arbeiter unterstellen, er hätte nicht auch solche Motive. Ist diese Abtrennung, dieses Zuschreiben von Motiven eigentlich gerechtfertigt?

»Nein, es ist nicht eine Frage der Motive, es ist eine Frage, wie man Ziele einer Bewegung ordnet. Jeder Mensch ist für die Umwelt. Aber mir kommt es noch immer vor, daß das erste Ziel die Solidarität mit den Menschen ist. Natürlich hat man viele Ziele, die man gleichzeitig verfolgt, aber wissen Sie, ich bin ganz für die Ökologen, wenn es nicht zu einer Entschuldigung wird, sich nicht um andere Probleme zu kümmern. Das Leben besteht – und die Gesellschaften bestehen nicht nur aus einem. Aber mir kommt es so vor, daß eine ganze Reihe der modernen kulturellen Bewegungen den leichten Weg aussuchen, der gut ist fürs Gewissen und der die Welt nicht verändert. Es ist nur eine Frage der klaren Zielsetzung. Natürlich ist Ökologie und der Schutz der Umwelt wichtig. Aber nicht als eine Ausrede, um an anderen Problemen vorbeizusehen. Das ist das einzige, was ich sagen will.«

Ich empfinde Sie als sehr selbstkritisch, was die Illusionen der zwanziger Jahre anlangt, und das verlangt auch nur Respekt. Aber braucht es nicht angesichts der neuen Krisenentwicklung eine andere, konkrete Utopie, die die Gefährdung oder die Zerstörung von innerer und äußerer Natur, die Gefährdung des Friedens, anders als in der traditionellen Arbeiterbewegung üblich aufgreift? Und entsprechende Ängste auch aufnimmt, so daß nicht Angst und Politik einen fatalen Mechanismus in Gang setzen, der Sie auch so hat enttäuschen lassen?

»Natürlich ist es wichtig für eine Arbeiterbewegung, nicht in der Utopie des 19. Jahrhunderts steckenzubleiben. Natürlich gibt es neue Probleme, vielleicht schon alte Probleme, aber neu erkannte Probleme, die man sehr ernst nehmen muß.
Für mich kommt es immer nur darauf zurück, daß einige dieser neuen Probleme so formuliert werden und die Menschen so berühren, daß es ein Abzug von dringenderen Problemen wird, und das ist das einzige.«

»Es war nicht umsonst«

Sie haben den neuen Menschen schaffen wollen. War es umsonst?

»Nein, ich habe... ich glaube, auch wenn das arrogant klingt, auf viele Menschen in Österreich, in der Bewegung, in Amerika und hier, durch andere Kontakte und durch meine Studenten einen guten Einfluß gehabt. Es war nicht umsonst.«

Fühlen Sie sich hier zu Hause?

»Ich bin im Prinzip wurzellos. Wissen Sie, meine ersten dreißig Jahre in Österreich, dann acht Jahre in England, dann dreizehn Jahre in Amerika und jetzt schon wieder mehr als zwanzig in England... Da ist kein nationales Gefühl geblieben, außer für österreichisches Skilaufen, und das kann ich nicht mehr. So.«

Hans Keilson:

»Anstelle eines Kaddish«[1]

»Ich wurde am 12. Dezember 1909 in einem märkischen Provinzstädtchen geboren, in Bad Freienwalde an der Oder, jetzt in der DDR gelegen. Mein Vater war ein Kaufmann, er hatte zwei Geschäfte. Meine beiden Eltern kommen ursprünglich aus orthodoxem Milieu, später haben sie die orthodoxe Haushaltung nicht mehr eingehalten, waren aber noch sehr bewußte Juden. Ich bin Bar-Mizwa geworden. In dieser Hinsicht habe ich eine bewußt jüdische Identität erhalten, die noch verstärkt wurde durch sehr unangenehme, heftig antisemitische Anrempeleien und Pöbeleien in der Schule des Städtchens, in dem ich lebte. Das hängt auch damit zusammen, daß auf der ganzen Schule vielleicht nur zwei oder drei Juden waren, während die Erfahrungen von jemandem wie etwa Reich-Ranicki in Berlin, der auf einer Schule saß, wo fünfzig Prozent Juden waren, von einem ganz anderen Klima geprägt sind.
Ich wußte nicht nur, daß ich Jude bin, sondern auch, daß ich mich in einem bestimmten Verhältnis zur nichtjüdischen Umwelt sah und erlebte und mich darin auch profilieren mußte.
An meine Eltern habe ich sehr gute Erinnerungen; ich hatte meine Konflikte mit ihnen, die ganz normal sind, aber ich hatte doch ein sehr gutes Elternhaus. Es war wirtschaftlich *sehr* schwierig in der Zeit der

[1] »Kaddish« heißt ein jüdisches Gebet, das seit dem Mittelalter besonders für das Seelenheil Verstorbener gesprochen wird. Anm. d. Red.

Inflation, mein Vater war auch viereinhalb Jahre im Krieg, ist dafür dekoriert worden und starb dafür; er wurde in Auschwitz von den Deutschen vergast. ›Der Dank des Vaterlandes ist euch gewiß‹, nicht wahr? Aber meine Eltern waren doch ein sehr, sehr harmonischer Rückhalt. Ich hatte auch sehr gute nichtjüdische Freunde, aber auf der Schule habe ich ein zentrales Erlebnis gehabt, das muß ich Ihnen erzählen. Darüber habe ich auch geschrieben.
Es war, glaube ich, in der Obersekunda eines alten humanistischen Gymnasiums, auf dem ich damals saß. In der Deutschstunde hatten wir einen neuen Lehrer, er war sogar Sozialist, glaube ich; der ließ uns Gedichte auswählen, die wir vortragen mußten. Darüber mußte die Klasse dann diskutieren. Ich wählte *Die Weber* von Heinrich Heine. Das ist ein wunderbares, eines der stärksten revolutionären deutschen Gedichte. Sie kennen es, ja? Der Lehrer fand es gut, ich hab' das Gedicht vorgetragen. ›Deutschland, wir weben dein Leichentuch, wir weben hinein den dreifachen Fluch...‹. Als ich fertig war, stand der Klassenvertreter auf und sagte: ›Die Klasse lehnt es ab, über dieses Gedicht zu diskutieren, denn es *beschmutzt das eigene Nest*!‹ Darauf war ich zwei Jahre im sogenannten Klassenschiß, das heißt, man sprach zwei Jahre nicht mehr mit mir.«

Und das während der Pubertät!

»Das während der Pubertät, ja. Das ist ein sehr zentrales Erlebnis, sowohl für mich als auch dafür, meine Umwelt zu erkennen. Mehr brauche ich wohl nicht zu erzählen, nicht?«

Vielleicht doch. Wenn Sie sich erinnern...

»Nun ja, da es in die Pubertätsphase fiel, verstärkte es die *Wendung nach innen*. Es schloß eigentlich sehr gut an meine ersten schriftstellerischen Versuche an... Ich nahm an einem Schülerwettbewerb des Börsenvereins des Deutschen Buchhandels im Jahre 1926 teil, zur Frage: ›Kannst Du ein Buch empfehlen?‹ Da habe ich mitgetan, als einziger von der Schule, und gewann den dritten Preis. Das ist sehr viel! Ich habe damals den *Demian* empfohlen, und meine Arbeit wurde auch in der Broschüre des Börsenvereins abgedruckt, nur mit meinen Initialen. Ich durfte für die dreißig Mark drei Bücher aussuchen. Die drei Bücher, die ich ausgesucht habe, sind sehr illustrativ für mein Leben. Das erste war: Karl Plättner, *Eros im Zuchthaus*. Karl Plättner ist ein Kumpan von Max Hölz gewesen... Aber das Revolutionäre hat mich nicht interessiert, es war die sexuelle Neugierde natürlich, die mich daran interessierte!«

Im Zuchthaus, nicht wahr?

»Ja, im Zuchthaus – was da so geschah, wenn die Gefangenen von einem Standort in den anderen...«

Warum Zuchthaus? Was denken Sie heute darüber?

»Vielleicht, weil ich mich auch im Zuchthaus befunden habe, glaube ich. Aber es war damals die sexuelle Neugierde, ganz bestimmt.
Dann also wählte ich einen zweiten Novellenband, ich glaube er hieß *Amok* von Stefan Zweig, den ich damals sehr liebte und der ja auch faszinierend geschrieben hat, obgleich Stefan Zweig für mich heute doch nicht mehr diese Bedeutung hat, die ich ihm früher beimaß...
Und dann die *Vorlesungen* von Freud – die kleine Dünndruck-Taschenausgabe, die ich auch heute noch besitze und die ich über die Verfolgungszeit gerettet habe. Sie hat doch wohl, glaube ich, mein Leben sehr entscheidend geprägt. Mit siebzehn Jahren las ich die Vorlesungen von Freud, und das ist ja eigentlich die beste Einführung in die Psychoanalyse der Traumdeutung, die man sich denken kann.«

Also Wendung nach innen und Orientierung am Buch?

»Ja, und an der *Musik*. Musik spielte auch eine sehr große Rolle.«

Und wie konnten Sie das dann weiter nutzen?

»Die Spannung in der Klasse lockerte sich dann ein bißchen, ich stand vorm Abitur, und man war doch auf mich angewiesen, ich war auf die anderen angewiesen – also es kam schon wieder zu einer kleinen Kooperation... Und es wurde von beiden Seiten verleugnet und verdrängt – anders hätte man ja nicht leben können, nicht wahr? Ich habe dann mein Abitur gemacht und ging nach Berlin studieren. Ich studierte Medizin und hatte zur gleichen Zeit einen Kursus auf der Preußischen Hochschule für Leibesübungen in Spandau, eine Ausbildung als Turn-, Sport- und Schwimmlehrer.«

Wie das? Was war denn das Motiv dafür?

»Ich trieb sehr viel Sport, ich war ein – na, mittelmäßiger Allround-Sportler, aber ich hatte sehr viel Freude an der Bewegung.«

War das vielleicht auch eine Kompensation der phasenweisen Isolierung in der Klasse? Oder ist das zu weit gesponnen?

»Ich glaube, daß Sie recht haben. Es ist ja so, daß nicht immer nur ein Motiv gültig ist, es ist immer ein Cluster von Motiven. Aber vor allem war es doch einfach die Freude an der Bewegung. Als ich nach Berlin ging, dachte ich mir, du mußt aufpassen, daß du da nicht versumpfst, untergehst – was weiß ich, was ich für Vorstellungen hatte. Wenn man aus einer Kleinstadt kommt... Wenn ich manchmal so daran denke, wie man am Abgrund vorbeimarschierte!
Und da dachte ich mir, na, gehste mal und machst diesen Kursus in Spandau, dann bist zu zwei- oder dreimal in der Woche draußen. Das hat mir später sehr geholfen, denn nachdem ich 1934 mein Arztexamen gemacht hatte, hatte ich als Jude Berufsverbot.
Aber ich hatte zugleich wenigstens ein Lehrerdiplom, ich war einer der ganz wenigen jüdischen Sportlehrer, die in Deutschland qualifiziert waren. Ich bekam eine Anstellung am Landschulheim Caputh und habe in dem Einsteinhaus gelebt, dem Haus, das die Stadt Berlin damals Einstein geschenkt hatte. Da gab es noch das große Gerangel darum, weil wir die Steuern bezahlen mußten!« (lacht). »Aber ich habe in dem Einsteinhaus gelebt mit einer Jugendgruppe, im Rahmen des jüdischen Landschulheims Caputh, und dann kam ich an die Schule...«

Wo lag denn dieses Einsteinhaus?

»In Caputh, bei Werder. In der Nähe von Potsdam am Gatower See.
Ich kam dann auch an die Schulen der Jüdischen Gemeinde in Berlin, an die Mittelschule in der Großen Hamburger Straße, die Volksschule in der Riekestraße, das zweite Waisenhaus der Jüdischen Gemeinde – das war, glaube ich, in Gesundbrunnen oder Weißensee, ich weiß auch nicht mehr genau –, und dann wurde ich auch Lehrer an der Theodor-Herzl-Schule Kaiserdamm. Dann war ich noch Mitglied des Zionistischen Sportclubs Bar Kochba, für den ich trainiert habe, und ich habe auch eine Alte-Herren-Riege trainiert – ich war also ausgelastet, wie man heute sagt. Ich hatte sehr viel zu tun, sehr viel gearbeitet.
Hinzu kam, daß ich 1933 meinen ersten Roman publiziert habe: im S. Fischer Verlag – *Das Leben geht weiter.* Der ist im November 1984 wiedererschienen, in der Reihe »Exil-Literatur« im S. Fischer Verlag. Da steht ein kleines Nachwort von mir drin. Loerke hat ihn 'rausgebracht, Oskar Loerke. Suhrkamp war damals Redakteur der *Neuen Rundschau.* Ich kriegte einen Vorschuß von 700 Mark, was für mich als Student sehr viel war. Ich habe als Musiker mein Studium verdient.

Ich habe als Geiger und Trompeter, mehr als Trompeter, eigentlich auf allen großen Bällen in Berlin gespielt, von der Frankfurter Allee über Ringverein und Angelclub bis hin zum Presseball, zum Ball der Technischen Hochschule, zum Filmball – alles. Nachmittagstee bei der Katharina von Kardorff[2], wenn Ihnen das ein Begriff ist... Das ist eine bedeutende Frau damals gewesen, ein Aas!« (Lacht)
»Also ich wurde zweimal 'rausgeschmissen aus meiner Schriftstellerlaufbahn, wenn man da überhaupt von Laufbahn sprechen kann, und aus meinem Arztberuf. Das kam einen ganz schön hart an.
Dann lernte ich in Berlin meine Frau kennen, eine nichtjüdische, katholische Frau, die aber nicht mehr gläubig katholisch war – im Gegenteil, sie durchschaute die Situation viel besser als ich.
Aber zurück zum Buch: Ich kriegte 700 Mark, damit fuhr ich mit der Universität Skilaufen ins Engadin und bekam die Fahnen auch dorthin geschickt. Als ich zurückkam, brannte der Reichstag. Da mußte eine Änderung des Romans vorgenommen werden, auf der letzten Seite – ich hatte als Symbol die geballten Fäuste genommen, und Loerke und Suhrkamp überzeugten mich, daß es unklug wäre, diesen Roman mit dieser symbolischen Handlung zu beschließen. Es ging mir auch gar nicht darum, also um die Partei, es ging mir nur um den Willen zu einer politischen Entscheidung überhaupt.«

Partei hieß damals was?

»Partei hätte links geheißen, Kommunistische Partei. Aber ich muß sagen, das war mehr eigentlich das Messianische, der messianische Impuls, der ja im Sozialismus steckte – so wie ich damals und wie wir alle damals den Sozialismus verstanden haben.«

Sozialisten und Juden

Messianisch sagten Sie – das bietet eine Assoziation zum jüdischen Messianismus, so wie sie auch Bloch hatte. Glauben Sie, daß da bei Ihnen eine Beziehung bestand?

»Ja, bestimmt. Das glaube ich bestimmt. So wie bei allen Juden, die links stehen. Ich habe eigentlich dafür jetzt eine Bestätigung gefunden. Vor einiger Zeit wurde ich eingeladen, für die Zeitschrift *Der Deutschunterrricht* (herausgegeben von H.-D. Weber) über den ›lin-

[2] Vgl. die Bemerkung von Henry Lowenfeld, S. 237 in diesem Band.

ken Antisemitismus‹ einen Artikel zu schreiben. Dafür habe ich eine Arbeit gebraucht, die in Deutschland anscheinend völlig unbekannt ist, nämlich von Nora Levin: *While Messiah Tarried* (New York 1977). Das ist eine Geschichte der sozialistischen Internationale zur Judenfrage bis 1917. Sie macht sehr deutlich, daß Sozialismus früher prätendiert hat, die jüdische Frage dadurch zu lösen, daß das Judentum aufgelöst wurde. Viele Juden haben mitgemacht. Die verschiedenen Anträge auf den internationalen Kongressen in Amsterdam, in Zürich, auf denen die amerikanischen Juden und die Gewerkschaften (!) versucht haben, den Antisemitismus zur Diskussion zu stellen – es wurde immer wieder abgelehnt, weil man den Antisemitismus nur als einen Auswuchs des kapitalistischen Systems interpretierte. Man gab auch jüdischen Delegationen aus Rußland oder Polen keinen Status, weil man sagte, die Juden seien ja Mitglied der polnischen Delegation oder der russischen Delegation, aber *als Juden* können wir ihnen keinen Status geben.
Auch Aaron Liebermann, der Vater des jüdischen Sozialismus in Rußland, scheiterte bei seinem Vorhaben, um 1875 eine ›Jüdische Sozialistische Abteilung der Internationalen‹ zu errichten. Dieser Status wurde nur denen verliehen, deren Nationalität anerkannt war und die von einer staatlich-territorialen Basis aus operierten wie Polen und Iren. Die Kongresse waren überzeugt, daß die jüdische Frage nichts mit Nationalität zu schaffen hätte, die für die Internationale relevant war. Man war durchdrungen von der Notwendigkeit der Assimilation der Juden an ihre jeweilige Umgebung. Hierdurch würde sich ihr Problem von selbst auflösen. Mit der Überwindung des Kapitalismus würde auch die Frage des Antisemitismus gelöst werden.
Es bekamen zum Beispiel nur estnische Sozialisten, die damals noch Mitglied des Russischen Reiches waren, einen Status, die Juden aber nicht.«

Verräumlichung des Denkens...?

»Verräumlichung des Denkens – dasselbe, was Napoleon eigentlich schon 1807 gesagt hatte: ›Den Juden als Individuum alles, als Volk nichts.‹ Auf diesem Ausspruch von Napoleon beruht eigentlich der ganze Emanzipationsprozeß. Der Abbé Grégoire und Mirabeau haben nicht gewußt, worauf sie sich mit der Emanzipation eingelassen haben!« (Lacht) »Was das für Konsequenzen hat – sowohl für sie als auch für uns. Obgleich ich der Meinung bin, daß der Prozeß nicht aufzuhalten war.«

»Die Juden haben ihre eigene Gerichtsbarkeit aufgegeben«

»Das Wichtigste am Emanzipationsprozeß ist für mich ja nicht, daß wir Schiller und Goethe lesen können, daß wir in der deutschen, französischen, was weiß ich für einer Literatur mitmachen und da publizieren können; – das Wichtigste ist, daß die Juden ihre eigene Gerichtsbarkeit aufgegeben haben.
Das Gemeindeleben haben sie nicht aufgegeben, aber es wurde vom Staat bestimmt, wie es zu organisieren war. Der Staat hat das Gemeindeleben religiös, kulturell interpretiert, während es im ganzen offenbarten jüdischen Leben eine soziale Funktion hatte, nämlich auch als Gerichtsbarkeit. Es gibt eine sehr schöne Untersuchung vom liberalen Rabbiner Wiener, glaube ich, in der er nachgewiesen hat, daß so, wie sich das orthodoxe Judentum profiliert, mit der Gesetzestreue und allen möglichen Sachen, es doch eine Deformation des Judentums ist. Das prä-emanzipatorische Judentum hatte ein eigenständiges kulturelles Leben mit einer eigenständigen Gerichtsbarkeit, der es unterworfen war. Das heißt, die Jurisdiktion ist das Wichtige. Und im gleichen Augenblick, wo man das aufgibt, hat man auch seine nationale – ich will nicht sagen völkische, das ist ein belastetes Wort – seine nationale Gruppenidentität verloren, was für uns Juden immer ein großes Problem war, denn wie ich gestern abend sagte, in der Pessach-Haggada lesen wir: ›Nächstes Jahr in Jerusalem‹. Bedeutet das jetzt nur ›im Geiste‹? Oder was bedeutet es? Aber *jetzt* ist es säkularisiert, es ist ein furchtbares Problem, aus dem die Nichtjuden nicht 'rauskommen und wir Juden ja eigentlich auch nur sehr schwierig 'rauskommen.«

›Nächstes Jahr in Jerusalem‹, Messianismus, Sozialismus – es gibt offenbar in dieser jüdischen Tradition, die Sie auch mitgetragen haben, eine große Spannung zwischen der realen Bedrohungssituation und der Sehnsucht. Das ist ja nicht untypisch für die gesamte Tradition der letzten Jahrhunderte. Was hat das Ihrer Meinung nach für den ›Sozialcharakter‹ von Juden im mitteleuropäischen Raum bewirkt?

»Ich habe versucht, das auch hier auf dem Kongreß[3] zu artikulieren. Ich glaube, man muß eher ehrlich sein und sagen, das hat die Risse und Widersprüche bewirkt, die man in seinem Leben austragen muß, die Konflikte und die Spannungen. Wie ich schon zu Anfang sagte: Es

[3] Hans Keilson war Teilnehmer der Tagung ›Antisemitismus nach dem Holocaust‹ in Schwerte, April 1985. Dort traf ich ihn zu diesem Gespräch.

gibt *mehrere Loyalitäten*, man lebt nicht nach einem Harmoniemodell... Das Harmoniemodell ist nur entstanden, weil es ja nicht existent ist – weil man danach strebt! Nicht wahr?«

Aber Sie sind spezifisch zugespitzt. Noch einmal zurück zum Messianismus: Ist es nicht ein spezifisches und auch für viele – wie für mich – faszinierendes jüdisches Traditionselement, dieser Ruf nach einem eigentlich nicht geographisch bestimmten Jerusalem? Dieser Messianismus ist – oder war – offenbar so stark, daß er auch übertragbar ist auf...

»... aufs Politische – völlig richtig! Es manifestiert sich dann in der säkularisierten messianischen Hoffnung, von der doch sehr viele Juden auch des Mittelstandes dachten, sie in den linken Parteien verwirklichen zu können...
Ber Borochow, ein Marxist, hat als erster den Marxismus für die Juden neu formuliert: Es geht nicht um uns intellektuelle Mittelschichtsjuden in Mitteleuropa – es geht um die proletarischen Massen in Polen und Rußland, um die Millionen, die auch umgekommen sind. Die haben den Zionismus eigentlich formuliert. Denn die galt es ja zu retten. Die waren der Verelendung nahe. Das hat der Borochow sehr gut gesehen und auch formuliert, daß den jüdischen verelendeten Massen nicht mit sozialistischen Ideen geholfen ist, daß der Klassenkampf für jedes Proletariat neu formuliert werden muß, auf seiner eigenen Heimstätte, auf der es seinen Klassenkampf austragen kann. Das heißt, auch das jüdische Proletariat muß erst wieder in Produktionsprozesse eingeschaltet werden, um sich überhaupt artikulieren zu können. Und das war für Borochow Palästina – genauso wie es auf eine andere Weise für Moses Hess war.«

Das ist die einzige Differenz zwischen Borochow und der bundistischen Tradition?

»Völlig! Der Bund hatte diese Konsequenz nicht gezogen. Auch Aaron Liebermann wollte ja immer noch einen Kompromiß mit den Sozialisten. Es ist sehr interessant, wenn man diese Protokolle von der Zweiten Internationale liest, wie die österreichischen und deutschen Intellektuellen, sozialistische Juden, immer wieder die Internationale dazu bestimmt haben, das Antisemitismus-Problem von der Agenda zu nehmen und *nicht* zu behandeln.«

Im Gegensatz zu den osteuropäischen...

»Im Gegensatz zu den osteuropäischen Juden, die das sehr wohl wollten. Na, wir haben uns alle geirrt, nicht? Die hatten recht!«

»Der Sozialismus konnte mit der Judenfrage nichts anfangen«

»Natürlich hatten die recht! Borochow und Ben-Gurion. Ben-Gurion hat noch Herzl miterlebt, wie dieser nach Rußland kam. Ein Teil hat sich damals in Sicherheit bringen und die fatale Identifikation schaffen können. Es war die einzige Möglichkeit, überhaupt noch was zu retten.«

Die Identifikation mit der zionistischen Idee?

»Natürlich!«

Und während die mitteleuropäischen sozialistischen Juden doch eher das halb unbewußte Resultat der Assimilation oder Emanzipation...

»... doch gehofft haben, das werden wir hier schaffen. Auf jeden Fall macht das die Untersuchtung von Nora Levin und auch die von Silberner deutlich, der über Moses Hess eine Biographie geschrieben hat (Leiden 1966) und jetzt etwas über *Kommunismus und Judenfrage* (Opladen 1983) publiziert hat – auch ein sehr enthüllendes Buch. *Daß der Sozialismus nichts anfangen konnte mit der Judenfrage, daß er ihr völlig ratlos gegenüberstand!*«

Das zeigt ja schon die Abstraktion im Emanzipationsdenken der Traditions-Linken.

»Völlig richtig. Aber mit der Gründung der MAPAM und der MAPAI[4] wurde eigentlich eine Absage an die internationale Solidarität des Sozialismus ausgesprochen – die Juden glaubten nicht mehr daran, daß die anderen *ihr* Problem lösen würden, sie sagten, wir müssen unser eigenes Problem lösen. Dafür haben wir eine Heimstätte nötig. In dem Artikel, den ich jetzt über den ›linken Antisemitismus‹ geschrieben habe, ist es für mich das zentrale Thema. Das zentrale Thema! Und daß viele linke Kreise heute antizionistisch und anti-israelisch sind, habe ich psychologisch zu deuten versucht. Ich

[4] Ben-Gurion und Ben Zwi gründeten 1930 die israelische Arbeiterpartei MAPAI, um die verschiedenen sozialistischen Strömungen des Zionismus zusammenzufassen. Seit der Gründung des Staates Israel ist sie die tragende Regierungspartei. 1948 spaltete sich die linkssozialistische MAPAM ab, die in der Kibbuzbewegung verwurzelt ist.

hatte sehr viel Material von Dokumentationen... Die Sozialisten fechten ja ihren verlorenen Streit in Europa in anderen Revolutionen in der Dritten Welt aus, sie wollen die Niederlage, die sie hier erlitten haben – man muß es mal aussprechen! – jetzt in Siege in Südamerika umdrehen. Ich nehme es ihnen nicht übel, aber sie sollen mich damit in Ruhe lassen.«

Fern-Identifikation angesichts der Niederlage hier und Unbehagen über die formale Demokratie in den fünfziger und sechziger Jahren...

»Ja, und ihr eigenes Fiasko! Wie außerdem die Untersuchung von Fromm zeigt – *Arbeiter und Angestellte am Vorabend des Dritten Reiches* –, sagt eine Ideologie ja noch gar nichts darüber aus, wie sie im Charakter durchgearbeitet ist. Sie wissen, daß Fromm seine Untersuchung, die er 1928 in Frankfurt am Institut für Sozialforschung begonnen hat, nicht veröffentlichen durfte. Horkheimer und Adorno fanden es damals politisch nicht opportun, zu zeigen, daß die linken Parteien charakterlich unzuverlässig sind; daß zwanzig Prozent für autoritätsgläubige Ideologie ganz offen waren...«

Aber es hängt doch sehr von dem politischen Projekt einer einigen Arbeiterbewegung ab, ob sich solche autoritären Tendenzen wirklich in politisches Handeln umsetzen oder es sich in eine Richtung hätte bewegen lassen. Es hätte eben mehr Chancen für eine Alternative geben müssen. Mit anderen Worten: Die Relativierung dieser These von Fromm wäre, daß es sehr von den Konstellationen, sehr von der Situation abhängt, ob autoritäre Charaktere oder Charaktertendenzen nun auch politisch wirksam werden oder nicht.[5]

»Ich glaube, daß Sie völlig recht haben, aber man kann sagen, so war es damals! Wie es anders sein könnte, ist eine Frage des Experimentes.«

Es verweist nur darauf, daß der ›Charakter‹, gar in politischer Hinsicht festgelegt, gepanzert, fertig ist. Ich glaube, daß das Material das nicht ganz hergibt. Wenn Sie es genau betrachten... die haben gar keine Tiefeninterviews gemacht! Sie haben nur eine Meinungsumfrage gemacht – wenn auch eine gute...

»Das ist völlig richtig. Ich will nur bestreiten, daß jemand auch *psychologisch* zuverlässig ist, wenn er eine linke Ideologie hat. Au-

[5] Vgl. das Gespräch mit Richard Löwenthal und Leo Löwenthal.

ßerdem kann man auch noch eine andere Lehre daraus ziehen: Jede Gruppe, die einen rigiden Dogmatismus handhabt, um ihre eigene Kohäsion zu gewährleisten, ist zu einem bedingungslosen ›scapegoating‹, also einer Sündenbock-Suche verurteilt.«

Also auch die Kommunistische Partei?

»Auch die Kommunisten! Auch die Sozialisten! Ich glaube, daß das ein allgemeines sozialpsychologisches Gesetz ist, das für jede Gruppe gilt. Um die Kohäsion der eigenen Gruppe mit Hilfe eines rigiden Dogmatismus zu gewährleisten, greift sie zu einem bedingungslosen ›scapegoating‹. Und das ist eine Einsicht, die mich dann wohl dazu gebracht hat, in Holland meinen zweiten Roman zu schreiben, den *Tod des Widersachers*; darin versuche ich aus dieser Sicht heraus, nicht das Problem der platonischen Liebe, sondern das platonische Verhältnis, das dialogische Verhältnis des Hasses zu untersuchen. Genauso wie Plato das formuliert: Die Lebenden suchen einander, um sich zu ergänzen – das gilt nicht nur für die Liebe, sondern auch für den Haß. Man erkennt sich selbst also nur in seinem Widersacher.«

»Meine katholische Frau hat mich zur Emigration nach Holland verleitet...«

»Meine Frau Gertrud war eine ausgezeichnete Graphologin, eine Schülerin von Max Pulver, einem Schweizer. Sie hat die Graphologie auf eine sehr intuitive Weise betrieben. Aber ich habe einfach Erlebnisse mit ihr gehabt... Sie kriegte als Graphologin Schriftproben von hohen Nazis, von Reichswehrleuten, und sie hat die Wahrheit gesagt! Wenn sie eine Schrift vor sich hatte, verlor sie jede Schutzmaßnahme vor sich selbst. Sie hat die Schrift von Hitler gesehen, ohne zu wissen, daß es Hitler war, und sie hat gesagt, *der Mann zündet die Welt an*. Ich war dabei! Das war 1934. Und jeder sagte, du bist verrückt. Und sie sagte, nein, der Mann zündet die Welt an. – Sie kam aus einem kleinen Städtchen im Odenwald. Außerdem hat sie lange Zeit in Bühl gewohnt, und da war sie der Schabbes-Goj einer jüdischen Familie, die immer sonnabends hinging und das Licht an- und ausmachte und so. Da hat sie mit der Familie Jacobsohn gelebt. So was gibt's nämlich auch. Das gibt's auch – das darf man nicht vergessen.
Sie hatte zum Beispiel die Schrift vom General Brauchitsch gesehen, von dem jedermann sagte, das wird der kommende Mann neben Hit-

ler ... über den hat sie gesagt: Das ist ein Schlappschwanz, da müßt ihr euch nichts bei denken. Da waren alle entrüstet – und er war wirklich ein großer Schlappschwanz, der Brauchitsch. Der ist vor Hitler auf'n Bauch gefallen. Mehrere solcher Sachen hat sie gesagt. Dann sah sie meine Situation und die meiner Eltern und sagte: ›Also ich geh' raus – wenn du nicht willst, dann bleibst du hier.‹
Sie ging nach Holland, Quartier zu machen, kam – ganz genial – mit einer Grammophonplatte zurück, auf der Kinderlieder waren, und sagte: Hör' mal zu. In Holland gibt es auch Kinder, da kannst du auch arbeiten. Es ist wirklich wahr! Wirklich!«

Das hat Sie überzeugt?

»Das hat mich überzeugt. Auf Anhieb. Ja, das ist eine Geschichte, die mich heute noch bewegt ... Meine Frau ist 1969 gestorben.
Nun ja, und dann war ich während des Krieges untergetaucht. Ich habe deutsche Gedichte geschrieben, die in einer holländischen literarischen Zeitschrift veröffentlicht wurden. Ich habe erst hinterher gehört, das sei in der Emigration eine Seltenheit, daß man deutschsprachige Gedichte in der Zeitschrift des Emigrationslandes veröffentlicht. Die Holländer haben es jedenfalls gemacht – in einer katholischen Zeitschrift. Sie haben es in Deutsch publiziert. Das ist in Amerika und in Frankreich nicht geschehen ...
Meine Eltern sind noch nach der ›Kristallnacht‹ nach Holland gekommen und haben noch bis 1943 in Holland gelebt.«

Auch untergetaucht?

»Nein. Ich wollte sie untertauchen lassen, aber meine Mutter war schwerkrank, und das konnte man eigentlich keinem zumuten ...« (seufzt). »Also, wissen Sie, das ist ein Konflikt ... Es gibt eine Überlebensschuld, nicht wahr? Ich hatte die Wahl: Wen muß ich retten? Meine Frau ... ich hatte damals ein Kind, mein erstes Kind, das war 1941 geboren. Wen mußte ich retten? Meine Frau? Mein Kind? Wo muß ich die Prioritäten setzen? ... Ein Regime, das einen Menschen vor diese Wahl stellt ...«

Das verändert auch einen selbst?

»Dazu brauche ich nichts weiter zu sagen ... Mein Vater war Frontkämpfer, und er kam auf eine besondere Liste. Er hatte ein gutes Affidavit für Israel, für Palästina, er kam auf eine Austauschliste, eine spezielle Liste, und wir dachten alle, es glückt vielleicht doch.

Aber... diese Nazis haben sich an nichts gehalten, auch diese Liste ging auf einmal hoch, und sie haben alle Menschen transportiert, deportiert, nach Auschwitz...
Na ja, ich war also untergetaucht, ich war Mitglied in einer holländischen Widerstandsgruppe, und ich habe ein bißchen was dafür gearbeitet, nicht sehr viel, aber... ich war unterwegs, mit einem falschen Namen und einem gut gefälschten Paß.«

In Memoriam

»Im Jahre 1938 habe ich unter anderem ein Gedicht mit dem Titel *In Memoriam* geschrieben. Während der Kristallnacht stand an einigen christlichen Kirchen Deutschlands: ›Juden, kommt zu uns beten!‹ In Berlin. Das weiß kein Mensch, meine Eltern haben es mir erzählt. Darüber habe ich ein Gedicht geschrieben: Über die Konfrontation eines Juden, der in eine Kirche flieht und den Christus da hängen sieht; daraus entwickelt sich ein Dialog. Ich hab's in der Form von Villons berühmtem Gedicht an die Mutter geschrieben, Mutter Marie... Ich weiß nicht, ob Sie das kennen. Mit einem Madrigal-Vers... ein bestimmtes Reimschema. Das hab ich der Zeitschrift angeboten, die schon einige Gedichte von mir publiziert hatte, und die hat es sofort abgedruckt. Dieses Gedicht habe ich illegal drucken lassen und während meiner Untergrundzeit verkauft. Das Geld, das ich bekommen habe, habe ich meiner Frau gegeben und meinem Töchterchen, damit sie leben konnten. Die wurden sonst von legalen Vereinigungen unterstützt, das war wirtschaftlich einigermaßen sichergestellt, sonst ging es uns natürlich sehr schlecht...«

Erinnern Sie sich an einen Vers dieses Gedichts?

»Ja, das habe ich jetzt in Würzburg vorgelesen... Zum Beispiel:

Du Mensch, vor dem ich mich nicht beugen kann,
in Schmerzen seh ich dich am Kreuze hangen
und hangend siehst du meine Schmerzen an.
War dies dein Tod, daß ich nicht ohne Bangen
mein Leben wag', von Ängsten rings umfangen.
Dein Leiden auch, geweiht des Himmels Ehre
verbirgt die Glut, in der ich mich verzehre.
Du bist Erlöser dort, wo man dich schon vergißt.
All meine...

All deine Wunder jetzt aufs Neue kehre,
du, meiner Freunde Freund und Herr,
Du Jesus Christ...

Sag deiner Mutter, daß sie schützend sehe
auf Männer, Frauen, Kinder groß und klein,
die über Nacht ein Leid so schwer und jähe
zum Schutz in deinen Tempel trieb hinein.
Oh laß sie ohne deine Wonnen selig sein.
Nimm gnädig auf in deinen starken Armen
die Deinen, die du prüfest, in Erbarmen.
Mit meiner Not stellst ihnen du die Frist,
all deine Wunder jetzt aufs Neue kehre
du meiner Freunde Freund, du Jesus Christ...

Und das dritte ist dann:

Steh dir so fern und sehe doch mit Schrecken,
wie du erneut um Kreuzesqualen ringst.
Wer kommt die Wunden lindernd zu bedecken...
in deinem Leib...
...eh du in ihm vergingst.
Für diese Nacht mir deinen Schutz noch lasse,
auf daß des Vaters Namen nicht verblasse,
allzeit sein Ruhm nur hoch gelobet ist...
er dich und mich mit seinem Arm umfasse,
du meiner Freunde Freund und Herr,
du Jesus Christ...

Dieser Versuch einer reziproken Identifikation kehrt dann auch noch in einem anderen Gedicht wieder, *Bildnis eines Feindes*, das ich viel wichtiger finde und das den Gedanken einer reziproken Projektion... des Hasses zwischen dem Feinde und mir, ein existentielles Urphänomen entwickelt: Im Haß erkenne ich meine eigenen Grenzen, das, was ich abwehre. Und – das gilt sowohl für A wie für B, nicht wahr? ... Der Hitler sah in mir die existentielle Angst, das Losgelöstsein, die er in mir durch seine Aggression hervorruft; und ich sehe in ihm die Aggression, die mir verboten ist. Und das kittet uns zusammen...«

»Im Christus ist eigentlich mehr gezeigt, daß die Juden eigentlich das christliche Schicksal erleiden, weil die Christen ja die Verfolger sind – ein bißchen grob gesagt, aber so ist es. Das ist ein schwieriges Problem, auch ein gruppendynamisches Problem... Man muß davon ausgehen, daß da paradoxe Verhältnisse bestehen, die aber die Gewissensformung des europäischen Menschen mitbestimmen, soweit er durchs Christentum christianisiert ist. Dadurch ist der Jude ein ›Widersacher‹ geworden, an dem man moralische Prinzipien erlebt und ausarbeiten muß und ›der Jude‹ die Rolle des stellvertretenden Opfers spielt. Das stellvertretende Leiden und das stellvertretende Opfern sind das Wichtige...
Und es geht noch eine Etage tiefer. Ich habe in meinem Roman eine Szene über die Grabschändung von jüdischen Friedhöfen geschrieben. Ich glaube, das ist noch gar nicht zur Sprache gekommen, daß das tiefste Motiv der Schändung von jüdischen Friedhöfen durch die Nazis einfach dieses ist: Sie wollen den Tod töten! Weil sie meinen, ihr Leben entwickle sich dann besser. Ich glaube, daß *das*... der eigentliche Kern für mein Gefühl ist: indem man die Toten tötet.«

Und zwar jene Geopferten?

»Ja. Dann glaubt man, daß das eigene Leben... dann gibt es den Tod nicht mehr, und man schafft das Gewissen ab, dann kann sich das alleinige Leben prächtiger und reiner entfalten. Ja, ich glaube, man muß den Tod töten, dann erst ist man befreit. Vom Gewissen befreit. Und das habe ich in meinem Roman zum Ausdruck zu bringen versucht. Er stand in Amerika auf der Liste der ›Best Readings‹. In Deutschland ist er völlig untergegangen! Kein Mensch hier kennt ihn. Dabei hatte der Hühnerfeld 1959 in der *Zeit* eine glänzende Kritik geschrieben, auch Dieter Strothmann in der *Rhein-Ruhr-Zeitung*... eine der wunderbarsten Kritiken, in der er gesagt hat: ›Das Buch wird keine hohen Wellen schlagen, aber es wird auch nicht untergehen, da es ein Thema anschlägt, das zeitlos ist...‹ Vielleicht läßt sich der Fischer Verlag noch einmal breitschlagen, das Buch auch noch mal... In Holland ist es jetzt wieder aufgelegt worden. Aber es ist ein schwieriges Buch, und kein Mensch will da ran, vor allem auch die Juden nicht. In Israel ist das Buch... ›Wie kann man einen Hitler doch in so menschlichen Verhältnissen sehen...‹ Ich habe versucht, das Dämonische, den Haß, in einem dialogischen Verhältnis in Beziehung zu setzen; die Juden in Israel haben das gar nicht akzeptiert.«

Ich möchte noch etwas fragen – Sie können natürlich sagen, wenn Ihnen das zu nahe geht. Diese Spannung, von der Sie gesprochen haben – ›Wen rette ich?‹ – hat etwas Diabolisches... diese Alternative aufgezwungen zu bekommen. Bruno Bettelheim hat von der Extremsituation in Buchenwald und im Konzentrationslager generell gesprochen und der Veränderung der Ich-, Überich- und Ich-Ideal-Strukturen. Erinnern Sie sich noch, wie diese furchtbare Alternative auf Sie gewirkt hat?

»Ja, ich glaube, daß *das* das Motiv dafür ist, daß ich die jüdische Waisenorganisation in Holland mitbegründet und bis 1970 dafür gearbeitet habe. 1967 bin ich an die Universität gekommen, um meine Follow-Up-Untersuchung über die jüdischen Kriegswaisen auszuarbeiten, an der ich elf Jahre gesessen habe. Sie haben es gesehen – es ist ein dickes Buch. Und das Motto ist: *Anstelle eines Kaddish.* Ein Kaddish ist ein jüdisches Totengebet, aus dem übrigens das Vaterunser entstanden ist. Das wußten Sie nicht? Ja, das Vaterunser ist entstanden aus dem jüdischen Kaddish. Das Interessante ist, das Kaddish der Juden, das Totengebet, ist eigentlich eine Lobpreisung des Lebens.«

Ein sehr langes Kaddish...

»Elf Jahre – ja wenn Sie das so meinen: wirklich ein langes Kaddish. Die meisten Leute haben gesagt, du mußt das Buch schreiben, es kommt doch nichts dabei heraus, aber du mußt es tun – und ich habe es getan, ich habe es durchgehalten, und es ist soviel 'rausgekommen, daß die holländische Regierung den Druck unterstützt hat. Es ist im Enke-Verlag erschienen.«

Wie sind Sie auf die Waisen gekommen? Weil es naheliegend ist?

»Es liegt nahe. Ich kam zur jüdischen Organisation und sagte, wer ich bin; da sagten sie: Also Menschenskind, wir haben jemanden nötig, der Arzt ist und was von Kindern versteht, und wir machen dich hier zum Was-weiß-ich, zum Dezernenten für die... Wir kriegen soundso viele Kinder. Nun muß ich sagen, während meiner illegalen Tätigkeit habe ich viele Kinder getroffen, die untergetaucht waren, ich kannte also das Problem schon, ich wußte, was sich da anbahnte. Da kamen enorme Probleme gruppendynamischer Art in Holland auf, die institutionalisiert wurden.«

»Die holländische Regierung hatte eine Kommission eingesetzt, um über das Los dieser Kriegswaisen zu bestimmen, die zu einem großen Teil untergetaucht waren. In dieser Kommission saßen ein Drittel Juden. Dann berieten sich nichtjüdische Mitglieder über die Relevanz jüdischer Rituale und Gesetze. Das war für mich ein absolut skandalöser antisemitischer Akt, denn das ist ja nun gerade das Wesen der Identitätsproblematik des Juden in der Diaspora, daß andere sagen, wer er ist oder zu sein hat. Daß die Holländer das nicht gemerkt haben, fand ich einen solchen Skandal... Es gab eine öffentliche Diskussion, die durch alle Zeitungen in Holland ging. In Holland kann man die Sachen ja sehr hart diskutieren, ohne daß man sich gegenseitig totschlagen muß.«

Das ist ein kleiner Unterschied, nicht wahr?

»That's the difference. Ja. Darin war ich sehr engagiert, und außerdem war es einfach eine Arbeit, die getan werden mußte. Ich entdeckte bei meiner Untersuchung, wie wichtig die *dritte* traumatische Sequenz ist, nämlich die Zeit nach dem Kriege – daß das Trauma dann nicht einfach aufhört. Ich habe mich sogar durchgesetzt, selbst bei den deutschen Gerichten – da sind wesentliche Prozesse gewonnen worden mit meiner... These.
Ich erinnere mich zum Beispiel an einen Jungen, der untergetaucht war, dann zurückkehrte und mit einer Mutter aufwuchs, die aus Auschwitz kam. Der hat eine sehr schlechte dritte traumatische Sequenz gehabt, mit allen Traumatisierungen und Qualen und... und... und..., die die Mutter hatte. Sein eigenes Verfolgungserleben hat dieser Junge nicht gut verarbeiten können.
Die erste Sequenz war der Beginn, der Einfall der deutschen Truppen in Holland – der Beginn der Diskriminierung. Die zweite Sequenz beginnt mit der Deportation von Eltern und Kindern oder Abschied und Trennung zwischen Mutter und Kind, dem Untertauchen. Die dritte beginnt mit dem Ende der Feindlichkeiten, der Verleihung der Vormundschaft und so weiter bis zur Volljährigkeit. Nach 25 Jahren habe ich die Kinder wieder untersucht, um zu sehen, was aus ihnen geworden ist. Da habe ich gefunden und auch statistisch zeigen können: ›Wir haben eine Statistik nicht nötig!‹ Ich habe eine doppelte Untersuchung gemacht: deskriptiv-klinisch und quantifizierend-statistisch, worüber einige Psychoanalytiker sehr böse sind. Ich habe zwei psychoanalytische Hypothesen untersucht, nämlich die Hypothese

der altersspezifischen Traumatisierung und der Intensität der Traumatisierung. Bei der Intensität der Traumatisierung wurde klinisch, aber auch statistisch festgestellt, daß die dritte Sequenz, also wie die Kinder nach dem Kriege aufgefangen wurden, die entscheidende ist!«

Das heißt also, daß es trotz schwerer Traumatisierungen danach möglich ist, einen beträchtlichen Teil aufzuarbeiten...

»Zu reparieren, ja.«

Das wäre eine ähnlich optimistische These, wie sie Bruno Bettelheim vertreten hat!

»Wissen Sie, wenn man diesen Optimismus nicht hat, dann kann man überhaupt nicht arbeiten...«

Bei Bettelheim hat mich fasziniert, daß er gesagt hat: Selbst das geringste Zeichen von Zuwendung – etwa in der Konzentrationslager-Erfahrung – könne eine ungeheure Wirkung haben...

»Hundertprozentig richtig!«

Das heißt: Je weniger Chancen zur Hoffnung es gibt, desto mehr nimmt die Bedeutung der kleinsten Zeichen von Hoffnung zu.

»Ganz richtig. Völlig richtig. Es ist mir geglückt, das auch statistisch nachzuweisen – und zwar eben an kumulativ traumatischen Kindern.
Was diese Kinder brauchten, ist einfach Zuwendung – daß man sich mit ihnen beschäftigt. Ich habe auch gefunden, daß die Kinder, die in nichtjüdischen Familien geblieben sind, sich haben entwickeln können, wenn diese Familien nicht ihre Missionierungsversuche auf die Kinder losgelassen, sondern gesagt haben: ›Ihr seid jüdische Kinder, und wir helfen euch‹ und ihnen ihre Identität bestätigt, sie vollgültig akzeptiert haben. Wenn allerdings jüdische Familien diese Kinder bekamen, war die Tatsache an sich, daß sie Juden waren, nicht so erheblich, wenn diese Familien sehr schwer gestört waren. Es ging einfach darum, auf die persönliche Problematik der Kinder einzugehen – das ist das Wichtige.«

»Ich bin 1946 wieder nach Deutschland gegangen, zusammen mit meiner Frau. Ihre Mutter lebte noch in Deutschland. Ich bin natürlich mitgegangen – das war für mich gar kein Problem. Denn es geht ja im Grunde genommen um die menschlichen Beziehungen. Man kann sich Ressentiments leisten – und die Leute, die sie haben, müssen das auch leben. Ich hatte keine.«

Gegen bestimmte Leute vielleicht, aber nicht generell?

»Nicht generell, nein. Gegen bestimmte natürlich. Ich möchte mich da weiter nicht auslassen, aber warum soll ich nicht meine Schwiegermutter sehen, wenn meine Frau nach Deutschland fährt, um ihrer Mutter Eßwaren zu bringen – sie hat mich in die Emigration begleitet, natürlich begleite ich sie wieder dahin. Wirklich – da gab es kein Problem. Das ist das eine.
Ich habe dann auch in Holland meine Ausbildung bekommen. Und nach dem Kriege hat man mir sehr wichtige Examina geschenkt wegen meiner Aktivität in der Illegalität, die nun nicht so wichtig war... Ich habe innerhalb von acht Monaten mein Studium aufgeholt, wofür man woanders zwei Jahre braucht. Dann war ich holländischer Arzt. Danach erhielt ich meine Ausbildung als Psychiater, als Nervenarzt, und zu gleicher Zeit auch meine psychoanalytische Ausbildung bei einem sehr guten holländischen Psychoanalytiker, Le Coultre – einem sehr musikalischen Mann, einem Cellisten, der auch Nervenarzt war –, der sehr behutsam, sehr weise und mit einer großen kulturellen Erziehung mit mir umging. Er war belesen und musikalisch – ein gebildeter Mensch, wie man sagt. Und das ist ja sehr wichtig, daß einer nicht nur ein Fachidiot ist, sondern ein bißchen über sein Fach hinausschaut.
Dann habe ich jahrelang für die jüdische Waisenorganisation gearbeitet, und seit 1951 bin ich Holländer. Ich schreibe Holländisch, aber ich schreibe auch Deutsch. Ich bin Mitglied im PEN-Zentrum, von »German-Speaking Writers Abroad«, mit Sitz in London, und ich werde sicherlich nicht sofort zum Präsidenten gewählt.

»Auch wenn ich in Deutschland lebte, wäre ich im Exil«

Sind Sie gerne in Holland?

»Ja, ich bin da zu Hause!«

Ihre Heimat?

»Ja, Heimat – also wissen Sie, nein. Meine existentielle Grundlage ist doch das Exil. Aber nicht das Exil – *auch wenn ich in Deutschland lebte, wäre ich im Exil!*
Ich weiß nicht, ob Sie das Werk von Scholem über Jüdische Mystik kennen. Jüdische Mystiker sagen: Ein Mensch lebt immer im Exil...«

Brigitte Gollwitzer:

»In der Friedensbewegung finde ich etwas von dem, was wir uns 1945 erhofft hatten«

Brigitte Gollwitzer ist 1922 als eines von fünf Kindern der Familie Freudenberg in Berlin geboren worden. Ihr verstorbener Vater war zunächst Diplomat, ehe er als Mitglied der Bekennenden Kirche Theologie studierte und Pfarrer wurde; ihre 1898 geborene jüdische Mutter lebt bei Frankfurt.
Brigitte Gollwitzer stieß schon kurz nach der Machteroberung Hitlers zur Dahlemer Gemeinde in der Bekennenden Kirche; während große Teile der Evangelischen Kirche unter den Einfluß der nazihörigen »Deutschen Christen« gerieten, war die Bekennende Kirche – seit ihrer Gründung mit der berühmten Barmer Erklärung im Jahre 1933 – zunehmend zum Kristallisationspunkt des Widerstands der Evangelischen Kirche geworden; zu den Theologen der »Dahlemiten« gehörten (bis zur Verhaftung im Jahre 1937) Martin Niemöller, danach unter anderen Helmut Gollwitzer, ehe er in den Kriegsdienst eingezogen wurde*.
Brigitte Gollwitzer emigrierte Ende November 1938, kurz nach der Pogromnacht, als Sechzehnjährige zusammen mit ihrer Familie nach Genf. Dort blieb sie bis zum Ende des Krieges, um dann nach Deutschland zurückzukehren – zunächst nach Frankfurt, dann nach Berlin – und am Aufbau evangelischer Gemeinden mitzuwirken.
Sie war seit 1951 mit dem Theologen Helmut Gollwitzer verheiratet. Sie starb im Oktober 1986.

»Ich bin in einer eigentlich sehr bürgerlichen Familie mit einer gewissen distanzierten Berührung zur Kirche großgeworden. Mein Vater war – wie man damals sagte – Arier, obwohl er Freudenberg hieß. Meine Mutter ist Jüdin, als Kind getaufte Jüdin, aber sie ist auch nicht eigentlich in einer jüdischen Familie großgeworden, es war eine sehr assimilierte Familie; sie hatte eine Großmutter, die zwar bestimmte Feste einhielt, aber bei ihren Eltern spielte sonst das Judentum keine Rolle. Mein Vater hatte den Ersten Weltkrieg mitgemacht, nach dem Krieg Jura studiert, ist Diplomat geworden und 1935 ausgeschieden, ehe er als ›jüdisch Versippter‹ hätte ausscheiden müssen; dann ist er zur Bekennenden Kirche gegangen, um Theologe zu werden.

* Vgl. den empfehlenswerten Katalog: »Unterwegs zur mündigen Gemeinde – die Evangelische Kirche im Nationalsozialismus am Beispiel der Gemeinde Dahlem«, Alektor Verlag Stuttgart 1982; die dokumentierten Bildmaterialien sind zum Teil diesem Katalog entnommen.

Die erste Situation, an die ich mich erinnere, in der ich politisch etwas kapierte, war 1932. Da fuhr mein jüngerer Bruder mit so einem Hakenkreuzfähnchen auf dem Fahrrad herum; unsere Eltern holten uns und sagten: Dies nicht! Sie erklärten uns etwas von dem, was der Hitler vorhat und daß man also für Hindenburg einzutreten habe – was ja nun auch eine problematische Sache war, aber eben ganz typisch in unserer bürgerlichen Welt damals.
Ich weiß noch, daß sie uns versprechen mußten: Wenn Hindenburg siegt, wecken sie uns nachts auf. Damals kamen die Wahlergebnisse erst sehr spät nachts, sie saßen mit Freunden zusammen, hörten, kamen dann nachts ans Bett und sagten: Hindenburg hat gesiegt! Das ist eigentlich das erste politische Ereignis, woran ich mich erinnere. Da war ich knapp zehn.«

»Ihr seid doch Königskinder Davids!«

»Das Jüdische spielte insofern eine Rolle, als mir dann ziemlich schnell bewußt wurde, nachdem Hitler an der Macht war, *daß wir... etwas anderes... waren als die anderen.* Denn bereits als Kind hatte man seine Schwierigkeiten, ...das ging ja dann sehr schnell los. '34 fingen die Ausschlüsse an, wir durften nicht mehr im Turnverein mitmachen und verstanden das nicht. Meine jüngere Schwester sagte damals und stampfte auf den Boden: Das ist doch gemein, jetzt dürfen wir nicht mehr turnen, nur weil unsere Mutter katholisch ist! So verwirrt war das alles. Ich sehe mich noch heute mit meinem Bruder bei meinem Vater sitzen und fragen: ›*Warum sollen wir das nicht?*‹ – deprimiert darüber, daß wir anders sein sollten. Ich höre ihn antworten – und das ist mir haftengeblieben: ›Ihr seid doch Königskinder‹; er hat uns dann die jüdische Geschichte von Salomon und David erzählt. Das hat mich so lange, bis ich das wirklich reflektieren konnte, sehr stark geprägt, das stolze Bewußtsein: Das haben die anderen nicht, die sagen: ›Von Karl dem Großen kommen wir‹ – aber wir waren Königskinder. Mein Bruder erinnert sich daran überhaupt nicht – bei mir hat es gezündet.«

»Ich will auf eine normale Schule wie alle anderen auch«

Wie hat sich die Machteroberung Hitlers im Schulleben niedergeschlagen?

»In der Privatschule in Nikolassee, in der ich bis 1936, also bis vierzehn war, habe ich die Einschränkungen vor allem dadurch erlebt, daß die Schulleiterin selber eine ›nicht-arische‹ Vergangenheit hatte, sehr minimal, aber dadurch war man viel ängstlicher und schied uns viel stärker aus, als man es hätte gezwungenermaßen tun müssen. So habe ich es jedenfalls empfunden, so daß ich irgendwann meinen Eltern sagte: ›Ich will auf eine Staatsschule, auf eine normale Schule, wie alle anderen auch‹.«

Und die Veränderungen in den ersten Jahren? In der Schule, durch HJ und BDM?

»...hat es im Schulunterricht selbst eigentlich wenig gegeben. Das ging ja nicht von heute auf morgen. Das waren Entwicklungen, die wir erst kaum spürten. Ziemlich bald wurde dann aber der Staatsjugendtag, der Samstag, eingerichtet. Und da war die Scheidung ziemlich deutlich: Die vom BDM hatten ihren Dienst am Samstag, und die, die nicht im BDM waren, kamen in die Schule und bekamen zwei Stunden Sport und zwei Stunden staatspolitischen Unterricht. Den haben wir am Anfang noch mitmachen müssen. Dann wurden wir Nicht-Arier aus dem staatspolitischen Unterricht ausgeschlossen, weil wir dessen nicht mehr würdig waren, und machten nur noch den Sport mit.«

Wie hast du das erlebt?

»Das fand ich wunderbar, diesen Quatsch nicht mehr mitmachen zu müssen: also immer wieder: wann Hitler geboren ist und wie schwer er es gehabt hat... Es war eine große Erleichterung, daß ich am Samstag mehr Freizeit hatte. Ich wurde von den Klassenkameraden beneidet, die das absitzen mußten.«

Staatsjugendtag – eine Mischung von Zwang und Faszination

Hat der Dienst denen im BDM dann Spaß gemacht – war es eher Zwang oder eher Faszination?

»Das war wohl eine Mischung. Also die ersten Jahre... waren vielleicht die gute Hälfte im BDM; es war noch relativ freiwillig. Es war natürlich auch eine Faszination drin: Sie machten Geländespiele, das ganze Sportliche wurde ja enorm bei uns Mädchen gefördert. Der Sport wurde dann aber immer stärker wirklich auf Leistungssport umgestellt. Wir hatten ja jeden Tag Turnstunde, jeden Tag. Und wer da schlecht war, der war wirklich schwierig dran. Der war viel schwieriger dran als der, der eine nicht-arische Großmutter hatte. Und so machten sie also auch beim BDM Sport und Aufmärsche und wurden von uns anderen darum nicht beneidet. Und sie waren unterschiedlich, machten das notgedrungen oder drückten sich am Anfang. Es war in den ersten Jahren also doch noch ziemlich ohne eine wirklich straffe Ideologie. Wie jeder Junge und wie jedes Mädchen fand man es auch halt mal schön, irgendwo anzustehen und aufzumarschieren und Spalier zu stehen, wenn irgendeine Größe ankam – da fügt man sich dann... Es gab damals aber nicht eigentlich eine Spaltung in der Klasse durch die Frage, wer dabei ist und wer nicht; das war kein Diskussionsthema.«

Es gab zu Anfang offenbar keine fanatische Begeisterung bei deinen Mitschülerinnen?

»Bei diesen Bürgerskindern nicht.«

Die Faschisierung der Schule ging Stück für Stück

Nach dem, was ich gelesen habe, ist die regelrechte Faschisierung der Schule vor allem '37, '38 vorgenommen worden. Hast du in dieser Zeit eine weitere Veränderung der Schule wahrgenommen?

»Das ging so Stück für Stück, natürlich, diese Fahnenappelle und Hitlergrüße. Im Unterricht hing es unheimlich vom Lehrer ab. Wir haben Lehrer gehabt, zum Beispiel eine Religionslehrerin, die eine richtige deutsch-christliche Religionslehre im Sinne der Nazis machte. Mit der gab es auch Auseinandersetzungen, das war noch möglich. Und es gab Lehrer, die ihren Unterricht sehr vorsichtig handhabten, wo du nie erkennen konntest, wo eigentlich ihre Position ist, die das nazistische Gedankengut nicht reinbrachten; wir haben zum Beispiel einen Geschichtslehrer gehabt, einen ausgezeichneten Lehrer, der später im Krieg umgebracht wurde, weil er ein Anti-Nazi war, sich aber immerhin noch bis 1938 als Lehrer gehalten hatte.«

Das Faszinierende daran hat dich nicht angesteckt?

»Da war das Gegengewicht von zu Hause oder von Dahlem her viel zu stark. Es hat sicher Versuchungen gegeben – mich hat es nicht angesprochen. Aber ich glaube nicht, daß das in mich gelegt war, sondern das andere war eben viel wichtiger.«

Es hat dich eher irritiert?

»Das kann ich auch nicht so sagen. Das war einfach das Temperament, was sich da so schön durchlavierte. Ich habe zum Beispiel folgendes gemacht: Ich war eine sehr begeisterte Reiterin, und eines Tages sagte mein Reitlehrer, du kannst es so gut. Du darfst junge Pferde reiten. Und das waren junge Pferde aus den SS-Ställen. Die durfte ich einreiten, hier draußen in Düppel. Meine Eltern ließen das auch geschehen, die sagten nicht, also das gibt's nicht. Das war '35, '36. Bis dann eines Tages so ein hoher SS-Mediziner, der ein sehr schönes eigenes Pferd hatte, jemanden suchte, der ihm das täglich bewegte. Ich wurde auserkoren, um das zu machen. Es machte mir damals keine Konflikte, daß das nun diese SS-Leute und deren Pferde betraf. So'n Pferd hat Wert, egal von wem, darüber reflektierte ich auch wirklich nicht. Noch während der 700-Jahr-Feier von Berlin – das war 1937, es gab vierzehn Tage lang große Festivitäten in der Deutschlandhalle und im Olympiastadion – gehörte ich zu einer friderizianischen Jagdgesellschaft. Jeden Abend mußte ich im Galopp durch die Halle rasen, unsere Partner waren Polizisten – als mein Vater schon als Theologiestudent im Gefängnis saß, raste ich die Nacht durch die Deutschlandhalle. Meine Mutter hat dann manchmal Bemerkungen gemacht, und ich fand es auch schwierig... das so zu verbinden...: das waren die Polizisten, die meinen Vater einsperrten, aber man sprach natürlich nur übers Pferd und über das, was da gerade zu tun war. Mehr wurde da nicht geredet, aber ich verbrachte dort die Abende.«

Das war zur gleichen Zeit, wo du in der Dahlemer Gemeinde, die dir wichtig war, mitmachtest.

»Das lief dort alles nebeneinander her. Ich bekam natürlich schulfrei dafür. Ich durfte am nächsten Morgen ausschlafen, von der Schule her war das alles ganz toll gefördert. Ich weiß noch, daß mir nicht so ganz wohl dabei war. Ich fand dann meine Mutter abends allein mit den kleinen Geschwistern: Vater im Gefängnis.
Was jedoch zunehmend, schon bevor ich '36 auf die staatliche Schule kam, eine Rolle spielte, war das *Ausgesondertsein* von uns: zum Beispiel, als man die Olympiade vorbereitete, wozu auch gymnastische Vorführungen durch kleine Mädchen gehören sollten. Dazu wurden die Besten aus der Klasse genommen – auch ich, weil ich zu den Besten gehörte. Und dann hieß es auf einmal: Ach so, du kannst ja gar nicht, wegen deiner Abstammung. Das war sehr bitter. Wenn's an die sportlichen Sachen kam, wurde ich sehr sauer, weil ich fand, das hatte überhaupt nichts miteinander zu tun; ich machte das furchtbar gern und hatte auch meinen Ehrgeiz auf dem Gebiet.«

Wie haben deine Mitschülerinnen darauf reagiert?

»Die haben das hingenommen. Die haben ein bißchen mitgeschimpft, und dann war es gelaufen.«

Fühltest du dich damals allein – oder als Königstochter?

»Gefühlt habe ich mich doch eigentlich dann schließlich immer wieder als Königstochter, ja. Weil das sehr bei uns zu Hause auch wirklich aufgefangen wurde. Meine Eltern haben beide, so ohne alle Erziehungsprinzipien eigentlich, für die damalige Zeit eine außergewöhnliche Freizügigkeit gehabt und trotzdem Geborgenheit vermittelt und uns begleitet.
Da haben wir natürlich viele dieser Sachen mit gemeinsamen Freunden bewältigt – so hat es eigentlich nie wirklich einen Bruch gegeben, auch bei keinem meiner Geschwister.
Unser Vater war viel weg. Er war Beamter, ging morgens weg, kam abends wieder und hatte eigentlich nur das Wochenende für uns. Aber diese Wochenenden, da spielte sich ja das Leben wirklich ab. Und sie haben auch nicht in uns gedrungen, um herauszukriegen, wie schwierig wir jetzt dran sind, sondern sie ließen das sehr kommen.
So seit '37 etwa wurde es in den Klassen viel straffer – und im Ganzen war man dann schon im BDM. Es gab bei uns nur noch ganz wenige, die nicht im BDM waren; dafür wurden gesundheitliche Gründe angegeben oder... Wir waren zwei Halbjüdinnen, wobei die andere

sagte: ›Meine Eltern wollen es nicht‹ – nachher kam aber heraus, daß sie auch Halbjüdin ist; die Eltern hatten es ihr verheimlicht, was gerade für die Kinder sehr problematisch war, weil sie es dann gar nicht bewältigt haben, als es herauskam.
Die anderen, die im BDM organisiert waren, waren es zum Teil auch nicht mit Begeisterung; wir hatten aber auch fünf BDM-Führerinnen in der Klasse, und das war ja immerhin schon etwas. Sie haben sich auch mit dem Ganzen identifiziert.«

Klassentreffen 1982: »Niemand erinnert sich an etwas«

Noch eine Frage zur Begeisterung der Mitschülerinnen, die im BDM organisiert waren. Hat sich in dieser Begeisterung etwas verändert? Gerade auch bei den Chargen? Zunächst, so sagtest du ja, seien sie nur an Sport interessiert gewesen, es gab Symbole, die auch durch andere hätten ersetzt werden können: Hat sich das dann verändert? Mit der größeren Ideologisierung? Mit dem Strafferwerden, dem Terror?

»Was ich sehr in Erinnerung habe, ist, daß ich nie verstand, mit welcher Hingabe sie diese Nazilieder gesungen haben, sehr blutrünstige Geschichten: ›Die Reihen fest geschlossen‹; ›Die Fahne hoch‹; ›SA marschiert in ruhig festem Schritt‹ ... – das fand ich immer irre, das kapierte ich nicht; auch nicht, wie sie da hingebungsvoll standen und die Hand hochhielten. Man machte das zwar selber, mußte es mitmachen. Aber wir haben so manches Mal darüber gesprochen und uns gefragt: ›Mensch, was passiert denn da alles?‹. Ab und zu war das auch Thema unter den Klassenkameradinnen, die dann zu einem Teil sagten: ›Das müssen wir halt so machen‹ – während die anderen sagten: ›Wir sind bedroht von außen, und wir müssen zusammenstehen.‹ Diese Stimmung war auch in der Hitlerjugend und bei älteren Freundinnen und Freunden im Arbeitsdienst spürbar: Man muß zusammenstehen, um ›unser Vaterland zu retten‹; ›Nachdem wir es nun geschafft haben, die Arbeitslosigkeit abzuschaffen, müssen wir nun sehen, daß wir von außen nicht bedroht werden.‹ Diese Einstellung spielte in der Hitlerjugend und im BDM eine zunehmend wichtige Rolle; gleichzeitig wurde es auch straffer und viel militärischer. Auch die Mädchen mußten viel strenger zu ihrem Dienst. Ebenso nahmen die Appelle und Fahnenhissungen in den Schulen sehr zu.«

Es gab also so etwas wie eine Gleichzeitigkeit der Zunahme militärischer Disziplin und Begeisterung?

»Das könnte man fast sagen, ja. Im Gegensatz zu heute war das Militärische damals etwas Positives – und diese Einstellung nahm während der Jahre im Faschismus zu. Du hörtest von allen Ecken: ›Wir sind furchtbar bedroht‹, ›ein Volk ohne Raum‹. Es galt daher als selbstverständlich, wenn das Volk sich ein bißchen ausdehnt. ›Deutsch ist die Saar‹ – oh, was haben wir das singen müssen! Deutsch da und deutsch ist unser Heimatland...
Bei dem Klassentreffen, das wir jetzt (im September 1982) hatten, war eine dabei, die eine besonders hohe Charge hatte und daher auch in der Klasse (natürlich) besonders hervorgehoben wurde. Sie hatte sich mir gegenüber immer fair verhalten. Irgendwie mochten wir uns, sie stand immer zu mir, und das war ja sehr wichtig in der Klasse; wenn du so jemand hattest, passierte schon nicht sehr viel. Ihr habe ich jetzt, als wir unser Klassentreffen hatten, zum Schluß gesagt: ›Du, ich wollte dir das einmal sagen, daß du mir damals wirklich geholfen hast!‹ Das war ihr ganz etwas Neues und, nachdem ich ein wenig darüber gesprochen hatte, sagte sie: ›Du kannst es mir glauben oder nicht: ich habe damals nicht gewußt, daß du halbjüdisch bist!‹ Auch als ich ihr sagte: ›Mensch, Ursula, das mußtest du doch wissen!‹, sagte sie: ›Nein, das wußte ich nicht.‹ Ich glaube, daß sie es hätte wissen müssen. Denn wir hatten auf die Frage des Lehrers aufzustehen: ›Wer ist jüdisch?‹, ›Halbjüdisch?‹ und so weiter; und man hatte zum Rektor 'raus müssen wegen irgendwelcher dummen Geschichten... Dennoch behauptet sie bis zum heutigen Tag, daß sie erst, als ich nach der Pogromnacht die Klasse verlassen hatte, davon erfahren hätte. Ich finde es sehr interessant, daß sie, die ja in ihrer Haltung eine ganz tolle Frau war und auch jetzt ist, das wirklich noch so glaubt. Es ist eine völlige Verdrängung, denn es war gar nicht möglich, daß man das nicht wußte; andauernd wurde das in irgendwelchen Zusammenhängen gebracht.«

Hat es dich enttäuscht, daß auch jetzt, anläßlich des Klassentreffens, darüber kaum geredet wurde?

»Darüber wurde überhaupt nicht gesprochen! Von achtzehn hat eine einzige mich gefragt: ›Wie hast du eigentlich den Krieg überlebt?‹ Und wenn man in den gemeinsamen Gesprächen an dieses Gebiet herankam, wurde mit irgendwelchen Erinnerungsgeschichten dieses Thema sofort abgeblockt. Ich habe nachträglich ein paar Briefe bekommen, von diesem Thema war aber nichts zu lesen; das hat mich sehr betroffen gemacht, daß diese Frauen – fast alle haben sie ihren Beruf, sind Medizinerin und alles mögliche – nicht versucht haben,

das wirklich ein bißchen miteinander zu verarbeiten oder darüber überhaupt nur zu sprechen; und wenn es nur die Frage gewesen wäre: ›Du bist doch nach der Pogromnacht weg, wie war eigentlich die Geschichte eurer Familie?‹ ... Eine einzige hat es getan.
Ich empfinde das als etwas sehr Bezeichnendes – es zeigt sich auch in ihrer Haltung zum heutigen Geschehen. Sie wissen, daß ich mit Helmut Gollwitzer verheiratet bin. Aber man vermied auch diese Gespräche. Als ich eine Mitschülerin, die heute als Dolmetscherin bei der Bundeswehr arbeitet, nach ihrer Tätigkeit und ihrem Leben fragte, hat sie zwei Sätze gesagt: ›Ich übersetze halt und gehe dann auf Kongresse, aber weißt du, wenn du mit Gollwitzer verheiratet bist, dann brauchen wir uns darüber nichts zu erzählen.‹ Da hat keine von den anderen eingegriffen. Und damit war dieses Thema auch aus. Sie leben mit wenigen Ausnahmen ihr Familienbürgerleben, abseits vom politischen Geschehen, und haben offensichtlich – ohne wirkliche Auseinandersetzungen – ihre heile Welt.«

»Ein sehr zweigleisiges Leben«: Schule und Widerstand in der Gemeinde

Als die Schwierigkeiten für dich zunahmen, vor allem die Kränkungen, ausgeschlossen zu sein – bist du aus der Schule innerlich emigriert?

»Das denke ich mir, sonst kriege ich es nicht zusammen, wie das eigentlich ging. Nicht, daß ich mit Widerwillen in der Schule war – das kann ich nicht sagen –, ich war ein normales Schulmädchen, das eben diese Schulsachen mitmachte, was nötig war, dann die Mappe packte und weg war. Ich glaube, wir haben ein sehr zweigleisiges Leben geführt. Das ist mir bei dieser Ausstellung drüben im Friedenszentrum wieder richtig bewußt geworden (1): Die Sprache, die wir gesprochen haben, war sehr fromm. Die Liebesbriefe von meinem Freund, der auch aus der Dahlemer Gemeinde stammte, waren beispielsweise ganz fromme Briefe; es war gar nichts Absonderliches, sondern eine sehr konzentrierte, fast dogmatische, fromme Sprache, die uns sehr viel bedeutete. Nachher, als wir draußen waren und alle Post zensiert wurde, verkehrten wir fast mit Bibelworten und drückten uns damit aus. Es war nicht nur eine Technik, es war Inhalt.
Mein wichtigster Bezugspunkt war die Gemeinde. Für uns war sie ein Lebenszusammenhang: Wir fingen morgens dort an, gingen in die kleine Dorfkirche zur Morgenandacht, ehe wir in die Schule gingen.

Abends trafen wir uns wieder, unsere Freundschaften waren dort, und wir verbrachten die Wochenenden dort.«

In dem Haus, in dem du jetzt deinen 60. Geburtstag gefeiert hast?

»Genau da waren wir. Und da waren viele Kinder unseres Alters. Die Familie lebte dort – das ganze Leben spielte sich da ab.«

Hat sich eure Bibelarbeit auf die aktuelle politische Lage beziehen können? War euer Gemeindeleben ein Stück Widerstand?

»Wir haben eigentlich ohne große Interpretationen die Zusammenhänge zum anderen Leben kapiert. Jüngere sagen heute, wenn sie Predigten von damals lesen: ›Ihr habt ja eigentlich gar nichts Politisches gesagt, es waren ja nur fromme Reden.‹ Aber wenn ich etwa an die Predigten zum Lukas-Evangelium von Helmut G. denke, bedeutete es für uns wirklich eine sehr große Stärkung. Man brauchte diese Stärkung – etwa um da reiten zu können, oder um in die Schule gehen zu können –, und erst recht brauchten sie die Älteren mit ihren Konflikten. Um ein Beispiel zu nennen: Die Exegese bezog sich auf die, die keine Wohnung mehr haben, und zugleich wird die Gemeinde in der Predigt dazu aufgerufen, zu überlegen, ob sie nicht noch Wohnung frei haben – ich wußte, daß es um einen Appell an die Gemeinde für die Juden ging, die aus ihrer Wohnung rausgeschmissen wurden. Aber das wurde nicht direkt ausgesprochen, denn die Gestapo saß immer in den Predigten dabei.«

Man wußte aber, worum es ging?

»Man wußte genau, worum es ging. Wir wußten auch, daß die Gestapo immer dabei war. Martin Niemöller hat dann gesagt: ›Ach, Herr Schneider, geben Sie doch den beiden Herren da hinten noch ein Gesangbuch: Das sind unsere Freunde von der geheimen Staatspolizei, die kein Gesangbuch haben; sie sollten doch auch mitsingen.‹ Das war allerdings in den früheren Jahren, wo sie so direkt mit angesprochen wurden. Sie waren immer vorhanden. Die Pfarrer wurden dauernd nach oben zitiert, um ihnen vorzuhalten, über welche Texte sie gepredigt haben: ›Muß es denn ausgerechnet darüber sein? Also Paulus und Silas waren im Gefängnis, und die Gemeinde betete ständig...‹ Sie merkten offensichtlich, daß da Brisanz drin steckt.
So bot die Exegese auf der einen Seite eine individuelle Stärkung, auf der anderen Seite eine Stärkung darin, daß du diesen Tendenzen trotzen mußt. Und das fand ich sehr politisch! Im Vergleich dazu wurde während der Morgenandachten wenig Auslegung gemacht, sondern

einfach gesungen und gebetet; man traf sich, du wußtest am Morgen, daß sie wieder da sind. Umgekehrt, wenn jemand fehlte, war es oft kritisch, man fragte sich: ›Was ist los?‹ Und – es war uns sehr wichtig, daß man sich sah, sich für den Mittag oder den Abend verabredete. Wir hätten damals in großen Wohngemeinschaften leben können. Zwischen den Häusern ging es hin und her; gerade in sehr offenen Häusern wie unserem waren nie nur wir fünf Kinder da; entweder fehlten welche und waren woanders, oder andere waren bei uns. Sie kamen zumeist aus der Gemeinde.«

Eure biblische Sprache hat den Zusammenhalt unter euch und vor allem auch gegen staatliche Anfeindungen verstärkt? War sie für euch Ausdrucksform einer gemeindlichen Solidarität?

»Ja. Als der Krieg ausbrach, war es diese Sprache, die die Soldaten zusammenhielt. Sie schrieben Briefe in dieser Sprache, so daß man wiedererkannte, daß das und das gemeint ist. Es war etwas sehr Wichtiges! Die Kirche war uns Lebenszentrum, Lebenselement und Lebenszusammenhang. Auch das Gebet war sehr wichtig. So wurden zum Beispiel bestimmte Psalmen gebetet, aus denen wir erkennen konnten, daß es in diesem Gebet um Gefangene der Gestapo geht.«

November 1938: Schnell weg!

Das veränderte sich alles im November 1938.

»Mit der Pogromnacht '38 hat sich das verändert. Meine Mutter war in diesen Tagen mit uns allein zu Hause, da mein Vater Vikar geworden war. Für sie als Jüdin war es eine heikle Situation, allein mit fünf Kindern zu Hause zu sitzen und nicht zu wissen, was passiert. Sie hat es uns nicht merken lassen. Schon am nächsten oder übernächsten Tag wußte sie von welchen, die untergetaucht oder versteckt waren; sie schickte meinen Bruder und mich per Fahrrad mit einem Tender Essen an eine verborgene Stelle im Grunewald, die sie auch durch dritte und vierte erfahren hatte. Sie wurde uns genau beschrieben, wir sind hingefahren, haben das abgestellt und sind wieder nach Hause gefahren.
Meine Mutter tat dies ganz unbewußt, es war nötig, und so wurde es getan – ich finde es nachträglich etwas Tolles, wenn man selbst in einer solchen Situation sagt, es gibt welche, die noch viel schlechter dran sind, und kein Theater macht; wir waren schließlich nur halbjüdisch. Ich war damals sechzehn, mein Bruder vierzehn.

Mein Vater hat in dem Dorf – er war in der Neustädtener Kirche in der Mark Brandenburg Vikar – etwas Schreckliches erlebt: Da sie keinen Juden im Dorf hatten, hatten sie eine Frau, die halbjüdisch war, mit Teer und Federn überzogen. Es war so schrecklich, daß mein Vater völlig irritiert zurückkam, er hat es uns sofort erzählt.
An dem Morgen nach der Pogromnacht wurde in der Schule in der ersten Stunde nichts weiter gesagt als: ›Wer ist jüdisch in der Klasse?‹ (Die eine Jüdin war schon weggeblieben, nur noch eine war an diesem Tag dagewesen.) Dann: ›Wer ist halbjüdisch?‹ ›Aufstehen! Hinsetzen!‹ – ›Wer ist vierteljüdisch?‹ ›Aufstehen! Hinsetzen!‹ ... Man setzte sich dann wieder, und es ging weiter... So etwas war auch vorher immer wieder mal passiert – nur in diesem Zusammenhang wurde es sehr viel schwieriger. Ich bin dann sehr schnell weg aus der Schule, weil meinen Eltern nun bewußt war, daß wir nicht in Deutschland bleiben können. Aber was machste zusammen mit fünf Kindern? Sehr viele hier haben ja damals ihre Kinder weggeschickt, irgendwohin, nach England und sonstwohin – ich kam Ende November weg. Ich war damit aus dem ganzen Klassenzusammenhang raus und habe die weiteren Verschärfungen nicht mehr miterlebt. Einige halbjüdische Kinder blieben noch auf der Schule, aber auch nicht mehr lange. Mit denen aus der Klasse habe ich keine Verbindung mehr gehabt, bis auf eine, die schon etwas vorher weggegangen war, eine Adlige. Es zeigte sich, daß meine Welt, meine eigentliche Welt, auf der anderen Ecke gewesen war.
Als wir hier weggingen, war für uns alles furchtbar. Absolut grauenhaft! Man wurde aus seinen Zusammenhängen herausgerissen. Es war sowohl für meine Eltern wie für uns Kinder – für die kleineren noch nicht so, aber gerade für meinen nächstjüngeren Bruder und mich – sehr schwierig. So habe ich eigentlich den ganzen Krieg hindurch nur darauf gelebt, daß wir wieder zurückkommen. Zu meiner Einstellung kam noch hinzu, daß ich sehr eng befreundet war.
Während der ganzen Emigration war ich physisch krank, ein Strich und einfach nicht zum Leben zu kriegen. Das heißt, ich lebte zwar kräftig, war aber ein ständiges Sorgenkind für Ärzte und alle um mich herum.«

»Mich haben sie rausgejagt – und meinen Freund in den Tod...«
– Kriegsdienst als Anti-Nazi

Gab es Probleme, als Anti-Nazi Kriegsdienst abzuleisten?

»Zur Frage, wie sie sich überhaupt von Hitler haben einziehen lassen, gab es damals keine Diskussionen, zum Beispiel bei meinem Freund. Er war Pfarrerssohn, zwei Jahre älter als ich, sein Vater war als Mitglied der Bekennenden Kirche immer wieder im Gefängnis gewesen. Er selbst war schon als Theologiestudent bei der Bekennenden Kirche im Gefängnis gewesen. Im Mai 1941 wurde er zum Militär eingezogen. Als wir uns das letzte Mal sahen – wir hatten uns in der Dahlemer Gemeinde kennengelernt –, wußten wir, daß das jetzt bevorsteht. Wir hatten – ohne irgendeine Diskussion – Abscheu davor, daß man für Hitler einen Krieg führt, aber es gab keine Diskussion darüber, ob du das tust oder nicht tust. *Wenn du es nicht tust, bist du natürlich an der Wand, das wußte jeder.* Aber wir haben auch untereinander überhaupt nicht diskutiert; die einzige Frage, die sich damals stellte, war: ›Gut, du mußt in den Krieg, du wirst Hitlersoldat – wie wirst du als Christ darin leben?‹ Nicht, wie du sabotierst oder ähnliches, sondern wie du als Christ darin lebst, und das heißt, unter diesen Nazi-Kameraden ein christliches Zeugnis ablegst. Mein Freund war kein Einzelfall – es war eigentlich bei allen so.
Heute fragt man sich, warum alle diese Jungs in den Krieg gegangen sind. Aber damals gab es weder zu Hause noch in der Kirche eine Diskussion. Auch Helmut Gollwitzer, der schon älter war, ist in den Krieg gegangen – aber auch er hat gewußt, daß es eigentlich nur die Alternative gibt, sich an die Wand stellen zu lassen. Unter diesen Bedingungen gab es einfach keine Verweigerungsdiskussion.
Aber das christliche Selbstverständnis trat hinzu: Wenn die Obrigkeit ruft, hat der Christ zu gehen – und ein guter Soldat zu sein.
So hat uns zum Beispiel mein Vater erst in den letzten Jahren – kurz vor seinem Tod – Briefe gegeben, die er seiner Schwester aus dem Ersten Weltkrieg geschrieben hatte: Briefe voller patriotischer Vaterlandsverteidigung...
Das erste Mal, daß ich anfing, mir Gedanken zu machen, war, als ich '41 die Nachricht vom Tode meines Freundes erfuhr – er war damals 21, ich 19: Mich haben sie rausgejagt, meinen Freund in den Krieg gejagt und in den Tod. Was ist das und wofür?! Für seine Eltern – und auch lange Zeit noch für mich – war es das Wichtigste, daß er in der Kompanie als Christ gelebt und gewirkt hat. Das hatte der Offizier von ihm geschrieben, es war für die Eltern ein großer Trost – mir wurde das zunehmend schwieriger.
Viele unserer Freunde waren im Krieg. Der älteste Niemöller-Sohn zum Beispiel, mit dem wir auch sehr befreundet waren, war selbstverständlich Soldat. Während des Krieges wurde er schwer krank; er ging

wieder an die Front, kaum daß er geheilt war und ohne daß er unbedingt hätte müssen. Die Kameraden warteten auf ihn... und er war stramm gegen die Nazis.
Es sind Dinge, die ich auch selber nicht mehr verstehe, geschweige denn jemand, der das nicht mit durchgemacht hat.
Ich denke auch an Erich Klapproth, einen jungen Vikar, den alle sehr gut kannten und der viel gedichtet hatte. Er hat Gedichte aus dem Krieg mit nach Hause mitgebracht, die sehr mit ›Wir stehen hier fürs Vaterland, wir müssen verteidigen‹ verbunden waren.«

Er war Anti-Nazi?

»Ganz Anti-Nazi!«

Rückkehr 1945: »Ein tolles Freiheitserlebnis war das!«

Du bist sehr schnell zurückgekehrt. Wie hast du die Informationen über das Ausmaß der Judenermordung, die Erfahrung der Entfesselung des Krieges mit der Hoffnung auf ein anderes Deutschland vereinbaren können?

»Auch unter Emigrantenfreunden haben wir viel Widerspruch gefunden: ›Was? Dahin geht ihr zurück?‹
Es waren natürlich *zwei Deutschlands*, und unsere Verbindungen hatten ja vor allem zu denen bestanden, die in den KZs umgekommen waren und die hatten *in den Krieg gehen* müssen.
Andererseits sind auch viele zurückgekommen – wie zum Beispiel Richard Löwenthal –, weil deren Freunde hier waren und hier deren Widerstand gemacht hatten. Mit denen wollten wir zusammen sein.
Eigentlich war unser ganzes Leben in der Schweiz unentwegt mit denen befaßt, die aus Deutschland, später aus Frankreich (Zone Occupée) vertrieben worden waren und dann über die Grenze kamen; da sich die Arbeit meines Vaters beim Ökumenischen Rat darauf bezog, hatten wir auch in unserem Haus damit zu tun und entsprechende Kontakte – mit den Schweizern hatten wir jedoch nur ganz wenige Kontakte gehabt. Wirklich dauerhafte Freundschaften haben wir mit den verjagten Franzosen, mit den geflohenen Holländern und mit den aus Deutschland Gekommenen geschlossen – man hatte ein Gespür füreinander. Ich war zum Beispiel zwei Jahre an der Genfer Fakultät und traf dort auf sehr viele Franzosen und Französinnen, die über die Grenze gekommen waren; wir flogen aufeinander, und die Schweizer standen daneben.«

Du hast deine Hoffnungen vor allem auf eine andere Kirche gerichtet?

»Ich bin gleich nach meiner Rückkehr im Oktober 1945 (und zwar nach Frankfurt) in den Aufbau der evangelischen Gemeinde eingestiegen, wirklich mit der Hoffnung: jetzt fangen wir ganz von vorne an, machen etwas ganz Neues! (Es gab damals einen tollen Impuls zur Gemeinde hin, die Leute strömten, die Kinder wollten was von der Bibel wissen und vom Herrn Jesus und wollten nur noch Kirche und nichts anderes mehr.) Die Leute strömten in die Kirche, vor allem auch die Jungen, die aus dem Krieg zurückgekehrt waren oder nicht Soldaten gewesen waren und diese ›Nicht-Arier‹...
Die Altnazis waren noch still – man wußte: Das darf nicht wiederkommen!
Daß Soldaten mal wieder durch Deutschland laufen würden, das war uns unvorstellbar: Deutsche Soldaten gab es nicht mehr in meinem Horizont.
Und wir wollten eine Kirche, die demokratisch ist. Karl Barth hatte gleich 1945 einen Vortrag zu *Christengemeinde und Bürgergemeinde* gehalten, der uns sehr wichtig war. Wir hatten die Hoffnung, daß die Bekennende Kirche das Sagen hätte – als eine Kirche nicht von Pfarrern, sondern von Gemeinden. So haben wir fortzusetzen versucht, was wir aus der Bekennenden Kirche kannten – nur in einer ganz anderen Freiheit! Wir lasen die Bibel und entrümpelten die Kirche miteinander, in der einen Hand das und in der anderen Hand das.«

... eine doppelte Entrümpelung...

»Ein tolles Freiheitserlebnis! Wir haben die Abende und Nächte hindurch diese Freiheit genossen, daß in dieser Trümmerkirche niemand sagt: Das darf nicht sein.«

Hoffnungen, die mit der Entwicklung der evangelischen Kirche rasch enttäuscht wurden...

»Die Enttäuschung war, daß diese Freiheit eingeschränkt wurde, vom Rat der EKD Konstruktionen geschaffen wurden, die alles in feste Gleise ordneten. Wir wollten ja keine Ordnung, nirgends eine Ordnung. Wir hatten Ordnung durch die Lebensmittelkarten – sonst wollten wir keine Ordnung. So haben wir auch gelebt. Wir haben unheimlich frei gelebt, die Nächte durchgemacht, wir mußten wahnsinnig arbeiten, aber hatten das Gefühl: ›Das ist alles hinter uns!‹ Und

die Nazis waren eben auch zum Teil still – nur gab es Konflikte mit dem Pfarrer Fricke, in dessen Haus ich in Frankfurt lebte, weil dieser meines Erachtens im Ausstellen von Persilscheinen zu großzügig war, während ich ihn aufforderte, stärker Grenzen zu ziehen – wohl vor dem Hintergrund meiner eigenen Erfahrungen.
Die Enttäuschung bezog sich nicht nur auf die Kirche, sondern auf das gesamte Leben, und vor allem auf die Wiederbewaffnung. Ich lernte damals über Helmut Gollwitzer – wir heirateten 1951 – Gustav Heinemann kennen, der im Herbst '50 wegen der Wiederbewaffnung zurückgetreten war. Für mich war die Wiederbewaffnung ein schlimmes Erlebnis dafür, wo das jetzt bei uns wieder hinläuft...
Gerade anknüpfend an diese Freiheit und Ordnungslosigkeit nach '45 war für mich die Studentenbewegung etwas sehr Wichtiges! Ich habe da etwas von dem realisiert gefunden, was mich zum Beispiel unter holländischen Studenten immer sehr angesprochen hat: dieses sehr Spontane und sich über Ordnung und Muff von tausend Jahren Hinwegsetzen.
Ich war ja auch selbst sehr anfällig dafür gewesen, damals, als wir heirateten. Da hatte ich es auf einmal mit dem Professorenstand zu tun – und vor ihnen mindestens eine Zeitlang einen gewissen Respekt...«

Die Friedensbewegung ist also ein Stück jenes anderen Deutschlands, das du 1945 gesucht hast, als du zurückgekehrt bist?

»Ja, wenn ich in Etappen einteilen soll, so waren es vor allem die APO und die Friedensbewegung, in denen ich etwas von dem fand, was wir 1945 erhofft hatten.
Damals, als ich zurückkam, war für mich, was eine Welt lebenswert macht: frei von Zwängen, frei von Verfolgung, also frei von Ausgrenzung und frei von Kriegsangst zu sein.
Schreckliche Kriegsangst haben wir doch schon früh gehabt. Lange vor dem Krieg fing man doch schon mit Übungen in Luftschutzkellern, mit Lebensmitteleinschränkungen und dann der Parole an: Kanonen statt Butter.
Als Kind hatte ich eine ganz verrückte Kriegsvorstellung gehabt. Ich habe immer gedacht, daß Krieg sich auf einem ganz anderen Planeten abspielt – im Himmel oder sonstwo –, und träumte auch so davon, bis mir an den Übungen mit diesen Gasmaksen plötzlich klar wurde, daß Krieg sich hier abspielt, auf dieser Welt. Es waren schreckliche Ängste, mit denen man lebte, besonders im Krieg, als wir schon draußen

waren: um die, die von Bomben bedroht wurden, und um die, die im Krieg waren.
Ich werde nie vergessen, wie die erste Todesnachricht von einem Vetter kam – und dann Woche für Woche in der Kriegszeit... und dann der Rußlandkrieg.
›Nie wieder Krieg‹ war für uns keine Parole, sondern Selbstverständlichkeit!
Ja, das ist sehr wichtig. Schon die Aufnahme der Verbindung zu Frankreich, dann der Verbindung zu Polen und zur Sowjetunion – wir haben Egon Bahr an jenem Abend gesehen, an dem die Ostverträge unterzeichnet waren – waren für uns wirklich euphorische Momente: Wir dachten, daß damit ein neues expansives Großmachtdenken nicht mehr passieren kann.«

»Daß es da nicht klingelt bei allen Deutschen!«

Es gibt beunruhigende Zeichen: zum einen eines mit der Krise anschwellenden Ausländerhasses, zum anderen durch ein immer noch verbreitetes Beschweigen der eigenen Geschichte, wie du es ja auch von deinem Klassentreffen erzählt hast.

»Es beunruhigt mich in der Tat. Am stärksten bin ich beunruhigt, wenn ich von Lehrern höre, was sich in Schulen abspielt. Und dies spiegelt ja nur wider, was in Elternhäusern vor sich geht. Es zeigt mir, was an Möglichkeiten da ist, wie man Menschen, junge Menschen, wieder mobilisieren kann. Hakenkreuzschmierereien finde ich nicht so schlimm, aber eine Mentalität, wie sie sich jetzt stark und in vielen Parallelen zur Geschichte in der Ausländerfrage zeigt. Wenn du heute zum Beispiel wieder von Lokalen hörst: ›Keine Ausländer!‹ – dann denkst du: Das haben wir auch gehabt: keine Juden, Zutritt verboten, auf die Bank darfst du dich als Jude nicht setzen, und heute darfst du als Ausländer nicht in bestimmte Parks... Daß es da nicht bei allen Deutschen klingelt! Das haben sie doch alle mal gehört oder mitgemacht! Ich finde das beängstigend, und ich fürchte, daß das auch nicht aufgefangen werden kann.«

»Ich habe Israel lange Zeit als das Land angesehen, in dem man frei atmen kann!«

Hast du einmal gedacht, nach Israel zu gehen, zumal bei deinen Erfahrungen der Enge hier?

»Daß ich eigentlich Jüdin bin, habe ich zum ersten Mal kapiert, als ich 1958 erstmals nach Israel fuhr, zusammen mit meinen Eltern. Da wurden meine Mutter und ich auf Schritt und Tritt angebettelt, es wurde gesagt: ›Ihr seid doch Juden.‹ Denn wer von einer jüdischen Mutter abstammt, ist Jude. Das war das erste Mal, daß neben dem Christsein noch etwas anderes sein könnte. Ich habe Israel lange Zeit als das Land angesehen, in dem man frei atmen und frei diskutieren kann, tolerant ist. Das hat sich ja nun in den letzten Jahren gewandelt.
1963 zum Beispiel wollte ich eigentlich nicht zurück. Da habe ich hier so eine Enge empfunden, ein Eingezwängtsein und dort eine solche Freizügigkeit. Ich sagte, hier (in Israel) möchte ich bleiben.«

Das hast du von keinem anderen Land gesagt!

»Nein, nein. Die Schweiz sicher nicht. Die habe ich ja nun kennengelernt. Aber Israel war ja damals wirklich auch ein Land des Aufbruchs. Also, was für tolle Menschen, die da leben! Du konntest denen alle Meinungen an den Kopf schmeißen, das wurde mit einer Härte, zugleich aber mit einer Toleranz beantwortet, die ich von uns aus nicht kannte. Das hat mich sehr fasziniert. Da habe ich das Jude-Sein zum ersten Mal erlebt. Und auch ein Stück weit in der Gemeinde damals. Juden waren – das sprach sich herum – da in Dahlem ganz gut aufgehoben. Da kamen von außen ganz viele dazu. Das hatte dann hier für die Juden noch Möglichkeiten gegeben – bis in den Krieg hinein. Mit Verstecken, mit Lebensmittelkarten, mit Fälschen, und, und, und. Aber da waren wir längst weg.«

Besteht für dich zwischen der Erfahrung im Faschismus und der besonderen Erfahrung in Israel – dem Gefühl, frei zu atmen – nicht ein Zusammenhang?

»Ja, vielleicht. Also ich würde jetzt nicht sagen, von mir aus. Aber vielleicht ganz objektiv, ja, das Eingeengtsein hier, nur zu versuchen, das wirklich abzustoßen und auf der anderen Seite zu leben!
Aber dieses Gefühl des Fasziniertseins von Toleranz hat sich verän-

dert, in einem Land, in dem die Mehrheit die Begin-Politik befürwortet. Meine Hoffnung ist, daß die Friedensbewegung dort mehr Kraft gewinnt und die Möglichkeit hat, eine bessere, andere Politik zu machen, die Siedlungspolitik zu stoppen und das Positive am Zionismus weiterzuentwickeln: die Kibbuzim zum Beispiel, die ja an ihren Anfängen wirklich kommunistische Gemeinschaften waren. In einem Wort: Ich fahre zwar gerne hin und bin gerne dort, aber ich würde nicht mehr wie 1963 sagen, daß ich jetzt hier bleibe.«

Fühlst du dich in Deutschland zu Hause? Hast du hier deine Heimat?

»Das weiß ich nicht. Ich weiß nicht, wo ich meine Heimat habe. Aber, wenn ich in Deutschland lebe, möchte ich nicht woanders leben als in Berlin. Ob ich Heimat habe ... ich weiß es nicht.«

Heimat hat für dich keinen Ort?

»Nein, nein ... eigentlich nicht. Viel weniger als zum Beispiel für Helmut, meinen Mann. Bayern ist Heimat für ihn.«

... aber zu Hause ...

»Zu Hause fühle ich mich hier, ja. Deshalb will ich auch hier nicht weg, hier will ich alt werden, ich bleibe hier – wenn man mich läßt.«

Der Pogrom: 9. November 1938

Helmut Gollwitzer predigte am Bußtag nach der Pogromnacht, am 16.11.1938, über die Bußpredigt des Johannes, Luk. 3,3–14: Gerade der christlichen Gemeinde, die mitschuldig ist an dem Unrecht, das den Juden eine Woche davor angetan wurde, ist diese Bußpredigt gesagt. Sie soll sich ja nichts einbilden auf ihren frommen Lebenswandel. Die Christen vor allem müssen jetzt umkehren zum Tun der Gerechtigkeit. »Wer zwei Röcke hat, der gebe dem, der keinen hat, und wer Speise hat, tue ebenso.« Gollwitzer war einer der ganz wenigen evangelischen – wie katholischen – Prediger, die sich trauten, ihre Gemeinde auf das in der Pogromnacht geschehene Unrecht hinzuweisen.

Aus Helmut Gollwitzers Bußtagspredigt am 16.11.38 in der Annenkirche, Berlin-Dahlem:

»... Es wäre vielleicht das Richtigste,
wir würden nicht singen,
nicht beten,
nicht reden,
nur uns schweigend darauf vorbereiten,
daß wir dann,
wenn die Strafen Gottes offenbar
und sichtbar werden,
nicht schreiend und hadernd herumlaufen:
wie kann Gott so etwas zulassen?

Wir sind mitverhaftet in die große Schuld,
daß wir schamrot werden müssen,
wie biedere Menschen sich auf einmal
in grausame Bestien verwandeln.
Wir sind daran beteiligt,
der eine durch Feigheit,
der andere durch Bequemlichkeit,
die allem aus dem Wege geht,
durch das Vorübergehen,
das Schweigen,
das Augenzumachen,
durch die Trägheit des Herzens,
durch die verfluchte Vorsicht.

Was sollen wir tun?
Tue deinen Mund auf
für die Stummen,
und für die Sache aller!

Gott will Taten sehen,
gute Werke gerade von denen,
die mit Christi Hilfe entronnen sind.

Draußen wartet unser Nächster
notleidend,
schutzlos,
ehrlos,
hungernd,
gejagt und umgetrieben
von der Angst um seine nackte Existenz,

er wartet darauf,
ob heute die christliche Gemeinde
wirklich einen Bußtag begangen hat.
Jesus Christus wartet darauf . . .«

Richard Löwenthal:
»Meine Heimat ist – die deutsche Arbeiterbewegung«

Richard Löwenthal, einer der wichtigsten Kritiker der Studentenbewegung der sechziger Jahre, war Professor für Politische Wissenschaften am Otto-Suhr-Institut der Freien Universität Berlin. Ich traf ihn in seinem Haus in Berlin-Grunewald.
Richard Löwenthal wurde am 15. April 1908 in Berlin geboren. Durch die Zeit selbst, wie er sagt, und im Protest gegen ein bestimmtes »Berliner jüdisches Aufstiegsmilieu« wurde er radikalisiert: Er wurde Mitglied der KPD, bis er als »Rechter« im Jahre 1929 aus der Partei ausgeschlossen wurde. In Berlin und Heidelberg studierte er Nationalökonomie und Soziologie bei Karl Jaspers, Max und Alfred Weber.
Ab 1933 leistete Richard Löwenthal Widerstandsarbeit in der Gruppe »Neu Beginnen«, deren Führungsspitze er zeitweise angehörte; vor allem versuchte er dort bisherige Kommunisten und Sozialdemokraten »auf einer nicht-sowjetischen« Ebene zusammenzuführen. 1935 emigrierte er über Prag und Paris nach London. Ab Ende 1942 arbeitete er in England als Journalist, von 1948 bis 1954 in Deutschland; von 1954 bis 1958 war er außenpolitischer Leitartikler des *Observer*. Noch heute trägt Richard Löwenthal neben seinem wieder angenommenen deutschen Paß einen englischen Paß: »Die Engländer waren im Krieg ungeheuer eindrucksvoll.« England hat ihm für lange Zeit eine zweite, neue Identität geboten.
Nach 1958 war er wissenschaftlich in Berlin tätig, bekleidete Gastprofessuren in den USA, England und Israel (Tel Aviv). Seit 1961 ist er Professor für Politische Wissenschaft am Otto-Suhr-Institut der Freien Universität Berlin.
Zu den Schriften Löwenthals, die insbesondere in der Studentenbewegung (vor allem durch Rudi Dutschke) bekannt wurden, gehören: *Jenseits des Kapitalismus* (unter dem Pseudonym Paul Sering erschienen 1946; Neuauflage 1977 mit einer neuen Einleitung unter dem Titel: *Nach 30 Jahren*); *Ernst Reuter – eine politische Biographie* (zusammen mit Willy Brandt, 1957); *Chruschtschow und der Weltkommunismus* (1963).
Bis auf den heutigen Tag ist Richard Löwenthal ein einflußreicher sozialdemokratischer Intellektueller geblieben. »Für mich ist die Arbeiterbewegung meine Heimat« – eine Heimat, zu der er schon früh, wenn auch über Umwege gefunden hat:

»Ich bin durch die Zeit, in der ich aufgewachsen bin, mit politischen Problemen konfrontiert worden. Als ich fünfzehn Jahre alt war, trieb die Inflation 1923 ihrem Höhepunkt zu.
Ich war in einer Art jungdemokratischer Gruppierung aktiv, bin dann

sehr schnell radikalisiert worden, mit Kommunisten in Berührung gekommen. Einige traten in unseren harmlosen jungdemokratischen Verein ein, um hier ihre Arbeit zu machen. Mich hat das ziemlich beeinflußt. Ich habe dann in meinen beiden letzten Schuljahren nicht ohne Mühe, aber mit großer Intensität den ersten Band von Marx' *Kapital* gelesen; an meinem 18. Geburtstag, der gleichzeitig auch mein erstes Gymnasiastensemester war, bin ich in die KPD eingetreten. Das war 1926. Ich bin also nicht durch das Elternhaus ›politisiert‹ worden – das war liberal und später, als die Dinge sich zuspitzten, sozialdemokratisch. Meine Eltern waren politisch nicht aktiv.
Mein Elternhaus war ein sehr unjüdisches jüdisches Haus. Mein Vater war ungläubig, meine Mutter hatte eine ganz vage Allerweltsreligiosität, die nichts Spezifisches an sich hatte. Beide wußten sehr wenig vom Judentum. Ich auch nicht. Das erste, was ich davon bemerkt hatte, war – ich hatte eine ganze Reihe jüdischer Mitschüler am Mommsen-Gymnasium –, daß ich meine Freunde *und* meine ersten Lieben unter Juden wählte, ohne das bewußt zu wollen. Es muß Affinitäten gegeben haben.
Als ich politisch aktiv wurde, habe ich mich dann bewußt mit der Judenfrage auseinandergesetzt und glaubte, daß es bestimmte *nationale* Charakterzüge gibt. Nicht in dem Sinne wie in Osteuropa, wo es ja eine anerkannte jüdische Nationalität gab, aber doch Charakterzüge, die sich in der Familie fortentwickeln, etwa die sehr hohe Bewertung, ja sogar Überbewertung, des Intellekts. Ich meine nicht, daß die Juden von Natur aus intelligenter sind als andere Leute – wie sie manchmal glauben. Aber es ist so, daß sie selber *so erzogen werden*.
Das Problem der *Bedrohung* ist mir eigentlich, bevor es in der Öffentlichkeit ganz dramatisch wurde und es eine Massenbewegung gab, gar nicht bewußt gewesen. Ich habe mich auch nicht als Fremder in diesem Lande gefühlt.
Meine Haltung zum Nationalsozialismus ist nicht primär *davon* bestimmt, sondern davon, daß ich – inzwischen nicht mehr Kommunist, sondern allmählich demokratischer Sozialist – prinzipieller Gegner all dessen war, wofür der Nationalsozialismus stand. Und daß ich ihn bekämpfen wollte. Als ich 1933 in eine illegale Widerstandsorganisation – ›Neu Beginnen‹ – eintrat, hatte ich darin natürlich eine Reihe von Freunden, die keineswegs Juden waren und die damals gerade meine Freunde wurden. Gerade in dieser Situation. Und das ist letzten Endes auch der Grund dafür, daß es mir keine psychologischen Schwierigkeiten bereitet hat, nach dem Krieg nach Deutschland zurückzukommen. Das, was da passiert war, war für mich nicht das Han-

deln ›der Deutschen‹, weil ich aus dieser Zeit andere Deutsche als Freunde, als Nazi-Gegner kannte. *Das ist eine ganz andere Situation als die der meisten jüdischen Emigranten.*«

In der Familie ist das Interesse am Totalitarismus erblich...

Jakob Moneta erzählte, daß er diese Probleme auch nicht kannte... Wie war die Atmosphäre in Ihrem Elternhaus: War es auch eine Atmosphäre der Utopien und Sehnsüchte, weil Sie auch aus einem politischen Milieu kamen? War es auch ein politisches, sozialistisches Milieu?

»Das habe ich nie gehabt, darauf bin ich im Elternhaus nie gestoßen, meine Eltern waren keine Intellektuellen. Mein Vater war ein Textilvertreter, das heißt, er vertrat die Textilfabrik Hansen bei Grossisten, er war Großhändler, eine gehobene Form des Vertretertums, aber doch eine kleinbürgerliche Existenz. Meine Mutter war die Tochter eines Mannes aus einer ähnlichen Berufstätigkeit – mit dem Unterschied, daß es in der Familie meiner Mutter auch Intellektuelle gegeben hat, die ich aber nicht mehr gekannt habe. Eines ist allerdings komisch: Die Mutter meines Vaters war eine geborene Arendt, eine Schwester des Königsberger Stadtrats dieses Namens, dessen Tochter Hannah Arendt war. Das habe ich erst jetzt, viele Jahre später herausbekommen, nachdem ich sie besser kennengelernt hatte. In der Familie ist offenbar das Interesse am Totalitarismus erblich...«

Die Atmosphäre an Schule und Universität war ja eher konservativ eingefärbt. War die Hinwendung zu einer zunehmend radikalen Gruppierung auch eine Abwendung von dieser Atmosphäre?

»Es war eine Abwendung von zwei Dingen. Es war eine Abwendung von der deutsch-nationalen Seite des einen Teils der Lehrer, obwohl es im ganzen eine sehr gute Schule war. Es war der Schock von 1923, das Wissen, daß da etwas mit dem System nicht in Ordnung war. Und es war... nicht so sehr das Elternhaus, aber die weitere Familie, in der es Leute gab, die Geld hatten, aber keinen kultivierten Stil, damit umzugehen. So habe ich mir dann das Bürgertum vorgestellt. Daß es im Bürgertum etwas ganz anderes, eine bürgerliche, liberale Kultur gab, das habe ich erst gemerkt, als ich in Heidelberg studiert habe.«

»... eine Haltung, die nicht in erster Linie am Geld orientiert ist«

»Die Atmosphäre im Heidelberg Max Webers, in einer Vorlesung von Karl Jaspers oder Alfred Weber... da habe ich überhaupt erst gelernt, was an echtem Liberalbürgertum anziehend sein kann.«

Aber die KPD hat Sie noch stärker angeregt... Wie haben Sie den Alltag in der Partei erlebt? Standen Sie der Art und Weise, Versammlungen zu machen, der Anweisungshierarchie und anderem eigentlich zunächst kritiklos gegenüber?

»Ich war nicht in der Kommunistischen Jugend, die zum Teil ziemlich verkommen war und die ich nicht selbst erlebt habe. Ich habe die kommunistische Studentenfraktion und meine Zelle erlebt: meine Straßenzelle in der Berliner KPD. Da hat mich das angezogen, was ich von der Arbeiterbewegung gerochen habe, das heißt von dem, was traditionell der SPD und der KPD gemeinsam war – *das* hat mich angezogen. Ein Gefühl, daß in der Grundhaltung dieser politisch aktiven Arbeiter zum Leben etwas mir sehr Sympathisches lag. Später, als ich lange Jahre in der Emigration war, habe ich manchmal auf die Frage, ob ich nun eigentlich Deutscher oder Engländer sei, geantwortet: *Meine Heimat ist die deutsche Arbeiterbewegung*. Mich hat die Solidarität angezogen und eine Haltung, die nicht in erster Linie am Geld orientiert ist. Und daß sie sich für etwas einsetzen. Das war ja nicht allen Arbeitern gemeinsam, aber der Arbeiterbewegung insgesamt.
Von meiner kommunistischen Zeit ist dieses positive Moment übriggeblieben, das ich dann in der Sozialdemokratie teilweise wiedergefunden habe. Auch in der illegalen Sozialdemokratie. Ich habe in kleinen Gruppen, vor allem mit jungen Arbeitern in der Illegalität gearbeitet. Und mit ein paar Intellektuellen, wie immer. Das war einer der Gründe... Wissen Sie, wenn man so in einer illegalen Gruppe zusammenkam, vier oder fünf Leute – das erste, was man machte, war die Klärung der Konspiration. Man überlegte sich: Wenn jetzt die Polizei reinkommt, woher kennen wir einander und was tun wir jetzt? Und machen Sie das mal für eine Gruppe aus vier jungen Arbeitern und einem jüdischen Intellektuellen! Das geht nicht, nach zwei Jahren Nationalsozialismus. Das *kann* nur eine illegale sozialistische Gruppe sein. Das heißt, ich wurde eine Gefahr nicht nur für mich selbst, sondern auch für die anderen.«

War es diese Erfahrung von Solidarität, die Sie die KPD-Linie kritisieren ließ? Sie sind als Rechter ausgeschlossen worden, und in einem Brief, den Sie einige Zeit später an Hertz im SPD-Vorstand geschrieben haben, kann man nachlesen, daß Sie vorher für eine Einheitsfront zwischen SPD und KPD eingetreten sind.

»Ja, ich gehörte zu den Versöhnlern – das ist richtig. Es ist nicht nur das Gefühl der Solidarität, es ist auch ein gewisses allmähliches Erwachen der politischen Einsicht. Es war ja ganz klar, daß die Hauptgefahr damals schon der Nationalsozialismus war und daß in dieser Situation die Vorstellung, die Sozialdemokraten als Hauptfeinde zu betrachten, völlig hirnrissig war.«

Durch welche Beobachtungen wurden Sie denn gedrängt, die Anzeichen faschistischer Bedrohung ernster zu nehmen als viele etwa in der Sozialdemokratie damals? War es – wie Sie später in Jenseits des Kapitalismus *(1946) schrieben – der »Schrei nach Sicherheit«? Oder war es die Erfahrung mangelnder politischer Radikalität, die Schwäche der Arbeiterbewegung, wie sie Erich Fromm in einer Untersuchung aus dem Jahre 1929/30 meinte herausgefunden zu haben?*

Das Versagen der Arbeiterbewegung: Spaltung und fehlende Krisenpolitik

»Das habe ich nicht so gesehen, glaube ich. Aber es war keine besondere Beobachtungsgabe nötig, um zu sehen, daß es mit der Weimarer Republik bergab ging. Es lag ja nicht nur an den Nazis, sondern auch daran – das ist jetzt keine Erinnerung, sondern heutiger Erkenntnisstand –, daß Leute wie Hindenburg, Schleicher, aber auch Brüning schon Jahre vorher überlegt hatten, wie sie die Republik abservieren und die Monarchie wieder einführen können. Das hat man damals nicht allgemein gewußt, aber die Atmosphäre hat man gespürt. Und der Eindruck, daß die Weltwirtschaftskrise sich nicht zugunsten der Revolution auswirkte, kam ja ziemlich bald. Daß mehr Arbeitslose nicht notwendig bedeutet, daß sie auch Revolutionäre sind, konnte man relativ bald merken...«

Das ist auch einer der zentralen Punkte Ihrer ersten Aufsätze in der Zeitschrift für Sozialismusforschung*: Wenn die Arbeiterbewegung in ihren beiden Flügeln und durch die Flügelbildung versagt, bleibt etwas auf der Straße liegen...*

»Sie haben gesagt, Sie wollten sich darüber unterhalten, was damals auf unserer Seite, der sozialistischen Seite, versagt hat. Die eine Sache, die heute immer betont wird, das war damals sehr sichtbar und sehr schrecklich: der sogenannte Bruderkampf, die Selbstzerfleischung. Es kam aber ein anderes Versagen hinzu, das ich erst allmählich in seiner ganzen Bedeutung kapiert habe, nachdem ich gesehen habe, was in anderen Ländern passiert ist: Es wurde keine konkrete konstruktive Krisenüberwindungspolitik entwickelt. Ich würde heute sagen: Was sich rechte Gewerkschafter und ihre intellektuellen Berater sozusagen als einen frühkeynesianischen Plan ausgedacht hatten, war sehr viel vernünftiger als alles das, was die SPD damals auf diesem Gebiet gemacht hat. Der Hilferding zum Beispiel, der ja ein hochbedeutender Kopf war, war aufgrund seiner marxistischen Theorie völlig davon überzeugt, daß man in einer Wirtschaftskrise nichts machen kann. Er hatte unrecht! Er war damit, bei allem guten Willen, mit aller marxistischer Bildung, ein Hemmnis einer vernünftigen sozialdemokratischen Politik. Das habe ich aber damals noch nicht kapiert. Jedenfalls glaube ich, daß ein wesentlicher Teil des Erfolges der Nazis, neben aller Begünstigung durch die Reaktion, das Versagen der Arbeiterbewegung in zwei Richtungen war: Zusammen mit der Spaltung war es das Versagen durch das Fehlen einer konstruktiven Krisenüberwindungspolitik.«

Der Schrei nach Hilfe vom Staat

»Ich habe damals schon in meinen Sering-Aufsätzen[1] gesagt, daß in dieser Art von Krise die Menschen nicht zur Revolution gegen den Staat tendieren – sie schreien nach Hilfe vom Staat. Das war einer der wirklich neuen Gedanken in diesen Aufsätzen. Und das hat sich als völlig richtig erwiesen.«

Das berührt sich mit der Analyse autoritärer Tendenzen bei den Frankfurtern, oder nicht?

»Von den Frankfurtern, mit denen ich im großen und ganzen nicht sehr viel im Sinne habe, war mir Pollock am nächsten. Sein großer Aufsatz zum Staatskapitalismus in der *Zeitschrift für Sozialforschung* hat viele Berührungspunkte mit meiner eigenen Arbeit.«

[1] Paul Sering (Richard Löwenthal): *Jenseits des Kapitalismus*, Berlin/Bonn 1977 (Neuauflage)

Sie haben vermutlich mehr als Pollock die subjektiven kollektiven Reaktionen beobachtet...

»Ja, weil ich ja kein reiner Nationalökonom war, sondern politisch engagiert. Er hat dazu zwar nicht das Gegenteil gesagt – er hat dazu gar nichts gesagt, er hat über den ökonomischen Mechanismus gesprochen, und da waren viele Berührungspunkte. Von den anderen Frankfurtern hat mich vor allem Erich Fromm sehr interessiert. Sein Buch *Die Flucht vor der Freiheit* habe ich nicht für die Gesamterklärung des Problems genommen, aber ich fand es einen interessanten Beitrag. Er blieb an diesen Problemem dran. Bei Adorno und Horkheimer hatte ich immer das Gefühl, daß sie in irgendwelchen Wolken schwebten, in denen ich sie nicht erreichen konnte.
Franz Neumann war in gewissem Sinne stärker traditioneller Marxist als ich. Damit meine ich, daß er stärker direkt aus der Ökonomie abgeleitet hat. Und daß die politischen Mechanismen – Massenbewegung – bei ihm viel weniger herauskommen. Mit wem ich mich neben Franz Neumann damals in den Emigrationsjahren in Amerika in diesen Fragen am besten verstanden habe, war Arkadi Gurland, der ganz ähnliche Sachen gemacht hat; sehr solide Detailarbeiten über die Rolle bestimmter Konzerne und anderes. Aber darüber wußten die beiden sehr viel mehr als ich. Ich wußte mehr über politische Bewegung und den Zusammenhang...«

»Etwas völlig anderes kommt...«

Kommen wir zurück zu der Situation, in der Sie 1933 hier waren. Eine ganz persönliche Frage: Was haben Sie empfunden, als es hier Ende Januar 1933 losging?

»Nun, um die Wahrheit zu sagen, ich war nicht überrascht. Ich gehörte ja zu dem Kreis um ›Neu Beginnen‹. In diesem Kreis gab es eine interne Doktrin, daß ein Sieg des Faschismus möglich ist und daß, wenn er erfolgt, etwas völlig anderes kommt, als wir bisher gehabt haben, nämlich eine Parteidiktatur mit allen ihren Scheußlichkeiten. Wir hatten ja den italienischen Faschismus studiert und verstanden, daß das was Neues ist. Wir hatten schon gar nicht die Vorstellung der Kommunisten, daß wir bereits seit zehn Jahren Faschismus hätten, aber auch nicht die Vorstellung, daß es etwas Ähnliches ist wie eine andere reaktionäre Diktatur, sondern daß es etwas politisch Neues ist. Ich habe in den Aufsätzen an diesem Gedanken angeknüpft, den

ich schon vorgefunden habe, und ihn auf meine Art weiterentwickelt. Es gab also in unserem Kreis weder die Vorstellung, der Faschismus könne nicht siegen, noch die Vorstellung, der Faschismus sei schon da, auch nicht die Vorstellung, daß es so etwas wie Bonapartismus sei, worin ja Thalheimers in vieler Hinsicht intelligente, aber letzten Endes nicht richtige Theorie bestand, sondern vielmehr die Vorstellung: Wenn das kommt, kann es zehn Jahre dauern.
Ich bin mit dieser Vorstellung, die ich nicht erfunden habe, sondern die mir diese Gruppe vermittelte, in die Illegalität gegangen – das ist eine lange Geschichte. Ich war natürlich in der Zeit vorher öfters deprimiert, das ist ja ganz klar, aber ich war nicht plötzlich schockartig deprimiert. Es war also keine Überraschung, daß das passierte. Wenn es so etwas gibt wie einen langfristigen Schock, dann hat es als solcher nachgewirkt, und zwar im Sinne meines ersten Zweifels am Fortschrittsglauben!
Dieser Zweifel ist dann durch den nächsten großen Schock, nämlich den Moskauer Prozeß, ungeheuer gestärkt worden. Ich war zwar Exkommunist, aber ich war nicht so weit vom Kommunismus entfernt, daß mir das einfach etwas Fremdes oder Feindliches war. Ich fühlte mich immer noch als revolutionärer Marxist – innerhalb der Sozialdemokratie, aber als revolutionärer Marxist. Und da es ja für die marxistische Revolution kein anderes Beispiel gab als das russische, war die Entwicklung des Stalinismus noch einmal ein großer Schock. Meine Entfernung vom Kommunismus ist dadurch viel grundsätzlicher geworden als vorher. Wenn man es ein bißchen zu klein machen will, dann könnte man sagen, daß ich mit der KPD aus taktischen Gründen gebrochen habe, aber das ist zu klein. Es sind schon strategische Gründe und nicht taktische – aber nicht ganz prinzipielle, und sie sind in den Jahren der Illegalität oder Emigration immer prinzipieller geworden. Bevor ich aus Deutschland im Augsut 1935 herausgegangen bin, hat mich ein Leseerlebnis beeinflußt: die Lektüre von Ignazio Silone. Beeindruckt hat mich vor allem die Betonung der moralischen Komponente. Sie war für jene, die aus der reinen marxistischen Tradition kamen, ein Aha-Erlebnis, das mich auf den Schock dem Fortschrittsglauben gegenüber vorbereitet hat. Es ist ein wichtiges Stück meiner Weiterentwicklung gewesen.
Dann kamen die Moskauer Prozesse und das Wüten der GPU in Spanien. Das hat mich *krank* gemacht, ich war zu jener Zeit in London, habe aber sehr viel darüber gehört. Mit dadurch bin ich im vollen kulturellen Sinne Sozialdemokrat geworden. Ich bin in einem Prozeß jahrelanger Entwicklung wirklich Sozialdemokrat geworden.«

Ist Ihnen die moralische Komponente schon in Heidelberg wichtig geworden?

»In gewissem Sinne vielleicht. Die Universität in Heidelberg hat mir eigentlich gezeigt, daß das eine Substanz hat. Ich bin in der Philosophie wenig bewandert. Ich habe zwar einen Dr. phil., habe aber nur ein einziges philosophisches Seminar mitgemacht. Das war über Hegels *Phänomenologie des Geistes*.
Ich komme in die erste Sitzung des Seminars, Jaspers verteilt das Referat und sagt dann: ›Ich hab' hier ein Flugblatt, in dem es heißt, die offizielle Universitätswissenschaft schweige den Marxismus tot oder verfälsche ihn. Das Flugblatt ist gezeichnet von einem Herrn Löwenthal. Ist Herr Löwenthal da?‹ Ich meldete mich, und er sagte: ›Würden Sie ein Referat über die Entwicklung von Hegel zu Marx machen?‹ Ich hab's gemacht. Es hat mir einen bleibenden Eindruck gemacht, wie Sie sehen... *Ich habe mir in der Zeit der Studentenrevolte vorgenommen, mich so zu benehmen, wie er es damals getan hat: immer zu Diskussionen bereit.* Ich war in der Frage des Widerstandes gegen bestimmte Strukturveränderungen härter als manche meiner Kollegen, aber ich war diskussionsbereiter.«

Noch einmal zur Situation im Jahre 1933. Sie haben die Machtergreifung Hitlers als etwas völlig Neues gesehen. Wie haben Sie die beginnende Herrschaft des Faschismus persönlich erfahren?

»Nicht sehr stark. Ich bin nicht in Verfolgungen hineingeraten. Ich habe natürlich davon gehört, ich habe auch von vielen anderen gehört, ich hab' von den KZs gehört, die nicht nur die Juden betrafen. Ich habe so viel davon gehört, daß ich *große Angst* hatte, erwischt zu werden. Die Frage, wovor man Angst hatte, hing von der zufälligen Richtung der Phantasie ab. Ich habe vor der Vorstellung, daß die Nazis mich erwischen und entsprechend mißhandeln, foltern könnten, eine Heidenangst gehabt. Ich habe im Krieg in London vor den Bomben überhaupt keine Angst gehabt; das heißt nicht, daß ich plötzlich mutiger geworden wäre oder vorher feige war, sondern daß die Phantasie in diese Richtung ging.«

War es die Bedrohung der physischen und psychischen Integrität?

»Ja, wahrscheinlich, aber ich möchte es nicht weiter analysieren. Ich weiß nur, daß ich Angst gehabt habe und später nicht. Ich bin in London auch nie ins Shelter gegangen. Ich habe vorhin gesagt, daß ich zu den Leuten gehöre, die voraussehen, daß das etwas ganz anderes wird und lange dauert. Ich habe den Holocaust nicht vorausgesehen, irgend etwas Derartiges. Ich habe die Tiefe von Hitlers Glauben an diesen Bestandteil seiner Ideologie nicht voll ernst genommen. Da war ich noch zu sehr Marxist. Ich habe zwar nicht gesagt, es ist nur ein Vorwand, aber ich habe nicht geglaubt, daß er eigentlich im Grunde dazu bereit ist, den Krieg zu verlieren, daß er zur Vernichtung bereit ist – ja, das habe ich schon allmählich gemerkt, aber als allgemeines Problem... Es geht so weit – als ich in London die ersten Gerüchte von der begonnenen Judenvernichtung hörte, habe ich ihnen nicht geglaubt. Es gab sehr viele Leute, die das nicht glaubten, ich habe es auch nicht geglaubt. Dann kam ein Überlebender des Warschauer Ghettos nach London – wie er 'rausgekommen ist, weiß ich nicht genau... Den habe ich gesehen, da mußte ich es glauben. Das war nicht nur ein eindrucksvoller Mann, sondern auch ein Mann, von dem man wußte: Der war wirklich dabei. Das war 1943.«

Sie sind danach dann nach Paris und London gegangen...

»Ja, es ging so hin und her. Ich kriegte ein Stipendium, das einzige Stipendium, das ich jemals bekommen habe. Das hat der Leiter unserer Gruppe gedreht. Und ich schrieb in London eine Arbeit über eine marxistische Kritik an der modernen Ökonomie; daraus ist auch ein Aufsatz in der *Zeitschrift für Sozialforschung* entstanden. Aber dann wurde ich wieder in die illegale Leitung zurückgeholt, die immer noch in Prag war. Es war inzwischen Herbst 1937. Im Frühjahr 1936 war ich in London, im Frühjahr 1938 marschierte Hitler in Österreich ein, und wir wußten, es war Zeit, wegzugehen... Das Büro ist damals nach Paris verlegt worden und dann rechtzeitig vor Kriegsausbruch nach London. Das ist eine der ganz wenigen Gelegenheiten in meinem Leben, in dem ich von politischer Arbeit persönlich profitiert habe.«

Sie sind dann sehr lange in London geblieben, zunächst während des Krieges.

»Beeindruckt hat mich zunächst einmal einfach das Leben in England. Wissen Sie, Frankreich war nicht sehr eindrucksvoll, eine korrupte Demokratie. England war trotz konservativer Regierung eine im Kern damals noch sehr gesunde Demokratie. Ich habe zum ersten Mal gelernt, *was es heißt, in einem liberalen demokratischen Land zu leben*, in dem bestimmte Dinge selbstverständlich sind. Und das Verhalten der Engländer in der Zeit, in der sie allein waren und fast ganz Europa besetzt war, war ungeheuer eindrucksvoll! Das ist der Grund,

warum ich meinen britischen Paß heute noch habe. Ich empfinde da eine wirkliche Bindung. Zeitweise ist daraus sogar eine zweite, neue Identität geworden.
Das ist es eigentlich heute nicht mehr. Wissen Sie, ich bin jetzt schon wieder in Deutschland und auch wieder in die deutsche Sozialdemokratie so hineingewachsen, daß es eigentlich mehr eine Geste ist, daß ich diesen britischen Paß behalte – eine Geste der Dankbarkeit. Es ist nicht mehr eine Frage der Identität. England hat sich in der Zeit auch sehr verändert. Ich gebe Ihnen eine kleine Geschichte, die mich auch persönlich betroffen hat. Die Engländer haben bei Kriegsbeginn alle feindlichen Ausländer registriert, aber keineswegs nur einfach registriert, sondern Kategorien gebildet: (a) Leute, bei denen etwas vorlag, (b) harmlose Leute, über die nichts vorlag, und (c) Leute, über die etwas Positives vorlag. Ich war in der Gruppe (c). Dann änderte sich die Politik im Frühjahr 1940 unter dem Eindruck der erfolgreichen Nazi-Überfälle auf Holland und Belgien. Es entstanden Gerüchte über Spione und dergleichen, und die Bürokratie des Innenministeriums hat den widerstrebenden, sehr vernünftigen Innenminister Herbert Morrison überredet, die allgemeine Internierung der feindlichen Ausländer anzuordnen. Aber es wurde à la Anglais durchgeführt: freundlich und schlampig!«

Richard Löwenthal hat seinen englischen Paß bis heute behalten, wenn auch nur als gute Erinnerung. Diese biographischen Prägungen haben wohl auch Richard Löwenthals Verhalten gegenüber der Studentenbewegung bestimmt: für sein zunächst positives Verhalten gegenüber der Kritik der Studenten an den Verkrustungen der 50er Jahre wie auch für seine Kritik an der »starken Rolle neomarxistischer Ideologien«. Für Richard Löwenthal war auch die Studentenbewegung ein »Schock«.
Auf meine Frage nach der Bedeutung der »Alltagsdemokratie« in seinem gesellschaftstheoretischen Konzept antwortet Richard Löwenthal:

»Die Studentenbewegung war ein Schock«

»Ich will ganz offen sein: Ich habe wenig Erfahrung damit. Unter Alltagsdemokratie kann man so vieles verstehen. Größere Beteiligung – ja. Selbstbestimmung der Betroffenen ist ein Wort, das sehr mißbraucht wird in dem Sinne, daß es Bestimmung über Dinge ist, bei denen nur die Betreffenden betroffen sind.

Nehmen wir unsere alte Frage: die Demokratisierung der Hochschule. Ich bin noch heute der Meinung, daß dabei in entscheidenden Fragen Unfug passiert ist. Ich bin noch heute der Meinung, daß die Frage, was die Anforderungen in einem Fachbildungsgang sein sollen – was ein allgemeiner Lehrplan sein soll –, keine Angelegenheit der betroffenen Studenten ist, sondern eine Angelegenheit der Gesellschaft.«

Mir ist nie ganz klargeworden, was der Grund für Ihre Skepsis war, die Sie der Studentenbewegung und später den neuen sozialen Bewegungen entgegenbrachten.

»Als die Studentenbewegung anfing, bin ich aktiv für Reformen in der Universitätsstruktur eingetreten. Mein Widerstand gegen diese Bewegung hat sich einerseits an der starken Rolle neomarxistischer Ideologien entwickelt und zweitens an meiner Meinung nach falschen Forderungen der Studenten in bezug auf die Mitbestimmung in Fragen der Lehrpläne, die meines Erachtens im wesentlichen eine Frage des Gesamtinteresses der Gesellschaft sind. Was ein Richter, was ein Lehrer, was ein Arzt können muß, das ist keine Angelegenheit der Studenten, sondern Entscheidung der Parlamente. Ich habe darüber mal ziemlich klar und kurz in einem kleinen Bändchen mit dem Titel *Hochschule für die Demokratie* geschrieben, das vom Bund Freiheit der Wissenschaften herausgegeben wurde.«

Im Gegensatz zu anderen Vertretern Ihrer Generation mit ihrer besonderen politischen Geschichte haben Sie gegenüber der Studentenbewegung und gegenüber der Friedensbewegung eine große Skepsis ausgedrückt. Resultiert diese Skepsis nicht auch aus Ihrer spezifischen politischen und Lebensgeschichte, besonders vor dem Hintergrund Ihrer Erfahrung der englischen Demokratie? Aus Ihrem Festhalten an der repräsentativen Demokratie? Und daraus, das Bestehende gegen undurchsichtige Bewegungen zu sichern, die möglicherweise nicht nur in ›Anarchismus‹ umschlagen könnten?

»Ja, das ist ganz richtig gesehen. Nicht nur aus der Erfahrung der englischen Demokratie heraus, sondern auch aus der Auseinandersetzung mit dem Kommunismus in meiner eigenen Jugend sowie den Erfahrungen mit der Sowjetunion. Ich glaube in der Tat, daß wir etwas Besseres als die repräsentative Demokratie nicht haben, daß man sie durch mehr Partizipation ergänzen, aber nicht ersetzen kann.

Die Studentenbewegung war für mich ein ziemlicher Schock – im Gegensatz zur Friedensbewegung –, eine Gefährdung der Freiheit der Wissenschaft. Es war ein Versuch, die Universitäten unter den Druck von jungen, größtenteils unwissenden, ideologisch beeinflußten Menschen zu bringen, die Wissenschaft von ihnen abhängig zu machen. *Das soll der Teufel holen.* Die deutschen Universitäten haben darunter schwer gelitten und sind hinter den Universitäten der großen westlichen Länder wesentlich zurückgefallen – auch in der wissenschaftlichen Leistung, auch in der Forschung.«

Ich selbst habe die Studentenbewegung eher als Aufbruch, als Revolte gegen eine Demokratie erlebt, die kaum noch eine war – oder besser gesagt: die durch den Muff nicht der tausend, sondern der fünfziger Jahre verengt war...

»Ja, ich weiß, und da war auch was dran. Darum habe ich am Anfang auch Sympathie gehabt.«

Sie erinnern sich, daß am Otto-Suhr-Institut dann der Paul Sering gegen den Löwenthal gehalten wurde, vor allem von Dutschke, der den Sering kannte. Ihrem Vorwort zu Paul Sering, das Sie dreißig Jahre später geschrieben haben, entnehme ich, daß Sie an Ihren sozialistischen Grundpositionen von der notwendigen gesellschaftlichen Bestimmung der Richtung der Investitionen und der Produktionsziele festgehalten haben – an einer sozialistischen Perspektive. Ist das nicht auch eine neomarxistische Perspektive?

»Was ich damals geschrieben habe, sehe ich heute als entscheidend für die Krisenüberwindung an. Sehen Sie, die Jusos haben damals die Investitionslenkung so sehr in den Mittelpunkt gestellt, daß sie von einem Investitions-Amt gesprochen haben. Das heißt, daß die Vorstellung der Ersetzung der Marktwirtschaft durch die Planung eines halbsowjetischen Typs entstand. Und das halte ich allerdings für ganz unrealistisch. Ich habe mich daher daran gewöhnt, statt ›Investitionslenkung‹ lieber ›Strukturpolitik‹ zu sagen, wobei ich überzeugt bin, daß es dasselbe ist.
Das Wort ›Strukturpolitik‹ ruft nicht diese ganzen, meines Erachtens unsinnigen Vorstellungen wach, nach denen eine bürokratische Stelle Investitionen genehmigen soll. Aber: Die Notwendigkeit einer öffentlichen Politik, die die Investitionen in bestimmte Richtungen lenkt, und zwar im wesentlichen – nicht immer, aber im wesentlichen – mit marktkonformen Methoden, die betone ich!«

Gegenwärtig gibt es zwei Millionen Arbeitslose und keine Perspektive, die Krise zu überwinden. Sie haben in Jenseits des Kapitalismus *auch geschildert, was Angst und Verzweiflung an reaktionären und apathischen Reaktionen bei der Bevölkerung auslösen können...*

»Die ökonomische Situation ist natürlich nicht so verzweifelt, wie sie es damals war. Ich hoffe, daß sie es auch nicht werden wird, obwohl es problematische Tendenzen gibt, wie die Ausbreitung des Protektionismus, die Währungsprobleme und auch die durch die Verschuldung einer Reihe von Entwicklungsländern und Ostblockländern ausgelöste Kreditkrisen. Ich glaube, daß eine Politik der Gegenmaßnahmen dringend erforderlich und zugleich sehr schwierig ist. Und zwar aus mindestens zwei Hauptgründen: Der eine ist, daß strukturpolitische Maßnahmen nur langfristig wirken. Der andere ist, daß kein einzelnes Land wirklich mit den Dingen fertig werden kann – und das in einer Situation, in der *mehr* internationale Zusammenarbeit in der Wirtschaftspolitik erforderlich wäre, die internationale Zusammenarbeit aber gleichzeitig zurückgeht.
Was die politische Wirkung in Deutschland betrifft, so rechne ich nicht mit einer schnellen Entwicklung von Verzweiflungsbewegungen – also des damaligen Typs. Ich rechne mit einer allmählichen Zunahme von Verzweiflung.
Ich würde auch sagen, daß in der Bewegung der Grünen das Element der Verzweiflung viel stärker ist als das Element der Hoffnung. Einer der Unterschiede zwischen den Grünen und der totalitären Bewegung der früheren Zeit ist ja, daß die totalitäre Bewegung um ein utopisches Bild der Zukunft gruppiert war. Die Grünen haben im Grunde keine Utopie, sondern nur eine Katastrophen-Perspektive. Sie sind eine Bewegung, um etwas Fürchterliches zu verhindern, das immer wahrscheinlicher wird. Das ist etwas ganz anderes! Es hat eine positive Seite: Ohne Utopie will man nicht an die Macht. Die Grünen sind keine revolutionäre Bewegung. Die Gefahr ist bei ihnen viel eher eine anarchische als eine revolutionäre.
Ich glaube nicht, daß wir in eine schnelle Entwicklung zur Unregierbarkeit Weimarer Typs kommen werden. Ich glaube aber, daß wir in eine Situation kommen, in der die Aufgabe, mit den ökonomischen Problemen fertig zu werden und eine Politik zu betreiben, die den Menschen einleuchtet, immer schwerer wird.«

Sehen Sie eigentlich auch Gefahren von rechts?

»Ja, und zwar insbesondere in den Kreisen jugendlicher Arbeitsloser. Ich glaube, die Erfahrung zeigt, daß die Hauptaggressivität gegen Ausländer zum Beispiel – was ja die Form ist, in der sich eine Rechtsbewegung heute äußert – von Jugendlichen ausgeht. Das ist zweifellos eine Gefahr. Ich sehe dies nicht als eine Gefahr einer machtbewußten politischen Bewegung, aber als eine Gefahr von mehr Unruhe – und mehr Gewaltakten. Das operativ Gefährliche auf der Rechten ist ihr Verhalten und die Politik Ausländern gegenüber.«

Wertewandel und Sozialdemokratie

Sie haben sich immer wieder in die Diskussion um die Identität der sozialdemokratischen Partei eingemischt, und zwar in einer Weise, daß viele den Eindruck hatten, Sie seien insbesondere auch um eine Abgrenzung gegenüber dem bemüht, was da mehr oder weniger undurchsichtig in der Alternativbewegung passiert. Manchen soziologischen Untersuchungen zufolge werden aber zentrale Motive, die sich auf Arbeit, Arbeitsinhalte, Organisation der Arbeit, auf Sinn richten, gegenwärtig nicht ausreichend realisiert oder perspektivisch angegangen; außerdem gibt es mehr oder weniger starke Entfremdungserscheinungen zwischen den traditionellen Großorganisationen und ihren Mitgliedern. Genau jene Ansprüche an Sinn von Arbeit, an Spielräume und auch an Solidarität fordert aber doch die Alternative Bewegung ein. Warum dann diese Abgrenzung?

»Es ging mir niemals nur um Abgrenzung. Mir ging es damals vor allen Dingen darum, daß die Sozialdemokratie wissen muß, wo ihr Hauptreservoir ist. Und daß sie nicht durch Verwischung in diesem Hauptreservoir Verluste erleidet. Das war für mich entscheidend.
In den *Evangelischen Kommentaren* habe ich über *Das Doppelgesicht des Wertewandels* geschrieben (erschienen in Heft 12/82). Ich glaube, daß es in diesem Wertewandel – über den wir uns auch in der SPD-Grundwertekommission unterhalten haben – positive *und* negative Seiten gibt. Wir müssen nicht jeden Wertewandel so hinnehmen, wie er sich vollzieht und wie er in Umfragen erscheint. Wir müssen selber um den Wertewandel kämpfen. Es gibt Dinge – wie zum Beispiel den Wert der ›Solidarität‹ oder den der ›Ökologie‹ – , die wir akzeptieren und weiterentwickeln sollten, aber auch andere – wie ›Leistungsfeindlichkeit‹ oder ›Ablehnung des Gewaltmonopols‹ –, die wir bekämpfen müssen.

Ich meine nicht, daß man Grüne oder Alternative Bewegungen kollektiv verteufeln soll. Es gibt darin durchaus gute Ideen und vernünftige Aspekte.«

In Neues Mittelalter *oder* Anomische Kulturkrise *haben Sie die Sinn- und Wertekrise auch als Resultat der Zerstörung oder Veränderung des Fortschrittsglaubens interpretiert. Kann es Ihres Erachtens in diesem Zusammenhang wirklich nur um einen »Kampf um Werte« gehen? Müssen dem nicht politische Veränderungsstrategien unterlegt werden?*

»Das hängt doch zusammen! Kampf um Werte wird nicht in den Lüften geführt. Ich habe in den *Evangelischen Kommentaren* ja gesagt, daß der Wertewandel sich immer in Kämpfen vollzieht und nicht etwas ist, was man in Umfragen abliest und als gegeben hinnimmt. *Wenn 1937 jemand eine Umfrage gemacht und den Wertewandel der jungen Generation – Führerkult, aggressiver Nationalismus, Demokratieverachtung – festgestellt hätte, wäre es doch wohl nicht die richtige Konsequenz gewesen zu sagen: Da kann man nichts machen.*
Die Konsequenz besteht darin zu sagen, daß es in diesem Wertewandel Elemente gibt, die für eine Fortentwicklung der Werte in der Kontinuität unserer Zivilisation sinnvoll sind, und daß es Elemente gibt, die zerstören. Ich halte zum Beispiel das Erwachen für die Verantwortung gegenüber der *Natur*, die Zurückdrängung des überspitzten Kults des individuellen, materiellen *Erfolgs* und des materiellen Genusses für sinnvoll – ebenso wie die stärkere Betonung der *Solidarität*, der gegenseitigen Hilfe, während ich den Angriff auf die Leistung, den teilweisen Angriff auf die Rechtsordnung für sehr negativ halte. Allgemein gesprochen schockiert mich die Alternativ-Bewegung nicht so, wie es damals die Studentenbewegung getan hat. Ich sehe in ihr sehr viele positive Motive. Ich halte sie in ihrer Strategie für nicht realistisch und teilweise sogar für gefährlich. Aber das ist eine Sache der Argumentation, weniger eine Sache des Schocks. Die Friedensbewegung bezieht sich ja, wenn man so will, auf ein Land, in dem die Moskauer Prozesse stattgefunden haben...«

Ihr Mißtrauen gegenüber der Sowjetunion ist gewiß stärker als das der Friedensbewegung...

»Na, das ist noch milde ausgedrückt.«

»Israel ist eben doch kein Teil Europas – und ich bin Europäer...«

»Meine erste Begegnung mit Israel war nicht mit der in anderen Ländern vergleichbar, vor allem aus zwei Gründen: Das eine war das Wiedersehen mit Menschen von früher. Ich erinnere mich, wie wir in einer nicht sehr gut vorbereiteten Wohnung ankamen. Plötzlich klopft es an der Tür: Die Nachbarn, die mich nicht kannten, wollten mich begrüßen und mich zum Kaffee einladen. Eine Atmosphäre primärer Solidarität und Freundlichkeit – das war das Positive.
Das andere war einige Zeit später, als mir deutlich wurde, daß Israel eben doch kein Teil Europas ist – und ich bin Europäer. Ich hatte nicht das Bedürfnis, dort zu leben.«

Für viele Juden, auch für viele jüdische Sozialisten, war es – wenigstens für eine Etappe ihres Lebens – ein Stück Heimat, wo sie freier atmen konnten als anderswo.

»Ich habe hier [im Deutschland nach 1945 – d. Hg.] immer frei atmen können – jedenfalls in der Nachkriegszeit. Dieses Gefühl habe ich jedenfalls nicht gehabt. Ich habe immer ein Problem mit meiner multiplen Identität gehabt – als Deutscher, als Engländer, als Jude selbstverständlich, aber nicht als Israeli. Ich habe nie das Bedürfnis gehabt, Israeli zu sein; zwar habe ich mich mit Israel und seinem Existenzkampf in gewissem Sinne immer solidarisch gefühlt, aber nicht als zugehörig.
Das erste Mal war ich in Israel, um das neue Institut für Deutsche Geschichte zu eröffnen. Ich war damals im Kuratorium der Stiftung Volkswagenwerk, die dieses Institut möglich gemacht hat. Daraufhin wurde ich als erster deutscher Gastdozent für ein halbes Semester an dieses Institut eingeladen – länger konnte ich nicht – und habe dort ein Seminar über die Spaltung der deutschen Arbeiterbewegung im Ersten Weltkrieg gemacht. Es gab eine Reihe von älteren Studenten, also von Leuten, die seit längerer Zeit im Berufsleben standen, zum Beispiel im Kibbuz arbeiteten und dann irgendwann angefangen haben zu studieren, was in Israel gar nicht selten ist. In meinem Seminar hatte ich hauptsächlich solche älteren Studenten, die noch eine Tradition von Mitteleuropa her hatten. Das war sehr interessant und sehr angenehm, weil Tel Aviv eine gute Universität hat und die Leute wirklich arbeiten und was lernen wollen. Das war also der unmittelbare Anlaß meines ersten Besuchs.
Natürlich habe ich Freunde in Israel, Freunde aus Deutschland und

aus meiner Jugend, die ich wiedergesehen habe. Natürlich habe ich mich auch an politischen Diskussionen beteiligt, aber nicht eigentlich an Diskussionen über israelische Politik.«

Die Gründung des Staates Israel war unvermeidlich

Die Gründung des Staates Israel und die zionistische Idee insgesamt waren ja eine Reaktion auf den aufkommenden Antisemitismus in der zweiten Hälfte des 19. Jahrhunderts und erst recht natürlich im 20. Jahrhundert. War diese Staatsgründung Ihres Erachtens notwendig?

»Ich glaube, sie war unvermeidlich. Ich war vorher kein Zionist. Ich bin immer der Meinung gewesen, daß die Judenfrage, jedenfalls im östlichen Teil Europas, eine nationale Frage war und daß es daher legitim war, eine staatliche Lösung für diese Frage zu suchen. Ich hatte in meiner Jugend immer Bedenken dagegen, diese Lösung in diesem Gebiet zu suchen – unter anderem wegen der Verwicklung im Konflikt mit den Arabern und wegen der weltpolitischen Verwicklungen. Noch kurz vor Beginn des Krieges (!) habe ich in einer politischen Broschüre geschrieben, die jüdische Frage sollte dort, wo sie existiert, nämlich in Osteuropa, eine territoriale Lösung finden. Das ist ja sehr hübsch ausgedacht, war aber natürlich völlig unmöglich. Und es war auch so, daß eine Bewegung für die Schaffung eines solchen Staates ohne Elemente der jüdischen Tradition offenkundig nicht zu entwickeln war. Alle Versuche, es anderswo zu machen – es gab den Uganda-Versuch –, blieben in der Luft hängen. Nachdem dann Hitler kam, wurde diese Lösung für Massen von Menschen eine Überlebensfrage – absolut dringend. In Israel gab es danach einen Witz, daß man die Leute gefragt hat, die neu ankamen: ›Kommen Sie aus Überzeugung oder kommen Sie aus Deutschland?‹ Ich habe den alten Streit zwischen Zionisten und Nichtzionisten seit der Entwicklung nach dem Kriege für völlig überholt gehalten und die Staatsgründung für unvermeidlich und für legitim – aufgrund des Holocaust.«

Sahen Sie in der zionistischen Idee auch die Gefahren von imperialen Elementen insbesondere gegenüber den Arabern?

»Ja, diese Gefahr sah ich. Ich habe das auch als Problem erwähnt – nicht nur in meiner kommunistischen Zeit, sondern auch als deutscher Sozialist in der Emigration.«

Sahen Sie die Entwicklung vorgezeichnet, die mit Begin einsetzte?

»Nein, das ist eine ganz neue Entwicklung. Das Land hat sich nach 1947/48 ja keineswegs als Außenposten des britischen Imperialismus entwickelt, sondern im Konflikt mit ihm. Sie wissen, daß es bei der Gründung des Staates Israel zwischen Moskau und Washington zu einem Wettlauf um die Anerkennung kam. Das Land ist ja tatsächlich weitgehend von Leuten aus der osteuropäischen Arbeiterbewegung aufgebaut worden, mit einem sehr starken Element der Kibbuzim, die ja die erfolgreichsten freiwilligen Genossenschaften der Welt sind; deshalb habe ich die Chance einer Entwicklung mit einer sehr starken sozialistischen Komponente gesehen – und einer sehr starken Position der Gewerkschaften im Wirtschaftsleben, nicht nur als Kampforganisation, sondern auch als Aufbauorganisation. Das hatte damals meine große Sympathie.
Die Entwicklung zu dem, was Begin repräsentiert, habe ich in keiner Weise vorausgesehen. Sie wäre wahrscheinlich nicht möglich gewesen ohne die spätere Veränderung in der Zusammensetzung der israelischen Bevölkerung. Begin ist zwar selbst Osteuropäer, aber er stützt sich größtenteils auf die orientalischen Juden, die die europäische Tradition oder europäische sozialistische Tradition nicht haben. Das Land hat sich dadurch in bedrückender Weise geändert.
Als ich damals 1970/71 oder 1971/72 meine Vorlesungen hatte, ist mir aufgefallen, daß die Armee ausgesprochen demokratisch und nicht nationalistisch orientiert war – national natürlich, patriotisch, aber nicht expansiv nationalistisch. Viele Leute aus der Armeeführung sind Minister in der Arbeiterpartei geworden, nachdem sie sich frühzeitig aus der Armee zurückgezogen hatten – die israelischen Generäle hören ja früh auf... Ich hatte den Eindruck, daß in vieler Hinsicht die Armee ein sozial und moralisch gesundes Element Israels war, ich hatte keinen militaristischen Eindruck.
Es gab natürlich auch damals eine nationalistische und eine orthodoxe Opposition, aber sie hatte ihren Rückhalt nicht in der Armee.
Ich glaube, daß die beste Chance einer Veränderung immer noch in der Arbeiterpartei liegt. Nicht, daß die Arbeiterpartei so besonders gut oder besonders entschieden ist. Sie will die Sicherheit Israels ohne Annexion mit einer echten Selbstbestimmung der Palästinenser, ohne vorwegzunehmen, daß das die PLO sein muß, ohne es aber auch für alle Zeiten auszuschließen – und ohne sich auf einen palästinensischen Sonderstaat festzulegen.
Auf die ›Peace-Now‹-Bewegung habe ich im wesentlichen positiv rea-

giert. Ich fand den Widerstand gegen die Libanon-Expedition berechtigt. Ich habe zwar die erste Phase dieser Expedition von *hier* aus damals für legitim gehalten, also den Gedanken einer geschützten Zone an der Grenze; das Weitermarschieren nach Beirut aber fand ich von vornherein verhängnisvoll. Da habe ich mich über die Gegenbewegung gefreut, auch meine ganzen israelischen Freunde sind in der Gegenbewegung. Danach, Ende Juni des folgenden Jahres, haben es mir meine Freunde sehr plausibel gemacht, daß der Einmarsch von vornherein weniger auf die Sicherung der Grenze gerichtet war als auf das, was dann auch schließlich geschah. Vor allem haben sie mir gesagt, daß die terroristischen Angriffe über die Grenze hinweg einige Zeit vorher still geworden waren. Die Bewegung ist mir also sehr sympathisch, obwohl sie – wie viele solcher Bewegungen – in manchen Punkten illusionär ist...«

»Ich fühle mich in Berlin sehr stark zu Hause«

Als Nachkriegsgeneration haben wir uns sehr schwer damit getan, uns als Deutsche zu fühlen. Fühlen Sie sich heute politisch und persönlich hier zu Hause?

»Ja. Als mir an meinem 70. Geburtstag von Willy Brandt die Ernst-Reuter-Plakette überreicht wurde, habe ich das so gesagt: Ich bin zwar ein Kosmopolit, aber ich bin nicht wurzellos. Ich bin hier zu Hause. Ich fühle mich in Berlin sehr stark zu Hause. Und was den Zusammenhang mit der gegenwärtigen Situation betrifft, so glaube ich auch nicht, daß die zweite deutsche Demokratie nicht ihre gegenwärtige ökonomische und kulturelle Krise überwinden kann. Was ich noch tun kann, das will ich tun.«

Ossip K. Flechtheim:

»In unserer Familie war kein Platz für Patriotismus«

Das Holzhäuschen, in dem wir, Chana Steinwurz und ich, die Flechtheims zum Gespräch aufsuchten, steht nicht nur in der Rohlfstraße von Dahlem einzigartig da; in seiner Art ist es auch in Berlin einmalig, denn es ähnelt den Framehouses der amerikanischen Kleinstädte. Dieses Refugium hatten sich Lilli und Ossip K. Flechtheim vor mehr als dreißig Jahren gekauft. Wir finden es eher bescheiden eingerichtet und vollgestopft mit Büchern.

Lilli Faktor-Flechtheim kommt aus einer Berliner Bohème-Familie, die schon 1933 nach Prag ging, aber doch nicht wirklich glaubte, daß »es« würde passieren können. Am Ende fielen alle den Nazis zum Opfer – bis auf Frau Flechtheim; sie kam nur deswegen davon, weil »eine umsichtige Freundin«, die Berlin frühzeitig verlassen hatte und inzwischen in den USA lebte, die notwendige Bürgschaft beschaffte, »ohne mich zu fragen«. »Als das verhängnisvolle Verratsdokument in München unterzeichnet wurde, lag mein Einwanderungsvisum beim amerikanischen Konsulat.«

Sie schlug sich als Haushaltshilfe, als Sekretärin durch – schwierige Jahre. »Die Heirat mit einem Neffen des berühmten Kunsthändlers Alfred Flechtheim, der auch bei den Jours meiner Eltern in Berlin Gast gewesen war und dessen Name schon etwas Heimatliches hatte, schien mir die richtige Hilfe in der Einsamkeit... Ihm auch.«

Ossip K. Flechtheim hatte nie ein wirkliches Zuhause, wie seine Frau deutlicher als er selbst anmerkt. Die »äußeren« Daten widersprechen dem auch nicht. 1909 als Kind einer russischen Jüdin und eines deutschen Kaufmanns in Nikolayew in der Ukraine geboren, ging Ossip K. Flechtheim 1910 ins »schwarze« Münster – wegen seines Vaters, der als Prokurist in die elterliche Fabrik zurückkehrte. Von dort zogen sie nach Düsseldorf und später nach Berlin. Zwischen 1927 und 1932 war er Mitglied der KPD. Von 1933 bis 1935 gehörte er, wie auch Richard Löwenthal und Edith Jacobson, der Widerstandsgruppe »Neu Beginnen« an. Nach seiner Verhaftung floh er nach Belgien. Von 1935 bis 1938 arbeitete er als Assistent an einem Forschungsinstitut in Genf. 1939 emigrierte er nach Amerika, arbeitete zwischen 1939 und 1940 als Assistent am Institut für Sozialforschung der Columbia University in New York, 1940 bis 1943 am Institut für Politische Wissenschaft in Atlanta/Georgia, 1943 bis 1946 am Bates College in Lewiston/Maine. 1946 bis 1947 war er Sektionschef der amerikanischen Untersuchungsbehörde für die Nürnberger Prozesse.

1947 promovierte Ossip K. Flechtheim zum Dr. phil. an der Universität Heidelberg, war von 1947 bis 1951 Professor in Waterville/Maine. Seit 1951 lehrte er zu-

nächst als Gast-, dann als ordentlicher Professor an der Deutschen Hochschule für Politik, dem späteren Otto-Suhr-Institut der Freien Universität. (1974 wurde er emeritiert.)
1952 trat er in die SPD ein, 1962 wieder aus. Er war seit 1967 Mitglied und Mitgründer des Republikanischen Clubs in Berlin. Seit 1981 gehört er der Alternativen Liste an.
Zu seinen wichtigsten Veröffentlichungen gehören: *Hegels Strafrechtstheorie* (Brünn 1936); *Die Kommunistische Partei Deutschlands in der Weimarer Republik* (Offenbach/Main 1948); *Die deutschen Parteien seit 1945* (Berlin/Köln 1955); *Weltkommunismus im Wandel* (Köln 1965); *Futurologie – Der Kampf um die Zukunft* (Köln 1971); *Von Marx bis Kolakowski – Sozialismus oder Untergang in der Barbarei?* (Köln/Frankfurt 1978).

»Zwischen Nikolayew und Münster lagen der Familie Flechtheim nationale und chauvinistische Gedanken nicht unbedingt nahe. Man war ›assimiliert‹ – und doch nirgends ›so recht zu Hause‹. Eher war man ›international‹ – in einer brisanten Art. Denn einer meiner Onkel väterlicherseits, der nicht unbekannte Kunsthändler Alfred Flechtheim, war Vizewachtmeister bei den Ulanen, einem sehr feinen preußischen Regiment. Diese preußischen Regimenter hatten seit 1878 Juden nicht mehr zu Reserveleutnants ernannt. Erst 1914 fiel diese Schranke, und Alfred Flechtheim wurde Reserveleutnant. Die Familie jubilierte: Er war Adjutant bei dem Prinzen von Ligne in Brüssel.
Meine Mutter hatte einen Bruder, der Arzt in Warschau war. Er war im Ersten Weltkrieg als Stabsarzt in die russische Armee eingezogen worden, geriet bei der Schlacht von Tannenberg in Kriegsgefangenschaft, kam dann durch Verwendung meiner Eltern in ein großes Kriegsgefangenenlager bei Münster in Westfalen – und durfte uns, die wir dort wohnten, jeden Sonnabend besuchen. Während bei uns dauernd geflaggt und Siege gefeiert wurden, erzählte er uns: Mit den Siegen steht es nicht so gut... Ich hatte in meiner Familie *beide* Kriegslager und konnte mir nicht sagen: Die einen haben recht und sind gut, die anderen sind böse.
Über diesen Onkel, meine Mutter und meine Großmutter hatte ich so auch immer Verbindungen zu Rußland. Vielleicht kommt daher auch mein Internationalismus und die gar nicht so kritische Bewunderung der Russischen Revolution.«

Mit neun Jahren, am Ende des Ersten Weltkriegs, waren Sie also schon Kosmopolit?

»Noch früher! Ich erinnere mich noch an den Ausbruch der Russischen Revolution im Februar/März 1918. Es muß an einem Sonntag gewesen sein. Ich lag im Bett – sonst mußte ich ja immer früh in die Schule –, als es plötzlich klingelt und ein Nachbar reinkommt: ›Die Revolution hat in Rußland gesiegt!‹ Für unsere Familie war es ein Freudenfest. Weil das zaristische Regime immerhin ein Regime war, das nicht nur Revolutionäre, sondern auch Juden diskriminierte.«

War das der Grund, warum Ihre Eltern aus Rußland nach Deutschland kamen?

»Nein. Mein Großvater hatte eine alte Getreidehandlung mit einer Zweigstelle in der Ukraine. Von da wurde Getreide nach Deutschland exportiert. Mein Vater wurde dahin geschickt, um das Geschäft zu leiten, heiratete dort meine Mutter, war aber geschäftlich nicht sehr tüchtig... Er wurde zurückgeholt und Prokurist in der Heimatfirma in Münster in Westfalen. So bin ich als kleines Kind nach Münster gekommen und habe dort bis 1920 gelebt, ehe wir nach Düsseldorf zogen, weil mein Vater die Geschäftsführung einer kleinen Fabrik in Duisburg übernahm.
In dieses schwarze Münster kamen wir aus Rußland, mit einer russischen Amme. Meine Mutter, ein sehr jüdischer und auch sehr russischer Typ, dazu die Amme – sie müssen in der Stadt als wilde Ausländer ein ungeheures Aufsehen erregt haben. Ich hörte die Leute fragen: Ja, wie ist das denn in Moskau? Stimmt es, daß die Bären dort auf der Straße herumlaufen?« (Lacht) »Schon von daher war ich immer auch ein *Außenseiter*, obwohl ich meiner Erinnerung nach in Münster auch ein wenig Heimatgefühl bekam. Ich weiß, ich spielte auf der Straße Fußball, obwohl ich körperlich nicht sehr trainiert war... Aber für einen Nationalismus oder Patriotismus war in meiner Familie einfach kein Raum.
Meine Mutter hatte eine tiefe Abneigung gegen den Zarismus, mein Vater war ein eher unpolitischer Mensch. Als ihm die Kirchensteuer zu hoch war, ist er aus der jüdischen Gemeinde ausgetreten – und später wieder eingetreten, weil er Mitglied der jüdischen Loge werden wollte... Und obwohl meine Großmutter religiöser war, bin ich eigentlich schon als Kind unreligiös aufgewachsen.
Mütterlicherseits gab es eigentlich wenig Tradition in dieser russisch-jüdischen Familie: Meine Großmutter, die aus Libau im Baltikum kam, hatte schon früh Deutsch gelernt und Schiller gelesen; sie betete zwar noch Hebräisch, sprach aber schon nicht mehr Jiddisch, sondern vor allem Deutsch. Es ist erstaunlich, daß diese russisch-jüdische Oberschicht sich so rasch assimiliert hatte.

Auf eine andere Weise – und vielleicht noch stärker – gilt dies für die Familie meines Vaters. So wird vom Vater meines Vaters erzählt, daß er ein sehr resoluter *Reformjude* war. Er ging so weit zu sagen, es sei doch Blödsinn, daß die Juden sonnabends feierten und nicht sonntags... Und als er dann den Sonntag durchgesetzt hatte, kam er nicht einmal hin: Er hatte sich von der alten Tradition gelöst.
Nein, die Tradition hatte kein großes Gewicht – weder bei der Familie meines Vaters noch bei der meiner Mutter. Vielleicht hängt das damit zusammen, daß mich das andere, das Neue fasziniert hat: die Oktoberrevolution 1917 – und dann die Novemberrevolution 1918. Mein Vater hatte mich sogar einmal zu einer Versammlung der USPD mitgenommen. Ich erinnere mich auch, wie in Münster die Kaiserin zu Besuch war und ich mir das ansah – bereits mit einem skeptischen Gefühl. Mir hat jemand erzählt – ich war vielleicht neun oder zehn Jahre alt –, das Abitur sei so schwer, und jeder fiele durch, worauf ich mir überlegt habe: Da du das Abitur erst im Jahre 1927 machen wirst, wirst du es vielleicht nicht mehr zu machen brauchen, denn dann wird die Weltrevolution gesiegt haben.« (Lacht.) »Nun, Sie wissen, daß die Weltrevolution nicht gesiegt hat. Und wenn sie gesiegt hätte, dann hätte sie vielleicht das Abitur nicht abgeschafft. Ich habe dann das Abitur sogar mit Auszeichnung gemacht...«

Wie Ihr nahezu gleichaltriger Kollege Richard Löwenthal sind Sie nach dem Abitur in die KPD eingetreten...

»Ja. Ich hatte großes Interesse an der Arbeiterbewegung, der russischen Revolution, war aber zu ängstlich, um schon als Schüler in eine Organisation einzutreten. Ich ging ab und zu in kommunistische Buchhandlungen, besorgte mir Literatur. Unsere Lehrer waren alle konservativ, einige wenige tolerant. Als ich einmal erzählte, ich sei Kommunist, sagten sie mir: Dann mußt du aber Bücher von Lenin wie *Staat und Revolution* lesen, und das habe ich dann auch relativ früh gemacht.
Nach dem Abitur ging ich mit meinem sehr engen alten Freund John Herz – er war am Otto-Suhr-Institut Gastprofessor aus den USA – im Sommersemester 1927 nach Freiburg und trat dort am 1. Mai 1927 in die KPD, die KJ, die Kommunistische Jugend, die Rote Hilfe und alle kommunistischen Organisationen ein. Wir bildeten eine kleine linke Studentengruppe, marschierten mit der roten Fahne durch Freiburg. Es gab zwei Demonstrationen: eine größere sozialdemokratische und die sehr kleine kommunistische...
Meine Eltern lehnten natürlich den Kommunismus und all das ab. Sie

waren immerhin gute Bürger. Für sie waren selbst die Sozialdemokraten ein bißchen zu links; mein Vater wählte die Deutsche Demokratische Partei, obwohl er ein Jahrzehnt früher mich mit in die USPD genommen hatte...
Meine Hoffnungen aber richteten sich auf die KPD: die Partei der Russischen Revolution, des russischen Aufbaus. Als ich in die KPD eintrat, steuerte sie einen relativ gemäßigten Kurs der Einheitsfront, der Kooperation mit den Gewerkschaften. Das lag mir.
Als ich dann 1928 nach Berlin ging, lernte ich dort in der KOSTUFRA Richard Löwenthal kennen.«

Wo bitte?

»In der *Ko*mmunistischen *Stu*denten*fra*ktion der KPD. Wir waren damals sehr eng befreundet und sind dann auseinandergekommen. Aber jetzt kürzlich hat er einen Beitrag in einem von mir herausgegebenen Sammelband zum 100. Todestag von Karl Marx geschrieben: ›Die Lehren von Marx und ihr Schicksal.‹ Ich glaube, daß er eine – ihm wahrscheinlich gar nicht so bewußte – positive Einschätzung der Bürokratie hat und daß das in seiner kommunistischen wie in seiner späteren sozialdemokratischen Zeit eine entscheidende Rolle gespielt hat.
Die einzige Zeit, in der das etwas zurückgetreten ist, ist die, als er nach dem Zweiten Weltkrieg unter dem Pseudonym Paul Sering das Buch *Jenseits des Kapitalismus* geschrieben hat. Aber das war nur eine relativ kurze, vorübergehende Phase.
Er ist eigentlich voller Humor mit Witz, Geist und Leichtigkeit – ich weiß nicht, ob Sie ihn noch so erlebt haben: vor allem, glaube ich, daß er im Gegensatz zu manch anderen mit einer vergleichbaren Vergangenheit nichts vertuscht, vor allem nichts verfälscht.«

Vielleicht ist er durch den Schock des Nationalsozialismus und des Stalinismus gegenüber Bewegungen der Studenten – wie zum Beispiel der Friedensbewegung – vorsichtig, um nicht zu sagen: resignativ geworden und hat gesagt: Sozialdemokratie und Demokratie...

»Er steht jetzt jeder Art von Bewegung skeptisch gegenüber. Vor allem wohl, weil – wie bei vielen alten Kommunisten – die Vorstellung der *Organisation* eine so große Rolle gespielt hat.«

Er als Teil, als Intellektueller einer Organisation...

»Ja, vielleicht sogar in leitender Funktion... ›Wenn wir nicht die Organisation in der Hand haben, dann kommt ein Hitler oder Stalin.‹

Wie auch immer, er war der Ältere und hatte vor allem mehr politische Erfahrung; ich habe ihn erlebt, als die KPD ihre Wendung Anfang 1929 vollzog. Wir lehnten gemeinsam diesen ultralinken Kurs ab, der die Sozialdemokratie als sozialfaschistisch erklärte, glaubten aber, daß es keinen Sinn hat, jetzt wieder eine eigene Gruppe zu machen, da sich die kleinen Gruppen auf Dauer nicht durchsetzen können. Und er vertrat damals eine neue Konzeption (mit): Wir bleiben in den großen Parteien – der SPD beziehungsweise der KPD – und *erobern sie von innen*. Das wurde dann auch die Linie der Gruppe ›Neu Beginnen‹, der Miles-Gruppe, zu er ich nach 1930 Kontakt bekam.«

Was haben Sie da gesucht?

»Ich glaube, eine *politische Heimat*. Ich war damals ganz... naiv. Die Partei, die unter Umständen das Abitur abschaffen würde... Ich stellte mir vor, vielleicht einmal Abgeordneter zu werden, mein Jurastudium dazu zu benutzen, einmal politischer Verteidiger zu werden – immerhin gab es eine Reihe sehr eindrucksvoller kommunistischer Anwälte in Düsseldorf: die Anwälte Obuch und Horstmann, zu denen ich 1931 (!) als Referendar kam.
Meine oppositionelle Haltung war langsam gewachsen. Nach meinem Referendarexamen 1931 – begonnen hatte das Studium 1927 – bin ich noch ziemlich begeistert in die Sowjetunion gefahren, und zwar – ungewöhnlich genug – als Einzelperson. Ich hatte ein Visum beantragt und als Referenz die Bezirksleitung von Niederrhein oder Düsseldorf der KPD angegeben. Ich bekam daraufhin ein Visum von der Berliner Botschaft. So habe ich den 1. Mai 1931 in Moskau erlebt, mit großen Demonstrationen. Fast drei Monate bin ich in der Sowjetunion, in Moskau und Leningrad gewesen – und hatte im ganzen einen positiven Eindruck von der Sowjetunion. Damals gab es ja auch noch – es war das dritte Jahr des ersten Fünfjahresplans – viel Enthusiasmus und Hoffnung, trotz der zum Teil schon schwierigen wirtschaftlichen Lage.
Ich hatte zwar schon die Vorstellung, daß die Linie der KPD falsch war, und habe selbst die ›Rechten‹ um Talheimer bevorzugt, aber ich sah die Sowjetunion doch immer noch als ein Land, das sich in Richtung Sozialismus bewegte.«

»›Neu Beginnen‹ gegen den Nationalsozialismus«

»Soweit ich mich erinnern kann, nahm ich die Veränderung der politischen Landschaft in Deutschland Mitte der zwanziger Jahre wahr. Ich erinnere mich zum Beispiel noch an die erste Wahl Hindenburgs 1925 – ich war damals sechzehn Jahre alt –, wo ich bis zwei Uhr nachts auf das Wahlergebnis wartete. In meinen damaligen Augen war schon die Wahl Hindenburgs ein schwerer Schlag. Dann natürlich die Brüning-Regierung, die Papen- und Schleicher-Regierungen, das System der Notverordnungen ... Durch die Gespräche mit Leuten von ›Neu Beginnen‹ wußte ich einfach, daß der Nationalsozialismus *sehr* ernst zu nehmen ist und keinesfalls, wie viele glaubten, der Sieg Hitlers nur einige Wochen oder Monate dauern würde.
Ich habe eine sehr große Veranstaltung in Düsseldorf im Gedächtnis, in der kommunistische und sozialdemokratische Redner sprachen und alle ziemlichen Beifall bekamen. Dann sprach ein Redner von der KPO, der beiden Parteien vorwarf, daß sie eine *selbstmörderische* Politik treiben; er konnte sich nicht durchsetzen. Die Hauptkritik der KPO war, daß man den Faschismus nicht ernst genug nähme – ähnlich wie Trotzki – und daß es darauf ankäme, daß die Arbeiterparteien ein Mindestmaß an Zusammenarbeit betrieben und in der einen oder anderen Form eine Einheitsfront bildeten, um den *Haupt*feind, den Nationalsozialismus Hitlers, zu verhindern, statt im Bruderkampf zu verharren.
Denn wir erlebten ja die Straßenkämpfe, sahen das Elend der Arbeitslosen – das ist heute ja gar nicht vorstellbar –, die zum Teil kaum noch genug hatten, um Kartoffeln zu essen, von Brot ganz zu schweigen. Wir sahen, wie die faschistische Massenbewegung diese Verzweiflung und Not zu nutzen wußte. Politisch waren wir mit der Ausweglosigkeit der politischen Linie der großen Parteien und der Schwierigkeiten der kleinen Gruppen, sie alle – KPO, SAP, Trotzkisten – vertraten in diesem entscheidenden Punkt ja eine vernünftige Politik, konfrontiert, sich nun Gehör zu verschaffen; in dieser Situation hatte die Gruppe ›Neu Beginnen‹ die Vorstellung, die Parteien von innen zu erobern – die Broschüre von Miles, *Neu Beginnen*, wurde 1933 veröffentlicht. Ich blieb daher formell bis Anfang 1933 in der KPD, arbeitete auch etwas in der Roten Hilfe. Als die Partei als Massenpartei verschwand, brach ich meine Beziehungen ab – auch deswegen, weil die ›Neu Beginnen‹-Leute planten, nun keine Massenpropaganda mehr zu machen, sondern sehr viel vorsichtiger zu agieren. Mir ist der Unterschied neulich noch einmal aufgefallen, als ich

den Film *Die Weiße Rose* sah, und diese heroischen jungen Leute, die wahllos Flugblätter verteilten und sich damit natürlich gefährdeten. Es leuchtete mir ein, daß man in einer solchen Situation sehr vorsichtig operieren müßte. Ich war deswegen auch sehr betroffen, als sich 1935 herausstellte, daß auch Leute von ›Neu Beginnen‹ aufgeflogen waren.

Der 30. Januar 1933 war ein verhängnisvoller Tag. Denn es war ja eben das geschehen, was die Offiziellen der KPD, bei den Sozialdemokraten und Liberalen mit den Worten für unmöglich erklärt hatten: ›Deutschland ist nicht Italien‹ – womit sie meinten, daß das, was Mussolini in einem rückständigen Land durchsetzen konnte, gerade ein Hitler in einem hochindustrialisierten Land *nicht* würde durchsetzen können. Ich habe das damals schon nicht akzeptiert.

Ich habe noch die absurde Situation im Frühsommer 1933 im Gedächtnis, in der ich in einer Bibliothek einen Artikel in der großen wissenschaftlichen Zeitschrift *Archiv für Sozialwissenschaft und Sozialpolitik* – noch von Werner Sombart und Max Weber begründet – von Franz Borkenau las. Der wies mit sehr ernsten Argumenten nach, daß im hochindustrialisierten Deutschland die Machteroberung der Nationalsozialisten unmöglich sei. Und wie das so ist, erschien dieser Aufsatz so spät, daß inzwischen die Nazis die Macht hatten... Damals hatte ich schon *Vorbehalte* gegen die übliche Form der marxistischen Argumentation, *das Politische einfach als Reflex des Ökonomischen zu sehen*.

In Düsseldorf bestanden wenig politische Kontakte zu meinen Leuten; ab und zu fuhr ich nach Berlin, um dort Leute von ›Neu Beginnen‹ zu treffen. Im September 1935 wurde ich verhaftet, weil Leute von ›Neu Beginnen‹ in Berlin verhaftet worden waren. Eine der Genossinnen, mit der ich mich persönlich sehr gut stand, Vera Franke, war nach Düsseldorf gekommen, um mich zu warnen, aber ihr Freund hatte bei der Gestapo bereits alles ausgeplaudert. So wußten die, daß Vera Franke zu mir kommen würde, und kamen mit dem Ziel in meine Wohnung, gleich uns beide zu verhaften. Sie ist zum Glück nicht gekommen. Ich wurde verhaftet, mein Vater auch. Mein Vater kam nach einigen Tagen frei, ich nach 22 Tagen. Das war ein phantastisches Glück. Ich hatte den Naiven, Unpolitischen gespielt und meine Beziehung zu Vera Franke als erotische dargestellt; ich hatte sogar das Glück, daß die Leute der Gestapo vergaßen, mir meinen Auslandspaß abzunehmen. So kam ich mit dem Auslandspaß frei.

Ich habe mir die Gestapo-Akten darüber hier in Berlin ansehen können und festgestellt, daß die Berliner Gestapo einfach die Düsseldorfer nicht so recht ernstgenommen und nicht genügend informiert hat und sich so die Düsseldorfer Gestapo mit meinen Argumenten abgefunden hat. So kam ich frei und fuhr sofort zu Genossen nach Brüssel, wo ich erfuhr, daß das Ganze eine ernste Sache war und schon verschiedene andere Leute verhaftet worden waren. So mußte ich im Ausland bleiben. Wäre ich zurückgekommen, hätte ich erneut verhaftet werden können.«

Hatten Sie in diesen Jahren zwischen 1933 und 1935 Angst, verhaftet oder als Jude verfolgt zu werden?

»Ich glaube, nicht so sehr, weil sich die Verfolgung der Juden ja damals noch in relativ überschaubaren Bahnen hielt. 1933 fand eine Hausdurchsuchung bei uns statt, ich hatte einen Teil meiner Bücher ausgelagert, ging dann selber zu Verwandten nach Bielefeld, wo ich am 1. Mai 1933 zum Beispiel war, da ich das dunkle Gefühl hatte, in Düsseldorf weniger sicher zu sein als dort. Ich hatte 1933 wohl die Illusion, nicht so gefährdet zu sein wie andere etwa in der KPD, die zu dem Zeitpunkt noch Flugblätter verteilt haben. Wir wußten ja, wie viele ständig neu verhaftet wurden.
Aber wie mit dieser Einschätzung war ich auch sonst erstaunlich naiv. So habe ich zum Beispiel den Film *Hitlerjunge Quex* im Kino angesehen, und während die Leute um mich herum aufstanden, blieb ich einfach sitzen. Mir passierte nichts.
Ein anderes Mal ging ich durch eine nationalsozialistische Demonstration einfach durch! Also eine gewisse Naivität hat mir letztlich wohl auch das Überleben erleichtert.
Es war paradoxe Tatsache, daß meine Kontakte zu ›Neu Beginnen‹ zwar zu meiner Verhaftung, aber dann auch zu meiner Freilassung geführt hatten. Meine politische Beteiligung hat mich gerettet, während dagegen viele politisch nicht interessierte Juden so lange in Deutschland blieben, bis sie nicht mehr rauskonnten.«

»Man hätte auch mit Schleicher koalieren müssen, um Hitler zu verhindern«

»Anders als viele Altkommunisten und Sozialdemokraten hatte ich das Gefühl, daß es sich beim Nazismus um eine echte Massenbewegung handelte, daß es *nicht* nur das Großkapital war, das sich ein paar Leute gekauft hatte – und daß im übrigen die überwältigende Mehrheit der Deutschen nach wie vor antifaschistisch gewesen sei.

Für die Stärke des Nationalsozialismus verweise ich auf die Wahlen in Danzig. Dort fanden im Jahre 1933 nach der ›Machtergreifung‹ relativ freie Wahlen statt; und die Nationalsozialisten bekamen eine knappe Mehrheit. Dann der überwältigende Erfolg im Saargebiet, wo neunzig Prozent für den Anschluß stimmten... Hinzu kamen theoretische Überlegungen in der Gruppe ›Neu Beginnen‹, die davon ausging, es handele sich bei der nationalsozialistischen Bewegung um eine ernstzunehmende Massenbewegung – ein Symptom einer ganz tiefgehenden Krise der ganzen westlichen Zivilisation und Gesellschaft, verbunden mit der großen Gefahr eines Krieges. Unsere Gruppe teilte gar nicht jene optimistischen Vorstellungen, nach denen der Nationalsozialismus lediglich eine Oberflächenerscheinung sei.

Denn es kam, um es stichpunktartig aufzuzählen, ja eine Reihe verursachender Faktoren zusammen: einmal sehr typische deutsche Erscheinungsformen wie Untertanenmentalität, Effektivitätsanbetung (so daß sich auch in dieser Hinsicht das nationalsozialistische Regime sehr erheblich etwa vom italienischen Faschismus unterschieden hat), die Niederlage im Ersten Weltkrieg, die Dolchstoßlegende, die ihre Entsprechung ja auch bei den Sozialdemokraten fand, wenn man etwa daran denkt, daß Friedrich Ebert die zurückkehrenden Soldaten am Brandenburger Tor mit den Worten begrüßt hatte: ›Im Felde unbesiegt.‹ Stellen Sie sich das vor!

Hinzu kamen als Faktoren die Wirtschaftskrise, die verhängnisvolle Politik *beider* Arbeiterparteien und auch der Liberalen. Schließlich eine gewisse Enttäuschung in bezug auf die Sowjetunion, in der sich nach 1933 der Stalinismus wirklich durchzusetzen begann.

Obwohl ich in ›normaler‹ Zeit kein Anhänger bürgerlicher Koalitionen war, war es für mich in dieser totalen Krise entscheidend, die Machtübernahme der Nationalsozialisten zu verhindern. Deswegen war ich dafür, auch mit konservativen Kräften wie der Reichswehr und dem General Schleicher, der nach Papen Reichskanzler geworden war, zusammenzuarbeiten. Schleicher selber hatte ja auch solche Vorstellungen. Ich glaube, daß es bei einer anderen Politik gelungen wäre, die Machtübernahme durch die Nationalsozialisten zu verhindern. Durch Maßnahmen in Richtung Sozialismus oder wenigstens einen erheblichen Abbau der Arbeitslosigkeit über einen deutschen ›New Deal‹ hätte man versuchen müssen, Hitler zu verhindern.

Damals hatte die antikapitalistische Sehnsucht neunzig Prozent unseres Volks erfaßt. Bei den Kommunisten, bei den Sozialdemokraten und bei einem nicht unerheblichen Teil der Nationalsozialisten gab es eine vage Vorstellung, daß man die Probleme durch Maßnahmen in Richtung Sozialismus würde lösen können, wenn es auch vielleicht nur eine Rooseveltsche oder keynesianische Politik gewesen wäre. Eine solche antinationalsozialistische Regierung hätte mit derartigen Maßnahmen eine gewisse Stabilisierung erreichen können. Sie wissen ja, wie wahnsinnig die arbeiterfeindliche, deflationistische Politik Brünings war.«

»Ich ging nach Amerika – nicht nach Palästina«

»Bis Anfang 1939 blieb ich in Genf; ich hatte ein Stipendium am Institut Universitaire International und Kontakte zu einigen aus ›Neu Beginnen‹ dort. Dann ging ich in die Vereinigten Staaten, nicht nach Palästina – ich war nie Zionist. Ich habe zwar in meiner ›kommunistischen Zeit‹ mit Spannung ein Buch über den neuen jüdischen Staat Berubdian gelesen, meinte aber, daß es keine Aufgabe von Juden sei, nun einen neuen *National*staat zu gründen, sondern durch die Teilnahme an einer sozialistischen Bewegung einen *Internationalismus* zu fördern, der das ›jüdische Problem‹ lösen würde; vielleicht war ich da illusionär und zu optimistisch. Der Zionismus war für mich mit der jüdischen Religion teilidentifiziert, ich war Atheist, wenn Sie so wollen, Rationalist – und vor allem Marxist.
In New York konnte ich eine Zeit am Horkheimer-Institut arbeiten und lernte interessante Leute wie Franz Neumann, Marcuse, Erich Fromm, Wittfogel und wer weiß wen alles kennen. Allerdings war ich viel jünger und unbekannter. Ich nahm zwar an den Seminaren teil, aber einige dieser Leute gaben einem zu verstehen – Marcuse war besonders eingebildet –, daß man nicht gerade nun von gleich zu gleich mit ihnen stand. Viel gelernt habe ich von Franz Neumann und Erich Fromm, von Marcuse weniger. Bei Fromm hatte mich der Versuch fasziniert, das psychologische Element in den Marxismus einzubringen.«

Zwischen Waterville/Maine und Berlin

Wenn Sie Ihre Erfahrungen in Amerika resümieren – in einem Ihrer Aufsätze haben Sie dazu gesagt, daß es keine leichte Zeit war –, blieben Sie in diesem Lande fremd?

»Es hat ziemlich lange gedauert, bis ich die englische Sprache wirklich beherrschen konnte, bis zum Schluß konnte ich auf englisch nicht fluchen – und das ist sehr wichtig. Hinzu kam, daß ich von New York wegkam. Atlanta in Georgia war schon ein eigenartig fremdes Milieu. Drei Jahre später kam ich in ein kleines College in New England, in Maine, wo ich zwar auf sehr nette Kollegen traf und sich auch meine Frau dort sehr wohl gefühlt hat; aber ich vermißte die große Stadt und das intellektuelle Milieu. Diese Kollegen gingen sehr viel fischen und jagen, das tat ich nicht.

Als ich nach Berlin kam, habe ich so eigentlich nicht zwischen Amerika und Deutschland, sondern zwischen Waterville und Berlin gewählt.

Auf der anderen Seite war diese Periode reich an Erfahrungen: dieses Amerika mit seiner – neben der Uniformität – ungeheuren Vielfalt, dieser Offenheit, der Art und Weise, wie manche Dinge ins Rollen kommen. Um Ihnen das an einem ganz kleinen Beispiel zu verdeutlichen:

In Atlanta gab es eine *Poll Tax*, eine Art Kopfsteuer, die in der Verfassung niedergelegt war und die jeder zu zahlen hatte, wenn er wählen wollte. Diese Steuer war an sich nicht sehr hoch, aber kumulativ, so daß die Massen der armen Weißen und praktisch alle Neger vom Wahlrecht ausgeschlossen waren. Als ich damals in Atlanta war, bekam ich eines Tages eine Einladung zu einer Versammlung mit vielleicht einem Dutzend Theologen, Professoren und einem, der Kontakte zu den Gewerkschaften hatte, ohne selbst Gewerkschaftsbeamter zu sein. Diese sagten, wir bilden jetzt ein Komitee zur Abschaffung der Kopfsteuer in Georgia. Ich sagte natürlich, ich mache da mit, dachte aber im stillen: Das ist ja wunderbar, was es hier für Idealisten gibt, die ihr Ziel aber nie erreichen werden. Drei Jahre später verließ ich Georgia und lese dann in einer der Zeitungen, daß die *Poll Tax* in Georgia tatsächlich aufgehoben worden ist – mit Zweidrittelmehrheit in beiden Häusern des Parlaments! Ein typisch amerikanisches politisches Wunder. Es waren einige Dinge zusammengekommen, zum Beispiel, daß die große Zeitung in Georgia sehr liberal war und sich der Sache angenommen hatte. Auf diese eigenartige amerikanische Weise wurde plötzlich ein Mann zum Gouverneur nominiert und gewählt, der sich als sehr liberal herausstellte und sich für die Abschaffung dieser Steuer einsetzte. Es war eine typische *Single-Purpose Movement* – etwas, was auch heute wieder eine große Rolle spielt und hier in Deutschland damals kaum bekannt war. Es ist überhaupt eine ganz andere politische Kultur, mit sehr viel mehr Demokratie *und* mehr Reaktionärem. Es gab in Amerika noch Reste von Sklaverei *und* sehr fortschrittliche Dinge.«

Nach 1945 in Berlin: Zwischen Aufbruch und Restauration

»Ich kam schon 1946 für ein Jahr nach Berlin, um hier für die Kriegsverbrecherprozesse, die Nürnberger Prozesse zu arbeiten. Nicht im Hauptprozeß, sondern in den Nachfolgeprozessen. Eine ungeheuer interessante Tätigkeit im Range eines Oberstleutnants!« (Lacht.)
»Meine Frau und ich waren sehr privilegiert, hatten viele Kontakte, konnten den Leuten helfen – und ich hatte stärker als später die Illusion, daß Deutschland sich vom Nationalismus abgewandt hätte und nun eine echte Chance dafür bestünde, daß Deutschland den *›dritten Weg‹ eines demokratischen oder libertären Sozialismus* geht.
Das ist einer der Gründe dafür, warum ich, im Gegensatz zu anderen, 1951 die Einladung als Gastprofessor an die Freie Universität und 1952 ein Angebot von Otto Suhr auf einen Lehrstuhl an die damalige Hochschule für Politik annahm. Meine Frau war darüber nicht glücklich und sagte damals: ›Bleiben wir doch jetzt in den Vereinigten Staaten!‹
1951 glaubte ich trotz aller Zweifel, in Berlin und Deutschland auch politisch wirken zu können. In Rußland war ich geboren, in Deutschland war ich groß geworden – nun war ich amerikanischer Bürger. Was lag für mich näher, als zu hoffen, das geeinte sozialistisch-demokratische Deutschland werde die Brücke schlagen zwischen dem kapitalistischen Amerika und dem kommunistischen Rußland? Trotz aller Schwierigkeiten schienen damals starke Kräfte und bedeutende Persönlichkeiten auf der Linken noch an ähnlichen Zielsetzungen festhalten zu wollen, und die Entwicklung seitdem war doch wohl nicht zwangsläufig. Nun, inzwischen ist das politische Klima in der Bundesrepublik wie in Berlin immer kälter und konformistischer geworden. Der Prozeß der ›Renazifizierung‹ und der Restauration, der Gleichschaltung der Parteien und der Wiederaufrüstung ist so weit fortgeschritten, daß heute alle machtvollen Organisationen den sozialkapitalistischen Status quo eines geteilten Deutschlands verteidigen. Wieder einmal scheint das Gespenst eines ›autoritären‹ Besitzverteidigungsstaates (Kurt Schumacher) und eines autokratischen Militärstaates näherzurücken. Wenn man mir 1952 gesagt hätte, daß 1962 meine Telefongespräche überwacht würden, hätte ich doch wohl etwas ungläubig gelächelt – nach der *Spiegel*-Affäre halte ich das schon fast für ›normal‹. Meine Hoffnung, daß die große Mehrheit der Deutschen nach Auschwitz, Stalingrad und Dresden nicht nur mit dem Nationalsozialismus, sondern auch mit der Tradition des Polizei-

staates, der Obrigkeitsgesellschaft und der Untertanenmentalität radikal brechen würde, hat sich als falsch erwiesen – dazu saßen diese Charakterzüge doch wohl zu tief und waren die weltpolitischen Konstellationen zu ungünstig. So feiert der deutsche Spießer heute mit seinen nur allzu bekannten alteingesessenen Eigenschaften fröhliche Urständ: mit seinem Mangel an echtem Mitgefühl für die Kreatur; seiner Gefühlsstumpfheit, ob gegenüber der Ermordung von Millionen Juden und Polen oder der Mißhandlung des Nachbarkindes; seinem Ordnungsfanatismus; seiner Wehleidigkeit sich selbst gegenüber. Ein Grund mehr, gegen diese ewig Gestrigen zu kämpfen.
Meine Frau hatte sich in Amerika so sehr eingelebt, war sprachlich viel begabter als ich und hatte eine gute Position als Sozialarbeiterin. Sie schätzte vor allem diese ungeheuer nachbarschaftlichen Beziehungen sehr, die man dort hat – zumal in den kleinen Orten in Maine – und die man in Deutschland ja doch vermißt. Komisch ist, daß *mir* die Rückkehr zunächst nicht schwerfiel, glaube ich. Es ist ja nur eine Erinnerung. Die *große Enttäuschung* kam bei mir erst allmählich – durch die sich ausbreitende Restauration. Als wir merkten, wie stark das Adenauer-Regime nicht nur machtpolitisch, sondern auch gesellschaftlich, kulturell verwurzelt ist.«

Eine Wiederholung des Wechselbades von sozialistischer Aufbruchshoffnung in den zwanziger Jahren und der Enttäuschung in den dreißiger Jahren – zwanzig Jahre später?

»Sarkastisch gesagt: Wenn wir uns vorstellen, wir lebten noch im Dritten Reich, müßten wir sagen, es hat sich viel gebessert... Also eben nicht. Während es in der Sowjetunion eine *offizielle* Kontinuität des Stalinismus ohne Stalin gegeben hatte, hat es hier zwar formell einen gewissen Bruch gegeben, aber unter der Oberfläche ungeheuer viel Kontinuität.«

Sie haben in einem Aufsatz unter der hypothetischen Überschrift ›Die Bundesrepublik unter Strauß‹ *mit geradezu wütenden Worten den rückschrittlichen und restaurativen Prozeß der Bundesrepublik nach 1945 beschrieben. Da ist die enttäuschte große Hoffnung sehr zu spüren.*

»Sehen Sie: Ich bin Anfang 1952 sogar in die SPD eingetreten, hatte engen Kontakt mit Abendroth und Heydorn und anderen und mit dem SDS. Dann kam die Wendung der SPD, die ja mindestens nach außen hin sehr plötzlich erfolgte. Wenn Sie die beiden Versionen des Godesberger Programms von 1959 vergleichen, sehen Sie noch den

Unterschied: In der einen findet sich noch eine Abgrenzung nicht nur gegen den Stalinismus, sondern auch gegen den reinen Reformismus – in der endgültigen Version eigentlich Kapitalismus mit sozialen Modifikationen. Und dann kam die außenpolitische Wende mit der Wehner-Rede 1960 und dem Bruch mit dem SDS.
Ich bin damals mit Abendroth zusammen bei Ollenhauer und Wehner in Bonn gewesen. Ollenhauer hatte noch das Bedürfnis, wirklich etwas zu diskutieren, vielleicht auch noch einiges zu arrangieren, aber Wehner hatte nur kalte Ablehnung: Er hat überhaupt nicht zugehört.
Für ihn war die Anpassung der SPD in den entscheidenden Fragen an die CDU bereits beschlossene Sache.«

»Ich stand dem Geschwätz von der Gewalt skeptisch gegenüber. Außerdem noch in einem Land wie Deutschland«

Für Ossip K. Flechtheim, den unermüdlich aktiven Linksaußen der fünfziger und sechziger Jahre, war die Studentenbewegung nicht nur reine Freude. Sosehr er – als einer der ganz wenigen – ihre scharfe Kritik an den Notstandsgesetzen 1968 teilte und in einer verzweifelt-naiven Anstrengung noch unmittelbar vor der Abstimmung im Bundestag Abgeordnete in Gesprächen zu beeinflussen suchte, sosehr hat ihn, ähnlich wie Richard Löwenthal, die Gewaltrhetorik vieler aus der Studentenbewegung »gerade in Deutschland« nachhaltig irritiert:

»Während mich die Politik der gewaltfreien Aktion und des gewaltfreien Widerstands – worauf mich mein späterer Assistent Theodor Ebert aufmerksam gemacht hatte – faszinierte, fingen die Studenten an, permanent von Gewalt zu reden. Ich meine, Sie haben das ja zum Teil miterlebt: ›Die Gewalt liegt in der Mündung des Gewehrs‹ – ein Ausspruch vom alten Mao ... Ich hab' euch Studenten damals gesagt: Erstens geht es letzten Endes heute nicht um Gewehre, sondern eventuell um Atombomben. Und zweitens redet ihr sehr viel über Gewalt, wendet sie zum Glück gar nicht in dem Maße an – und diejenigen, die wirklich Gewalt anwenden, sind die Rechten, die von Ruhe und Ordnung reden! Und selbst wenn man nicht, wie ich, gewisse ethische und sonstige Vorbehalte gegen Gewalt hat: Bevor man sich zur Gewalt bekennt, muß man schon recht stark sein, um eine gute Chance zu haben, wenigstens mit Gewalt auch etwas durchzusetzen. Wie das ja schließlich Lenin und Trotzki gelungen ist, aber euch hier wohl nicht so einfach gelingen dürfte ...«

Ich muß gestehen, als es um die Diskussion nicht nur von ›Gewalt gegen Sachen‹, sondern auch um ›Gewalt gegen Personen‹ am Otto-Suhr-Institut ging, hatte ich ein sehr beklommenes Gefühl – ich fühlte mich nicht wohl dabei.

»Sie auch nicht?«

Ich hätte das allerdings deutlicher sagen müssen.

»Na ja, Sie waren ja auch entsprechend jung. Ich habe noch ein Artikelchen von 1927, in dem ich – ich glaube, ich war da achtzehn Jahre alt – die Gewalt verteidigt habe!« (Lacht.)

Ich war etwas älter und hätte vielleicht doch...

»Verstehen Sie, nach *meinen Erfahrungen* ist es ja nicht verwunderlich gewesen, daß ich diesem – sagen wir mal: Geschwätz von der Gewalt skeptisch gegenüberstand – *außerdem noch in einem Land wie Deutschland!*
Ich habe beides erlebt: die faschistische Gewalt – und die stalinistische Gewalt: ›Die Revolution frißt ihre eigenen Kinder.‹ Die Gewalt wendet sich schließlich immer gegen ihre Urheber.
In einem sehr provozierenden Artikel *Kommunismus und Antikommunismus* habe ich mich in diesem Zusammenhang zu einer bestimmten Form von Antikommunismus bekannt, nämlich zum Antistalinismus. Ich glaubte, daß ich damit auch vielen Kommunisten einen Dienst erweise. Ich verwies zum Beispiel auf Ernst Fischer, der sehr lange die stalinistische Linie vertreten hatte. Wenn es damals gelungen wäre, den Kommunismus in Österreich durchzusetzen, wäre Ernst Fischer womöglich den Weg von Rajk und Slansky gegangen. Die Tatsache, daß man diese Art von kommunistischer oder sozialistischer Gewaltherrschaft ablehnt, ist ein Beitrag zur Humanität. Ich habe in diesem Artikel das Konzept vom *Dritten Weg* mit übernommen; das bedeutet, daß weder die westlichen kapitalistischen Demokratien noch die östlichen nicht-kapitalistischen Diktaturen in irgendeiner Beziehung Vorbilder sein können, sondern *beide* unvollkommene Systeme sind und man sich etwas Besseres einfallen lassen muß. Dazu gehört eine kritische Position zur Gewalt. Aber ich hatte – Sie werden es besser wissen – niemals eine verbitterte Haltung gegenüber der Studentenbewegung, und die Studenten mir gegenüber auch nicht.«

Nein.

»Ich war ja auch einer der Mitbegründer des Republikanischen Clubs[1]. Aber ich hatte damals wohl auch wieder das Gefühl, daß hier ein ungeheures Potential vorhanden ist, das leider in einer gewissen Beziehung von uns selber nicht richtig ausgeschöpft und entwickelt wird.
Auch für die erste Universitätsreform habe ich mich mit einer Reihe von Professoren zusammen eingesetzt und sie auch mit durchgesetzt. Das führte zu ganz eigenartigen Erfahrungen. Ich weiß noch, wie ich als äußerster Linksaußen galt. Am Otto-Suhr-Institut etwa verlangten Studenten einen mehr oder weniger orthodoxen marxistischen Kurs, wofür sie die formelle Protektion eines Professors brauchten. Ich war der einzige, der das damals tat, mit dem Hinweis, daß ich inhaltlich nicht mit ihnen übereinstimme, aber glaube, daß es wichtig sei, daß unsere Studenten eine solche Möglichkeit haben. Schon wenige Monate darauf gab es am Otto-Suhr-Institut so viele Dozenten und Professoren, die nun weit links von mir standen, ähnliches forderten und lehrten; nun sah ich mich wieder ein bißchen in die Mitte oder sogar nach rechts gerückt.
Manche haben damals geglaubt, daß wir in einer akut revolutionären Situation seien und die Frage des Fortschritts zum Sozialismus nur eine Frage der Zeit wäre. Manche fuhren gar zu den Prager Reformern nach Prag und sagten ihnen: ›Ihr macht alles falsch ...‹« (Lacht.)
»Ich hingegen hatte vor den Prager Reformern großen Respekt. Das waren Leute, die sich wirklich in einer ganz anderen Art und Weise mit den Problemen auseinandersetzten und auseinandersetzen mußten als irgendwelche Studenten hier.
Es schien mir so: Wie die Studenten zuweilen doch naiv waren, so waren sie auch dogmatisch. Ich erinnere mich, wie von ihnen alles auf den Konflikt zwischen Lohnarbeit und Kapital zurückgeführt wurde, erinnern Sie sich auch?«

Ja, sehr gut... (lacht).

Nach dem Unmöglichen gestrebt

Sie haben 1989 für den Fall eines Wahlsiegs von Franz Josef Strauß eine Politik am Rande des Krieges nach außen und eine Politik der formierten Gesellschaft nach innen prognostiziert...

[1] Eine Vereinigung linker und liberaler Intellektueller im Zuge der Studentenbewegung, die sich für die radikaldemokratische Politik und Aktionen einsetzte.

»Ich befürchtete in der Tat eine enorme Verschlechterung der internationalen Lage und einen innenpolitischen Trend nach rechts. Ich erwartete nicht, wie manche vielleicht, die Wiederholung dessen, was sich 1933 abgespielt hatte, also weder einen neuen Hitler – der Strauß ist verglichen mit Hitler ein kühl rechnender, rationaler Mann – noch einen Massenaufstand, sondern eher eine schleichende Gleichschaltung und vor allem den Abbau demokratischer Rechte.«

Die Bezugspunkte Ihres Optimismus, den Sie neben solch pessimistischen Einschätzungen ja verkörpern, sehen Sie vor allem in den Alternativbewegungen der siebziger und achtziger Jahre – und der Friedensbewegung?

»Für mich ist die Friedensbewegung tatsächlich ein Stück nachgeholter Aufarbeitung des Faschismus. Der Faschismus war doch vor allen Dingen Kriegsideologie! Wenn Sie es geistesgeschichtlich sehen wollen, kommen hier eine ganze Menge Faktoren zusammen: nicht nur pazifistische und auch gewisse anarchistische Positionen im Sinne des Abbaus des Staates, sondern auch internationale.«

Sie haben, trotz wiederholter Enttäuschungen, an Ihren Utopien festgehalten, der Utopie einer humanen, realen, sozialistischen Demokratie...

»Ja, und ich habe den Begriff *Futurologie* im Sinne einer positiven Aufhebung und Weiterentwicklung der Utopie formuliert. Nicht im Sinne der einfachen Übernahme utopischer Gedanken und Vorstellungen mit der Illusion, daß es nun genau so kommen werde, sondern in dem Sinne, der von so Verschiedenen wie Karl Liebknecht, Max Weber und Hermann Hesse gemeinsam geteilt wird: daß auch das Mögliche häufig nicht erreichbar gewesen wäre, wenn man nicht nach dem Unmöglichen gestrebt hätte.«

Simon Wiesenthal:

»Ich wandere noch immer durch die Konzentrationslager«

Simon Wiesenthal wurde 1908 in Buczacz (Galizien) geboren. Einmarschierende russische Truppen konfrontierten ihn schon früh mit antisemitischen Übergriffen. 1928 begann er in Prag Architektur zu studieren, heiratete 1936. Als Jude 1941 in Lemberg verhaftet, verbrachte er vier Jahre im Konzentrationslager. Von 1947 bis 1954 leitete er in Linz ein Dokumentationszentrum über Judenverfolgung. Wiesenthal trug wesentlich dazu bei, NS-Verbrecher aufzuspüren, darunter Adolf Eichmann 1960 in Argentinien. 1961 eröffnete er im Herzen Wiens das Jüdische Dokumentationszentrum, das er seither leitet. Er arbeitet in einem Gebäude, das während des Nationalsozialismus eines der Schaltzentren der Gestapo war. Für Wiesenthal ist das nur konsequent: »Ich wandere noch immer durch die Konzentrationslager« – in seinem Streiten für Gerechtigkeit.
Zu seinen Hauptwerken zählen: *Ich jagte Eichmann* (1961), *Doch die Mörder leben* (dt. 1967), *Die Sonnenblume* (dt. 1970), *Segel der Hoffnung* (1972).
Das Gespräch mit Simon Wiesenthal fand am 31. Juli 1984 in seinem Büro statt, also vor der Waldheim-Affäre. Dennoch wirken seine Äußerungen wie Kommentare zum Streit um die Nazivergangenheit des österreichischen Staatspräsidenten. »Die Zeit, in der Juden vor Antisemiten flüchten, ist noch nicht vorbei.«

»Ein Jude darf nicht verallgemeinern, weil wir die Opfer der Verallgemeinerung sind«

»Einer meiner ersten Fälle in meiner Untersuchungsarbeit bestand darin, einen Deutschen zu suchen, der Juden geholfen hat und als ehemaliger SS-Mann in einem amerikanischen Internierungslager war; ich habe ihn dort rausgeholt. Ich meine, die Verbrecher können warten, aber *der* Mann sollte nicht an einem Undank verzweifeln, obwohl er derart überrascht war, daß sich Juden an ihn erinnert haben.

Ich muß Ihnen etwas erzählen – Sie gehören zu den jüngeren Deutschen –, was ich 1946 in Paris erlebt habe: In der Nähe von Sacré Cœur sah ich, wie eine Nonne einige deutsche Kinder führte, die sich in ihrer Sprache unterhielten, und wie ein Franzose vorbeikam und die Kinder anspuckte; wissen Sie, ich habe einen Weinkrampf bekom-

men! Ich bin zu dieser Nonne gegangen und habe mit ihr gesprochen.
Ich kann verstehen, was den Mann bewogen hat, aber diese Verallgemeinerung! Es gibt etwas, was Heuss so schön ›Kollektivscham‹ genannt hat. Die ist am Platze, glaube ich. In allen Übersetzungen meiner verschiedenen Bücher, wenn ich sie bekommen habe, haben die Übersetzer ganz einfach anstatt Nazis *Germans* stehen. Das habe ich immer gestrichen.«

Diese Scham gilt auch für jüngere Deutsche. Wir sind nicht schuldig als jüngere Deutsche, aber wir haben doch eine Verantwortung für das Land, in das wir hineingeboren sind, unser Erbe anzunehmen – gegenüber Israel, gegenüber Juden, gegenüber Ausländern.

»Natürlich, denn das ist ein Teil des Erbes *cum benevitio inventaris*. Man erbt etwas mit Passiva und Aktiva, wenn man das Erbe antritt. Man kann sich vom Erbe lossprechen.
Ich kann mich erinnern, ich war in Koblenz bei einem Prozeß. Dabei habe ich nur Dokumente überbracht, ich war nicht Zeuge. Aber der Anwalt des Angeklagten ist *so* auf mich losgegangen. Ich weiß heute nicht mehr den Namen des Verteidigers, es ging um die Ermordung von 125000 Juden. Da sage ich dem, ›Wissen Sie, daß Sie hier in einer doppelten Rolle sind?‹ Sagt er: ›Wieso doppelte Rolle?‹ ›Erstens sind Sie der Verteidiger des Angeklagten, aber Sie sind zweitens Deutscher, in deren Namen die Verbrechen begangen wurden. Wenn Hitler sich nicht auf diese achtzig Millionen hätte stützen können, dann hätte er das alles nicht machen können. Daher seien Sie sehr vorsichtig mit dem, was Sie sagen. Weiten Sie nicht die Verteidigung aus, indem Sie Naziopfer beleidigen.‹«

»Die Kollektivschuld der Juden ist der Tod Jesu«

Diese These, daß Kollektivschuld falsch ist, liegt auch Ihrem Buch ›Die Sonnenblume‹ *zugrunde.*

»Ich kann Ihnen sagen, warum. Erstens waren die Juden immer Opfer einer Kollektivschuld. Seit Jahrtausenden hat man uns alle verantwortlich gemacht. Nehmen Sie den Tod Jesu. Unter diesem Trauma leiden wir seit 2000 Jahren; das ist die ›Mitschuld‹. Das ist eines der Leitmotive aller gegen uns begangenen Verbrechen. Ich habe erst jetzt zufällig eine Arbeit über das Christentum und den ungarischen

Holocaust gelesen. Darin wird unter anderem beschrieben, wie ein Rabbi mit dem apostolischen Nuntius in Bratislawa gesprochen und ihn gebeten hat, etwas gegen das Vergießen unschuldigen jüdischen Blutes zu machen. Da wagte es der apostolische Nuntius zu sagen: *Es gibt kein unschuldiges jüdisches Blut.* Das ganze jüdische Blut ist schuld. Das wagte ein Vertreter der Kirche zu sagen, immerhin nicht ein gewöhnlicher Priester, sondern der apostolische Nuntius.«

... in den vierziger Jahren?

»1944! Verstehen Sie? Ich habe in allen diesen Jahren nicht nur die Verbrecher gesucht. Ich habe nach einer Antwort für mich selber gesucht: Wie war das möglich? Wieso war das möglich in einem Jahrhundert mit der höchsten Stufe der Zivilisation, der Kultur, der Technik, wie wir glaubten? Ich habe mir gesagt, ich muß etwas tun, damit die jungen Leute nicht glauben, daß das alles mit Hitler begonnen hat. Wenn Sie mein Buch *Segel der Hoffnung* über die Zeit 1492 lesen, können Sie die Ziffern umdrehen: Es wird 1942 rauskommen, und es wird genau dasselbe sein. Denn was hat Hitler gemacht? Hitler hat den 2000 Jahre alten Haß gegen die Juden, hauptsächlich aus der katholischen Kirche, in einen Strom kanalisiert; man braucht sich ja nur den ›Stürmer‹ anzusehen: Die Nazis waren gegen das Christentum, weil das Christentum für sie eine jüdische Sekte war; aber sie haben alle Vorwürfe der Kirche gegen die Juden übernommen.«

Wie haben Sie das denn ausgehalten, schon so früh solche Erfahrungen zu machen?

»Was hätte ich tun sollen? Ich mußte es aushalten. Ich habe mir 1944 im Auto eines Mannes, der mich verhaftet hat, die Pulsadern durchgeschnitten. Ich habe den Mann gefunden, er war Möbelhändler in Hannover: ein gewisser Waldke, der geleugnet hat. Daraufhin habe ich ihm das gezeigt. Er hat acht Jahre bekommen, nicht allein deswegen. Er hat eine Menge anderer Sachen gemacht. Ich habe dann im Gefängnis noch zwei andere Selbstmorde versucht. Als mir der dritte Selbstmord nicht geglückt ist, da habe ich gesagt, komme was wolle. Man kann nämlich nicht zweimal den gleichen Selbstmord begehen – diese Erfahrung habe ich gemacht. Sie können nicht zweimal das gleiche tun. Sie können sich nicht zweimal aufhängen, das habe ich einmal versucht. Und einmal habe ich versucht, mich zu vergiften.«

War die Familie trotz allem ein Halt? Das Jüdischsein im Dorf Ihrer Kindheit?

»Ja, es ist heute auch noch geblieben. Die Familie ist eine Zelle, und das Volk ist eine Summe dieser Zellen. Der Vater und die Mutter und die Großeltern... Ich habe sehr früh meinen Vater verloren; ich war sieben Jahre alt, als er 1915 fiel. Später, als ich schon fünfzehn Jahre alt war, hat meine Mutter noch einmal geheiratet. Wie soll ich das sagen? Je mehr ich mich vertieft habe in die Tradition, in unsere Religion, um so mehr war ich darauf *stolz, Jude zu sein*. Wissen Sie, es gibt andere Leute, für die das ein Anstoß zur Flucht ist...«

... aber Sie waren ja nicht seit jeher orthodoxer glaubenstreuer Jude?

»... ja, aber später schon. Wissen Sie, ich komme aus einer sehr frommen Familie. Aber vor allem durch meine Lektüre im Zusammenhang mit Hashomer Hazair spürte ich, daß man nicht so leben kann wie vor 2000 Jahren; wenn auch nicht die Religion, so mußte sich doch eine Reihe von Gebräuchen der Entwicklung anpassen. Für mich hat die Orthodoxie zwar das Judentum erhalten – nur die fanatischen Rabbis haben das Judentum erhalten und nicht die aufgeklärten, die in der Emanzipation waren. Aber das Judentum ist für mich *nicht nur eine Sache der Religion*. Niemand kann sich seine Herkunft aussuchen. Jeder soll damit leben, man wird ja nicht gefragt, bevor man zur Welt kommt. Also muß er sehen, inwieweit er seiner Tradition gerecht wird. Ich kenne auch Juden, die ohne Religion sind. Dann gibt es welche, für die nur das Beten, die verschiedenen religiösen Speisegesetze und dergleichen der ganze Text ihres Glaubens sind. Für diese Leute habe ich kein Verständnis.«

Sie haben in Ihrer frühen Jugend zwar nicht an der Orthodoxie festgehalten, aber an den Traditionen Ihres eigenen Judeseins, dessen, was Ihnen *wichtig war?*

»Mir hat zum Beispiel der Pantheismus von Spinoza als junger Mensch viel bedeutet. Nach meiner heutigen Sicht wurde er ja zu Unrecht aus dem Judentum ausgestoßen. Er war *innerlich* Jude. Nur ging er seiner Zeit voraus, das ist mit allen unseren Propheten geschehen.«

Das schätze ich an der Tradition, die Ernst Simon oder Martin Buber weitergetragen haben: daß sie es nicht so streng buchstabengetreu sehen, sondern der Zeit angemessen.

»Ich hatte ja zu der *Sonnenblume* eine Fernsehdiskussion in Holland. Eingeladen waren ein Bischof, ein jüdisches und ein atheistisches Mädchen sowie ein Offizier. Das erste hat natürlich der Bischof gesagt: Für uns sei maßgebend, was Jesus am Kreuz gesagt hat. *Er hat seinen Peinigern verziehen*. Sage ich ihm: ›Exzellenz, für mich auch.‹ Sagt er: ›Dann verstehe ich nicht, wieso wir da Gegensätze haben.‹ Sage ich: ›Wir haben nur Gegensätze in der Interpretation. Sie sind bestimmt in den Evangelien mehr beschlagen als ich, aber ich selber habe sie gesucht und konnte sie nicht finden. Vielleicht helfen Sie mir, ich suche nach einer Aussage, nach der *Jesus denen verziehen hat, die die anderen gepeinigt haben*. Als Jude konnte Jesus verzeihen, was *ihm* angetan wurde. Ich kann das auch.‹ Darauf sagte er: ›Ja, aber wir wissen, daß Jesus für die Sünden der Welt gestorben ist und so weiter.‹ Sage ich: ›Entschuldigen Sie, das ist eine theologische Spekulation, der ich nicht folgen kann. Denn was Ihr mit dem *ego te absolvo* macht, was zur Routine wurde, und daß jeder Verbrecher, egal was er gebeichtet hat, das bekommen kann, das ist ohne Auftrag.‹
Zur *Sonnenblume* hat das Schönste eine einfache Frau aus Norwegen geschrieben. Sie hat geschrieben, was ich dem Mann hätte sagen sollen, dem sterbenden Mann. *Bete zu Gott, daß er dir verzeiht, ich kann dir nicht verzeihen. Ich bin nicht autorisiert, ihm zu verzeihen*. Mit dem einfachen Satz ist die ganze Sache gelöst. *Wir leben unter Menschen, die sehr leicht denen verzeihen wollen, die Millionen umgebracht haben*. Aber wenn sie selber einmal eine Ohrfeige bekommen haben, das werden sie im Gedächtnis behalten ihr ganzes Leben und niemals verzeihen. Man will von uns, daß wir vergessen, was vor vierzig Jahren geschehen ist. *Dabei ist man selber nicht bereit zu vergessen, was angeblich vor 2000 Jahren geschehen ist.*
Ich habe mir von einem, der das Vatikanum II genau verfolgt hat, von den homerischen Kämpfen mancher Kirchenfürsten gegen diese Vision der Kirche berichten lassen, vielleicht doch die Juden von der Schuld zu entlasten. Das spricht Bände.«

Ich habe einen derjenigen gesprochen, die dort dafür gekämpft haben. Er ist ein in Berlin geborener Jude, der aufgrund der Vertreibung in eine katholische Familie aufgenommen wurde. Er hat dann Theologie studiert. Er, G. Baum, hat in einem Buch nach dem Vatikanum beschrieben, daß nicht nur die frühe Christenheit, sondern das Evangelium selbst diesen Judenhaß hat mitentstehen lassen.

»Das war vor allem Paulus. Er hat das Christentum von den Juden entfernt. In dem Buch *Segel der Hoffnung* habe ich die Umstände während der Inquisition analysiert. Warum haben sie die Leute verbrannt? Weil Paulus gesagt hat, die verdorrten Zweige aus dem Weingarten Jesus sind zu verbrennen, weil ja die Kirche Blut nicht vergießen darf: *also wurden sie verbrannt.*«

Warum ich in Wien bin

Sie haben wirklich das Schlimmste durchgemacht, was man sich vorstellen, nein nicht vorstellen kann. Und da leben Sie nun in einer Stadt, die wie viele Städte in Deutschland auch immer eine Stadt der antisemitischen Vorurteilsbildung war.

»Aus keiner Stadt wurden die Juden so oft vertrieben wie aus Wien.«

Wie halten Sie das aus?

»Warum bin ich in Wien? Österreicher waren 8,5 Prozent der Bevölkerung vom Großdeutschen Reich. Durch eine Reihe von geschichtlichen Zufällen und gewisser taktischer Schritte sind die Nazis aus Österreich für fünfzig Prozent der Verbrechen verantwortlich. Drei Viertel der Kommandanten der Vernichtungslager waren Österreicher. Der Chef der Vernichtung der Juden im Generalgouvernement, wohin man die Juden aus ganz Europa gebracht hat, dem die Vernichtungslager unterstanden, war ein Österreicher, Globocnik, plus 65 Kärntner, die seine Gehilfen waren. Achtzig Prozent des Stabes von Eichmann waren Österreicher, und Hitler selber war auch kein Eskimo.«

Und das ist der Grund, warum Sie hier sind?

»*Ja.* Ohne mich wären hier all diese Prozesse nach dem Eichmann-Prozeß nicht passiert. Mir hat seinerzeit der österreichische Bundeskanzler, nicht der Kreisky, der war mein größter Gegner, aber der, der selber im KZ war, Goldbach, gesagt:

»Für mich ist der Krieg nicht zu Ende«

›Herr Wiesenthal, Sie haben alles wieder aufgerissen.‹ Sage ich: ›*Man braucht nicht aufzureißen, man braucht nur zu schauen: Die Wunde ist nicht vernarbt*. Für mich ist der Krieg nicht zu Ende, solange diese Leute, die das verursacht haben, unter uns leben. Ich habe oft gesagt, die Verschmutzung der Umwelt, das Wasser ist verunreinigt, die Luft ist verpestet, die Vögel sterben und die Fische sterben. Aber es gibt ja noch eine andere Art von Verschmutzung. Wir leben unter Mördern. Etwa 150000, Minimum, nur Deutsche, waren in die Mordsachen verwickelt. Und wenn Sie diese den 10,5 Millionen Parteimitgliedern und etwa einer Million von der SS, die nicht in der Partei war, gegenüberstellen, kommen Sie auf etwa 1,5 Prozent. Wenn man bedenkt, wie groß der Druck in Richtung Verbrechen war, so ist die Zahl von 150000 nicht einmal so hoch. Höchstens ein Drittel wurde vor Gerichte gestellt. Nachdem wir nicht nur sechs Millionen Juden als Zeugen verloren haben, sondern auch Millionen anderer, wird dieses Kapitel der *Gerechtigkeit*, das zu einem biologischen Ende kommt, nie abgeschlossen werden. Aber solange diese beiden Generationen leben, die Generation der Opfer und die Generation, aus der die Verbrecher gekommen sind, *muß die ganze Angelegenheit eine offene bleiben, als Warnung für die Mörder von morgen, die vielleicht heute geboren sind.*‹«

Man wirft Ihnen vor, daß Sie das immer wieder aufreißen, auch der ehemalige Bundeskanzler Kreisky sagt: ›Schwamm drüber.‹

»Er bringt die 21 Mitglieder seiner Familie vor, die die Nazis umgebracht haben, ohne sie zu fragen, ob sie mit dieser Linie einverstanden sind; die wären für mich und gegen ihn, das können Sie glauben.«

»Eine Warnung für die Mörder von morgen«

In dem Tonfall solcher Kritik an dem, was Sie tun, ist der Vorwurf herauszuhören, Sie seien Rächer.

»Ich bin kein Rächer. Ich werde Ihnen das ganze Geheimnis erklären. Wie kann einer vierzig Jahre dasselbe machen, ohne nicht seelisch zugrunde zu gehen? Ein Geheimnis. Ich bin kein Hasser. Wäre ich ein Hasser, dann hätte ich Unschuldige angeklagt. Dadurch habe ich eine Distanz zu dem Geschehen.

Und eine zweite Sache noch: Ich liebe Kinder, egal, wessen Kinder das sind. Meine eigenen Enkelkinder, überhaupt. Ich komme in eine Familie, sehe Kinder, und dann sage ich: ›Gib' mir ein Bild von deinem Kind.‹ Das ist mein Motor. Wenn ich eine schwere Zeit habe, gehe ich nach Israel, spiele mit meinen Enkelkindern. Ich komme zurück und weiß, warum ich das tue. Was ist diese Warnung? Schauen Sie, was ich mache, ist *eine Warnung für die Mörder von morgen*. Was wollen alle diese Leute, die sich nach Argentinien, nach Paraguay verkrochen haben, oder unerkannt in Kanada oder den USA leben? Sie wollen in Ruhe sterben. Und wenn es Leute gibt, und es gibt welche, die nicht länger als zwei Wochen im selben Bett schlafen, dann ist es eine *Strafe*. Denn was bescherten uns die Konventionen, die wir hatten? Vor Hitler, nach Hitler? Die Haager Konvention, die Rot-Kreuz-Konvention, gar nichts.
Wer in Massenmord verwickelt ist, wird niemals Ruhe haben. Das ist die Warnung für die Mörder von morgen. Wußten wir, wann die Mörder unserer Familien geboren wurden? Niemals. Und als wir gesehen haben, wie das aufzieht, was war unsere Antwort an Hitler am Beginn der zwanziger Jahre? Wir haben Witze gemacht.«

Wann haben Sie das heraufziehen sehen, Sie persönlich?

»So 1926/27.«

Wodurch?

»Durch die Wahlergebnisse in Deutschland. Ich war damals in Galizien. Ich hatte 1928 begonnen, in Prag Architektur zu studieren, zuerst an der deutschen Technischen Hochschule und dann an der tschechischen. An der deutschen Technischen Hochschule waren schon die Leute von der Germania, die Propagandisten von ›Heim ins Reich‹. Deshalb wechselte ich nach einem halben Jahr auf die tschechische über, obwohl ich Deutsch konnte und kein Tschechisch. Dann habe ich einmal in Reichenberg im Sudetenland eine Hitler-Rede erlebt. Die Sudetendeutschen haben die Radioempfänger in die Fenster gestellt. Alle, Haus bei Haus, Wohnung bei Wohnung, alle dieselbe Hitler-Rede, um die Tschechen zu ärgern. Das war ja noch das Geringste, was sie gemacht haben. Da haben wir es schon gesehen. Aber wir haben noch immer geglaubt, daß ein Mann mit diesen idiotischen Ideen in einem Kulturland... das gibt es doch nicht. Wo sind die neun Millionen Sozialdemokraten, wo sind die Millionen Kommunisten? Wo ist die deutsche Intelligenz? Wenn mich heute Studenten in Amerika fragen, ob Holocaust in einem anderen Land möglich wäre, sage ich: Wenn es in so einem kulturellen Land wie Deutschland möglich war, dann ist es überall möglich. Das ist eine Frage der Zeitumstände.«

»Wenn es um das Wichtige ging, waren wir immer allein«

Sie haben geahnt, was auf Sie zukommt: Antisemitismus in Polen, drohender Krieg.

»Ja, Sie müssen folgendes bedenken: Ich hatte einen Bruder, der als zwölfjähriges Kind gestorben ist. Dadurch war ich praktisch allein. Denn meine Mutter hatte noch einmal geheiratet, und zwar jemanden, mit dem ich mich nur halbwegs verstand. Noch im Gymnasium hatte ich meine jetzige Frau kennengelernt, wir gingen in die gleiche Klasse, sie stammt aus der weiteren Familie von Sigmund Freud. Um ihre Mutter zu ernähren, mußte sie arbeiten. Wir hatten ja keine Möglichkeit einer Auswanderung. Für Palästina gab es damals ja nur dieses ganze Zertifikatsystem, und meine Frau, die ich 1936 geheiratet habe, konnte ihre Mutter nicht verlassen.
Immer dieser jüdische Optimismus. Der zieht sich wie ein roter Faden durch die ganze Geschichte. Der Gehilfe dieses Optimismus ist die Tatsache, daß die Juden unter hundert Nationen leben und die Geschichte jedes Volkes kennen, nur nicht ihre eigene. Und keine einzige wiederholt sich so oft wie die jüdische.
Wie ich begonnen habe an meinem Buch *Segel der Hoffnung* über die Zeit Spaniens zu arbeiten, habe ich erst gesehen: Ich habe immer geglaubt, ich kenne die jüdische Geschichte – nein, nein. Immer, in allen Jahrhunderten, wenn es um das Wichtige ging, waren wir immer allein.«

»Meine Arbeit hat mein KZ seelisch verlängert«

Und umgekehrt, gerade wenn es ganz schlimm wurde, kam der Prophet, der die Hoffnung zu bringen versuchte…

»Ich kann mich erinnern, wie mir im KZ einer sagte: ›Es kann nie so schlimm sein, daß es nicht noch schlimmer sein könnte.‹ Sie verstehen mich? Einer, der an Typhus erkrankt ist, tröstet sich, daß es nicht Cholera ist. So, das ist diese jüdische Art. Ich habe so oft nachgedacht: In der Zeit von Jesus lebten etwa vier Millionen Juden in Palä-

stina: eine Million im Raum von Mesopotamien und so weiter, etwa 2,5 Millionen im römischen Reich. Gut, das sind ungefähre Zahlen. Im Verlauf von 2000 Jahren haben wir uns von vier Millionen auf vierzehn Millionen entwickelt. Nehmen wir ein anderes Beispiel. England. Warum nehme ich England? Weil das abgeschlossen ist, eine Insel. Auch dort gab es Seuchen, auch dort gab es Überfälle, auch dort gab es interne Kriege. Zur Zeit von Jesus lebten eine Million auf dieser Insel. Die haben sich zu 60 Millionen entwickelt. Nicht auszudenken, wenn die Juden sich so entwickelt hätten wie die Engländer. Dann gäbe es heute über 200 Millionen Juden. Theoretisch! Vielleicht wäre das Bild der Welt anders.
Das ist keine jüdische Hoffnung. Das ist ein Ausdruck eines jüdischen Wehs, eines Schmerzes. Ich werde Ihnen einmal sagen, was mir vor drei Jahren passiert ist. Da war ich in Los Angeles. Ich habe einen guten Freund. Es ist der Dirigent Zubin Mehta. Er hatte mich zu einem Konzert eingeladen, das er dirigiert hat. Dort gab es ein Solo eines jungen jüdischen Pianisten, der aus der Sowjetunion gekommen ist. Achtzehn Jahre war er alt. Er hat Rachmaninow gespielt, das ist mein geliebter Komponist. Er erntete solche Beifallsstürme, alle Leute haben ihm eine *standing ovation* gemacht; da habe ich mich hingesetzt. Nach dem Konzert bin ich in die Garderobe gekommen und habe zu meinem Freund gesagt: ›Weißt du, inmitten dieses großen Applauses wurde ich auf einmal so traurig, weil ich mir gedacht habe, wie viele solcher junger Talente wie dieser Ephraim wurden ohne Grund vernichtet! Das hat mir die ganze Freude verdorben.‹ Sehen Sie, ich habe eine verwundete Seele, die nicht zu heilen ist. Warum? Weil das inmitten einer Freude immer wieder zurückkommt. *Ich habe mir durch meine Arbeit mein Konzentrationslager verlängert im seelischen Sinne*. Ich gehe durch Berge von Leichen, auch wenn nur in dem, was ich sehe. Das kann nie enden.«

»Einen Unschuldigen anzuklagen, ist genauso, wie einen Mord zu begehen«

Sie müssen das tun?

»Ja. Ich war Zeuge im Lemberg-Prozeß. Ich habe die Angeklagten, die meisten von ihnen, gefunden. Bevor ich die Zeugenaussage abgegeben habe, sagte ich dem Vorsitzenden des Gerichtes: Vielleicht bin ich ein schlechter Zeuge, weil durch meine Tätigkeit und dadurch, daß ich die Angeklagten kenne, sich das, was ich mit meinen Augen

gesehen habe, vermischt hat mit dem, was man mir glaubhaft erzählt hat. Ich weiß, ich muß das, was ich sage, beschwören. Aber ich will mit mir in Ordnung sein, und daher sage ich das.
Ich habe Briefe von Verteidigern, die sich bei mir dafür bedanken, daß ich gesagt habe, einen Unschuldigen anzuklagen, ist genauso, wie einen Mord zu begehen. Ich habe Angeklagte vor einem ›Lebenslänglich‹ gerettet, indem ich dezidiert gesagt habe: ›Nein, er hat andere Sachen gemacht, aber das nicht.‹ Ich stand so neben ihm.«

Keine Reue bei den Mördern

»Sehen Sie, von den 1100, die ich vor Gerichte gebracht habe, haben nur drei sich schuldig bekannt, und zugegeben. Und diese drei wurden am schwersten bestraft. Warum? Weil im Gericht kein Zweifel mehr war. Die anderen haben immer gesagt: ›Ja, ich war dort, selbstverständlich, gar keine Frage, aber es gab im Lager einen, der mir ähnlich war. Ich habe mich nicht mit Namen vorgestellt, der verwechselt mich.‹ Oder er sagte: ›Ja, das ist passiert, aber das hat der und der gemacht‹, und der war tot. Immer und immer wieder gab es nur eine Sache, und das schreibe ich in der *Sonnenblume*: keine Reue. Nur ein gewisses Bereuen, daß noch Zeugen am Leben geblieben sind.«

Das muß schrecklich sein.

»Ja, wissen Sie, die Leute sehen nur wie Menschen aus, aber sie sind *hohl*. Die sind innen hohl. Das sind Leute, die ihr Gewissen in der Kleiderkammer deponiert haben, in der sie die Uniform geholt haben.«

Wie Eichmann?

»Ja, wie Eichmann. Und es gab viele, denn ohne diese kleinen Rädchen ging ja die Maschine nicht. Und nun stehen wir vor einem gewissen Dilemma: Die Welt hat von diesen Geschehnissen eigentlich keine Notiz genommen, keine Lehre daraus gezogen. Nehmen Sie die Zeitungen, jeden Tag. Wir sind derart *versteinert*, wenn eine Sache nicht ganz nahe in unserer Umgebung passiert. Was war die Reaktion der ganzen Welt auf den Massenmord in Kambodscha? Drei Millionen Menschen!«

Es ist für viele schwer, fassungslos zu sein. Nachdem ich gemerkt habe, daß die, die diese Erfahrung haben machen müssen, zu einem größeren

Teil gerne darüber sprechen, habe ich mich gefragt, ob es geht, ob ich geeignet bin, solche Gespräche zu führen. Ich habe gemerkt, daß es mich fassungslos macht, wenn ich davon höre.

Wissen Sie, daß Überleben eine Last sein kann?

»...überhaupt gibt es keine Antwort auf das alles. Wissen Sie, ich habe lauter Fragen an mich selber. Ich habe keine Antwort. Schauen Sie, in dieser Ecke der Landkarte sehen Sie Lemberg, mein Weg durch die Konzentrationslager ging bis Mauthausen. Wir waren in Lemberg 149000 Juden, laut Lebensmittelkarten für Juden. Lemberg war halb jüdisch. Keine 500 von uns sind am Leben geblieben. *Wissen Sie, daß Überleben eine Last sein kann?* Wenn Sie an den Sinn des Überlebens denken, dann bekommen Sie einen Komplex. Der Komplex ist: Sie fühlen, Sie müssen die vertreten, die nicht überlebt haben, um das Überleben zu rechtfertigen. Es gibt ja viel gebildetere Leute, die der Gesellschaft mehr geben konnten: bessere vom Charakter, bessere von der Natur. ›Warum ich?‹ Ich habe einmal darüber mit dem Albrecht Goes gesprochen. Er sagt, natürlich: ›Ein Mensch, der an Gott glaubt, der glaubt auch, daß es keine Zufälle sind, es ist alles eine Mission.‹ Manchmal, wenn ich nach Israel oder nach Amerika komme und vor einer jüdischen Gemeinde spreche, dann kommen Leute auf mich zu, die mich nur berühren wollen. Sage ich: ›Was wollen Sie? Ich bin genau wie du und andere. Nur, *ich kann nicht weiterleben, als wäre nichts geschehen*, und ihr seid in der glücklichen Lage, daß ihr weiterleben könnt, ohne etwas in dieser Sache zu tun.‹ Ich bin aber diesen Leuten in einer Sache überlegen. Ich kann jedem ins Gesicht schauen. Ich treffe Leute, die mit mir zusammen waren, oder von denen ich wußte, daß sie sehr vieles mitgemacht haben. Wenn die mich sehen, wenden sie den Kopf ab, die wollen mich nicht sehen. Warum? Weil in meinem Blick eine Frage an diese Leute liegt: ›Was hast du gemacht?‹ Und wenn Leute unter ihnen religiös sind und Angst haben vor ihrem Tod, weil sie ja nach unserer Religion an ein Leben nach dem Tod glauben, dann werden sie die Leute treffen, die vernichtet wurden. Und davor haben sie Angst.«

»Worüber sich alle wundern: Normalerweise müßte doch einer ganz *versteinert* sein; aber wenn hier Zeugen kommen, mit denen ich spreche, weil ich einen Verbrecher gefunden habe, und die weinen, *dann weine ich mit*. Und für diese Tränen schäme ich mich nicht. Ich muß Ihnen etwas erzählen, das war ein Erlebnis. Wenn ich darüber spreche, dann sehe ich so vieles vor mir. 1963 wollte ich in Milano auf der Straße einen der Mitarbeiter von Eichmann verhaften, einen gewissen Rajakowitsch, der für die Juden in Holland zuständig war. Und während ich so Auslagen anschaue, treffe ich einen, der in Nürnberg Zahnarzt gewesen war. Wir haben uns unterhalten: ›Du mußt unbedingt Freitag abend zu mir kommen. Wie lange bleibst du?‹ Sage ich: ›Das wird sich ausgehen.‹ Wir trafen uns, mit noch einigen anderen, in einem religiösen Heim; Kerzen, Zeremoniell... Nach dem Essen erzählte mein Gastgeber den Leuten, daß er mich noch aus der Zeit kannte, in der ich Architekt war; und daß ich schöne Häuser gebaut habe.
Einer von denen besaß einen Juwelierladen, der andere hatte früher Kaffee geschmuggelt, von Italien nach Deutschland und was weiß ich. Und nun fragen die mich: ›Warum sind Sie nach dem Kriege nicht Architekt geworden? Die Juden hätten Ihnen Arbeit gegeben, und die Nichtjuden auch, allein schon, um einen *jüdischen* Architekten zu nehmen...‹ Und als Geschäftsleute begannen sie aufzuzählen, wieviel Millionen ich gemacht hätte. Da regt man sich auf, und es ändert sich gar nichts, es geschieht nichts.
Ich hörte mir das an und schaute so auf die Kerzen; ich saß so, daß die Flammen der Kerzen ineinander übergingen. In dieser Sekunde erinnerte ich mich an ein Bild aus dem Konzentrationslager Plaschow, wohin sie 1944 Leute gebracht haben, die erschossen und anschließend gleich verbrannt wurden. Ich sah so in die Flamme und sah Menschen, wie sie mit Genickschuß gleich in die Flammen hineingeworfen wurden. Und da höre ich nun von den Millionen. Schließlich meinte ich: ›Darf ich Ihnen etwas sagen?‹ – ›Ja bitte, sagen Sie.‹ – ›Sie glauben doch als religiöse Juden an die bessere Welt, in die wir nach dem Tode kommen.‹ – ›Ja‹, sagen sie, ›selbstverständlich!‹ ›Da werden wir vor diesen Millionen stehen, die auf diese Weise von uns gegangen sind: verbrannt. Und die werden uns anschauen, stumm, und werden dann fragen: Was habt ihr nach unserem Tode gemacht? Dann wirst du, mein Freund, sagen, du hast weitere Zähne gezogen, und Sie werden sagen, daß Sie einen Juwelierladen hatten, und Sie werden sagen, Sie

haben Kaffee nach Deutschland geschmuggelt. *Und ich werde sagen: ›Ich habe euch nicht vergessen*. Und in dieser besseren Welt, wenn sie existiert, da bin ich der Millionär, und ihr seid alle arme Leute.‹
Sie haben zu weinen begonnen.
Ich würde mir wie ein Deserteur vorkommen. Warum? Unser Büro ist das letzte in der Welt. Kann man ein letztes Büro schließen? Ich wurde am 31. Dezember 75. Ach, das waren Feierlichkeiten mit meinen Freunden in Amerika und so. Und jeder fragt: Wie lange noch? Sage ich: ›Ich habe zwei Bedingungen: Gott muß mir Gesundheit geben und meine Freunde Geld. Keine dritte Bedingung.‹«

Es ist furchtbar, wie das alles in Deutschland gerade vom Gerichtswesen, von der Justiz her verdrängt worden ist.

»Schrecklich.«

Immerhin haben Leute wie Wehner gegen die Verjährung gearbeitet.

»Wer die Verjährung verhinderte? Ich«

»Wissen Sie, wer letztlich die Verjährung verhindert hat? Simon Wiesenthal.
Ich hatte vor achtzig Parlamentsmitgliedern in Bonn einen Vortrag. Da kamen zwei aus der CSU zu mir und sagten mir: ›Herr Wiesenthal, Sie haben uns überzeugt. Aber Sie müssen mit Zimmermann oder mit Franz Josef Strauß sprechen, weil die von der CSU beschlossen haben, en bloc für die Verjährung zu stimmen.« Ich habe mich bei Franz Josef Strauß angemeldet.
Wir haben unser Gespräch mit einem Schlagabtausch begonnen. Strauß fragte, wieviel Millionen Deutsche umgekommen seien. Da sagte ich: ›Wollen Sie aufrechnen?‹ Hat er nicht geantwortet. Sage ich: ›Ich akzeptiere die Aufrechnung.‹ – ›Wie meinen Sie das?‹ – ›Ganz einfach: Sie werden mir sagen, wie viele Deutsche von den Juden umgebracht worden sind, vor Hitler, nach Hitler, und das werden wir abziehen von den sechs Millionen. Übrig werden noch genug bleiben.‹ Und dann habe ich ihm gesagt: ›Schauen Sie, wir sind beide Antikommunisten. Ich bin ein Antikommunist, weil ich gegen jede Diktatur bin, und Sie sind durch diese deutsche Situation ein Antikommunist und ein katholischer Politiker. Warum wollen Sie den Kommunisten ein so schönes Geschenk machen? In Form der Verjährung? Wissen Sie nicht, daß die Dokumente zurückhalten? Daß die

DDR auf mehrere hundert Ersuche deutscher Gerichte, um dort lebende Zeugen vernehmen zu dürfen, nicht einmal geantwortet hat, weil für sie jeder verurteilte Verbrecher ein verlorengegangener Trumpf ist?‹ Ich füge hinzu: ›Herr Ministerpräsident Strauß, wie werden Sie aussehen, wenn Ihre Leute für die Verjährung stimmen? Ein paar Wochen später wird man in Moskau zufällig Dokumente finden. Und dann habt ihr euch selber narkotisiert.‹
Aus der halben Stunde, die vorgesehen war, wurden zweieinhalb Stunden. Es war an einem Freitag, dem 13. März. Ich kann mich ganz genau erinnern. Wir sind sehr gut auseinandergegangen. Wir haben sogar beschlossen, uns später noch einmal zu treffen, um über andere Probleme zu sprechen. Er ist ein vernünftiger Mann. Nur, sein Gegner, sein Feind ist seine Zunge. Der Intellekt ist seine Stärke, aber die Zunge, wissen Sie, die macht vieles zunichte.«

Seit der Holocaust-Sendung von 1979 ist die Auseinandersetzung in Deutschland gerade unter jüngeren Demokraten wieder stärker geworden.

»Ich muß Ihnen etwas erzählen. Ich habe ja zu Millionen Menschen gesprochen, zu all den Studenten; ich gehe immer zu jungen Leuten, und ich habe ein gutes Verhältnis zu jungen Leuten und junge Leute zu mir. Mich hat die evangelische Kirche nach Stuttgart zu einem Vortrag eingeladen. Ich habe gesagt, ich will zu jungen Menschen sprechen. Aber nur zu jungen Menschen. Ja, es können alle jungen kommen, der Eintritt ist frei. Sage ich: ›Nein, kein freier Eintritt. Jeder kommt mit dem Geburtsschein. Er kann Einlaß finden, wenn er unter dreißig ist. Eine Reihe machen Sie für Ihre Prominenz.‹
Und so war es. Tausend junge Leute. Ich habe ihnen gesagt: ›Wer garantiert uns, wenn wir uns nicht selbst garantieren, daß sich dies nicht wiederholen wird? Ihr, ihr alle. Was war meine Antwort auf das heranziehende Böse? Genau wie ihr sein werdet, ihr seid ja auch völlig unvorbereitet, wie wir unvorbereitet waren.‹ Ich sage ihnen, ich habe noch nie vor einem schluchzenden Publikum gesprochen. Diese jungen Leute. Manche kamen so uniformiert wie die Rocker. Die einen haben wohl geglaubt, da kommt irgendein jüdischer James Bond und wird ihnen Abenteuergeschichten erzählen. Für die anderen bin ich eine Art von *Don Quichotte*.
Ich kann mich erinnern, ich bin einmal zu der ersten Versammlung Ende '63 gekommen, da war ein Kongreß der Résistance in Italien, in Turin. Da sagt mir ein Deutscher, Angehöriger des 20. Juli, der zum Tod verurteilt war – wir sind gute Freunde –: ›Wiesenthal, *du schaust*

so normal aus.‹ Sage ich: ›Mein lieber Freund, das ist die beste Tarnung.‹

Ich will Ihnen noch etwas erzählen. Meine Tochter hat einen Holländer geheiratet. Einen jüdischen Holländer. Nachdem ich keine Familie mehr hatte, hatten mich die Holländer nie vergessen. Die Hochzeit war '65, ich war schon drei Jahre mit Holland verbunden, wir hatten schon ein Büro in Holland, wir hatten viele holländische Freunde. Ich war der einzige Mann, mit dem der Bürgermeister von Amsterdam deutsch gesprochen hat. Ansonsten nur Englisch, obwohl sie Deutsch genauso gut sprechen wie alle anderen Sprachen. Er war der einzige. Ich habe zur Hochzeit meiner Tochter zwei Deutsche eingeladen: den Oberst Wolfgang Müller, der zum Tod verurteilt war, vom 20. Juli, und den Präsidenten der Deutschen Bundesbahn, Nazi, der mein Chef war, als ich vom Lager abkommandiert wurde. Warum? Auch ein Parteigenosse konnte mit einer weißen Weste aus dem Krieg kommen. Die Holländer waren baff. Die Hochzeit wurde im Fernsehen übertragen.

Ich habe gesagt: ›Schaut, die Welt ist so klein, unsere Kinder müssen mit den deutschen Kindern leben, und daher dürfen wir nicht verallgemeinern. Ich bringe Beweise, ich bringe zwei Deutsche. Der eine war Widerstandskämpfer gegen Hitler, der andere war Hitlers Diener. Aber er hat sich nicht befleckt. Widerstand ist nicht jedermanns Sache.‹ Wenn einer Familie hat, fällt's ihm vielleicht schwer zu sagen: ›Ich mache die Schweinerei nicht mit.‹ Wissen Sie, was der gemacht hat, wenn er gehört hat, daß einer seiner Untergebenen einen Juden geschlagen hat? Er hat ihn an die Front geschickt.

Man muß nicht nur predigen, sondern auch mit einem persönlichen Beispiel vorangehen. Schauen Sie, Albert Speer ist zu mir gekommen, nachdem er die erste Fassung der *Sonnenblume* gelesen hat, die bei Hoffmann und Campe erschienen ist. Er hat angerufen, ob er mich sprechen kann. Ich habe ja gesagt. Da meint er: ›Wir sind beide Architekten.‹ Sage ich: ›Herr Speer, wir haben in *verschiedenen Richtungen gebaut*, daher nicht darüber.‹ Schauen Sie, ich war in Nürnberg, Speer hätte leicht mit zehn Jahren davonkommen können, wenn er nur auf die Anklage geantwortet hätte. Er hat damals wenig gewußt. Er hat aber erklärt, zum Entsetzen seines Verteidigers, daß er als Mitglied der Regierung auch einen Anteil hat an all dem, was geschehen ist. Und da hat er zwanzig Jahre bekommen.

Ich habe gesagt: ›Aber andererseits, Herr Speer, wenn man in Nürnberg das alles gewußt hätte und hätte dokumentieren können, was man heute weiß, wären Sie mit dem Tod bestraft worden. Aber Sie

haben Ihre Schuld bekannt, Sie haben Ihre Strafe abgesessen, Sie haben ein Recht auf einen *Neubeginn*, für mich sind Sie ein neugeborenes Baby. Und ich weiß, es werden welche sein, die mir übelnehmen werden, daß ich Sie zu mir in die Wohnung eingeladen habe‹, ihn und seine Frau. Wir haben uns unterhalten wie Menschen. Warum? Weil *dieses Kapitel der Sühne ja vorbei war*. Aber er sagte mir immer wieder: ›Herr Wiesenthal, reden wir nicht vom Moralischen, ich fühle mich verurteilt.‹
Er schreibt ja über die Verbrechen, aber er schreibt nicht genug. Aber über seine Erfolge sehr viel. Gut, keiner kann aus seiner Haut.«

Antisemitismus in Österreich

»Von den *Salzburger Nachrichten* bin ich einmal aufgefordert worden, zu Weihnachten einen Artikel zu schreiben. Ich habe zugesagt – mit dem Thema: Wo steht der Jude in Österreich? Schauen Sie, zwischen unserer Generation und der anderen Generation ist ein Vorhang, gewebt von beiden Seiten: von den einen, *die nicht vergessen können, auch wenn sie es möchten*; und von den anderen, *die nicht erinnert werden wollen*. Dieser unsichtbare Vorhang zieht sich. Sie können viele nichtjüdische Freunde haben – wenn unsere Kinder mit den anderen Kindern in derselben Schule sitzen, ist das schon etwas anderes. Ich habe zum Punkt Antisemitismus in Österreich eine Geschichte genommen, die mir selber passiert ist. Damals ging es noch um Südtirol. Ich fahre im Zug von Zürich nach Linz. In Dornbirn steigt ein Mann ein, ich bin im Speisewagen, er setzt sich mir gegenüber, nimmt eine Zeitung 'raus und liest. Nach einer Weile sagt er zu mir: ›In Südtirol, das machen alles die Juden.‹ Sage ich: ›Wieso die Juden?‹ – ›Nun ja, weil die Juden überhaupt alles machen, alles, *überall sind die Juden*.‹ Ich schaue den jungen Mann an: ›Kennen Sie überhaupt Juden?‹ Sagt er: ›Nein, bei uns in Dornbirn gibt es keine.‹ – ›Haben Sie noch nie mit einem Juden gesprochen?‹ Sagt er: ›Soweit ich weiß, nicht.‹ Sage ich: ›Da irren Sie sich, ich bin Jude.‹ Der Mann schreit ›Zahlen‹ und läuft raus.
Ich wußte, in ganz Vorarlberg lebt ein einziger Jude, in Drehwitz. Da habe ich die Statistik über Autounfälle im Laufe des Jahres verlangt. Es waren 28 Tote. Da schreibe ich in dem Artikel: Ein Vorarlberger Antisemit hat eine 28fach höhere Möglichkeit, im Verkehr getötet zu werden, als einem in seinem Bundesland lebenden Juden zu begegnen.«

Das ist schon grotesk.

»Ja, das ist grotesk. Antisemiten brauchen keine Juden. Es genügt ihnen das *Phantom* eines Juden. In der Zeit, in der Kreisky mich angegriffen hat, gab es ganze Orgien. Da habe ich gesagt: Die Zeit, in der Juden vor Antisemiten flüchten, ist noch nicht vorbei.«

Ausblick

». . . daß wir zu einer wirklichen Demokratie beitragen«

Die erste Reise meiner Gesprächspartner ins Deutschland, Österreich oder auch Polen der Nachkriegszeiten hat den Emigranten vor Augen geführt: Ob sie es wollen oder nicht, sie *können* gar nicht aus der Geschichte »aussteigen«, wie erfolgreich sie ihr »zweites Leben« auch eingerichtet haben. Viele wagten es erst nach über zwanzig Jahren zurückzukommen: manche, wie Theodor Holdheim, warteten damit sogar fast ein halbes Jahrhundert. Es waren schwierige Stationen: wenn sie Räume betraten, die nicht mehr die ihren waren, sondern »Geisterstätten«; wenn sie Grabsteine im nicht mehr gepflegten orthodoxen Friedhof in Ost-Berlin suchten; wenn sie Gebäude, Plätze und Haustüren fanden, die zerstört oder bis zur Unkenntlichkeit entstellt waren oder – wie 1958 die Synagoge in der Fasanenstraße in Berlin-Charlottenburg – später noch weggesprengt worden waren.
Die erste Reise zurück war eine Reise auch in die Einsamkeit – ohne Freunde, Bekannte; im Mißtrauen gegen die, die vielleicht schuldig waren oder doch nichts unternommen hatten, als sie oder ihre Verwandten deportiert wurden. Was in ihrer Erinnerung lebendig war, hatte die Gegenwart beschwiegen, weggesprengt, kahlsaniert; die Kälte dieser Hygiene hielt sie häufig nur wenige Tage oder Wochen im Land.
Am meisten hat sie schockiert, daß eine Kriegsgeneration, die angeblich »nichts vergessen« hat, kaum Schuld oder Verantwortung auf sich genommen hat – und noch nicht einmal signalisierte, daß sie zumindest *verstand*. So fragte niemand während des Klassentreffens im Herbst 1982 nach, an dem eine unserer Gesprächspartnerinnen das erste Mal seit ihrer Flucht im November 1938 teilnahm. Das »Beschweigen« der Kriegsgeneration, die Verharmlosung des Nazitums kann zum Abbild vergangener Grausamkeiten werden – und die Opfer noch einmal in die Situation zurückzwingen, aus der sie einst flohen.
Die Erfahrung dieser Abwehr, sich mit der Vergangenheit auseinanderzusetzen, hat ihr Schweigen befestigt, häufig für lange Zeit. Es war ein Schweigen aus Verzweiflung, nicht aus Bequemlichkeit.
Ebenso wie um Enttäuschungen Deutschen gegenüber kreisten unsere Gespräche um aktuelle Fragen: Was passiert, wenn einer »Arbeitsgesellschaft« wie der unseren die Arbeit ausgeht? Wenn sich das

Projektionsventil »...raus« von neuem öffnet und staatlich legitimiert wird? Wenn ein »Antisemitismus ohne Juden« virulent bleibt – versteckt, indolent und verbissen hier, schamloser in Österreich – und vor allem durch öffentliche »Politik« virulent *gemacht* werden kann?

Beeindruckt hat mich in den Gesprächen die bei aller Besorgnis präsente Hoffnung, daß *wir* zu einer Demokratie beitragen, die den Menschen erlaubt, sich ohne Fremdenhaß, ohne Sicherheitswahn nach innen und außen zu erfahren. Beeindruckt hat mich eine Sehnsucht, die trotz »all des Vergangenen« auftaucht: nach dem Land der Kindheit, dem Land demokratisch-liberaler Aufklärung. Es ist eine Hoffnung, auf die zu antworten leicht wäre – und doch immer noch selten geantwortet wird.

Nachwort

Warum ich nachfragte

Warum ein persönliches Nachwort? Meine Gesprächspartner haben mich natürlich stets gefragt, warum mich ihre Erfahrungen interessieren. Ich habe darauf zu antworten versucht.[1] Aber ich glaube, daß ich eine genauere Auskunft über meine persönlichen Motive »schuldig« bin.

Sich über Kindheits- und Erwachsenenmuster auch der eigenen Entwicklung Gedanken zu machen, ist bei einem solchen Thema kein Exhibitionismus, sondern eine Frage der Redlichkeit. Wie kann ich erwarten, daß man auf meine Fragen antwortet, wenn ich selbst »mit geschlossenem Visier« frage?

Ich glaube, daß meinem Wissen-Wollen auch Motive zugrunde liegen, die aus meiner Lebensgeschichte kommen – Motive, die ich wohl mit vielen aus der jüngeren Generation oder aus meiner, der mittleren, teile.

Im November 1944 wurde ich in Schlesien geboren, woher mein Vater stammte. Ende Januar 1945 floh meine Mutter mit mir zu bäuerlichen Verwandten ins katholische Südoldenburg.

Dort bin ich in den »ruhigen« fünfziger Jahren aufgewachsen. Ich gehörte zu jenen, vor denen *die nationalsozialistische Zeit »beschwiegen«* (Lübbe) wurde. Wenn überhaupt, dann tauchte der Nationalsozialismus mehr in Gestalt fasziniert-erschütterter Kriegsberichterstattung auf: über die großen Erfolge an der »russischen Front«, die Organisationserfolge zumal; über die Härte des »Aug-um-Auge im Partisanenkampf« und den Weinkrampf des »Kameraden«, der seinen Freund neben sich zerfetzt sah. Beides stand unvermittelt nebeneinander: das Grauen und die Faszination, Macht und Ehre der Wehrmacht (im Gegensatz zu den Partei-»Bonzen«, die »nichts zeigten« an der Front), Ordnung, Präzision, Organisation; die Angst vor den Russen; die anfeuernden Reden Goebbels'; der Haß gegen die Polen – und eine gleichsam verschwiegene und doch präsente Todeserfahrung.

Von den Gefahren des Bolschewismus erfuhr ich mehr als von der

[1] Erste Antworten habe ich in einer früheren, kürzeren Version bei der Veröffentlichung dreier Gespräche formuliert und an eine Reihe meiner späteren Gesprächspartner verschickt. Ihre Nachfragen habe ich hier aufzunehmen versucht.

Ermordung der Juden oder von der Judenfeindschaft der zwanziger Jahre.

In jener Gegend Schlesiens zum Beispiel, in der ich geboren worden bin, gab es Ghettos, die zu betreten man gefährlich fand. Und im Südoldenburgischen, wo ich aufgewachsen bin, galt der einzelne jüdische Viehhändler als eigentlich sehr fair – das Vorurteil von dem »Juden« aber existierte weiterhin: »Die witten (weißen: nichtjüdischen) Juden sind viel schlimmer als die richtigen Juden«, so hieß es. Schon gar nicht erfuhr ich als Kind davon, daß just in der Kreisstadt, in der ich aufs Gymnasium ging, eine Nebenstelle des KZ Esterwegen bestand. Mehr als zehn Jahre später wurde ich bei einem Besuch in einem Konzentrationslager darüber belehrt.

Bis vor wenigen Jahren wußte ich nicht, daß ein männlicher Verwandter durch seine Tätigkeit in den Hermann-Göring-Werken in Kattowitz *alles* von Auschwitz wußte. Auch nicht, daß eine andere Verwandte in Mittelschlesien hinter verhangenen Fenstern hat sehen können, wie rund 40 Juden abtransportiert wurden. Ebensowenig hatte ich gewußt, daß sich ein anderer im christlich-kritischen Kreis am gleichen Ort konspirativ traf.

Das bäuerlich-konservative Milieu meiner Verwandten mütterlicherseits hielt standhaft an seiner Distanz zum Nationalsozialismus fest und pochte auf Religionsfreiheit. (Im Dorf, aus dem meine Mutter stammt – wie überhaupt in Südoldenburg –, lag die NSDAP mit einem Stimmenanteil von weit unter zwanzig Prozent unter den ohnehin niedrigen Werten katholisch-ländlicher Gegenden im Deutschen Reich während der Märzwahlen '33.)

Als Lehrerin in einem nordoldenburgischen Ort reagierte sie mit Empörung, als sie observiert und bedrängt wurde, doch statt des sonntäglichen Gottesdienstes Parteikulturarbeit zu verrichten. Sie war fassungslos, als sie vom Schicksal eines entfernten Verwandten erfuhr, eines jungen Bauernsohns: Bloß weil er verliebt im Dorf ein wenig verrückt spielte, wurde er abgeholt. Vier Wochen später war er tot. Als Todesursache wurde offiziell »Herzversagen« angegeben – eine nicht unübliche Umschreibung für »Euthanasie«.

Wo wenig Chancen zur wirklichen Auseinandersetzung bestanden, so viel geschwiegen und so wenig gesagt wurde, ist es nicht überraschend, daß ich mich an kaum etwas so deutlich erinnere wie an die Lektüre des Tagebuchs von Anne Frank, das ich mit vierzehn las. Und da sie zum Verlieben aufforderte, war ich untröstlich, daß ich ihre Ermordung nicht ungeschehen machen konnte. Es war die früheste –

und wohl wichtigste – Konfrontation mit dem Nationalsozialismus Hitlers. Allerdings konnte ich es nicht bewußt damit zusammenbringen, daß die Mörder zur älteren Generation gehörten. Es mag sein, daß diese Identifikation mit Anne Frank durch Kränkungen verstärkt worden ist: Als »Flüchtling« gehörte ich nicht so ganz zu der dörflichen Gemeinschaft, und in der weiteren Verwandtschaft war ich wenig anerkannt. Ich habe in dieser Zeit alles verschlungen, was ich an Schriften zum Widerstand im väterlichen Bücherschrank oder in Buchläden auftreiben konnte: Von dem furchtlosen Auftreten des in meinem Heimatort geborenen Kardinal Graf von Galen bis zu Graf von Stauffenberg, der Weißen Rose und Dietrich Bonhoeffer. Sie waren in meiner Vorstellung als 13- und 14jähriger die Ritter, die Menschen wie Anne Frank zu retten versucht hatten. Im katholischen Religionsunterricht gab es heftige Diskussionen um das moralische Recht zum Tyrannenmord.
Ich erinnere mich auch an eine beeindruckende Geschichte: Aus der Gegend, in der ich aufwuchs, waren viele mit Treckern und Kutschen zur »Versammlung« gefahren, um mit Tausenden anderer Südoldenburger das katholische Kreuz gegen das unchristliche Hakenkreuz in den noch heute konfessionellen Schulen zu verteidigen. Sie hatten Erfolg: den Gauleiter Röver vertrieben sie regelrecht aus der Münsterlandhalle Cloppenburg. Unter lauten Buhrufen verschwand er vorzeitig durch den Hinterausgang. Wenn die Bauern herausgefordert werden, wie meine Mutter später sagte, »halten sie zusammen wie Pech und Schwefel. Und man kann ja nicht alle ins KZ einsperren.« Wenn es an die Religion ging, stand die »katholische Gesinnungsfront«, wie Walter Dirks die damaligen Motive vieler Katholiken umschreibt; ihren konservativ-bäuerlichen Kampf um Religionsfreiheit führten sie dickköpfig.
So war es doch aufregend und erhebend, wenn ich als Kind jeden Sonntag an der Statue des »Löwen von Münster« vorbeikam. (Sein Wahlspruch hatte gelautet: *Nec laudibus – nec timore.*) Von seiner Bischofskanzel hatte er gegen die Euthanasie, leider nicht gegen die Ermordung der Juden, gestritten. Meinen Vater beeindruckte das so sehr, daß er noch spät als kleine Sensation von Galens Abschriften berichtete, die er im Schützengraben gelesen habe und die ihn beeindruckt hätten. Die Verwandten mütterlicherseits hatten ohnehin mit dem »Pack« spätestens dann nichts (mehr) im Sinn, als die Brutalität der Euthanasie auch ihr Dorf erreicht hatte.
Später war es dann vor allem das Gymnasium: Camus, Böll, Kafka, Borchert, Axel Eggebrecht, der so sehr geschätzte Dürrenmatt, der

Linkskatholik Walter Dirks – und dann Kennedys Appell zur *Zivilcourage*, ein Schlüsselwort während meiner Gymnasialzeit. Dürrenmatts *Besuch der alten Dame*, Max Frischs *Andorra*, sein *Biedermann und die Brandstifter* und auch Büchners *Woyzeck* hatten für mich alle mit dem einen zu tun: Sie begehrten auf gegen Isolierung, Diskriminierung und tödliche Verletzung der Schwachen, des Außenseiters. Als verhüllte Anklagen gegen den Nationalsozialismus beschäftigten mich diese Stücke sehr – und doch blieb die Auseinandersetzung mit ihnen in der Schule eigentümlich blaß. Woran das gelegen haben könnte, deutete unser geschätzter Deutschlehrer anläßlich der 20jährigen Abiturfeier an: Als der Eichmannprozeß in Jerusalem stattfand, hatte er im Lehrerzimmer zwar heftigste Auseinandersetzungen mit einem immer noch naziorientierten, kriegsverletzten Lehrer gehabt – aber vor der Klasse dazu geschwiegen.
Meine, unsere große Empörung in der *Studentenbewegung* über den Muff von »tausend Jahren« hängt, glaube ich, mit der Vorgeschichte zusammen: Wir reagierten verspätet auf das Verheimlichen und »selektive« Erinnern in den fünfziger Jahren. Insofern hat das Verhalten der älteren Generation unsere Reaktion mitgeprägt.
In diesen späten, verspäteten Jahren der Pubertät rückte die Auseinandersetzung mit der Generation der Eltern, vor allem der Väter, zunehmend in den Mittelpunkt. Nicht selten selbstgerecht, konfrontierten wir sie mit Fragen über Fragen. Und nicht nur mit Fragen, sondern in gleicher Weise mit sicheren Urteilen. Zum Glück stellten sie sich, wenn auch erst nach heftigen Auseinandersetzungen. Mal begründeten sie ihr Engagement für die Adenauerdemokratie und gegen die Studentenbewegung damit, »Bewegungen« machten verführbar, wie sie dies selbst erlebt hatten; mal nahmen sie abwehrende Aufrechnungen vor, die Kurt Wolff »Bilanzmoral« genannt hat: »Die Russen haben auch ... und vor allem die Polen ...« So gaben sie den Vorwurf dem Ankläger zurück. Es war ein klassischer und doch durch *diese* Geschichte zugespitzter Generationenkonflikt, der für mich die Bedeutung der *Studentenbewegung* aufgeladen hat.
Zu 5000 hatten wir gegen den Freispruch Rehses demonstriert. (Rehse war der einzige Richter am Volksgerichtshof, der verurteilt – und dann wieder freigesprochen wurde.) Die Notstandsgesetze nannten wir schlicht und falsch »NS-Gesetze«, die Polizei faschistisch und die USA wegen Vietnam »SA-SS«.
Daß die Studentenbewegung für mich eine solche Bedeutung gewann, hängt aber auch mit dem 2. Juni 1967 zusammen, an dem ich zum erstenmal überhaupt an einer Demonstration teilnahm. Ich war

über die Schrecken des Schahregimes in Teach-ins informiert worden, ein Freund hatte mich aus einem Demokratieseminar am Otto-Suhr-Institut gelockt. So ging ich hin – und lief durch halb Charlottenburg um mein Leben, die Gewalt der Polizei vor Augen, die Schüsse in der Krummen Straße in den Ohren. Mich packte ohnmächtige Wut. Unklar empfand ich, daß der brutale Schutz eines menschenverachtenden Regimes und die Verweigerung eines angemessenen Protestes dagegen mit der Geschichte zu tun hat, die vor uns beschwiegen worden war.

So wurde der 2. Juni zum Auslöser. Aber was mich motivierte, war die Gier der fünfziger Jahre in Deutschland, wieder Position zu gewinnen; was gewesen war, ließ sie als Nicht-Ereignis in der dunklen Vergangenheit verdämmern. Im Rückblick erscheinen diese fünfziger Jahre mit ihren Sogformeln wie ein Alptraum: Man benimmt sich wieder! »Wiederaufbau«, »Wiederaufrüstung«, »Wiedervereinigung«... Wieder, Wieder... eng, streng, voller Ordnungsformeln zur Bewältigung des Alltags. Wieder – als ginge es nicht um ein Nie-mehr, Niewieder, als müßte nicht etwas Neues versucht, neu angesetzt werden. Die »Wonnen der Gewöhnlichkeit« (Thomas Mann) lockten. Hatte jemand etwas Unrechtes gewollt? Der werfe den ersten Stein. Die Bundesrepublik hätte ein steiniges Land sein müssen. Aber wer will ein steiniges Land?

Die Empörung richtete sich gegen die Glätte, mit der die NS-Zeit konfliktlos »überwunden« worden war.

Wie anders läßt sich die Wut erklären, mit der ich der Kriegsgeneration in Gesprächen (und Aktionen) ihre Schuld vorhielt, während ich mich auf der *anderen*, guten Seite der Moral wähnte? Und doch bescheinigte ich der Kriegsgeneration nur ihre Unfähigkeit, ihre Abwehr und Panzerung zu durchbrechen und Verantwortung auf sich zu nehmen – und verfestigte sie. Da meine Eltern mich nun einmal streng erzogen hatten, kriegten sie auch meinen Eifer ab. Ich ließ die Chance aus, von ihren Erfahrungen zu hören und damit zu klären, was aus ihren Erfahrungen zu lernen ist.

Während wir der älteren Generation die Schuld vorhielten, glaubten wir uns auf der anderen, guten Seite der Moral und errangen mit hehrem Pathos leichte Siege. Was den Faschismus *als* Nationalsozialismus ausmachte, hielten wir uns vom Leibe, vor allem das, *was ihn vorbereitete*: das Klima von Faszination und Terror, von Männlichkeit, Tapferkeit *und* Mitleidlosigkeit, die Zerstörung alles Liebevollen und Zärtlichen. Deshalb konnten wir es damals auch nicht ansehen. Es lag verspätete Wut und abstrakte Moral in unserer Reaktion

auf die ältere Generation, auf ihr Verhalten in der NS-Zeit und ihr Verheimlichen danach. Es hat mit dieser Abgrenzung und *abstrakter Moral* zu tun, daß wir in politischen Demonstrationen den Ort historischer Schuld von uns wegrückten: *Wir wollten keine Erben sein!*
Gleichsam im Sprung aus der Geschichte wollten wir die Verhältnisse hier und per Fernidentifikation auch die übrigen Verhältnisse aller Länder umbauen. Jedenfalls sprachen wir so. Erst nach dem Scheitern dieser Allmachtsphantasien konnten wir uns mit der Erbschaft auseinandersetzten: mit historisch-politischer Schuld und gegenwärtiger Verantwortung.
Eine historische Schuld verpflichtet uns, aus der nationalsozialistischen Herrschaft Konsequenzen zu ziehen – auch daraus, daß diese Herrschaft überhaupt *möglich* war. Die nationalsozialistische Gefahr ist ein Dauer-Menetekel: So etwas konnte geschehen, so etwas kann, zeittypisch verändert, wieder geschehen. Darum ist alles zu tun, wozu wir jeweils in der Lage sind, um zu begreifen und Verhältnisse einzurichten, die diese Gefahr bannen.
Im Sommer 1982 wurde mir klar, was die abstrakte Gleichsetzung Israel = Zionismus = Imperialismus eigentlich für beide Seiten bedeutet und wie folgenreich sie ist. Es ist nicht mehr und nicht weniger als die Abstraktion davon, daß Israel für die Juden, die haben überleben können, zur Zufluchtstätte wurde – und dies auch dann, wenn sie in andere Länder emigriert waren. Es verlangt schon einiges an Verleugnung, Zionismus und Holocaust abgetrennt voneinander wahrzunehmen...
»Holocaust«, »Völkermord«, »Gaskammer = Napalm«, »Araber: Juden der Juden« – so und ähnlich hieß es als Reaktion auf die aggressive Begin-Politik.
Diese Gleichsetzung läßt bei allem, was erschütternd an der unverhohlen aggressiven Politik der Regierung Begin war, völlig außer acht, daß es sich um historisch ganz und gar unvergleichliche Situationen handelt – und daß sie im Fall der Geschehnisse im Libanon eben auch auf eine quasi permanente Kriegssituation zurückgeht. Man hält sich mit einer solchen Gleichsetzung die Entsetzlichkeit des Geschehens in der Geschichte des *eigenen* Landes vom Leibe, entbindet sich davon. So schrecklich diese politischen Aktionen sind – und vor allem die Verbrechen an den Menschen in Sabra und Schatila –, so schrecklich vereinfachend ist es, dies der Mordmaschinerie der Nazis anzugleichen und damit »die Juden« den Nazis. Tatsächlich herrschte in jenem Sommer bis weit in die Linke hinein eine aggressive Stimmung, wie sie sich etwa in Leserbriefen in der taz niederschlug. Gegen

sie kamen andere Leserbriefe zunächst nicht an; meiner wurde erst gar nicht abgedruckt.
Es fällt offensichtlich auch uns, der nicht direkt beteiligten Nachkriegsgeneration schwer, ein Erbe in persönlicher Verantwortung zu übernehmen, das sehr kränkend ist und einen immer erneut fassungslos hinterläßt, wenn man sich ihm stellt.
Wie damals die »Wiedergutmachung« durch Ent-Schuldungszahlungen den »Wiederaufbau« und das »Beschweigen« moralisch entlasten und absichern sollte, so passiert in der Gleichsetzung Hitler = Begin die Wiederangleichung der anklagenden Opfer an die »Normalität« der Deutschen, die sich die Schuld nicht eingestehen.

»Man muß um jeden Preis Auschwitz aus dem Gedächtnis auslöschen wollen, um einen solchen Vergleich (Begin = Hitler) anzustellen.« So formulierte es A. Finkielkraut, ein französischer Jude aus der Nachkriegsgeneration.

Es kommt hinzu, daß mit der Abtrennung von der Geschichte sich in die Empörung gegenüber der israelischen Aggression leichter als sonst ein Antisemitismus mischt, den der Massenmord an den Juden keineswegs mitvernichtet hat. Zur gleichen Zeit, als in Deutschland die Leserbrieftiraden Wellen schlugen, fielen Menschen einem von jüdischen Freunden in der Woche zuvor vorausgeahnten Attentat in der Rue des Rosieres in Paris zum Opfer; ein Zettel, den kaum jemand bemerkt und auf dem für Freiheit und gegen Terror geworben wird, weist an der Tür des getroffenen jüdischen Restaurants auf die neu belebte und bei älteren wie jüngeren Juden zu spürende Sorge hin, nicht nur isoliert zu sein, sondern auch gefährdet.

Am 5. Mai 1985 mußte ich einen großen Bogen um eine Radrennrallye in Charlottenburg machen, um noch an dem Gedenken in Plötzensee teilnehmen zu können. Von vielleicht 800 Teilnehmern waren weit über die Hälfte Juden, die da am Morgen des 5. Mai gegen die Entehrung der Opfer in Bergen-Belsen und Bitburg mit weißen Rosen demonstrierten.
Eine nahe Freundin war per Telefon von B‘nai B‘rith auf die Veranstaltung aufmerksam gemacht worden und hatte mich ihrerseits informiert. Sie selbst hatte nicht gehen wollen. Die Veranstaltung war bedrückend. Ich fühlte mich ohnmächtig gegenüber der erdrückenden Präsenz der staatlichen TV-Inszenierung, vor allem aber gegenüber meinen Freunden, nichtjüdischen wie jüdischen. 1982 hatte ich geahnt, daß die Gleichsetzung Libanonkrieg = Holocaust exkul-

piert; nun erfuhr ich, daß ich als Deutscher aus Scham zu schweigen hatte; auf das andere Deutschland zu verweisen, das an *diesem* Tag nicht präsent war, wäre unehrlich gewesen. Ich hatte erkennen müssen, daß sich die Welt (wieder) in zwei Welten getrennt hatte: in die Welt der kaltherzigen TV-Inszenierung zur nationalen Versöhnung und die Welt der wenigen, die es durch die Lager nach Berlin verschlagen hatte: »displaced« persons, die mit ihren Kindern eigentlich nie wirklich angekommen waren, nie eingeladen waren anzukommen und an diesem Tag *daran* erinnert wurden. Sie gehörten nicht hierher. Die sichtbar gemachte unsichtbare Mauer der Geschichte schloß sie aus.

Die Politik, die Institutionen, die Öffentlichkeit, linke Demokraten haben darauf kaum unmittelbar reagiert; zum Teil taten sie es verzögert. Gewiß, Weizsäcker sprach in den darauffolgenden Tagen, die Grünen fuhren nach Auschwitz, die SPD hatte in Nürnberg eine Erinnerungsveranstaltung, die Aktion Sühnezeichen gedachte in der Paulskirche – aber unmittelbar am gleichen Tag? Kaum.

Die Jahre seither haben die Bedeutung des 5. Mai 85 bestätigt: Die »schlimme« Vergangenheit wird weiter plombiert. Damit öffnet sich zugleich immer mehr die Schere zwischen der Erinnerung der einen an die Opfer und dem Druck auf Vergebung, Vergessen und Aussöhnung bei den anderen. »Ich verstehe nicht, daß es immer noch Menschen gibt, die nicht vergeben können«, meinte Bundeskanzler Helmut Kohl in einem Fernsehinterview vor dem Bitburg-Zeremoniell. Wie können ihm die Menschen, die er meint, *das* vergeben?

Ein wirklicher Dialog zwischen Deutschen und Juden ist in den letzten Jahren nicht gerade leichter geworden. Geschichtsverantwortung und eine nicht nur duldende Toleranz – das wären die beiden Mindestbedingungen für ihn. Vorläufig verstrickt er sich immer noch allzuoft im Bemühen, auf beiden Seiten Gute und Böse zu unterscheiden. Damit stochert er erneut ungerührt in Wunden herum, die nicht verheilt sind.

Literaturverzeichnis

Ansprenger, Franz: Juden und Araber in einem Land. München 1978.

Ben-Sasson, Haim-Hillel: Geschichte des jüdischen Volkes. Bd. 1–3. München 1980.

Brecht, Karen u. a. (Hg.): »Hier geht das Leben auf eine sehr merkwürdige Weise weiter...«. Zur Geschichte der Psychoanalyse in Deutschland. Katalog zur gleichnamigen Ausstellung. Hamburg 1985.

Brumlik, Micha: »Zum Demokratiebegriff in Romantik und Idealismus«, in: Schneider, Karl-Heinz/Simon, Nikolaus (Hg.): Antisemitismus und deutsche Geschichte. Schriftenreihe des DIAK (Deutsch-Israelischer Arbeitskreis für Frieden im Nahen Osten). Berlin 1985.

Bühler, Michael: Erziehung zur Tradition – Erziehung zum Widerstand. Berlin 1986.

Coser, Lewis A.: Refugee Scholars in America. New Haven 1984.

Erikson, Erik H.: Kindheit und Gesellschaft. Frankfurt am Main 1950.

Ders.: Jugend und Krise. Frankfurt am Main 1968.

Ders.: Identität und Lebenszyklus. Frankfurt am Main 1968.

Ders.: Gandhis Wahrheit. Frankfurt am Main 1969.

Eschwege, Helmut: Kennzeichen »J.«. Berlin 1981.

Flechtheim, Ossip K.: Hegels Strafrechtstheorie. Brünn 1936.

Ders.: Die Kommunistische Partei Deutschlands in der Weimarer Republik. Offenbach am Main 1948.

Ders.: Die deutschen Parteien seit 1945. Berlin/Köln 1955.

Ders.: Weltkommunismus im Wandel. Köln 1965.

Ders.: Futurologie – Der Kampf um die Zukunft. Köln 1971.

Ders.: Von Marx bis Kolakowski – Sozialismus oder Untergang in der Barbarei? Köln/Frankfurt am Main 1978.

Friedländer, Saul: Auftakt zum Untergang. Hitler und die Vereinigten Staaten von Amerika 1939–1941. Stuttgart 1965.

Ders.: Pius XII. und das Dritte Reich. Eine Dokumentation. Hamburg 1965.

Ders.: Kurt Gerstein oder die Zwiespältigkeit des Guten. Gütersloh 1965.

Ders.: Some Aspects of the Historical Significance of the Holocaust. Jerusalem 1977.

Ders.: Wenn die Erinnerung kommt. Stuttgart 1979.

Ders.: Kitsch und Tod. Der Widerschein des Nazismus. München 1984.

Funke, Hajo: Antisemitisches Vorurteil in Deutschland. Versuch einer politisch-psychologischen Interpretation, in: Jahrbuch des Salomon-Ludwig-Steinheim-Institut. Duisburg 1990.

Ders.: »Bitburg und ›Die Macht der Juden‹«, in: Schoeps, Julius H./Silbermann, Alphons (Hg.): Antisemitismus nach dem Holocaust. Köln 1986.
Ders. (Hg.): Von der Gnade der geschenkten Nation. Zur politischen Moral der Bonner Republik. Berlin 1988.
Ders.: (Hg.): Frieden jetzt. Zu Geschichte und Arbeit der Israelischen Friedensgruppen. Frankfurt am Main 1988.
Gilbert, Felix: Bismarckian Society's Image of the Jew. Leo Baeck Memorial Lecture 22. New York 1978.
Gilbert, Martin: Endlösung. Reinbek 1982.
Ginzel, Günter Bernd (Hg.): Auschwitz als Herausforderung. Heidelberg 1980.
Grab, Walter: »Zur Dialektik von Nationalidee und Demokratie«, in: Funke, Hajo/Neuhaus, Dietrich (Hg.): Auf dem Weg zur Nation? Schriftenreihe des DIAK, Frankfurt am Main 1988.
Ders.: »Der preußisch-deutsche Weg der Judenemanzipation«, in: Bantz, F. J. (Hg.): Geschichte der Juden. München 1983.
Ders.: Ein Volk muß seine Freiheit selbst erobern. Frankfurt am Main/Olten/Wien 1984.
Hillberg, Raul: Die Vernichtung der europäischen Juden. Berlin 1982.
Hillgruber, Andreas: Zweierlei Untergang. Berlin 1986.
Jäckel, Eberhard: Hitlers Herrschaft. Stuttgart 1986.
Jäckel, Eberhard/Rohwer, Jürgen (Hg.): Der Mord an den Juden im Zweiten Weltkrieg. Frankfurt am Main 1987.
Jahoda, Marie: Wieviel Arbeit braucht der Mensch? Weinheim/Basel 1983.
Jahoda, Marie/Ackermann, N.: Antisemitism and Emotional Disorder. New York 1950.
Jahoda, Marie, u. a.: Die Arbeitslosen von Marienthal. Frankfurt am Main 1975.
Jucovy, Milton/Bergmann, Martin S.: Generations of the Holocaust. New York 1982.
Keilson, Hans: Das Leben geht weiter. Frankfurt am Main 1933.
Ders.: Sequentielle Traumatisierung bei Kindern. Stuttgart 1979.
Kestenberg, Judith S.: Rachel M's. Metapsychological Assessment, in: Jucovy, Martin/Bergmann, Martin S., op. cit.
Lowenfeld, Henry: »Die Geburt einer nationalen Religion«, in: Die Neue Weltbühne, Prag 1933.
Löwenthal, Leo: Mitmachen wollte ich nie. Frankfurt am Main 1980.
Ders.: Falsche Propheten. Studie zum Autoritarismus. Frankfurt am Main 1981.
Ders.: Schriften Band 1–5. Frankfurt am Main 1980–1987.
Löwenthal, Leo/Guterman, Norbert: Agitation und Ohnmacht. Neuwied und Berlin 1966.
Löwenthal, Richard: Chruschtschow und der Weltkommunismus. Stuttgart 1963.

Ders. (Paul Sering): Jenseits des Kapitalismus. Berlin/Bonn 1977.
Mosse, Werner/Paucker, Arnold (Hg.): Deutsches Judentum in Krieg und Revolution 1916–1923. Tübingen 1971.
Mosse, Werner/Paucker, Arnold (Hg.): Entscheidungsjahr 1932. Zur Judenfrage in der Endphase der Weimarer Republik. Tübingen 1965.
Müssener, Helmut: Exil in Schweden. München 1974.
Offenberg, Mario: Adass Jisroel. Die jüdische Gemeinde in Berlin (1869–1942). Vernichtet und Vergessen. Berlin 1986.
Reichmann, Eva: Flucht in den Haß. Frankfurt am Main 1956.
Richarz, Monika: Jüdisches Leben in Deutschland, Bd. 1–3. Stuttgart 1976, 1979, 1982.
Simon, Ernst: Aufbau im Untergang. Jüdische Erwachsenenbildung im nationalsozialistischen Deutschland als geistiger Widerstand. Tübingen 1959.
Ders.: Brücken. Gesammelte Aufsätze. Heidelberg 1965.
Ders.: Entscheidung zum Judentum. Essays und Vorträge. Frankfurt am Main 1980.
Stern, Carola: In den Netzen der Erinnerung. Reinbek 1986.
Walk, Joseph (Hg.): Das Sonderrecht für die Juden im NS-Staat. Karlsruhe 1981.
Wiesenthal, Simon: Die Sonnenblume. Frankfurt am Main/Berlin 1984.